ERIC VAN LUSTBADER

DIE UNGLÄUBIGEN

THRILLER

Aus dem Amerikanischen
von Ronald Gutberlet

WILHELM HEYNE VERLAG
MÜNCHEN

Die Originalausgabe FIRST DAUGHTER
erschien 2008 bei Forge, New York.

Verlagsgruppe Random House FSC-DEU-0100
Das für dieses Buch verwendete
FSC®-zertifizierte Papier *Holmen Book Cream*
liefert Holmen Paper, Hallstavik, Schweden.

Vollständige deutsche Erstausgabe 08/2012
Copyright © 2008 by Eric Van Lustbader
Copyright © 2012 der deutschsprachigen Ausgabe
by Wilhelm Heyne Verlag, München,
in der Verlagsgruppe Random House GmbH
Printed in Germany 2012
Umschlaggestaltung: Nele Schütz Design, München,
unter Verwendung eines Motives von © iStock
Satz: Greiner & Reichel, Köln
Druck und Bindung: GGP Media GmbH, Pößneck
ISBN 978-3-453-43424-0

www.heyne.de

Für meinen Vetter David, in Liebe und Zuneigung.
Und für mein Kind, das ich verloren habe …

20. JANUAR

Alli Carson saß auf dem Rücksitz der gepanzerten Limousine, eingezwängt zwischen Sam und Nina, ihren Leibwächtern vom Secret Service. Es waren noch drei Tage bis zu ihrem zwanzigsten Geburtstag. Heute jedoch sollte ihr Vater zum Präsidenten der Vereinigten Staaten ernannt werden, deshalb hatte sie keine Zeit, sich Gedanken um mögliche Geschenke oder gar eine Feier zu machen.

Im Augenblick drehte sich alles um ihren Vater. Die Amtseinführung von Edward Carson, dem ehemaligen Senator von Nebraska, war feierlich genug. Sogar sie selbst hatte sich für die Medienberichte und Meinungsumfragen interessiert, in denen es hieß, ihr Vater sei der erste Präsident, der mit massiver Unterstützung der afroamerikanischen Bevölkerung gewählt worden war. Diese Stimmen waren das Ergebnis einer Kampagne der gut geölten Wahlmaschinerie ihres Vaters in Zusammenarbeit mit der mächtigsten religiösen und politischen Vereinigung der schwarzen Bevölkerung, dem Renaissance Mission Congress. Ihrem Vater war es gelungen, sich als einigende Kraft darzustellen; er hatte seinen Wahlkampf ganz im Zeichen von Aussöhnung und Konsensbildung geführt und sich in den Kirchen des RMC als Hoffnungsträger feiern lassen.

Persönliche Belange mussten im Augenblick hintanstehen. Die feierliche Ernennungszeremonie war vom zuständigen Ausschuss des Kongresses minutiös durchgeplant worden und der Ablauf des heutigen Tages für alle Beteiligten mit großem Stress verbunden.

Nachdem die Regierung des Landes acht Jahre lang in den Händen von Dilettanten gelegen hatte, sollte nun eine neue Ära der amerikanischen Politik beginnen. Zum ersten Mal würde ein gemäßigter Republikaner Präsident sein, ein Mann, der in wirtschaftlichen Dingen konservativ war, in anderen Bereichen aber fortschrittlich dachte, wie zum Beispiel in der Abtreibungsfrage oder was die Gleichberechtigung der Frauen betraf. Diese Ansichten teilten nicht alle seine Parteifreunde und dürften ihm auch Konflikte mit der religiösen Rechten bescheren, aber das war nicht weiter schlimm. Die jungen Leute hatten ihn gewählt, die Spanisch sprechende Bevölkerung und die Afroamerikaner, die endlich eine angemessene Rolle in der Gesellschaft spielen wollten. Massenweise hatten sie für Edward Carson gestimmt. Sie sahen in ihm nicht nur einen charismatischen Führer, sie waren auch mit seinen Ansichten und Argumenten einverstanden. Alli musste zugeben, dass ihr Vater nicht nur intelligent, sondern auch überaus charmant war. Trotzdem gehörte er zu einer Spezies, die sie verachtete – zu den Politikern.

Alli versuchte erst gar nicht, durchs Fenster nach draußen zu spähen. Die getönten, kugelsicheren Scheiben ließen die Welt nur schemenhaft erkennen. Hier drinnen saß sie bequem auf dem weichen Polster des Rücksitzes. Dezente Leuchten an der Seite erhellten das Innere des Wagens, und ihre blassen Hände hoben sich deutlich von dem dunkelblauen Lederpolster der Rückbank ab. Dichtes kastanienbraunes Haar rahmte ihr ovales Gesicht mit den ausdrucksvollen grünen Augen ein. Ihre Nase war übersät von Sommersprossen, die so fein waren wie Sandkörner und ihre hübschen Gesichtszüge unterstrichen. Es sagte einiges aus über ihre Persönlichkeit, dass sie diesen kleinen Makel nicht mit Make-up überdeckte.

Ein Gefühl der Beklemmung hatte sich in ihrer Magengegend ausgebreitet. Sie hatte den Fahrer gebeten, ihren iPod an die Stereoanlage anzuschließen. Nun dröhnten verzerrte Gitarren, wummernde Bässe und der durchdringende Gesang einer Band namens Kill Hannah in ihren Ohren.

»Ich will ein Kennedy sein«, sang Mat Devine, und Alli musste darüber lachen. Wie oft schon hatte man ihr diese Fragen gestellt: »Sind die Carsons die neuen Kennedys? Sind Sie die politische Dynastie der Zukunft?«

Alli hatte immer geantwortet: »Soll das ein Witz sein? Ich bin doch keine Kennedy. Ich will nicht so jung sterben!« Das hatte sie immer wieder gesagt, in Nachrichtensendungen und in Late-Night-Shows im Fernsehen. Einmal war sie sogar bei *Saturday Night Live* als Caroline Kennedy verkleidet aufgetreten. Solche Scherze hatten glücklicherweise niemanden in ihrer Familie aus der Fassung gebracht. Die Carsons verfügten über eine gute Portion Humor.

Sie bogen auf die Constitution Avenue ab und fuhren Richtung Capitol. Dort fand traditionell die Vereidigung des neuen Präsidenten und seines Stellvertreters statt.

»Was ist mit Random House?«, fragte Nina unvermittelt von rechts. Sie musste laut sprechen, um die Musik zu übertönen.

»Was soll mit denen sein?«, fragte Alli zurück.

Sam lehnte sich von links ein Stück herüber und erklärte: »Sie möchte wissen, ob du den Vertrag unterschreibst.«

Sam trug einen dunklen, klassisch geschnittenen Anzug, ein weißes Hemd und eine quer gestreifte Krawatte. Seine braunen Haare waren schon schütter, er hatte freundliche Augen und war groß und kräftig gebaut. Irgendetwas an ihm erinnerte an einen Mönch. Nina hingegen hatte ein längliches, eher düster dreinblickendes Gesicht mit einer scharf geschnittenen Nase und große blaue Augen. Sie trug ein anthrazitfarbenes Kostüm aus Kammgarn und Schuhe mit niedrigen Absätzen. Ihre hellblaue Bluse war vollständig zugeknöpft. Beide trugen Ohrstöpsel und konnten per Funk mit ihren Kollegen in der Eskorte des Präsidenten Kontakt aufnehmen.

»Die Memoiren der Tochter des Präsidenten, na ja. Aber heutzutage ist es anscheinend eine besondere Auszeichnung, wenn man sich von der Öffentlichkeit in den Schmutz ziehen lässt.« Alli lehnte den Kopf zurück. »Die Geschichte meines aufregenden Lebens, na klar, die möchte jeder lesen. Ich wüsste selbst gern, welche Skandalgeschichten darin vorkommen, über die sich die Leute dann das Maul zerreißen.«

»Sie wird den Vertrag nicht unterschreiben«, sagte Nina über Allis Kopf hinweg zu Sam.

»Meinst du wirklich?«, fragte Sam mit gespieltem Sarkasmus. Dann huschte ein seltenes Lächeln über sein pockennarbiges Gesicht. »Wahrscheinlich hast du recht. Sie ist schließlich keine Paris Hilton.«

»Immerhin hat Paris Hilton es geschafft, selbst zu bestimmen, was über sie veröffentlicht wird – sie ist nicht bloß ein Opfer der Medien«, sagte Alli. »Anstatt sie zu bekämpfen, hat sie sich die Klatschmedien zu ihren Dienern gemacht. Sie kontrolliert, was man über sie veröffentlicht, das ist wirklich cool.«

»Du willst Nina doch nicht blamieren, oder?«, fragte Sam stirnrunzelnd. »Du wirst diesen Vertrag doch nicht wirklich unterschreiben, oder?«

Alli zog einen Flunsch. »Du kannst ja darauf wetten.« Es gefiel ihr gar nicht, dass andere glaubten, ihr Verhalten im Voraus zu kennen.

Die Limousine bog nach rechts auf die Pennsylvania Avenue ab, fuhr durch eine Unterführung und erreichte die Straße, die ringförmig um das nach allen Seiten ausladende Capitol führte.

Ein anderes Lied erklang, »Neon Bible« von Arcade Fire, so laut, dass das Innere des Wagens erzitterte. Alli bemerkte, dass sie Sams Hände anstarrte. Es waren breite, schwielige, irgendwie einschüchternde Hände, die sie an Jack McClure erinnerten. Sie spürte einen Stich im Herzen und ein Gefühl der Beklemmung, so als würde sich ein dunkler Schleier über sie herabsenken. Aber dann verschwand das Gefühl so schnell, wie es gekommen war, und wich einem Zustand vollkommener Konzentration. Alli nahm die Welt um sich herum so deutlich wahr, als würde sie sie durch ein Teleskop betrachten.

Der Wagen rollte langsam auf das Capitol zu. Durch das getönte Glas der Limousine starrte sie auf die hin und her wogende Masse von Würdenträgern, Politikern, Sicherheitsleuten, Militärs, Presseleuten, Berühmtheiten und Fotografen.

Sie bemerkte ihre eigene körperliche Anspannung und fragte: »Wo ist Jack?«

»Mein alter Kumpel wurde abkommandiert«, sagte Sam. Aber irgendetwas in seiner Stimme klang beunruhigend.

»Er sollte doch zu meinem Schutz hier sein«, sagte sie. »Mein Vater hat es mir versprochen.«

»Kann schon sein«, sagte Nina.

»Du weißt ja, wie das so läuft, Alli«, sagte Sam, während er sich nach vorn beugte und nach dem Türöffner griff, während sie auf einen Parkplatz rollten.

»Nein, das weiß ich nicht«, sagte sie. »Darüber weiß ich gar nichts.« Mit einem Mal spürte sie, wie ein unklares Gefühl der Angst von ihr Besitz ergriff. Und da war auch wieder dieser dunkle Schleier in ihrem Kopf. »Ich möchte mit meinem Vater sprechen.«

»Dein Vater hat zu tun, Alli«, sagte Nina. »Das weißt du doch.«

Ihre Angst verwandelte sich in Wut. Nina hatte ja recht, das wusste sie, aber genau deswegen fühlte sie sich so hilflos. »Dann sag mir wenigstens, wo Jack jetzt ist«, verlangte sie. Ihre grünen Augen glänzten im Schein der Innenbeleuchtung. »Und rede dich nicht raus, dass du es nicht weißt.«

Nina warf Sam einen Blick zu. Er nickte.

»Tatsächlich wissen wir nicht, wo Jack ist«, sagte Nina.

»Er ist heute Morgen nicht zum Dienst erschienen«, ergänzte Sam.

Alli spürte, wie ihr das Herz bis zum Hals schlug. »Habt ihr denn nicht nach ihm gesucht?«

»Natürlich haben wir Nachforschungen angestellt«, sagte Sam.

»Die Wahrheit ist …« Nina machte eine Pause. »… dass

er ganz einfach verschwunden ist. Wir konnten ihn nirgends finden.«

Alli hätte am liebsten laut aufgeschrien. Nervös drehte sie den Ring aus Gold und Platin zwischen ihren Fingern. »Ihr müsst ihn suchen«, sagte sie knapp. »Ich will ihn bei mir haben.« Aber gleichzeitig wurde ihr die Aussichtslosigkeit ihres Wunsches klar. Jack war fort. Wenn der Secret Service ihn nicht fand, würde niemand ihn finden.

Sam lächelte sie ermutigend an. »Jack hat uns ausgewählt, um auf dich aufzupassen. Du musst dir also keine Sorgen machen.«

»Alli, es wird Zeit«, drängte Nina sanft.

Sam öffnete die Wagentür und stieg nach draußen in den fahlen Schein der Januarsonne. Alli hörte ihn in sein Mikrofon flüstern. Dann horchte er auf Instruktionen in seinem Ohrhörer.

Nina rutschte zur Tür und fasste Alli am Ellbogen. Alli strich sich den Rock des Kostüms glatt, das ihre Mutter ihr extra für diesen Anlass gekauft hatte. Es war aus blauem Tweed mit einem leichten Anflug von Grün und passte sehr gut zur Farbe ihrer Augen. Wenn sie sich an der Uni so kleiden würde, würde man noch Jahre später darüber lästern. Zweifellos würde ihr Bild in allen Zeitungen und auf allen Nachrichtenkanälen zu sehen sein. Sie schüttelte sich. Dieses dumme Kostüm war unbequem und viel zu warm. Wie immer hatte sie nur ganz wenig Make-up aufgelegt – so sehr wollte sie sich dann doch nicht anpassen –, und ihre Fingernägel waren so kurz geschnitten wie bei einem Mann.

Sam nickte, und Nina zog sie aus dem warmen, schützenden Innern der Limousine in die winterliche Kälte.

Rechts und links der Bühne, auf der die Ernennung stattfinden sollte, standen die Kapellen der Marine und der Air Force bereit. Der Sprecher des Repräsentantenhauses, der die Zeremonie mit einer einleitenden Rede eröffnen würde, war schon anwesend. Neben ihm erkannte sie Reverend Dr. Fred Grimes, der die Ernennung und die Vereidigung vornehmen würde, außerdem waren da noch zwei Sängerinnen der Metropolitan Opera, die zwischen den offiziellen Teilen einige Arien singen sollten. Sie sah den Vizepräsidenten und seine Familie und bemerkte ihren Vater, der sich gerade mit dem Sprecher des Repräsentantenhauses unterhielt, während ihre Mutter mit leicht gesenktem Kopf leise auf Grimes einredete, der den zukünftigen Präsidenten und seine Frau einst getraut hatte.

Dann stürmten Massen von Menschen auf sie ein, Stimmen umtosten sie, Mikrofone wurden auf sie gerichtet, und Hunderte von Fotoapparaten klickten. Es klang, als würde sie inmitten einer großen Wiese stehen, auf der unzählige Grillen zirpten. Sam und Nina bahnten ihr rigoros den Weg durch das Gedränge und schoben sie die Stufen zur Bühne hinauf. Dort oben war alles mit amerikanischen Flaggen geschmückt, und in der Mitte des Podiums stand das Pult mit dem blau-goldenen Emblem des Präsidenten der Vereinigten Staaten.

Sie gab ihrer Mutter einen Kuss, als diese sie umarmte; ihr Vater drehte sich kurz um und lächelte.

Ihre Mutter fragte: »Na, geht's dir gut?«, und war schon wieder weg.

»Ja, mir geht's gut«, sagte sie reflexartig und wunderte sich gleichzeitig darüber. Sie erschauerte bei einer Windböe. Dann begann die Kapelle der Marine mit dem ersten

Stück, und sie steckte ihre Hände in die tiefen Taschen ihres Mantels.

Die Sonne warf einen blassgoldenen Glanz auf die Gesichter der einflussreichsten Männer der westlichen Welt. Alli trat einige Schritte näher zu ihrem Vater, und er lächelte sie erneut an. Es war dieses »Ich bin stolz auf dich«-Lächeln, das bedeutete, dass er sie gar nicht wirklich wahrnahm.

Als die letzten Takte der Fanfare verklangen, betrat der Sprecher des Repräsentantenhauses das Podium. Hinter ihm erhob sich die Fassade des Capitols, das Symbol der Regierung und der Freiheit der Nation. Die Kuppel glänzte und erschien wie eine Verkörperung von Edward Carsons Verheißung von einer neuen, grandiosen Zukunft. Zwischen den vom blassen Sonnenlicht beschienenen Säulen bauschten sich drei mächtige Sternenbanner sanft im Wind.

Alli hatte die Naht in ihrer Manteltasche gefunden und trennte sie mit den Fingern auf, bis sie in einen Zwischenraum fassen konnte. Darin fand sie eine dort versteckte Glasampulle. Wie in einem Traum umfasste sie diese, behielt sie aber in der Tasche. In ihrem Kopf lief ein Countdown ab. Sie würde bis hundertachtzig zählen und dann die Kapsel öffnen, in der sich ein speziell für diese Gelegenheit vorbereitetes Anthrax-Gemisch befand, bestehend aus kleinen bernsteinfarbenen Körnchen.

Wie aus der Büchse der Pandora würde sich der Tod daraus erheben.

ERSTER TEIL

VIER WOCHEN VORHER

EINS

Das blasse Licht der Wintersonne legte einen leichten Schimmer auf die schwarze Karosserie des Ford Explorer, der sich auf der Kiesauffahrt dem Portal eines prächtigen Anwesens aus der Kolonialzeit näherte. Die grell strahlenden Scheinwerfer des gepanzerten Fahrzeugs strichen über die Gruppe der wartenden Journalisten, die neben den wuchtigen Säulen des Eingangs standen und dem Wagen erwartungsvoll entgegenblickten. Alle reckten sich nach vorn, konnten aber hinter dem getönten, kugelsicheren Glas nichts erkennen. Die Crews der TV-Übertragungswagen hatten ihre Satellitenantennen überall auf dem Rasen verteilt. Die Sicherheitsleute waren durchweg junge Männer mit Kurzhaarschnitt und breiten Gesichtern aus Texas, Iowa und Nebraska, die aussahen, als seien sie extra für diesen Job gezüchtet worden.

Der Wagen stoppte abrupt. Ein Agent des Secret Service sprang aus der hinteren Tür, drehte sich um und musterte die wartenden Reporter, während hinter ihm der Präsident der Vereinigten Staaten ausstieg. Der Präsident nahm die Backsteinstufen zum Eingang hinauf. Die Tür ging auf, ein vornehm aussehender Herr trat heraus und streckte ihm die Hand entgegen. Im gleichen Augenblick rückte die Meute der Medienleute nach vorn und die Reporter zogen einen Schwanz von Assistenten und Technikern hinter sich her. Nun folgte ein Blitzlichtgewitter, und aus zahllosen Kehlen wurden Fragen gerufen, es klang wie das Krächzen eines Schwarms aufgeschreckter Krähen.

Ein Reporter setzte sich an die Spitze des Tumults, das Mikrofon in der ausgestreckten Hand. Er schrie seine Frage so laut er konnte, um sich von dem Lärm der anderen abzuheben. Niemand hatte ihm bis dahin Beachtung geschenkt. Plötzlich drückte er einen Knopf, seine Mikrofonattrappe fiel auseinander, und mit einem Mal hielt er ein Klappmesser in der Hand. Sofort stürzten sich die Sicherheitsleute auf ihn. Er wurde entwaffnet und zu Boden gerungen, bevor er den Präsidenten erreichen konnte. Einer der Leibwächter versuchte den Präsidenten eilig durch die geöffnete Tür zu schieben, nachdem der elegante Herr, dem der Besuch des Präsidenten galt, im Innern verschwunden war.

Nun waren Schüsse zu hören. Der Sicherheitsmann, der dicht hinter dem Präsidenten stand, versuchte, ihn mit seinem breiten Rücken abzuschirmen, doch zu spät. Drei rote Male zeichneten sich auf dem Revers des Präsidenten ab.

»Ich wäre also tot«, stellte der echte Präsident fest, während er mit den für ihn typischen kurzen Schritten die Eingangshalle der Villa durchquerte, um das Ergebnis der Übung zu begutachten.

Neben ihm tauchte Dennis Paull auf, der Chef des Heimatschutzministeriums, der sich das Trainingsprogramm der Secret-Service-Leute angesehen hatte. »Das ist eine bedauerliche Auswirkung des Wahlkampfes. Der Secret Service war gezwungen, zusätzlich zweihundertfünfzig Männer einzustellen, um die Kandidaten zu schützen.

Wir hatten nicht genug Zeit, sie so umfassend auszubilden, wie es nötig gewesen wäre.«

Der Präsident verzog das Gesicht. »Ich will nur hoffen, dass keiner von denen zu meiner Truppe gehört.«

»Das würde ich niemals zulassen, Sir.«

Der Präsident war ein großer Mann mit silbergrauen Haaren, der die typische Aura eines Machtmenschen verströmte. Er hatte viele Konkurrenten bezwungen, in der Heimat und auch im Ausland. Der Heimatschutzminister war ein untersetzter, bärtiger Mann mit großen, schneckenhausartigen Ohren. Er genoss das vollste Vertrauen des Staatsoberhaupts und war sein wichtigster Berater. Mindestens einmal pro Woche, meist aber zwei- oder dreimal, trafen sie sich, um ganz unter sich zu sein. Dann besprachen sie die immer schwierigere politische Situation sowie knifflige Probleme, von denen sonst niemand etwas erfuhr.

Schweigend traten sie durch die Eingangstür der Attrappe, die die Villa im Kolonialstil darstellte, nach draußen auf die Veranda, wo sich der Agent, der den Präsidenten gespielt hatte, gerade wieder aufrichtete. Die rote Farbe hatte sein Jackett und sein Hemd ruiniert, aber ansonsten war er unverletzt geblieben. Sein »Angreifer« kam über den Rasen auf ihn zu. In der Hand hielt er ein Gewehr, das sich bei näherem Hinsehen, als eine Pathfinder-Büchse zum Abfeuern von Farbpatronen entpuppte.

»Wer etwas Bestimmtes erwartet, kommt um«, donnerte der Ausbilder vom Secret Service. »Die Theorie vom einsamen Attentäter ist total antiquiert. Heutzutage sind die Angreifer vernetzt, wir müssen uns auf Gruppen einstellen, die eine genau einstudierte Attacke durchführen. Die sind perfekt organisiert und ausgebildet.«

Während die Angehörigen der Secret-Service-Truppe eine abschließende Einsatzbesprechung – es war eher eine vernichtende Kritik – über sich ergehen lassen mussten, folgten der Präsident und der Heimatschutzminister den Sicherheitsleuten, die Paull höchstpersönlich ausgesucht hatte, auf die Kiesauffahrt. Sie waren hier in Beltsville in Maryland, in einem versteckt liegenden Zentrum des Secret Service, weit weg vom Tagesgeschäft und den Leuten, die dabei mitmischten. Weit und breit gab es keine neugierigen Augen und Ohren.

»Genau das hatte ich befürchtet«, sagte der Präsident. »Deshalb wollte ich bei der Übung auch dabei sein. Wenn ich mich in vier Tagen mit dem russischen Präsidenten treffe, möchte ich absolut sicher sein, dass meine Leute auf alles vorbereitet sind, egal, welche Taktik A-Zwei sich zurechtgelegt hat.«

»Die letzte Erklärung von A-Zwei bestand aus einer Auflistung aller Sünden unserer Regierung: Lügen, Wahrheitsverzerrungen, Zwangsmaßnahmen und Erpressungen«, sagte Paull. »Sie haben auch jede Menge Beweise ausgegraben über unsere Verbindungen zu den großen Ölkonzernen und zu bestimmten privaten Sicherheitsunternehmen. Wir haben darauf reagiert, indem wir unsere üblichen Kanäle in den Medien und unsere Experten dazu aufgerufen haben, diese Anklageschrift als das Produkt geisteskranker, linksradikaler Sektierer darzustellen.«

»Sie sollten die Fähigkeiten dieser Organisation nicht unterschätzen«, warnte der Präsident. »Es sind Terroristen, und sie sind verdammt clever.«

»Das Wichtigste an dieser Erklärung ist jedenfalls, dass darin kein Attentat angekündigt wird.«

Der Präsident schnaubte verächtlich. »Würden Sie ein Attentat auf den Präsidenten ankündigen?«

»Sir, darf ich Sie darauf aufmerksam machen, dass Terroristen es in erster Linie darauf anlegen, die geordneten Verhältnisse durcheinanderzubringen. Gerade deswegen wäre es durchaus in ihrem Sinne, eine geplante Gewalttat im Voraus anzukündigen.«

Der Lärm der Abschlussbesprechung der Secret-Service-Leute war abgeebbt. Hinter ihnen stand die verlassene Hausattrappe, bereit für den nächsten Einsatz. Die ledernen Sohlen ihrer Schuhe knirschten auf dem Kiesweg, als sie sich einer Lichtung zwischen den Eichen- und Kastanienbäumen näherten, die die Zufahrt säumten.

»Der Sicherheitsdienst kann es wirklich besser«, stellte Paull fest, denn er wusste genau, was der Präsident von ihm hören wollte. »Und er wird es das nächste Mal garantiert besser machen.«

»Das will ich sehr hoffen«, sagte der Präsident.

Über ihnen zwitscherte ein Vogel auf einem Ast. Noch weiter oben zogen weiße Wolken träge über den Himmel. Es war noch früh am Morgen, dennoch war es nicht neblig. Die Luft war klar, und alles glänzte wie frisch poliert. Sie folgten dem Weg um eine Kurve und waren nun ganz allein – abgesehen von den Leibwächtern, die ihnen in angemessenem Abstand folgten.

»Dennis, darf ich Sie mal etwas Persönliches fragen – wie geht es Louise?«

»Den Umständen entsprechend gut«, sagte Paull sachlich.

»Wird sie mich erkennen, wenn ich sie besuche?«

Paull schaute zu dem Vogel auf dem Ast über ihm, der Vogel flog davon. »Ehrlich gesagt, Sir, weiß ich das nicht. Manchmal glaubt sie, ich sei ihr Vater, nicht ihr Ehemann.«

Der Präsident fasste den Arm seines Ministers und drückte ihn mitfühlend. »Ich möchte sie trotzdem besuchen, Dennis. Heute noch.«

»Aber Ihr Terminkalender ist voll. Sie müssen sich auf das Treffen mit Präsident Yukin vorbereiten.«

»Ich krieg das schon hin. Sie ist eine großartige Frau. Ich weiß, dass sie innerlich gegen ihr Schicksal ankämpft. Wir sollten uns ein Beispiel an ihrem Mut nehmen.«

»Vielen Dank, Sir. Ihr Mitgefühl bedeutet uns beiden sehr viel.«

»Martha und ich beten jeden Abend für sie, Dennis. Wir denken immer an sie. Ihr Leben liegt in Gottes Hand.«

Sie gingen jetzt auf ein aus Stein errichtetes Landhaus zu, der Kies knirschte unter ihren Sohlen. Die Secret-Service-Agenten folgten ihnen diskret.

»Sprechen wir über Yukin.«

Der Präsident schüttelte den Kopf. Sie gingen schweigend weiter. Nachdem der Präsident ihn aufgefordert hatte, öffnete Paull die Tür des Häuschens, und sie gingen hinein. Ihre Prätorianer bezogen draußen Stellung.

Der Präsident knipste das Licht an. Innen war es eng, die Decke niedrig. Das Steinhaus war ein Überbleibsel der alten Bebauung des Grundstücks. Es diente inzwischen als Unterstand für höhere Dienstgrade des militärischen Geheimdienstes, die regelmäßig hier auf dem Gelände Übungen abhielten. Der Raum war schlicht eingerichtet, dunkelbraune Farbtöne und Schwarz herrschten vor. Vor einem Kamin standen ein Ledersofa und mehrere Sessel. Auf einem rustikalen Sideboard reihten sich verschiedene Alkoholika in Kristallkaraffen, an den Wänden hingen Gemälde mit historischen Szenen. Auf dem Holzboden lag kein Teppich.

Es war kühl, und die beiden Männer behielten ihre Mäntel an.

»Yukin ist der dreckigste Lügner, den es je gegeben hat«, sagte der Präsident mit gehässigem Unterton. »Es geht mir richtig auf die Nerven, dass ich die ganze Zeit nett zu ihm sein muss, aber heutzutage dreht sich ja alles nur noch um Rohstoffe, Öl, Erdgas und Uran. Die Russen besitzen das alles in rauen Mengen.« Er schaute seinen Minister an. »Was wollten Sie mir also mitteilen?«

Der Präsident brauchte einen Ansatzpunkt für sein bevorstehendes Gespräch mit Yukin, und Paull war damit beauftragt worden, ihm in dieser Hinsicht etwas zu besorgen. »Innerhalb der Geheimdienste ist bekannt, dass Yukins Mitarbeiter allesamt aus dem früheren KGB kommen, wo sie bereits unter seiner Führung gedient haben. Nicht bekannt ist allerdings, dass der Chef der neu gegründeten staatlichen Firma RussOil einmal Yukins persönlicher Fachmann für Attentate gewesen ist.«

Der Präsident hob ruckartig den Kopf und schaute seinen Vertrauten mit bohrendem Blick an. Es war der Gesichtsausdruck, der ihm zum Wahlsieg verholfen hatte und mit dem er den britischen Premier und Frankreichs Staatspräsident in Bann geschlagen hatte. »Mikilin! Haben Sie Beweise dafür?«

Paull zog einen schwarzen Hefter aus der Innentasche seines Mantels. An der rechten oberen Kante war ein roter

Streifen zu sehen, der darauf hinwies, dass der Inhalt aller-höchster Geheimhaltung unterlag. »Das sind die Früchte von sechs Monaten harter Arbeit. Ihre Ahnung hat sich als richtig erwiesen.«

Der Präsident ging die Papiere durch und lächelte dabei vor sich hin. »Also hat Mikilin persönlich die Vergiftung eines ehemaligen KGB-Agenten angeordnet, weil dieser eine Kopie von Mikilins KGB-Akte in London an den Meistbietenden verkaufen wollte.« Zufrieden schlug er mit dem Handrücken auf den Ordner. »Damit habe ich Yukin – und Mikilin – genau da, wo ich sie haben will.«

Er steckte den Hefter ein und schüttelte Paull die Hand. »Das haben Sie großartig gemacht, Dennis. Ich bin Ihnen sehr dankbar für Ihre Unterstützung, vor allem in diesen Tagen, wo meine Amtszeit zu Ende geht.«

»Ich misstraue und verachte Yukin genauso sehr wie Sie, Sir. Es wird Zeit, dass wir ihn in die Schranken verweisen.« Paull deutete auf eine Büste von Präsident Lincoln. »Apropos, haben Sie meinen Bericht über China gelesen?«

»Noch nicht. Den habe ich mir für den langen Flug aufgehoben.«

»Ich wäre Ihnen sehr dankbar, wenn wir jetzt schon darüber reden könnten, Sir. In China sind eine Menge neuer Entwicklungen im Gang. Das Regime in Peking hat sich vom Kommunismus verabschiedet, um sich auf dem globalen Markt zu etablieren, aber die Machthaber wagen nicht, sich ganz offen zum Kapitalismus zu bekennen. Nun fehlt ihnen die ideologische Rechtfertigung für ihr Handeln, und damit haben sie ein Problem. Mao hat ihnen nämlich eingebläut, dass nur eine einzige Ideologie dieses große Land mit den vielen verschiedenen Bevölkerungsgruppen einigen kann. Unsere China-Experten sind nun der Ansicht, dass die Chinesen sich für eine neue Ideologie entschieden haben, für eine Art nationalistischen Atheismus.«

»Das klingt ja völlig monströs«, sagte der Präsident. »Das müssen wir im Keim ersticken.«

»Unsere China-Experten sind besonders besorgt, dass die Installierung einer neuen Ideologie in Peking mit einigen gravierenden Änderungen in der politischen Ausrichtung einhergehen könnte – vor allem was Taiwan und eine mögliche Invasion dort betrifft. Deshalb sollten Sie dieses Thema unbedingt beim Gespräch mit Yukin zur Sprache bringen. Er ist nicht daran interessiert, dass Pekings Einfluss noch größer wird.«

»Vielen Dank, Dennis. Peking wird eins meiner Hauptthemen sein, wenn ich mir Yukin vorknöpfe.« Der Präsident schob den Vorhang beiseite und warf einen Blick durchs Fenster nach draußen. »Meine Prätorianergarde«, sagte er.

»Die Besten, die wir haben«, stimmte Paull zu.

»Aber was ist, wenn es vorbei ist?«, murmelte der Präsident vor sich hin. »Was passiert, wenn ich in einundzwanzig Tagen die Macht an diesen gottlosen Edward Carson übergebe?«

»Entschuldigen Sie, Sir, aber laut unseren Informationen gehen Edward Carson und seine Frau jeden Sonntag in die Kirche.«

»Alles nur Tarnung.« Der Präsident schürzte die Lippen, wie er es immer tat, wenn er den Überblick verlor. »Dieser Mann hat sich für die Förderung der Stammzellenforschung starkgemacht, Stammzellen von Föten!« Er erschauerte. »Was kann man von so jemandem schon erwarten? Er ist für die Abtreibung, befürwortet die Ermordung von hilflosen, unschuldigen kleinen Menschen. Wer soll sie beschützen, wenn wir es nicht tun? Und das ist erst der Anfang. Er versteht nicht, worum es geht. Er versteht nicht, dass gleichgeschlechtliche Ehen das moralische Fundament unserer Gesellschaft untergraben. Damit wird die Heiligkeit der Familie in Frage gestellt, auf der sich Amerika gründet.« Der Präsident schüttelte den Kopf und zitierte Yeats: »»Welch rohe Bestie ... kriecht jetzt nach Bethlehem und lässt sich dort gebären?‹«

»Sir ...«

»Nein, nein, Dennis, es ist gut möglich, dass er einer von diesen Neuen Amerikanischen Säkularisten ist oder einer von diesen A-Zwei-Terroristen.« Er machte eine zornige Geste. »Diese missionarischen Eiferer, die sich allen Ernstes etwas auf ihren Unglauben einbilden. Wo zum Teufel kommen die nur alle her?«

Paull war um Haltung bemüht, wie immer. Niemand in der Regierung traute sich, dem Präsidenten schlechte Neuigkeiten mitzuteilen, weshalb ihm stets der Schwarze Peter zugeschoben wurde. Das war das tödliche Schwert, das an einem seidenen Faden über seinem Haupt schwebte. »Das wissen wir leider nicht, Sir.«

Der Präsident wandte sich wieder seinem Minister zu. »Dann finden Sie es heraus, verdammt noch mal! Dafür sind Sie doch da, Dennis. Wir müssen dieses Krebsgeschwür so schnell wie möglich ausmerzen, denn das sind nicht bloß irgendwelche Atheisten, sondern Verräter in den eigenen Reihen. Atheisten haben in unserer Geschichte, Gott sei Dank, nur wenig Unheil angerichtet. Sie kennen ihren Platz, sie wissen, dass sie nur außerhalb der Grenzen unserer gottesfürchtigen Gemeinschaft existieren können. Schließlich sind wir eine christliche Nation, habe ich recht?« Der Präsident kniff die Augen zusammen. »Aber diese Mistkerle hören einfach nicht auf, von einer angeblichen Schlechtigkeit religiöser Gefühle zu faseln und sich dabei auf die Schultern zu klopfen, weil sie einen Kampf gegen das führen, was sie für theologischen Hokuspokus halten. Lieber Gott, wenn das kein Zeichen dafür ist, dass der Teufel bereits mitten unter uns weilt, dann weiß ich nicht, was es sonst sein soll!«

»Die Zeit ist um, Sir.« Wie so oft war es die Aufgabe von Paull, den Präsidenten wieder auf den Boden der Tatsachen zurückzubringen, damit die dringenden Probleme gelöst werden konnten. »Bis heute ist A-Zwei vollkommen unsichtbar geblieben, wohingegen die Neuen Säkularisten und ähnliche nichtextremistische Organisationen …«

»Nicht extremistisch?«, unterbrach ihn der Präsident zornig. »Das ist die Fünfte Kolonne des Teufels, die sind alle extremistisch. Gottverdammt, Dennis, ich werde niemals zulassen, dass wir uns Terroristen im eigenen Land heranzüchten. Die müssen ausgeschaltet werden, und zwar so schnell wie möglich.«

Der Präsident vergrub die Hände in seinen Manteltaschen und starrte zur Decke. Paull kannte diesen Blick. Er hatte ihn in den letzten Jahren des Öfteren wahrgenommen – immer dann, wenn wieder einer der Berater des Präsidenten die Regierung verlassen oder der politische Feind die Mehrheit im Kongress übernommen hatte, weil immer mehr Missmut über die Außenpolitik des Präsidenten aufkam. Dem Präsidenten war das alles egal, er ließ sich nicht beirren. Er war schon so lange tief in seiner Bunkermentalität versunken, dass Paull sich nicht mehr erinnern konnte, wann es einmal anders gewesen war. Der Präsident ging in seiner Wagenburg auf und ab, zählte die noch übrig gebliebenen Getreuen und weigerte sich, irgendetwas an seiner Politik zu ändern. Warum sollte er auch? Er war ja fest davon überzeugt, dass er legitimiert war, weil er den Willen Gottes ausführte. »Ich bin der Fels in der Brandung«, sagte er oft. »Ich bin fest und stark und unbeweglich.« Seit einiger Zeit nannte er sich selbst den »einsamen Wächter«.

»Wenn ich mir vorstelle, dass bald Weihnachten ist«, stöhnte der Präsident. »Die Zeit läuft uns davon. Aber denken Sie immer daran, Dennis, dass die Zeit uns zum Narren hält.«

Der Präsident krallte sich in die Lehne des Sofas, als sei sie der Hals seines schlimmsten Widersachers. »Seit acht Jahren versuche ich Amerika aus dem Sumpf der Unmoral zu ziehen, in den die vorherige Regierung das Land gestoßen hat. Acht Jahre lang habe ich mich gegen die schlimmste Gefahr gestemmt, die uns je bedroht hat. Wenn es nötig war, mit der ganzen Macht, die mir mein Amt zur Verfügung stellt, das Land zur Umkehr zu zwingen, damit es sich endlich wieder auf seine Wurzeln besinnt und in seine Rolle als aufrechte christliche Nation zurückfindet.« Er sah jetzt wirklich aus, wie der Letzte der Gerechten. »Aber was ist der Dank für das alles, Dennis? Weiß jemand zu schätzen, wie viel harte Arbeit ich leisten muss? Weiß die Presse das zu würdigen? Nein. Stattdessen hagelt es Proteste, werde ich in der linken Presse erniedrigt, und auf YouTube sind blasphemische Videos über mich zu sehen. Hat denn niemand verstanden, dass ich all diese Anstrengungen nur unternehme, um die Nation zu retten? Weiß denn niemand, wie wichtig mir meine Hinterlassenschaft ist?« Er rieb sich mit der Hand über den Nasenrücken. »Aber eines Tages werden sie es verstehen, Dennis. Sie werden noch an meine Worte denken, eines Tages wird die Geschichtsschreibung mir Gerechtigkeit widerfahren lassen.« Er schaute seinen Begleiter an. »Ich habe Amerika in eine Festung verwandelt, in eine feste Burg gegen den Ansturm der islamischen Terroristen. Aber nun müssen wir uns darauf konzentrieren, die Verräter im Inneren zu bekämpfen. Ich werde nicht zulassen, dass sie auch nur eine Handbreit an Boden gewinnen, das verspreche ich Ihnen!« Um seine Aussage zu bekräftigen, nickte der Präsident ein paar Mal vor sich hin.

»Und nun wollen wir beten.« Er kniete sich auf den Boden, und der Minister folgte seinem Beispiel. Sie senkten den Kopf, falteten die Hände und pressten sie gegen die rot gestreiften Krawatten vor ihrer Brust. Das einfallende Sonnenlicht ließ das dichte dunkle Haar des Präsidenten aufschimmern. *Meine Haare sind längst schon weiß geworden, und mein Bart ist grau. Ich spüre, wie das Gewicht der Welt auf mir lastet,* dachte Paull. *Man hofft auf Größe und hat doch nur Angst davor, Fehler zu machen, davor, dass einen der gesunde Menschenverstand im entscheidenden Moment im Stich lässt, und dann ist einem der Tod mit einem Mal einen Schritt voraus. Ach Herr, wenn du nur wüsstest. Seit wir an die Macht gekommen sind, sind wir ein ganzes Jahrhundert gealtert, wir alle, nur er nicht. Heute sieht er jünger aus als zum Zeitpunkt seiner Amtseinführung.*

»O Herr, wir bitten dich, uns in dieser Stunde beizuste-
hen, damit wir unseren Aufgaben weiterhin nachgehen
können und die Flut aufhalten können, die alles zu er-
tränken droht, was wir in den vergangenen acht Jahren in
harter Arbeit erreicht haben.«

Es folgte ein Moment des Schweigens, ehe die beiden
Männer sich wieder erhoben. Bevor sie das Haus verlie-
ßen, hielt der Präsident den Minister am Ärmel fest und
sagte leise, aber bestimmt: »Dennis, wenn ich am zwanzigsten Januar zurücktreten muss, möchte ich, dass alles
gut vorbereitet ist, damit wir die Macht im Kongress und
in den Medien zurückgewinnen können.«

Paull wollte gerade antworten, als das Knattern eines
Hubschraubers die morgendliche Stille durchbrach. Irgendwie ahnte er, dass etwas passiert war. Genau in diesem Moment klingelte sein Handy.

Es musste etwas Wichtiges sein, denn in seinem Büro
wussten alle, bei wem er gerade war. Er drückte auf Empfang und hörte die Stimme seines Büroleiters. Er hatte das
Gefühl, sein Magen würde sich umdrehen. Schließlich
hielt er dem Präsidenten den Apparat hin.

Der machte eine abwehrende Handbewegung, war wütend, dass er unterbrochen worden war. »Herrgott, Dennis, sagen Sie mir einfach, um was es geht, so wie immer.«

Deshalb ist er nicht gealtert, dachte Paull. »Ich glaube, es
ist besser, wenn Sie sich das selbst anhören.«

»Wieso denn?«, kam es mürrisch zurück.

»Es geht um Carsons Tochter, Sir.«

Der Präsident griff nach dem Telefon.

ZWEI

»Alles klar bei dir? Kannst du dich bewegen?«

Jack McClure hörte jemanden sprechen, aber er konnte nichts sehen. Er versuchte sich zu bewegen, aber der Sicherheitsgurt und der Airbag pressten ihn in den Sitz.

»Ich habe einen Notruf abgesetzt«, sagte die Stimme, die er gut kannte. »Ein Krankenwagen ist auf dem Weg.«

Der Gestank von heißem Metall drang Jack in die Nase, außerdem der Geruch von Blut.

»Bennett?«

»Ja, hier.« Captain Rodney Bennett war sein Vorgesetzter bei der lokalen Sicherheitsbehörde von Falls Church in Virginia, deren Fachgebiet Brand- und Sprengstoffanschläge war.

»Ich kann nichts sehen.«

»Du hast das ganze Gesicht voller Blut«, sagte Bennett mit sanfter Stimme.

Jack hob den rechten Arm, der sich bewegen ließ. Er wischte sich mit dem Kragen seiner Bomberjacke über das Gesicht. Das Blut rann unaufhörlich weiter und lief ihm in die Augen. Er tastete mit den Fingerkuppen seine Stirn ab, spürte eine Schnittwunde am Haaransatz und legte eine Hand darüber. Dann schaute er nach rechts. Die Leitplanke war durch den Aufprall durchbrochen und ein Stück davon auf der Beifahrerseite durch die Windschutzscheibe ins Wageninnere gedrückt worden, direkt gegen die Kopfstütze. Wenn Jack etwas weiter rechts gesessen hätte, wäre sein Kopf jetzt zermalmt.

Ein Windhauch zog durch den Cadillac Escalade und trocknete den Schweiß auf Jacks Kopf. Es hatte aufgehört zu regnen.

»Jack, was zum Teufel ist denn passiert?«

Noch immer war er orientierungslos; er hörte die Sirenen näher kommen. Ihr Heulen erinnerte ihn an andere Sirenen und an andere Blaulichter.

An einen anderen Autounfall.

Vor sieben Monaten hatte er im Büro gesessen, den Telefonhörer am Ohr, und hatte die Razzia bei einem Zigarettenschmuggler-Ring koordiniert. Sie war das Ende einer sechsmonatigen verdeckten Ermittlung, die er persönlich geführt hatte. Er wäre gern in vorderster Front mitmarschiert, aber er kannte auch seine Grenzen und wusste, dass Bennett ihn genau dahin gesetzt hatte, wo er unentbehrlich war. Bennett war einer der wenigen Menschen, die genau wussten, wo Jacks Stärken und Schwächen lagen.

Jack saß da, vor sich ein Satellitenbild, und beschrieb den Kommandeuren der einzelnen Gruppen lautstark den Einsatzort. Sein Handy klingelte, aber er ignorierte es. Das Klingeln hörte auf und begann sofort erneut. Er gab weiter seine Befehle durch und dirigierte die Einsatzgruppen, während er einen kurzen Blick auf das Display warf. Es war Emma.

Die Einsatzgruppen mussten neue Positionen einnehmen, um das höher liegende Gebiet erreichen zu können. Genau das war sein Talent: Er konnte das große Ganze im

Blick behalten und eine Situation in all ihren Dimensionen erfassen – je komplexer, desto besser. Sein taktisches Geschick war unübertroffen.

Das Handy klingelte zum dritten Mal. Herrgott, was hatte seine Tochter denn nun schon wieder für Probleme? Widerwillig nahm er ihren Anruf entgegen.

»Dad, ich hab ein riesiges Problem. Ich muss unbedingt mit dir reden …«

»Hör mal«, sagte er. »Ich bin gerade mitten in einer schwierigen Operation. Ich habe jetzt wirklich keine Zeit.«

»Aber, Dad, du musst mir helfen. Ich weiß sonst niemanden …«

In seinem anderen Ohr hörte er eine barsche Stimme: »Beschuss von oben!«

»Warte kurz«, sagte er zu seiner Tochter. Und in den anderen Hörer rief er: »Geht in Deckung und bleibt da.« Er veränderte die Landschaftsansicht auf dem Bildschirm. Zahlreiche Buchstaben zogen vor seinen Augen vorbei wie ein Schwarm Fische, der in einer Höhle am Meeresgrund verschwindet. Wenn er mehr Zeit hätte, könnte er die Worte lesen, aber … »Okay, nimm drei Männer und geh sechs Meter nach links. Dort hast du Feuerschutz von dem Posten unter den Bäumen.«

»Dad, Dad?«

Jack spürte, wie sein Herz pochte. »Emma, ich bin hier, aber ich hab jetzt keine …«

»Dad, ich gehe jetzt hier weg.« Mit »hier« meinte sie das Langley Field College, wo sie die elfte Klasse besuchte.

»Liebling, ich unterhalte mich gern mit dir, aber jetzt geht es nicht.«

Dann ging es richtig los. »Wir sind jetzt oben, Jack!«, hörte er in seinem anderen Ohr.

»Die zweite Gruppe los jetzt!«, rief er. »Nehmt sie ins Kreuzfeuer.«

»Ich komme jetzt zu dir rüber.«

Jack hörte, wie Schüsse aus automatischen Waffen abgefeuert wurden. Er war jetzt richtig genervt. »Emma, ich hab jetzt wirklich keine Zeit für deine pubertären Spielchen.«

»Das ist kein Spiel, Dad. Es ist dringend. Ich komme jetzt …«

»Herrgott noch mal, Emma, kannst du nicht hören? Es geht jetzt nicht!« Er legte auf.

Das Handy klingelte wieder, aber er konzentrierte sich nun ganz auf das Feuergefecht.

Die Razzia war ein voller Erfolg. In der Hektik danach vergaß er völlig das Gespräch mit Emma. Siebzehn Minuten später erhielt er einen neuen Anruf. Er raste mit Höchstgeschwindigkeit und Blaulicht zum Unfallort an der Saigon Road in der Nähe des Dranesville District Park. Es war eine stark bewaldete Stelle mit nur wenigen Häusern, die jetzt vom gelben Plastikband der Polizei abgesperrt war. Uniformierte Polizisten liefen umher, zwei Detectives der State Police waren da, und vier kräftige Rettungssanitäter bewegten sich zwischen den Überresten eines Unfallwagens, während die roten Lichter auf den weißen Dächern der Krankenwagen regelmäßig aufleuchteten.

Jack stieg aus dem Wagen, und einen Moment lang war er zu nichts in der Lage – er konnte nicht einmal mehr denken. Gleichzeitig waren seine Beine wie gelähmt. Der

Wagen sah aus, als sei er fest mit der Ulme verwachsen. Bremsspuren auf dem Asphalt, die einen Zickzackkurs beschrieben und vor dem Baum endeten. Emmas Anruf kam ihm wieder in den Sinn. Er war zu sehr mit dem Kampfeinsatz beschäftigt gewesen, um zu registrieren, wie verzweifelt sie gewesen war. Hatte sie deshalb die Kontrolle über ihren Wagen verloren und war gegen den Baum geprallt?

Einer der uniformierten Beamten trat zu ihm und hob die Hand, um ihn zu stoppen. »Was ist hier, verdammt noch mal, passiert?«, schrie Jack ihn an, als sei der Polizist am Unfall persönlich schuld.

Der Beamte brüllte zurück, aber Jack verstand kein Wort. Er zog seinen Ausweis aus der Tasche, und der Beamte trat zur Seite.

Als er am Heck des Autos angekommen war, das im Vergleich mit dem Rest erstaunlich heil aussah, spürte er, wie es ihn durchzuckte. Es war der blaue Toyota Camry, Emmas Wagen, kein Zweifel.

»Kann mir endlich jemand sagen, was passiert ist!«, rief er erneut.

Den ganzen Weg zur Unfallstelle hatte er sich eingeredet, dass es ein Missverständnis sein musste, dass es nicht Emmas Wagen sein konnte, der von der Straße abgekommen war und mit hoher Geschwindigkeit gegen einen Baum geprallt war, dass das tote Mädchen darin nicht seine Tochter war.

Aber es waren alles leere Hoffnungen gewesen, verzweifelte Versuche, die Tatsachen zu ignorieren. Er sah sie gleich, als er bei der Unfallstelle angelangt war. Sie war aus dem Wagen geschleudert worden. Er kniete sich neben sie auf den harten Boden, der mit Öl und Blut besudelt war. Es war das Blut seiner Tochter. Er beugte sich über sie und nahm sie in die Arme, wie damals an dem Tag ihrer Geburt. *O Gott, es ist wahr*, dachte er. Es war kein Albtraum, aus dem er erwachen würde, zitternd vor Angst, aber erleichtert, weil es nicht wahr war. Dies hier war die Wirklichkeit, dies war sein verfluchtes wirkliches Leben. Warum hatte sie ihn angerufen? Was hatte sie von ihm gewollt? Wohin wollte sie denn so eilig? Er würde es nie erfahren. Ihr kurzes Leben rauschte an ihm vorbei, er sah sie vor sich, das rosige Baby, das er in den Schlaf gewiegt hatte, das kleine Kind, dem er im Wohnzimmer das Laufen beibrachte, das kleine Mädchen, dem er ängstlich hinterherblickte, als es sich den Kletterbaum hinaufhangelte oder die Rutsche heruntersauste, und wie sie ihm fröhlich zuwinkte, als sie stolz am ersten Tag die Grundschule betrat. Und nun war sie von einem Moment auf den anderen aus seinem Leben verschwunden.

Sie war tot. Ganz plötzlich von ihm gegangen, im Bruchteil einer Sekunde. Wie eine Wolke oder ein Windhauch. Und nun, nachdem er sie für immer verloren hatte, fragte er sich, ob er ihr jemals genügend Aufmerksamkeit geschenkt und ihr gezeigt hatte, wie viel sie ihm bedeutete. Wo war er gewesen, als sie ihn gebraucht hatte? Und wo war sie jetzt? Er war nicht religiös und glaubte nicht an den Himmel und an Engel – für ihn war sie einfach ins Nichts verschwunden. Voller Schrecken wurde ihm klar, dass ihre gemeinsame Zeit zu Ende war, bevor sie überhaupt begonnen hatte. Alles lief nur auf vergebliches Wunschdenken hinaus, denn tatsächlich glaubte er an nichts, und nun war da auch nichts mehr, nur der zerschmetterte Schädel seines einzigen Kindes, seinem einzigen Schatz, seinem kleinen Mädchen.

Wo war er gewesen, als sie zur Welt kam? Er hatte sich um eine Lieferung von XM-8-Gewehren gekümmert, die aus Fort McNair gestohlen worden waren und keinesfalls in die Hände der kolumbianischen Drogenkuriere kommen durften. Er war am falschen Platz gewesen, genau wie heute.

Es fiel ihm entsetzlich schwer, sie anzuschauen, alle Brandwunden, Schnitte und Quetschungen wahrzunehmen, aber er konnte sich einfach nicht losreißen, weil er Angst hatte, er könnte sie vergessen. Er fürchtete, dieser Augenblick könnte vergehen und von ihr würde nicht mehr übrig bleiben als ein Traumgespinst.

DREI

Drei Krähen flogen auf und kreisten über dem Wiesenstück. Ihre dunklen Federn schimmerten kurz auf, dann waren die Vögel verschwunden. Vielleicht wussten sie ja, wo Emma jetzt war.

»Ich will nicht ins Krankenhaus«, sagte Jack.

»Glücklicherweise bist du nicht derjenige, der das entscheidet«, stellte Bennett fest.

Jack drehte den beiden Sanitätern den Kopf zu, die die Trage anhoben, auf die sie ihn gelegt hatten. Nachdem sie ihn in den Krankenwagen geschoben hatten, setzte sich die Sanitäterin auf eine Bank neben ihn und prüfte seinen Puls. Sie war klein, kräftig gebaut und dunkelhäutig. Eine Latina. Ihre Augen waren schwarzbraun wie Kaffee ohne Milch. Sie lächelte ihn an, und ihre weißen Zähne blitzten auf. Bennett nahm neben ihr Platz.

Jacks Gedanken schweiften ab. Der Stoß, den er bei dem Unfall erhalten hatte, schien ihn aus der Gegenwart katapultiert zu haben. Er sah sich wieder auf dem Friedhof stehen, dem »National Memorial Park«, vor einer frisch ausgehobenen Grube, in die Emmas Mahagoni-Sarg versenkt werden sollte, nachdem Pater Larrigan endlich seine Predigt beendet hatte. Sharon stand neben ihm, aber dennoch für sich allein. Ein ganzer Kontinent schien sich zwischen ihnen zu erstrecken. Für sie war er gar nicht existent, oder besser gesagt: Für sie lebte er in einer anderen Welt voller Schrecken und Tod, mit der sie nichts mehr zu tun haben wollte. Sie hatten sich gegenseitig angeschrien, Geschirr war zu Bruch gegangen, eine Lampe war umgekippt und hatte ein kleines Feuer verursacht, das Jack hastig ausgetreten hatte. Nicht einmal das konnte sie bremsen. Sie stritten weiter, und fingen schließlich an, sich zu prügeln, was sie offensichtlich beide gewollt hatten, und schließlich war es vorbei und nichts mehr zu hören außer dem Schluchzen von Sharon.

Nachdem Pater Larrigan endlich mit seiner Trauerrede fertig war, senkte sich der Sarg in die Tiefe.

»Nein!«, rief Sharon aus und rannte auf den Sarg zu. »Mein Mädchen darf nicht ... Nein!«

Jack wollte sie zurückhalten, aber Pater Larrigan war näher an ihr dran. Er legte schützend einen Arm um ihre Schultern.

Sharon lehnte sich gegen den stämmigen Iren und fragte: »Warum musste Emma sterben, Pater? Es ist alles so sinnlos. Warum musste sie sterben?«

»Die Wege Gottes sind unergründlich«, sagte Pater Larrigan. »Wir Menschen können seine Pläne nicht durchschauen.«

»Gott?« Sharon befreite sich angewidert aus seiner Umarmung. »Ein Gott würde doch nicht einem unschuldigen Mädchen einfach das Leben nehmen, das noch gar nicht richtig begonnen hat. So grausam können doch seine Pläne nicht sein, dass sie den Tod meiner Tochter rechtfertigen. So etwas kann doch nur das Werk des Teufels sein!«

Pater Larrigan sah aus, als würde er jeden Moment in

Ohnmacht fallen. »Mrs. McClure, bitte! Sie dürfen jetzt nicht lästern …«

Aber Sharon war nicht aufzuhalten. »Es gibt überhaupt keinen Plan!«, schrie sie den Pfarrer an und dann rief sie in den Himmel: »Es gibt überhaupt keinen Gott!«

Jack atmete den Sauerstoff ein und kam wieder zu sich. Er öffnete die Augen.

»Ah, da bist du ja wieder«, stellte Bennett fest.

Er saß leicht nach vorn gebeugt mit nur einer Pobacke auf der Bank. »Kannst du mir sagen, was passiert ist, Jack? Ich weiß nur noch, dass du das Päckchen mit dem Sprengstoff entschärfen wolltest, das jemand im Keller der Friedland Highschool deponiert hat.«

Trotz des Protests der Sanitäterin schob Jack die Sauerstoffmaske beiseite. »Der Täter konnte sich befreien, ich weiß auch nicht wie. Ich habe den Keller abgesucht, weil ich annahm, dass er auf der Ostseite rauswollte, neben dem Treppenhaus, denn das war der einzige mögliche Weg. Also bin ich hinterher. Er hat den Wagen des Direktors kurzgeschlossen und ist losgerast. Ich hinterher.«

»Und dann hast du ihn verloren?«

Jack versuchte zu lächeln, brachte aber nur eine Grimasse zustande. Er spürte einen pochenden Schmerz in seinem Kopf, aber sein Körper war immer noch vollgepumpt mit Adrenalin. »Da kam diese Stelle, wo die Straße steil ansteigt, da hat er versucht, mich abzudrängen. Ich hab abgebremst und ihn gerammt. Er hat sich überschlagen.«

Die Sanitäterin befestigte die Sauerstoffmaske erneut an Jacks Kopf. »Entschuldigen Sie bitte, er muss unbedingt Sauerstoff bekommen.«

Bennett warf ihr einen kurzen Blick zu. »Steht er unter Schock?«

»Nein, aber das kann schnell kommen, wenn Sie so weitermachen.«

Bennett runzelte unzufrieden die Stirn. »Und wie geht es ihm insgesamt?«

»Rein äußerlich betrachtet scheint er keine Gehirnerschütterung zu haben.« Sie straffte die Gurte an der Maske. »Keine Knochenbrüche, und die Schnittwunde am Haaransatz ist nicht sehr tief.« Sie bemerkte, dass Jack blasser wurde, und erhöhte den Sauerstoffanteil. »Aber ich bin kein Arzt. Er muss erst genauer untersucht werden.«

Bennett nickte vor sich hin. Sein Gesicht war gezeichnet von den schweren Entscheidungen, die er immer wieder zu treffen hatte, von den Mühlen der Bürokratie, gegen die er tagtäglich ankämpfte, und von der Einsamkeit, die nur Männer wie er und Jack empfinden konnten. *Wir sind schon eine besondere Spezies*, dachte Jack. *Wir leben in der gleichen Welt wie alle anderen, aber wir leben darin wie Schatten. Wir müssen möglichst unsichtbar bleiben, weil es unsere Aufgabe ist, den Feind zu suchen, um ihn zu vernichten, ihn zu zermalmen. Und nach einer Weile, sogar dann, wenn wir wachsam sind und versuchen, es zu vermeiden, haben wir uns an dieses Schattendasein so sehr gewöhnt, dass wir uns nur noch im Dunkeln wirklich wohlfühlen. Das ist dann der Moment, wo wir, ob wir nun wollen oder nicht, unsere Verbindungen zur normalen Welt kappen, weil es immer schwieriger wird, den Weg aus der Dunkelheit zurück ans Licht zu finden. Und irgendwann ist es ganz unmöglich geworden. Dann bleiben wir in dieser Schattenwelt gefangen.*

Der Krankenwagen hielt an, und die Sanitäterin öffnete die Hecktüren. Jacks Trage wurde auf einen Wagen gesetzt und durch die automatischen Türen in die Notaufnahme geschoben.

»Ich kümmere mich um den Papierkram«, sagte Bennett zu der Frau an der Aufnahme.

»Aber der Patient muss das hier lesen und unterschreiben …«

»Ich habe alle nötigen Vollmachten für diesen Patienten«, erklärte Bennett in einem Ton, der jeden Widerspruch unmöglich machen sollte.

Aber die Angestellte wollte nicht so schnell klein beigeben, holte tief Luft und ließ ihre mächtige Brust noch mehr anschwellen. »Können Sie das beweisen?«

Bennett zog einen Notizblock und einen Stift hervor und schaute demonstrativ auf ihr Namensschild. »Miss Honeycutt?« Er notierte sich ihren Namen. »Würden Sie mir freundlicherweise den Namen Ihres Vorgesetzten nennen.«

Ihr Blick war scharf wie ein Skalpell, als sie ihm die Personalliste reichte. Was immer sie dabei dachte, behielt sie für sich.

Jack wurde in die Röntgenabteilung gebracht. Nach der Ultraschalluntersuchung wurde die Schnittwunde gesäubert und geklammert, gleichzeitig bekam er eine Infusion gesetzt.

Als Bennett den Vorhang beiseiteschob, der Jacks Bett abschirmte, sagte der: »Keine Brüche, keine Gehirnerschütterung. Bist du jetzt zufrieden? Dann hau endlich ab, damit ich wieder an die Arbeit gehen kann!«

»Gleich«, sagte Bennett. »Ich wollte dir nur sagen, dass deine Exfrau hier ist.«

Jack setzte sich auf. »Verdammt, doch nicht jetzt.«

»Zu spät«, sagte eine heisere Frauenstimme.

Jack rutschte zur Seite und stand auf. Sharon näherte sich ihm wie ein gefallener Engel.

Sie lächelte Bennett zu. »Hallo, Roddy.«

»Hallo, Sharon.« Bennett kniff ihr freundschaftlich in die Wange. »Schön, dich mal wieder zu sehen.«

Sie schaute Jack an, zuckte mit den Schultern und stellte fest: »Wenigstens einer, der so denkt.«

Sie drängte sich an Bennett vorbei, der Jack einen aufmunternden Blick zuwarf, bevor er verschwand.

Erst nachdem sie ihn eine Weile lang schweigend angesehen hatte, wurde Jack bewusst, dass er ohne Hosen dastand. Ihr Haar war luftiger als zu der Zeit, als sie noch verheiratet waren, und sie hatte ihr Make-up geändert. Sie sah gleichzeitig vertraut und fremd aus, als hätte sie sich irgendeiner mysteriösen Verwandlung unterzogen.

»Was zum Teufel machst du denn hier?«

»Rodney hat mich angerufen.« Sie fuhr sich mit der Hand durchs Haar, das im Schein der Deckenbeleuchtung golden aufschimmerte. »Er sagte, er glaube, dass nichts Schlimmes passiert sei, aber ich wollte mich lieber selbst davon überzeugen.«

Man hörte Rufe und das eilige Quietschen von Gummisohlen auf dem Klinikboden. Der Vorhang bewegte sich im Luftzug, als ein weiterer Patient in die Nische daneben geschoben wurde. So hektisch, wie die Stimmen klangen, ging es wohl darum, ziemlich heftige Blutungen zu stillen.

»Wie kommt's, dass du Zeit findest, dir um mich Gedanken zu machen?«, fragte er. »Ich dachte, du hast genug damit zu tun, mit Jeff ins Bett zu gehen.«

Sie errötete leicht. »Dein bester Freund ist immer noch im Krankenhaus.«

Jack spürte, wie all die abgewürgten Gefühle in ihm wieder zum Leben erweckt wurden und sein Herz zu pochen begann. Er könnte diese Auseinandersetzung einfach beenden, aber irgendwas in ihm, mit dem er noch nicht fertig war, stachelte ihn weiter an. »Er ist nicht mehr mein bester Freund, seit er mit dir zusammen ist.«

»Aber wir wollten dich doch nicht …«

»Blödsinn! So was passiert doch nicht einfach. Natürlich habt ihr es gewollt.«

Ihre grauen Augen starrten ihn an. »Ich wollte nur ein kleines bisschen glücklich sein, Jack. Von so etwas hast du ja leider keine Ahnung. Nach Emmas Tod habe ich sechs Monate lang getrauert und Beruhigungsmittel genommen, um nicht die ganze Zeit heulen zu müssen.«

Er stand steif da, als wäre er mit dem kalten Boden verwachsen. »Was? Warum hast du mir nichts davon gesagt?«

»Weil du die Beruhigungsmittel noch nötiger hattest als ich. Der Unterschied zwischen uns war nur, dass du dir nicht helfen lassen wolltest. Du hast dich in deinen Schmerz eingeigelt und die Selbstkasteiung wurde zu deinem einzigen Lebenszweck. Du bist zu einem schwarzen Loch geworden. Ich musste mich retten, bevor du mich zerstört hättest. Und ich war es so leid, dass du ständig hinter irgendwelchen Kriminellen her warst. Nie wusste ich, wann du nach Hause kommst und ob du überhaupt nach Hause kommst.« Sie trat einen Schritt auf ihn zu. »Ohne dich wurde es sehr kalt in unserem Bett.«

Im Abteil nebenan wurden die Stimmen der Ärzte immer lauter. Der Patient schien zu sterben. Eine Blutfontäne spritzte auf der anderen Seite gegen den Vorhang.

»O Gott«, rief Sharon aus. »Was ist denn da los?«

»Vergiss es«, sagte Jack. »Da ist nichts mehr zu machen.«

Sharon wandte sich wieder ihm zu. Alle Lebenskraft schien sie plötzlich verlassen zu haben. Sie wirkte jetzt schwach, zusammengesunken, unsicher. »Wie auch immer. Ich bin nicht mehr mit ihm zusammen.«

»Hast du jemand anderen gefunden?«, stichelte Jack.

Sie ignorierte die Bemerkung. »Er ist drauf und dran, dich wegen Körperverletzung anzuzeigen. Ich habe versucht, ihn davon zu überzeugen, dass das keine gute Idee ist, aber er ließ sich nicht umstimmen.«

Jack spürte, wie sein Herz für einen Schlag aussetzte. Hatte sie deshalb mit Jeff Schluss gemacht? War sie wieder auf seiner Seite? Er schaute sie an. Zu viele Gefühle durchzuckten ihn gleichzeitig, es war ihm unmöglich, sich auf eine einzige Empfindung zu konzentrieren. Nach allem, was zwischen ihnen vorgefallen war, konnte sie ihn immer noch vollkommen verunsichern. Mit einem Mal spürte er all das, was zwischen ihnen lag und sie trennte: die gebrochenen Versprechungen, die Lügen, die Schuldgefühle – all das, was sie einander nicht vergeben konnten. Es war viel, und es wog schwer. Wenn es zum Ausbruch kam, würde es wie ein Sturm über sie kommen.

Jenseits des besudelten Vorhangs herrschte jetzt Schweigen. Niemand bewegte sich mehr dort, die Ärzte waren zum nächsten Patienten geeilt. Der Verletzte war tot.

Er trat unsicher auf sie zu, unbeholfen, tapsig. »Glaubst du wirklich, dass ich je aufgehört habe, dich zu lieben?«

Er spürte ihren Atem an seiner Wange. »Nein, ich glaube, du liebst mich wirklich.« Sie legte eine Hand auf seinen Oberarm und schob sich selbst ein Stück von ihm fort, so sanft, dass es ihm einen Stich versetzte.

Obwohl er sich bemühte, konnte er den bitteren Unterton in seiner Stimme doch nicht ganz unterdrücken. Sie hatte so viel vor ihm verborgen gehalten, noch bevor sie sich getrennt hatten: wie sehr sie getrauert hatte, ihre Depression, dass sie Beruhigungsmittel nehmen musste. Nun brach es wieder unkontrolliert aus ihm hervor: »Und du hast wohl gedacht, das zeigst du mir am besten, indem du die Beine breitmachst für …«

Sie schlug ihm ins Gesicht.

Er bemerkte, dass ihr Lippenstift die gleiche blutrote Farbe hatte wie ihre Fingernägel. Also kaute sie nicht mehr an ihren Fingernägeln.

»Warum hast du mich provoziert?«, fragte sie mit trauriger Stimme. »Ich bin nicht gekommen, um mich mit dir über die Vergangenheit zu streiten. Ich wollte … Ich wollte dir ein Bett anbieten, dir was Gutes zu essen kochen, wenn du möchtest.«

Er wusste wirklich nicht, was er dazu sagen sollte.

Sie lächelte ihn unsicher an. »Ich gehe wieder in die Kirche, Jack.«

Er starrte sie verwirrt an. Nun war er völlig orientierungslos, wie in einem Spiegelkabinett. Wer war diese Frau, die da vor ihm stand? Das konnte doch nicht seine Exfrau sein.

»Wahrscheinlich denkst du jetzt, ich bin verrückt geworden oder eine Heuchlerin, nach all dem, was ich Pater

Larrigan an den Kopf geworfen habe.« Sie strich sich eine Strähne aus dem Gesicht. »Die Wahrheit ist, dass das Beruhigungsmittel nicht gewirkt hat. Nichts hat gewirkt. Mein Herz war einfach zu sehr verletzt. Das Mittel hat den Schmerz kaschiert, aber nicht vertrieben. Ich war so verzweifelt, dass ich mich wieder an die Kirche gewandt habe.«

Schweigend schüttelte er den Kopf.

»Und dort habe ich ein wenig Frieden gefunden.«

»Merkst du denn nicht, dass du einfach nur vor allem davonläufst, Sharon?«

Sie schüttelte traurig den Kopf. »Du hast wirklich eine krankhafte Art, alles Schöne ins Hässliche zu wenden.«

»Du hast also deinen Glauben gefunden«, stellte Jack fest. »Toll. Damit wäre also ein weiteres Geheimnis enthüllt.«

Sharon schob den Vorhang beiseite und sagte nicht unfreundlich: »Du musst es einfach akzeptieren, Jack. Wir alle haben unser geheimes Leben, nicht nur du.«

VIER

Jack kehrte mit Bennett in die Einsatzzentrale zurück, wo er sich erst mal ausgiebig duschte. In der Umkleidekabine lag neue Kleidung für ihn. Er war überrascht, dass es sich um einen ziemlich teuren mitternachtsblauen Anzug handelte, dazu ein Paar englische Halbschuhe und ein exklusives Hemd mit einer dezenten Krawatte. Derartig extravagante Sachen hatte er bisher noch nie getragen; es war ihm auch nicht bekannt gewesen, dass es Bennett als seinem Vorgesetzten erlaubt war, derartige Ausgaben zu tätigen.

Er hatte sich gerade die Krawatte umgebunden, als Bennett zurückkam.

Jack schloss die Spindtür und sagte: »Dann mal raus mit der Sprache, warum muss ich neuerdings solche Klamotten tragen?« Er versuchte, den Krawattenknoten festzuzurren, was nicht so recht gelingen wollte. »Soll ich undercover arbeiten. Als Secret-Service-Agent?«

»Damit liegst du gar nicht so falsch.« Bennett deutete mit dem Kopf zur Tür. »Komm mit.«

Er führte Jack durch die Hintertür zu einer Limousine mit getönten Scheiben. Bennett öffnete die hintere Wagentür, und sie stiegen ein.

Jack rutschte auf den Rücksitz. Kaum hatte Bennett sich neben ihn gesetzt, fuhr der Wagen auch schon los, und zwar in ziemlichem Tempo.

Jack sah seinen Chef an: »Wohin soll's denn gehen?«

Bennett sah stur geradeaus, als würde er in die Zukunft blicken, die nur für ihn sichtbar war. »Zu deinem neuen Job.«

Bennett stemmte die Ellbogen auf seine knochigen Knie und verschränkte die Hände. Jack spürte, wie seine Muskeln sich anspannten, denn er wusste, dass Bennett immer seine Finger knetete, wenn er nervös war. Indem er die Hände verschränkte, wollte er vermeiden, dass dies allzu offensichtlich wurde. Aber Jack war nicht so leicht an der Nase herumzuführen. Während der Zeit, als er im Krankenhaus gewesen war, hatte sein Vorgesetzter einen ziemlich schwierigen Auftrag bekommen, das stand fest.

»Okay, ich geb's auf. Sag schon, was los ist!«

Endlich drehte Bennett sich zu ihm um. In seinen grauen Augen war etwas, das Jack noch nicht kannte; sie wirkten trübe und dunkler als sonst. Seine Stimme klang dünn und trocken, als müsste er einen Hustenreiz unterdrücken. »Alli Carson, die Tochter des neu gewählten Präsidenten, ist entführt worden.«

»Entführt?« Jack spürte ein komisches Gefühl in der Magengegend, als stünde er in einem Aufzug, der sich plötzlich schnell nach unten in Bewegung setzt. »Wo, von wem?«

»In der Schule, direkt unter den Augen des Secret Service«, sagte Bennett dumpf. »Was die Täter betrifft, haben wir, da bislang noch niemand mit uns Kontakt aufgenommen hat, nicht den blassesten Schimmer.«

In diesem Moment spürte Jack diesen Schock, der sich anfühlte, als hätte er einen Schwall kaltes Wasser ins Gesicht bekommen. Zum ersten Mal wurde ihm bewusst, dass Rodney Bennett eine Heidenangst hatte.

Und ihm ging es auch nicht besser.

Das College von Langley Fields war eine exklusive private Mädchenschule, in die man nur schwer hineinkam. Sie lag in unmittelbarer Nachbarschaft des Langley Fork Park, von der Einsatzzentrale waren es siebeneinhalb Meilen bis dorthin.

Das Sonnenlicht brach durch die Wolkendecke und ließ die Umrisse der umliegenden Gebäude und der Bäume scharf hervortreten. Telefonleitungen zeichneten sich schwarz vor dem hellen Himmel ab und verloren sich irgendwo in der Ferne.

»In drei Wochen soll Edward Carson als Präsident der Vereinigten Staaten vereidigt werden, deshalb gibt es eine absolute Nachrichtensperre«, erklärte Bennett. »Du kannst dir ja vorstellen, wie sie sich alle gierig auf diese Sensation stürzen würden. Die ganzen Schwätzer im Fernsehen und die Internet-Blogger würden sich in wahnwitzigen Spekulationen ergehen und rücksichtslos überall herumstochern. Sie würden, natürlich erfolglos, nach der Identität der Täter suchen und angefangen bei Al-Kaida bis hin zur russischen Mafia und den Nordkoreanern alle unter Verdacht nehmen. Es gibt ja, weiß Gott, genug Leute, die es auf uns abgesehen haben.«

Bennett starrte aus dem Fenster, während sie über den Georgetown Pike rasten, und runzelte die Stirn. »Ich muss dir nicht erklären, dass die Entführung der Tochter des künftigen Präsidenten einen ungeheuren Geheimdienst-Auftrieb verursacht hat.« Er drehte sich zu Jack um. »Der

Leiter der Spezialeinheit hat nach dir verlangt, sicherlich nicht nur, weil du mein bester Mann bist, sondern vermutlich auch wegen Emma.«

Das war logisch, überlegte Jack. Emma und Alli waren zusammen auf das Langley-Fields-College gegangen; sie hatten sich ein Zimmer geteilt und waren gut befreundet gewesen.

Die Limousine bog in die Auffahrt der Schule ein, und sofort bemerkten sie eine ganze Flotte von Zivilfahrzeugen. Streifenwagen oder andere offizielle Fahrzeuge waren keine zu sehen. Die Limousine hielt an, und der Fahrer reichte einem grimmig dreinblickenden Wachposten seinen Ausweis. Der Posten, dessen Anzug mit allerlei elektronischen Gerätschaften ausgestattet war, winkte sie durch das Eisentor auf das Schulgelände. Rechts und links erstreckte sich eine hohe Mauer, die von Eisenspitzen gekrönt wurde. *Zur Dekoration sind die bestimmt nicht da*, überlegte Jack.

Langley Fields war der Inbegriff einer exklusiven und sehr teuren Mädchenschule. Die weiß getünchten Backsteinhäuser im Kolonialstil waren locker über das große Gelände verteilt, dazwischen erstreckten sich Volleyball- und Tennisplätze und ein Softball-Spielfeld. Es gab eine Fitnesshalle und Schwimmanlagen. Sie kamen an einem Reiterhof mit lang gestreckten Stallungen vorbei, deren Tore wegen der winterlichen Kälte geschlossen waren. Neben den Ställen türmten sich goldgelbe Strohballen.

Der Wagen rollte über die blaugraue Kiesauffahrt und näherte sich über den geschwungenen Weg dem Verwaltungsgebäude. Jack drückte auf einen Knopf, um das Seitenfenster herunterzulassen, und steckte den Kopf hinaus. Auf den vorbildlich gemähten Rasenflächen, die sogar um diese Jahreszeit grün waren, standen in unregelmäßigen Abständen Zivilstreifenwagen. Daneben waren Männer in Anzügen zu sehen, alle mit Ohrhörern ausgestattet, die mit Hausmeistern oder anderen Angestellten sprachen, oder in Gruppen zu drei oder vier Personen das Gelände absuchten.

Jack zählte drei Hunde, die an Leinen geführt wurden, um vielleicht irgendwo auf eine Spur von Alli Carson zu stoßen. Über dem Gelände schwebte laut knatternd ein Hubschrauber. An den dürften sich die Nachbarn schon gewöhnt haben, nachdem der zukünftige Präsident der Schule bereits mehrere Besuche abgestattet hatte, vermutete Jack.

Die herumstehenden Beamten sahen zu, wie die Limousine sich dem Verwaltungsgebäude näherte. Als sie Jack erkannten, verfinsterten sich ihre Mienen. Für sie war er ein Außenstehender, der nur hierher kam, um ihnen die Schau zu stehlen.

Der Wagen hielt vor dem Hauptgebäude, dessen Portal von massiven dorischen Säulen gesäumt wurde. Jack stieg aus, drehte sich aber wieder um, als er merkte, dass sein Chef ihm nicht folgte.

»Weiter komme ich nicht mit«, sagte Bennett mit ausdruckslosem Gesicht. Seine verschränkten Hände sprachen Bände. »Du unterstehst ab jetzt jemand anderem.« Er verzog das Gesicht zu einer Grimasse. »Nur eins noch, Jack. Dies ist eine andere Welt. Wenn du dich hier blamierst, kannst du verdammt sicher sein, dass sie alles tun werden, um dir das Leben zur Hölle zu machen.«

FÜNF

Jack zeigte seinen Ausweis an der Tür und wurde durch eine lang gestreckte Vorhalle mit gewölbter Decke, hohen vergoldeten Spiegeln und reich verzierten Wendeltreppen geführt, unter einem riesigen Lüster hindurch, der aus Tausenden von Regentropfen aus gefrorenem Kristall zu bestehen schien.

Auf einem Mahagoni-Pult mit fein gearbeiteten, goldverzierten Fuß-Ornamenten stand eine Vase mit einem riesigen Strauß dunkelroter Schwertlilien. Zwei geöffnete Türen aus Mahagoni gaben den Blick frei auf einen Salon, in den die Direktorin zum Tee lud oder wo Empfänge abgehalten wurden. Jack blieb kurz stehen und starrte die Wände an, die Sofas und die Stühle – alles war in Gelb gehalten und mit weißen Zierleisten versehen. Er erinnerte sich an einen Termin mit Sharon und Emma, als sie hier Tee trinken mussten. Die Direktorin hatte ein altmodisches, knöchellanges Kleid mit schnörkeligem viktorianischem Muster getragen, das in starkem Kontrast zu Emmas arg kurzem Plissee-Rock und ihrem engen Pulli mit V-Ausschnitt gestanden hatte. Tatsächlich war es bei diesem Zusammentreffen bei englischem Tee, Scones und Schlagsahne um Emmas Neigung zu unangebrachter Kleidung gegangen, die die Direktorin für aufrührerisch hielt. Jack war stolz auf seine Tochter gewesen, die ihr Recht auf Individualität forderte, obwohl die Direktorin und Sharon diese Haltung für geradezu skandalös hielten. Nun wurde sein Blick natürlich von der Stelle des Sofas angezogen, an der Emma gesessen hatte, mit gekreuzten Beinen, die Hände in den Schoß gelegt, während sie am Kopf der Direktorin vorbei einen imaginären Punkt an der Wand fixiert hatte, bemüht, einen ruhigen und verständnisvollen Eindruck zu machen. Nach einer Erklärung für ihr Verhalten gefragt, legte sie ihre Auffassung sehr sachlich und höflich dar, und gab sich zerknirscht. Das aber war, wie Jack sehr wohl wusste, reine Taktik, denn sie wollte das Verhör so schnell wie möglich hinter sich bringen. Am nächsten Morgen würde sie in ihrer Klasse wieder genauso auffallend gekleidet erscheinen wie immer. Wie er sich nun daran erinnerte, verspürte er gleichzeitig den Drang zu lachen und zu weinen. Seit dem Moment, als die Limousine durch das Tor auf das Gelände der Schule gefahren war, hatten ihn die Erinnerungen an früher gepackt, und ihm wurde klar, dass es daraus kein Entrinnen gab.

Er wollte sich gerade abwenden, als er ein leichtes Kräuseln des Vorhangs wahrnahm. Sein Begleiter räusperte sich. Jack hob demonstrativ eine Hand. Er durchquerte eilig den Raum und zog den Vorhang beiseite. Das Fenster war verschlossen, aber er glaubte einen besonderen Duft wahrzunehmen – es roch wie das Make-up, das Emma benutzt hatte. Hinter sich hörte er jemanden flüstern. Es kam ihm vor, als würde der Raum zwischen Vorhang und Wand von einem glänzenden Schimmer erhellt, er glaubte, eine schemenhafte Bewegung zu erkennen und hörte ein ganz leises Flüstern, das wie ein Windhauch klang, der über Gräser streift. War das die Stimme seiner Tochter?

Es durchzuckte ihn wie ein Blitz. »Emma«, sagte er ganz leise, »bist du hier? Wo bist du?«

Nichts. Der Duft war verschwunden. Einen Augenblick noch stand er da, verloren in der Zeit, und kam sich vor wie ein Narr. *Warum kannst du es einfach nicht akzeptieren?*, fragte er sich. *Sie ist fort.* Aber er wusste, was mit ihm los war. Während der sechs Monate, in denen Sharon hinter seinem Rücken Beruhigungspillen genommen hatte, sie einander immer fremder wurden und ihre Ehe zu Bruch ging, hatte er jede freie Minute damit verbracht, sich die Stunden vor Emmas Tod ins Bewusstsein zu rufen. Tatsächlich konnte er kaum schlafen, sondern lief nachts umher und versuchte alle möglichen Spuren zu sichern. Emmas Handy war zwar zerstört worden, aber ein Freund bei der Telefongesellschaft verschaffte ihm ihre Anruflisten. Er arbeitete sie durch und machte eine Aufstellung all ihrer Freunde und Bekannten, aber alle Hinweise und Verbindungen brachten keine neuen Erkenntnisse. Er las jede einzelne von ihr verfasste SMS der letzten zwei Wochen, länger wurden sie bei der Telefongesellschaft nicht aufbewahrt. Er durchsuchte sämtliche Dateien auf der Festplatte ihres Laptops in der Hoffnung, eine verdächtige E-Mail oder einen auffälligen Internet-Link, die Verbindung in einen Chatroom oder den Kontakt zu einer gefährlichen Website zu entdecken. Aber es war einfach nichts zu finden. Die ganze Festplatte war völlig frei von all dem elektronischen Schrott, der sich normalerweise dort ansammelt. Wenn er sich in einer Spionagegeschichte befunden hätte, wäre er auf die Idee gekommen, dass der Computer manipuliert worden war, aber Emma war keine Spionin gewesen, und es gab keine Anzeichen einer

Verschwörung. Stundenlang saß er mit Alli Carson zusammen, befragte Lehrer und Schulangestellte. Er verhörte jeden in der Nachbarschaft der Schule, zog immer weitere Kreise, aber schließlich musste er zugeben, dass er allen Möglichkeiten nachgegangen war. Auch alle Freundinnen von Emma unterzog er akribischen Befragungen, bis ihm das vom Vater eines Mädchens per einstweiliger Verfügung untersagt wurde. Er hatte alle Spuren verfolgt, sogar solche, die völlig abwegig erschienen. Seine unermüdlichen Bemühungen verliefen im Sande, er fand nichts. Nach sechs Monaten stellte er fest, dass er nicht mehr wusste als zu Beginn seiner Nachforschungen, und hatte noch immer keine Idee, was seine Tochter so schrecklich geängstigt hatte. Dabei war sie doch immer so unerschrocken gewesen! Sie hatte bestimmt nicht unbesonnen gehandelt, davon war er überzeugt, auch wenn er schlussendlich zugeben musste, dass er seine Tochter eigentlich kaum gekannt hatte. Die bittere Wahrheit war wohl, so wie Sharon es sah, dass ihre Tochter ein geheimes Leben geführt hatte, von dem sie, die Eltern, sogar nach ihrem Tod ausgeschlossen blieben.

»Emma, ich möchte dir zuhören«, flüsterte er, als er hinter den Vorhang spähte. »Wirklich, das möchte ich.«

Dann wandte er sich abrupt ab und ließ sich von seinem Begleiter weiter den Flur entlang führen, an dessen Wänden Fotos der berühmtesten Absolventen der Schule hingen, die allesamt auf ihren Fachgebieten großen Ruhm geerntet hatten. Bevor sie das Ende des Korridors erreicht hatten, ging die Tür zum Zimmer der Direktorin auf, und eine Frau trat heraus. Jacks Begleiter hielt an, und Jack folgte seinem Vorbild.

Sie schloss die Tür hinter sich und kam ihm mit ausgestreckter Hand entgegen. Er gab ihr die Hand, und sie sagte: »Jack McClure, mein Name ist Nina Miller.« Sie schaute ihn aus blauen Augen an. »Ich arbeite im Auftrag des Secret Service und des Finanzministeriums«, stellte sie sich vor. »Ich bin die Assistentin von Hugh Garner vom Heimatschutz. Der Präsident hat ihn mit der Einsatzleitung beauftragt.«

Nina Miller war groß, schlank und machte einen kompetenten Eindruck. Sie trug ein dunkelgraues Kostüm, Schuhe mit flachen Absätzen und ein blassblaues Oxford-Hemd, das bis oben hin zugeknöpft war. Fehlte nur noch die Krawatte. Offenbar war sie bemüht, sich an ihre männlichen Kollegen so weit wie möglich anzupassen, auch wenn denen das vielleicht nicht gefiel. Ihr Gesicht war schmal und mit der langen, hervortretenden Nase nicht gerade attraktiv zu nennen. Ihre Haut war so hell, dass sie fast durchsichtig wirkte.

Sie machte eine Handbewegung: »Hier entlang, bitte.« Sie gingen auf die Tür am Ende des Flurs zu, hinter der die drei Büroräume der Direktorin lagen. Dort sah es jetzt allerdings ganz anders aus als sonst.

Im ersten Zimmer standen zwei Schreibtische für Verwaltungsangestellte und an den Wänden Regale mit Ordnern, die sämtliche Dokumente aller Studenten der Vergangenheit und der Gegenwart enthielten. Im Augenblick allerdings hatten sich die Angestellten ins Büro ihrer Vorgesetzten zurückgezogen und den Platz einem Team forensischer Experten überlassen, die sich mit ihrer Ausrüstung hier breitgemacht hatten. Etliche Computer summten vor sich hin, Bildschirme flimmerten, Satellitenantennen stellten die Verbindung zum Internet her und konnten mit jeder Überwachungskamera und jeder kriminalistischen Datenbank auf der ganzen Welt in Kontakt treten und Informationen über alle nur denkbaren terroristischen und verbrecherischen Aktivitäten liefern. Eine ganze Batterie Laserdrucker spuckte unentwegt Update-Versionen von schriftlich fixierten Erkenntnissen aus, die von der CIA kamen, dem FBI, der Heimatschutzbehörde, dem Secret Service, der National Security Agency, dem Verteidigungsministerium, dem Pentagon sowie der Staatspolizei und den lokalen Polizeibehörden des Staates Virginia, des Bezirks Washington und des Staates Maryland. Uniformierte Beamte telefonierten, nahmen Anrufe entgegen, brüllten Befehle, tauschten Fax-Nachrichten aus, und telefonierten schon wieder. Alle zusammen erzeugten ein Gebilde aus Wissen, das im Raum zu stehen schien, als wäre es etwas Reales, etwas Fassbares. Jack spürte diese latente Hysterie, die über allem hing und jeden im Raum erfasst hatte, als würden sie allesamt von einem Raubtier belauert, das sie zu verschlingen drohte. Alle waren so konzentriert, dass die Ausdünstungen ihrer geistigen Anstrengung einen schalen Geruch verbreiteten, vor dem er am liebsten wieder hinaus an die frische Luft geflohen wäre.

Auf der anderen Seite des Raums war die Tür zum Büro der Direktorin. Rechts daneben gab es eine weitere Tür, durch die man in den Konferenzraum gelangte. In dieses Zimmer wurde Jack nun gebracht. Sein stummer Begleiter blieb draußen vor der Tür stehen und wandte sich dann ab, um andere dringende Aufgaben zu erledigen.

Als Jack das Zimmer betrat, schaute ein Mann auf, der ungeduldig auf dem Rand eines der beiden Sofas vor dem gläsernen Couchtisch hockte. Nina hob eine Hand, die Finger leicht gekrümmt und deutete indirekt auf ihn: »Das ist Hugh Garner.«

»Setzen Sie sich, bitte«, forderte Garner ihn mit einem Lächeln auf, das so dünn war wie sein altmodischer Schlips. Er war groß, hatte ergraute Haare und wirkte sehr streng. Sein Gesicht erinnerte Jack an das eines Moderators aus einer Late-Night-Show im Fernsehen – glatte Wangen, leuchtende Augen, aalglatte Umgangsformen, die man auch verbindlich nennen konnte, je nach Blickwinkel. Eins war Jack im ersten Moment klar: Dies war ein durch und durch politischer Mensch, und damit war er ganz anders gestrickt als Jack und konnte ihm in gewisser Weise auch gefährlich werden. »Wir wollen Sie möglichst schnell auf den neuesten Stand bringen.«

Er reichte ihm einen Stapel Papiere – forensische Untersuchungen, Protokolle von Zeugenbefragungen, Berichte der Spurensicherung, Fotos von allem, was sich im Zimmer von Alli und Emma befunden hatte. Jack konnte nicht anders, als das Zimmer immer noch auch seiner Tochter zuzuordnen.

Nina Miller setzte sich, wobei sie ihren Rock glatt strich. Sie wirkte wach und intelligent, während sie völlig neutral dreinblickte.

»Als Erstes«, sagte Garner, »haben wir eine Begründung herausgegeben, warum hier so viele Beamte versammelt sind, und offiziell verlautbaren lassen, wo Alli Carson sich zurzeit angeblich befindet.«

Jack war so sehr mit den Papieren beschäftigt, dass er

nicht gleich antworten konnte. Er war aufgestanden und ans Fenster getreten, um die Schriftstücke im Sonnenlicht zu studieren. Leicht gebeugt stand er da, den anderen den Rücken zugekehrt. Er versuchte sich zu entspannen, aber ohne Erfolg. Die Buchstaben, Worte und Sätze auf der Seite verschwammen vor seinen Augen wie davonflitzende Fische. Sie wirbelten herum wie Schneeflocken oder drehten sich umeinander wie Wasser im Ausguss, hüpften herum wie mexikanische Springbohnen.

Jack konnte nichts fixieren. Das passierte ihm immer, wenn er angespannt war. Dann verstärkte sich nicht nur seine Leseschwäche, sondern es wurde ihm unmöglich, jene Techniken anzuwenden, die er gelernt hatte, um seine Dyslexie in den Griff zu bekommen. Wie alle Dyslexiker hatte er ein Gehirn, das bildliche Darstellungen sehr gut verarbeiten konnte, sprachliche Äußerungen allerdings weniger gut. Seine Fähigkeit, Gedanken zu verarbeiten, war mitunter vierhundert- und tausendfach schneller als die eines Menschen, dessen Gehirn für die Entschlüsselung von Worten ausgelegt war. Wenn er mit geschriebener Sprache konfrontiert wurde, konnte sich diese Veranlagung allerdings als schwerer Nachteil herausstellen, da es ihm vorkam, als würde er vor einer zufälligen Ansammlung von Buchstaben stehen. Dyslexiker lernten in der Praxis. Sie lasen, indem sie sich an das Aussehen der bezeichneten Dinge erinnerten. Leider gab es in jedem Text eine Menge kleiner Wörter, die nur schwer einzuordnen waren, wie *ein, und, zu* oder *von* – für sie gab es keine Bilder. In der Therapie hatte man ihn aufgefordert, diese Worte aus Ton zu modellieren. Wenn er sie mit den Händen anfertigte, so die Idee, würde sein Gehirn sie lernen können. In Stress-Situationen aber, wenn er einen wichtigen Text möglichst schnell entschlüsseln sollte, funktionierte das nicht, dann half alles Training nicht mehr, dann verwandelte sich der Text in einen Strudel aus fremdartigen Zeichen, die ihm nicht mehr sagten als Kratzer, die eine Maus mit ihren Pfoten auf einem Stück Käserinde hinterlassen hatte.

»Wir wissen natürlich nicht, wie lange unsere Desinformation funktioniert«, fuhr Garner fort. »Dank des Internets, wo jeder Blogger glaubt, er müsse sich als Enthüllungsreporter betätigten, sind solche Geheimhaltungen nur noch begrenzt möglich.«

Jack spürte, wie die anderen beiden ihn ansahen, als er das Zimmer durchquerte. Er wollte etwas sagen, nicht um Garner zu antworten, sondern um sein wachsendes Unwohlsein angesichts der vielen unverständlichen Texte zu bekämpfen. Am liebsten wäre ihm gewesen, der Erdboden hätte sich aufgetan und Garner und Nina Miller wären darin versunken, aber das geschah leider nicht. Als er aufschaute, sah er, dass sie noch immer erwartungsvoll auf ihren Plätzen saßen. »Wie viel Zeit haben wir denn?«, fragt er.

»Eine Woche vielleicht, womöglich weniger.«

Jack wandte sich wieder dem Buchstabensalat zu, der immer noch keinen Sinn zu ergab.

»Sind Sie fertig?«, fragte Garner.

»Ich denke, Mr. McClure braucht noch einen Moment, um sich mit unserer Methodik vertraut zu machen«, sagte Nina. »Die unterscheidet sich ja wesentlich von der Vorgehensweise in seiner Abteilung.« Sie ging auf Jack zu. »Habe ich recht, Mr. McClure?«

Jack nickte. Er fühlte sich im Moment nicht in der Lage, etwas zu sagen.

»So, so, ich verstehe.« Garners Lachen klang ein wenig arrogant. »Ich hoffe, unsere Protokolle sind nicht zu schwierig für Sie.«

Nina deutete auf verschiedene Abschnitte der einzelnen Blätter und las sie laut vor, als wollte sie damit alle Elemente, die besondere Beachtung verdienten, ausdrücklich ansprechen. Jack, dessen Magen sich zusammengezogen hatte, war ein wenig erleichtert, aber gleichzeitig begann er sich zu schämen. Sein Frust verwandelte sich in Ärger, so wie es immer der Fall war. Diesen Prozess zum Stoppen zu bringen war der Schlüssel zu allen Übungen, die es ihm ermöglichten, sich trotz seiner Schwäche zurechtzufinden. Erneut blätterte er die Papiere durch, als wollte er noch mal einen Blick auf sie werfen.

»Diese Berichte enthalten keine nachhaltigen Informationen, schon gar keine klaren Hinweise oder Erkenntnisse, in welche Richtung unsere Ermittlungen gehen sollen«, sagte er. »Was ist mit den Leuten von diesem privaten Sicherheitsdienst? Wurde in letzter Minute Personal ausgewechselt, haben Sie die Aufnahmen der Überwachungskameras gesichtet?«

»Wir haben die Sicherheitsleute schon befragt.« Nina nahm ihm den Ordner ab. »Keiner von ihnen hat sich krankgemeldet, es gab auch keine plötzlichen Personalwechsel. Keiner der Männer benahm sich ungewöhnlich, und auf den Aufnahmen ist auch nichts Besonderes zu sehen.«

Hatte Nina diese Stellen im Bericht laut vorgelesen, um ihm zu helfen? Wusste sie von seiner Behinderung? Aber

Bennett würde ihn niemals verraten haben, egal, um was es hier ging. Wie war sie dann also darauf gekommen?

»Edward Carson hat den Präsidenten gebeten, dass Sie in unser Team aufgenommen werden«, sagte Garner. »Ich will nicht um den heißen Brei herumreden, McClure. Ich halte diese Einmischung für einen Fehler.«

»Ist doch ganz klar, was den künftigen Präsidenten dazu bewogen hat«, sagte Jack betont ruhig. »Ich kenne mich hier im College und in der angrenzenden Umgebung gut aus. Meine Tochter wohnte mit Alli Carson im selben Zimmer, ich bin mit ihrem Alltag vertraut und habe damit Ihren Leuten etwas voraus.«

»Oh, natürlich«, höhnte Garner. »Ganz bestimmt hat Carson daran gedacht, aber ich habe da andere Ansichten. Meiner Meinung nach ist Ihre Nähe zur Entführten eine viel zu persönliche Sache, die sich als Nachteil erweisen wird. Es wird Ihre Wahrnehmung verzerren und Ihre Objektivität beeinträchtigen. Sie verstehen, was ich damit sagen will?«

Jack warf Nina einen kurzen Blick zu, aber sie schaute völlig ausdruckslos vor sich hin.

»Jeder darf seine eigene Meinung haben«, erklärte Jack.

Garner lächelte dünnlippig. »Ich bin der Leiter dieser Aktion, und deshalb ist meine Meinung die einzige, die zählt.«

»Und was nun?« Jack breitete die Arme aus. »Haben Sie mich kommen lassen, um mich gleich wieder zu feuern?«

»Haben Sie schon mal von den Neuen Amerikanischen Säkularisten gehört?«, fragte Garner, ohne auf das einzugehen, was Jack gerade gesagt hatte.

»Nein.«

»Ich beende mein Plädoyer.« Garner warf den Ordner auf den Boden. »Das ist alles, wozu diese Berichte gut sind – man kann sie als Teppich benutzen. Sie basieren allesamt auf herkömmlichen Annahmen. Aber genau diese Annahmen müssen wir beiseiteschieben, sonst kommen wir in dieser Geschichte nirgendwohin.« Er hockte sich wieder auf den Rand des Sofas, verschränkte die Finger und presste die Daumen zusammen, als wären es zwei Kämpfer, die gegeneinander antraten. »Es wird auch Ihnen nicht verborgen geblieben sein, dass die Regierung der letzten acht Jahre versucht hat, das Land auf den rechten Weg zurückzuführen. Die Religion – der Glaube an Gott und daran, dass Amerika Gottes auserwähltes Land ist – hat dieses Land stark gemacht und es geeint. Auf diese Weise konnten wir ein neues Zeitalter beschreiten und unseren Einfluss und unsere Macht in der ganzen Welt ausbreiten. Aber es gibt auch bei uns Neinsager, Liberale, Linke, Homosexuelle, gesellschaftliche Randgruppen, Abweichler, Schwächlinge und Kriminelle.«

»Kriminelle?«

»Abtreibungsbefürworter zum Beispiel, McClure. Kindermörder, Familienzerstörer und Perverse.«

Wieder warf Jack Nina einen Blick zu. Sie schien gerade damit beschäftigt, ein Staubkorn von ihrem Rock zu wischen. Jack sagte nichts dazu, denn seine Meinung – falls man es überhaupt so nennen konnte – war nicht rational zu begründen, und deshalb konnte er nicht darüber diskutieren.

»Es gibt da diesen Michel Infra, den Führer der sogenannten kämpferischen Atheisten. Er fordert, der Atheismus müsse endlich mit dem angeblichen ›theologischen

Hokuspokus‹ Schluss machen. Und da ist er nicht der Einzige. In Deutschland gibt es eine Denkfabrik der Aufklärung, in der sich gottlose Wissenschaftler und ähnliches Gesindel zusammengefunden haben – das sind die gleichen Leute, die behaupten, die globale Erwärmung sei das Ende der Welt. Sie verkünden die teuflische Botschaft, die Welt würde ein besserer Ort werden, wenn es keine Religion mehr gäbe. Der Präsident ist völlig aus dem Häuschen deswegen. Und dann sind da noch die Briten, die seit Jahrhunderten keinen von Gott inspirierten Gedanken mehr hatten. Einer von denen hat auch dieses unmögliche Buch geschrieben, *Der Gotteswahn*.« Er schnippte mit den Fingern. »Wie heißt der Kerl doch noch gleich, Nina?«

»Richard Dawkins«, sagte Nina, die blitzschnell aus ihrem komaähnlichen Zustand erwacht war. »Ein Professor aus Oxford.«

Garner wischte ihre Bemerkung beiseite. »Wen interessiert schon, woher der kommt? Der Punkt ist, dass wir von diesen Leuten angegriffen werden.«

»Was die ganze Sache nach Ansicht unserer Regierung noch verschlimmert«, fuhr Nina unbeirrt fort, »ist das Ergebnis einer Umfrage im Auftrag der Europäischen Union, in der die dortigen Bürger nach ihren Werten gefragt wurden. Religion wurde erst an letzter Stelle nach Menschenrechten, Frieden, Demokratie, individueller Freiheit und Ähnlichem genannt.«

Garner schüttelte den Kopf. »Haben die denn nicht kapiert, dass wir uns in einem religiösen Krieg befinden, in dem wir unsere Art zu Leben verteidigen? Wir brauchen den Glauben, um unseren Kampf zu führen.«

»Deshalb sieht der noch amtierende Präsident dem nahenden Regierungswechsel mit wachsendem Unwohlsein entgegen.« Nina war jetzt wieder hellwach. »Der gemäßigte Kurs eines Edward Carson ist seiner Ansicht nach ein eindeutiger Rückschritt.«

»Na gut, das mag ja alles sehr erhellend sein«, stellte Jack fest. »Aber was hat das mit der Entführung von Alli Carson zu tun?«

»Jede Menge«, sagte Garner finster dreinblickend. »Es gibt gute Gründe anzunehmen, dass die Leute, die die Entführung geplant und durchgeführt haben, zu einer Gruppe von militanten Säkularisten gehören, die sich A-Zwei nennen, eine Abkürzung, die für ›Die zweite Aufklärung‹ stehen soll.«

»Das bezieht sich auf den – oft gewaltsam ausgetragenen – Prozess der Aufklärung im Europa des achtzehnten Jahrhunderts«, erklärte Nina.

»Was eine sogenannte intellektuelle Bewegung war«, merkte Garner abfällig an. Intellektuell schien für ihn gleichbedeutend mit kriminell zu sein.

»Die Vernunft soll über den Aberglauben siegen, das war der Kriegsruf der Aufklärer um George Berkeley und Thomas Paine, die sich auf so bahnbrechende Geister wie Pascal, Leibniz, Galileo und Isaac Newton beriefen«, dozierte Nina. »Ihr Credo ist auch das von A-Zwei.«

»Ich hab noch nie was von denen gehört«, sagte Jack und bereute sofort, seinen Mund aufgemacht zu haben.

»Nein?« Garner legte den Kopf zur Seite. »Ihre Dienststelle hat doch sämtliche Mitteilungen des Ministeriums für Heimatschutz erhalten. Die letzte kam vor – wie lange ist das jetzt her? – drei Monaten.« Er grinste anzüglich.

»Falls Sie die nicht gelesen haben, sind Sie entweder ein Ignorant oder Sie können gar nicht lesen.«

»Wie kommen Sie denn darauf, dass diese Organisation hinter der Entführung steckt?«, fragte Jack, gleichzeitig bemüht, seine Wut herunterzuschlucken. »Meistens wird doch Al-Kaida oder eine einheimische Sympathisantengruppe bei so was ins Spiel gebracht.«

Garner schüttelte den Kopf. »Es mag ja sein, dass diese Terroristen ihre Propaganda in den letzten zehn Tagen erhöht haben, aber das kommt und geht wie Ebbe und Flut. Vieles dran dient nur dazu, uns zu beschäftigen. Vor allem gibt es aber keine konkreten Hinweise. Außerdem konnten wir keine besonderen Bewegungen bei den observierten Zellen beobachten.«

»Und was ist mit den Zellen, die Sie nicht observieren?«, fragte Jack.

Nina sah Garner an. Der nickte.

»Zeigen Sie's ihm«, forderte er sie auf.

Nina zog aus einem der Ordner eine Handvoll Fotos, auf denen zwei männliche Leichen mit nacktem Oberkörper zu sehen waren. Auf ihren Rücken waren Stichwunden zu erkennen.

Jack schaute sich die Bilder an und fühlte sich erleichtert. »Wer ist das?«

»Das sind die Agenten vom Secret Service, die Alli Carson beschützen sollten«, erklärte Garner.

Jack spürte ein unangenehmes Prickeln im Nacken. Was er hier erfuhr, gefiel ihm gar nicht. Die Leichen waren ganz offensichtlich am Tatort fotografiert worden.

»Das waren professionelle Killer«, stellte Garner herablassend fest. »Sie wussten genau, wie sie schnell, sauber und effektiv töten. Sie haben ihnen die Brieftaschen weggenommen, die Schlüssel, Notizblöcke und Mobiltelefone. Einfach, um uns ein bisschen herauszufordern, denke ich, denn sie wissen ja, dass wir alle persönlichen Dinge der beiden kennen, weshalb es für die Täter zu riskant wäre, sie zu behalten. Und dann sehen Sie sich das hier mal an.«

Neben jeder Leiche lag etwas, das wie eine Spielkarte aussah.

Jack ging näher heran. »Was ist das?«

Garner legte zwei Plastikbeutel mit Beweismitteln auf die Fotos. In jeder Tüte war eine Spielkarte. In der Mitte jeder Karte war ein Kreis mit einem bekannten Symbol gezeichnet: ein stilisiertes Peace-Zeichen. »Während des Vietnamkriegs ließen die US-Soldaten manchmal eine Pik-Ass-Karte auf den Leichen ihrer Feinde liegen. Diese A-Zwei-Drecksäcke machen genau das Gleiche – sie hinterlassen ihr Zeichen auf ihren Opfern.«

Garner beugte sich nach unten und zog ein Dokument aus seiner Aktentasche. Er las laut vor: »Im Aberglauben verankerte Bewegungen breiten sich mehr und mehr von Amerika nach Europa aus, wo die Werte der Aufklärung durch islamische Einwanderer bedroht werden, vor allem in Frankreich, England, Deutschland und den Niederlanden. Bald schon werden die Islamisten versuchen, die Macht in diesen Ländern an sich zu reißen, und abergläubische Bewegungen werden versuchen, es ihnen gleichzutun ...« Es folgte eine ganze Reihe von statistischen Daten, die den steigenden Einfluss des Islamismus in Europa dokumentieren sollten, genauso wie die militanten Auswüchse dieser Bewegung.

»Hier.« Garner reichte ihm das Dokument. »Lesen Sie selbst weiter.«

Jack war natürlich immer hellhörig, was derartige Untertöne betraf, und fragte sich, ob Garner einen Verdacht hegte – oder schlimmer noch, ob er von seiner Schwäche wusste. Bennett hatte diesbezüglich immer dichtgehalten, aber bei diesen Typen aus dem Heimatschutzministerium wusste man ja nie. Die waren so pflichteifrig wie ein sunnitischer Imam, und wenn sie jemanden nicht leiden konnten – und ganz offensichtlich konnte Garner Jack überhaupt nicht leiden –, dann fühlten sie sich sofort bedroht, und in einem solchen Fall setzten sie Himmel und Hölle in Bewegung, um die Leiche in deinem Keller zu finden und auszugraben, selbst wenn es nur eine tote Fliege war.

Jack starrte den Text an, der von einer »Bewegung Zweite Aufklärung« unterschrieben worden war. Auch hier war wieder das stilisierte Peace-Zeichen zu sehen, das auch auf die Spielkarten bei den toten Secret-Service-Agenten gezeichnet worden war.

»Die Sache ist jetzt offiziell«, sagte Garner. »Diese A-Zwei-Aktivisten sind Terroristen ersten Grades. Sie werden nicht zögern, auch ein zweites Mal zu töten, das kann man schon an ihrer Forderung erkennen. Sie verlangen drastische Änderungen in der politischen Ausrichtung des jetzigen Präsidenten, noch bevor er sein Amt verlässt. Offenbar wollen sie ihn in den Augen der Weltöffentlichkeit diskreditieren, sein Erbe sabotieren und ihn zwingen, zuzugeben, dass seine Politik der letzten Jahre falsch war.« Er nahm Jack das Papier wieder ab. »All das weist eindeutig darauf hin, dass Alli Carson von A-Zwei entführt worden ist. Ich möchte, dass wir gemeinsam diese Organisation bekämpfen.«

»Klingt alles mehr nach einer Glaubenssache als nach einer logischen Schlussfolgerung«, stellte Jack fest.

Garner drehte sich zu ihm um und schaute ihn mit einem durchdringenden Blick an, in dem aller Ehrgeiz stand, der es ihm ermöglicht hatte, im Dschungel der Politik ganz nach oben zu kommen: »Sehe ich etwa so aus, als würde es mich interessieren, wie das für Sie klingt, McClure? Verdammt noch mal, Sie sind jetzt in meiner Truppe. Der Präsident der Vereinigten Staaten hat mich beauftragt, Alli Carson wiederzufinden, lebend, so schnell und so human wie möglich. Wenn Sie mitmachen wollen, müssen Sie sich unterordnen. Andernfalls fliegen Sie hochkant raus.«

»Ich würde nur gerne auch ein paar stichhaltige Beweise sehen …«

»Sind die Karten auf den Leichen unserer Männer nicht Beweis genug für Sie?« Garner stand auf, und Nina folgte ihm.

Auch Jack erhob sich und streckte sich. Die Stimmung im Raum hatte sich rapide verschlechtert.

Er riss sich zusammen und sagte: »Ich möchte gern den Tatort sehen.«

»Selbstverständlich«, sagte Nina. »Ich bringe Sie hin.«

»Ich kenne den Weg.«

Garner grinste boshaft und entblößte dabei seine ebenmäßigen Zähne. »Natürlich sollen Sie den Tatort besichtigen. Und wissen Sie was? Ich werde Sie persönlich dorthin bringen.«

SECHS

Das blasse Tageslicht schien durch die Fenster ins Zimmer und verbreitete eine Atmosphäre der Melancholie. Es war das triste Licht des Nordens, das zu dieser Jahreszeit besonders dünn und vergänglich wirkte. Hugh Garner löste das gelbschwarze Absperrband am Tatort. Als er über die Türschwelle treten wollte, kam Jack ihm zuvor und blockierte den Zugang.

Er zog sich Latexhandschuhe über und fragte: »Wie viele Leute sind da schon drin gewesen?«

Garner zuckte mit den Schultern. »Vielleicht ein Dutzend.«

Jack schüttelte den Kopf. »Das ist ja ein einziges Durcheinander. Sie haben sich wirklich Zeit gelassen, bevor Sie mich geholt haben.«

»Alles in diesem Durcheinander, wie Sie es nennen, wurde gekennzeichnet, fotografiert und eingetütet. Sie können ja den Bericht lesen«, erklärte Garner mit Nachdruck.

»Hab ich schon.« Jack war inzwischen klar, dass er es nur dem neu gewählten Präsidenten zu verdanken hatte, dass Garner ihm nicht an die Kehle sprang. Nicht einmal der scheidende Präsident konnte Edward Carson etwas ablehnen, ohne ganz schlecht dazustehen.

»Falls Sie irgendwas finden sollten – was ich stark bezweifeln möchte –, wird es von unseren Experten in

Quantico analysiert«, sagte Garner. »Dort haben sie nicht nur die beste forensische Ausrüstung des ganzen Landes, sondern auch den besten Sicherheitsstandard.«

»Haben Sie denen auch die beiden Leichen geschickt?«

»Die Autopsie wurde von unseren Leuten durchgeführt, aber die Leichen werden hier in der Stadt aufbewahrt.« Garner holte seinen elektronischen Organizer heraus und schaute auf den Bildschirm. »Sie sind jetzt bei einem Leichenbeschauer namens …« Er wollte den Namen schon vorlesen, hielt dann aber ganz unvermittelt Jack den Bildschirm vors Gesicht.

»Egon Schiltz«, sagte Jack ins Blaue hinein, während sein Gehirn vergeblich versuchte, die Zeichen auf dem Gerät zu entziffern. Glücklicherweise hatte er richtig getippt. Schiltz war als Amtsarzt für den gesamten nördlichen Bezirk von Virginia zuständig. Jack war seit über zwanzig Jahren gut mit ihm befreundet, obwohl sie immer wieder wegen ihrer unterschiedlichen politischen Ansichten aneinandergerieten.

Vorsichtig einen Fuß vor den anderen setzend, betrat Jack das Zimmer und ging bis in die Mitte des Raums. Gemessen an den üblichen Standards war das Zimmer recht groß, was nicht überraschte, denn das Langley-Fields-College war keine normale Schule. Hier bekam man in jeder Hinsicht etwas für sein Geld.

Ein dicker Teppich bedeckte den Boden. Alles im Raum war doppelt vorhanden: Bett, Schrank, Stuhl, Lampe, Schreibpult, Bücherregal. Allis Laptop stand auf ihrem Schreibtisch – ohne Festplatte, wie man deutlich sah. Die hatten die forensischen Experten mitgenommen. Das Regal über ihrem Bett war vollgestellt mit Büchern, Notizzettel stapelten sich, und Erinnerungen waren angepinnt. Diverse Wimpel standen ebenfalls dort, Trophäen, die sie beim Reiten und Tennisspielen gewonnen hatte. Alli war sehr sportlich und ehrgeizig. Jack trat einige Schritte näher und entdeckte die Bronzemedaille von einem Karatewettbewerb. Aus irgendeinem Grund war er stolz auf sie. Wegen ihrer zierlichen Figur und weil er ihre Gegnerin, die Tochter von Schiltz, gut kannte, hatte er ihr den Tipp gegeben, von Anfang an aufs Ganze zu gehen. Sein Blick glitt über die Buchrücken – es waren Schulbücher und Romane darunter. Man hatte Jack beigebracht, sein störrisches Gehirn zu beruhigen, indem er sich einen speziellen Punkt aussuchte, den er fixierte. Das tat er jetzt. Wie ein herumwirbelnder Tänzer, der einen Fixpunkt in der Ferne braucht, um die Balance halten zu können, brauchte er diesen Punkt, um das Durcheinander in seinem Kopf zu bannen. Das Problem war nur, dass es ihm nicht immer gelang, diesen Fixpunkt zu finden. Je stärker die Anspannung, desto geringer seine Chance, diese Methode anzuwenden.

Aber nun gelang es ihm. Der Wirbelsturm in seinem Kopf ließ nach, und er war in der Lage, die Buchstaben auf den Buchrücken in eine sinnvolle Ordnung zu bringen: Dort stand das *Cryptonomicon* von Neal Stephenson, *Die Umarmung des Todes* von Natsuo Kirino, *Der süße Wahn* von Patricia Highsmith und *Der Schatten des Windes* von Carlos Ruiz Zafón.

Garner trat von einem Fuß auf den anderen. »Nach Emmas Tod hat Alli sich geweigert, jemand anderen in ihr Zimmer aufzunehmen.«

Welche Seite des Zimmers war wohl die von Emma

gewesen, fragte sich Jack. Außer einem Stapel CDs war nichts mehr da, was an sie erinnerte. Er hatte zusammen mit Sharon alles abgeholt. Als er die CDs entdeckte, kamen Erinnerungen auf: Tori Amos, Jay-Z, Morrissey, Siobhán Donaghy, Interpol. Über den letzten Namen hatte Jack sich damals amüsiert. Am Tag, als sie hier eingezogen war, hatte er ihr einen iPod geschenkt, keinen kleinen Nano, sondern einen mit Acht-Gigabyte-Speicher. Und kaum hatte sie gelernt, wie man sich die Musik aus dem Internet darauf lud, war es mit den CDs vorbei. Jack griff nach der Tori-Amos-CD. Der erste Songtitel, der ihm ins Auge fiel, war »Strange Little Girl«. Sein Herz begann heftig zu pochen, seine Hand zitterte, als er die CD wieder auf den kleinen Stapel zurücklegte. Er wollte sie nicht mitnehmen; es war ihm einfach zu viel. Ihr iPod lag ja schon bei ihm zu Hause, und auch den hatte er nie mehr angefasst. Er hatte ihn aus dem demolierten Auto genommen, ohne dass es jemand bemerkte. Es war das Einzige gewesen, was nicht kaputtgegangen war. Wie oft schon hatte er sich vorgenommen, die Musik darauf anzuhören, aber er hatte einfach nicht den Mut dazu gefunden.

»Ganz schön schwierig, was?«, meldete sich Garner zu Wort. »Ich kann nur hoffen, dass Sie in der Lage sind, Ihren Job mit klarem Kopf auszuführen.«

Solche Sticheleien machten Jack nichts aus. In seiner achtzehnjährigen Berufspraxis war er sadistischen Späßen ausgeliefert gewesen, die Garner sich nicht im Geringsten vorstellen konnte. Er stand jetzt ganz ruhig da und löste den Blick von den Einzelheiten, um das Zimmer in seiner Gesamtheit zu erfassen. Er verfügte über das, was man in seinem Beruf den »durchdringenden Blick« nannte. Er konnte eine Umgebung so sehen, wie sie wirklich war, ohne auf die eigenen Erwartungen hereinzufallen. Wenn man einen Tatort mit Vorurteilen betrat, konnte es sehr leicht vorkommen, dass man bestimmte Hinweise überhaupt nicht wahrnahm, die aber wichtig für die Lösung des Falls waren. Andererseits fand man oft auch überhaupt nichts.

Nun durchquerte er das Zimmer, trat ans Fenster und schaute nach unten auf den dunkelgrauen Kiesweg der Auffahrt. Es gab keine Bäume in der Nähe, keine Büsche, die einen auffangen würden, wenn man hinausfiel, keine sich hochrankenden Pflanzen, an deren Ästen man heraufklettern konnte. Er drehte sich um und starrte geradeaus.

Garner zupfte sich nachdenklich am Ohrläppchen. »Und? Wie sieht's aus? Haben wir irgendwas übersehen, Schlaumeier?«

Es ging nicht darum, schlau zu sein, sondern alles anders zu sehen. Jacks Dyslexie machten es ihm sehr schwer, mit Sprache und Wörtern umzugehen, aber im Gegenzug verfügte er über eine ganz besondere Fähigkeit, die dies mehr als ausglich. Er konnte die Welt visuell in mehreren Dimensionen betrachten, intuitiv Zusammenhänge entdecken, die den meisten Menschen verborgen blieben. Es war genau die gleiche Fähigkeit, die Einstein in der Schule scheitern ließ und ihn später dennoch zu einem der größten mathematischen Genies seines Jahrhunderts werden ließ. Die gleiche Begabung brachte Leonardo da Vinci dazu, Flugzeuge und Unterseeboote zu entwickeln, dreihundert Jahre bevor sie tatsächlich gebaut wurden. Diese ganz spezielle intuitive Begabung hatte ihre Ursache in der Dyslexie dieser Personen. Sie waren nicht an die Beschränkungen der Sprache gebunden, wenn sie logisch denken wollten. Das sprachgebundene Denken kann pro Minute durchschnittlich 150 Worte verarbeiten. Jacks Gehirn arbeitete tausendmal so schnell. Kein Wunder, dass bestimmte Kleinigkeiten ihn irritieren konnten, wohingegen es ihm leicht gelang, hinter die Oberfläche bestimmter, für andere undurchdringlicher Phänomene vorzudringen. Das betraf natürlich auch die Untersuchung eines Tatorts.

Alli hatte in der vergangenen Nacht bis um drei Uhr hier geschlafen, dann war etwas vorgefallen. War sie von einer Hand geweckt worden, die sich über ihren Mund gelegt hatte? Hatte sie plötzlich gespürt, wie jemand ein Seil um ihre Handgelenke schnürte? Hatte sie fremdartige Geräusche gehört und war schon wach gewesen, als die Tür sich öffnete und der Schatten ihres Entführers über sie fiel? Hatte sie noch Zeit gehabt, etwas zu unternehmen, bevor sie überwältigt und geknebelt wurde, bevor man sie nach draußen zerrte und über den dunklen Rasen unter dem schwarzen Himmel wegtrug? Alli war sehr intelligent, das wusste er. Besser noch, sie war wirklich schlau. Es war gut möglich, dass Emma auf die besonderen Fähigkeiten ihrer Mitbewohnerin neidisch gewesen war. Dieser Gedanke machte Jack traurig. Aber war es nicht immer so, dass irgendjemand einen anderen wegen etwas beneidete, war nicht jeder unzufrieden mit sich selbst? Auf seine Eltern traf das sicherlich zu, auch auf seinen Bruder, jedenfalls bis zu dem Moment, bis ihn eine Bombe auf einer Straße irgendwo im Irak zerriss. Nach der Explosion war nicht genug übrig geblieben, um ihn korrekt identifizieren zu können.

Ungeordnete Assoziationen bringen einen normalen Menschen ziemlich durcheinander, aber bei Jack war das anders. Er sah dieses Zimmer aus einer Perspektive, die weder Garner noch die forensischen Experten einnehmen konnten. Er sah eine ganze Reihe von dreidimensionalen Stillleben, die zusammen ein einheitliches Bild ergaben, das er mit Hilfe seiner hochsensiblen optischen Fähigkeiten wie eine elektronische Maschine scannen konnte.

»Es war nur ein einzelner Täter«, stellte er fest.

»Wirklich?« Garner konnte sich ein abfälliges Lachen nicht verkneifen. »Ein einziger Mann, der sich auf dem Campus einschleicht, geräuschlos zwei Agenten des Secret Service umbringt, eine Zwanzigjährige kidnappt und sie über das Campusgelände wegschleppt und draußen im Nichts verschwindet? Sie sind ja von allen guten Geistern verlassen, McClure!«

»Trotzdem ist genau das passiert«, beharrte Jack.

Garner schaute ihn ungläubig an. »Na gut, nehmen wir mal an, Sie haben tatsächlich recht. Wie kommen Sie darauf? Sie haben sich hier doch bloß kurz mal umgeschaut. Wieso hat ein Dutzend der besten forensischen Experten des Landes, die hier jeden Millimeter durchkämmt haben, keine Hinweise darauf gefunden?«

»Zum einen zeigen die Fotos der ermordeten Agenten bei jedem eine einzige tödliche Wunde«, erklärte Jack, »und beide Wunden sehen genau identisch aus. Dass zwei Täter ihren Opfern auf genau die gleiche Weise eine Wunde zufügen, ist ziemlich unwahrscheinlich. Zweitens ist es nicht nötig, mit einer ganzen Horde irgendwo einzudringen, um jemanden zu entführen, wenn man nicht gerade die hochgesicherte Villa eines Drogenbarons überfallen will. Dies hier ist ein kleiner Campus, der aber von Sicherheitsleuten und Videokameras überwacht wird. Ein einzelner Täter – vor allem einer, der sich mit den Sicherheitsvorrichtungen gut auskennt – kann hier weitaus effektiver agieren als mehrere zusammen.«

Garner schüttelte den Kopf. »Ich habe nach Beweisen gefragt, und das ist alles, was Sie in petto haben?«

»Ich versichere Ihnen …«

»Das reicht, McClure. Ich verstehe ja, dass Sie bemüht sind, ihre Anwesenheit hier zu rechtfertigen, aber mit einem derartigen Blödsinn wird Ihnen das nicht gelingen. Sie servieren mir hier so eine Art Spiderman statt eines konkreten Täters.« Garner verschränkte die Arme vor der Brust, um seine Autorität zu unterstreichen. »Ich war der Zweite in unserer Klasse in Yale. Auf welche Universität sind Sie gegangen, McClure, auf die Baumhochschule?«

Jack schwieg. Er kniete jetzt auf allen vieren, hatte seine Mini-Taschenlampe angeknipst und schaute unter das Bett von Alli …

»Ich bin von Anfang an beim Heimatschutz, McClure. Seit den Anschlägen vom elften September.«

… nicht auf den Teppich, der, wie er jetzt feststellte, von den Forensikern abgesaugt worden war, sondern unter den Lattenrost, der an einer Stelle eine kleine Einkerbung aufwies. Nein, keine Einkerbung, es war vielmehr ein kleines Loch, nicht größer als der Durchmesser eines Fingers, und es war in die blau-weiß gestreifte Matratzenhülle gebohrt worden.

»Was machen Sie denn in Ihrer Dienststelle so? Verhaften Sie Schwarzbrenner oder Zigarettenschmuggler?«

Jack bemühte sich um einen sachlichen Ton. »Haben

Sie schon mal eine Bombe entschärft, die mit Ammoniumnitrat und Benzin gefüllt im Keller einer Schule deponiert wurde? Oder ein halbes Pfund C4 in einem illegalen Drogenlabor zu entschärfen versucht, während die Täter kurz davor sind, das ganze Ding in die Luft zu jagen?«

Garners Handy klingelte, und er hielt es ans Ohr.

»Haben Sie schon mal einen Irren dingfest machen müssen, dessen Vorliebe es ist, Mädchen einzusperren und totzuschlagen?«, fragte Jack weiter.

»Zumindest kann ich lesen, ohne dass mein Gehirn sich zu einer Brezel verknotet.« Garner drehte sich um und verließ das Zimmer, während er heftig auf die Person am anderen Ende einredete.

Jack spürte, wie die Wut in ihm hochkochte und alle Teile seines Körpers erfasste. Seine Hände fingen an zu zittern. Garner wusste also Bescheid. Irgendwie war es ihm gelungen, Informationen aus Jacks Vergangenheit zu bekommen. Er hätte ihn am liebsten gepackt, um ihm ins Gesicht zu schlagen. In solchen Augenblicken fühlte er sich wegen seiner Behinderung klein und hilflos. Er war ein kaputter Typ, Gefangener seines unzulänglichen Gehirns, und es gab kein Entrinnen. Niemals.

Irgendetwas schimmerte auf, als er den schmalen Lichtkegel auf das Loch in der Matratze richtete. Er steckte den Finger hinein und zog eine kleine Kapsel aus Metall heraus. Er öffnete den Drehverschluss. Der kleine Behälter war bis zur Hälfte mit einem weißen Pulver gefüllt. Er ließ ein wenig davon auf die Fingerspitze rieseln und probierte es. Sein Verdacht bestätigte sich. Es war Kokain.

SIEBEN

Nina Miller zündete sich eine Nelkenzigarette an, starrte die brennende Spitze einen Augenblick lang an und lachte auf. »Erinnert mich an meine Zeit auf dem College. Die schmecken mir immer noch.« Sie inhalierte langsam und tief, als würde sie Haschisch rauchen, und atmete den Rauch mit einem leisen Zischen wieder aus. Hinter ihr schickte die blasse Abendsonne ihre letzten Strahlen über das Hügelland. Ein Hund bellte auf einem der benachbarten Grundstücke.

Sie stand im Schatten der Abendsonne unter dem Dach, die linke Hüfte leicht vorgestreckt, vor dem Eingang zum Westflügel des Uni-Gebäudes, in dem sich Allis Zimmer befand, gegen die weiße Mauer gelehnt.

»Haben Sie irgendetwas Interessantes gefunden?«, fragte sie.

»Vielleicht«, antwortete Jack.

»Ich habe gesehen, wie Garner rausgestürmt ist. Er schien nicht gerade begeistert zu sein.«

Jack erzählte ihr von seiner Einzeltäter-Theorie.

Sie zuckte mit den Schultern. »Klingt ja auch ziemlich unglaubwürdig.«

»Na, vielen Dank auch.«

»Ich würde genau wie Garner ausgeprägten echten Spuren folgen. Im Unterschied zu ihm würde ich allerdings Ihre Theorie nicht einfach ablehnen. Aber ich habe noch nie erlebt, dass ein Fall durch Intuition gelöst wurde. Ich glaube nicht, dass so etwas funktioniert.«

Sie tat ihm leid. Es war ein vertrautes Gefühl, und mit einem Mal wurde ihm klar, dass er genau dieses Gefühl immer bei Sharon gehabt hatte, die ganze Zeit über, als sie verheiratet waren.

»Eins kann ich Ihnen versprechen«, sagte Nina und unterbrach damit seinen Gedankengang. »Mit solchen Argumenten werden Sie bei Garner nicht landen.«

Jack hielt ihr die Metallkapsel hin. »Das hab ich in einem Loch in Allis Matratze gefunden. Da ist Kokain drin.«

Nina lachte. »Sie haben es also gefunden.«

»Was?«

»Hugh schuldet mir zwanzig Dollar.« Sie steckte die Kapsel ein. »Er meinte, die würden Sie niemals finden.«

Jack kam sich vor wie ein Idiot. »Also war es ein Test.«

Nina nickte. »Er hat sie da deponiert.« Sie stieß sich von der Wand ab und ließ ihre Kippe zu Boden fallen. »Vergessen Sie diesen Idioten.«

Sie ging los, und Jack versuchte mit ihr Schritt zu halten.

»Vorhin«, sagte er, »als Sie diese Abschnitte aus dem Bericht vorgelesen haben ...«

»Wusste ich, dass Sie damit Probleme haben.«

»Woher denn?«

»Das werden Sie noch früh genug erfahren.«

Sie gingen den Gebäudeflügel entlang und erreichten einen dahinterliegenden Geräteschuppen. Zuerst dachte er, sie würden um den Schuppen herumgehen. Aber dann warf Nina einen Blick über die Schulter und öffnete die Tür.

»Los, rein«, sagte sie. »Schnell!«

Kaum war Jack durch den engen Eingang geschlüpft, schloss Nina hastig die Tür. Drinnen standen ein roher Holztisch, einige schmucklose Stühle und eine alte Stehlampe. Der Raum war so karg möbliert wie ein Verhörzimmer bei der Polizei. Durch ein kleines quadratisches Fenster sah man den Rasen, weiter weg eine Baumreihe und dahinter die Mauer, die das Campus-Gelände umgab.

Zwei weitere Personen waren in dem Raum. Der Lichtkegel der Stehlampe beleuchtete ihre Gesichter von der Seite. Jack erkannte sie sofort: Es waren Edward Carson und seine Frau Lyn. Die künftige First Lady trug ein schwarzes Tweed-Kostüm, darunter eine weiße Seidenbluse, deren Kragen von einer aprikosenfarbenen Kamee zusammengehalten wurde. Sie stand mit verschränkten Armen am Fenster und starrte auf die Wolken, die über den Abendhimmel zogen. Man sah ihr an, dass sie zutiefst verängstigt war und sich schreckliche Sorgen um ihre verschwundene Tochter machte.

Jack warf Nina einen Blick zu. Es war also Edward Carson gewesen, der ihr von seinem Geheimnis erzählt hatte.

Obwohl der zukünftige Präsident ebenfalls sehr verhärmt aussah, riss er sich sofort zusammen, als die beiden eintraten, und nahm die Haltung an, die einem Mann in seiner Position gebührte. Aufrecht und gerade stehend bemühte er sich um ein professionelles Lächeln. Der Mann war sehr telegen, aber jetzt nahm Jack in seinen Augen eine Härte wahr, die bei seinen Auftritten im Fernsehen nie zu erkennen war. Aber vielleicht war er angesichts der schwierigen Situation einfach nur zu angespannt, um einen wirklich lockeren Eindruck zu machen.

Er saß am Tisch, vor sich die Bibel mit dem Neuen Testament. Sein Zeigefinger lag an einer ganz bestimmten Textstelle, und nun begann er einige Sätze aus dem Evangelium des Matthäus zu zitieren: »Denn wer da bittet, der empfängt; und wer da sucht, der findet; und wer da anklopft, dem wird aufgetan. Welcher ist unter euch Menschen, so ihn sein Sohn bittet ums Brot, der ihm einen Stein biete?«

Edward Carson stand auf und ging um den Tisch herum. »Hallo, Jack.« Er schüttelte seine Hand. »Gut, dass Sie kommen konnten. Ich soll Ihnen die besten Wünsche und den Segen von Pfarrer Myron Taske übermitteln.« Er hielt Jacks Hand fest. »Wir haben einen weiten Weg hinter uns, nicht wahr?«

»Ja, Sir, das stimmt.«

»Jack, ich hatte nie die Gelegenheit, Ihnen angemessen für Ihren Einsatz bei der Evakuierung meines Büros während des Anthrax-Anschlags zweitausendeins zu danken.«

»Ich habe nur meine Arbeit getan, Sir.«

Carson schaute ihn warmherzig an. »Wir beide wissen sehr genau, dass das so nicht stimmt. Seien Sie nicht zu bescheiden, Jack. Es waren schlimme Tage, das ist wahr, und wir haben den wahren Täter nie gefunden. Ich frage mich, wie wir das alles ohne Sie und Ihre Kollegen hätten überstehen können.«

»Vielen Dank, Sir.«

Nun schloss sich auch die andere Hand des Präsidenten um Jacks Hand, und er senkte seine Stimme. »Sie werden sie uns zurückbringen, nicht wahr, Jack?«

Der zukünftige Präsident der Vereinigten Staaten schaute ihm in die Augen wie ein Priester. Obwohl er in einer Großstadt aufgewachsen war, hatte er etwas von einem ländlichen Prediger an sich, eine ganz bestimmte Anziehungskraft, die die Menschen dazu brachte, ihre Hand auszustrecken, um ihn zu berühren. Er konnte die Menschen mobilisieren, ihre Gefühle ansprechen und sie begeistern. Egal was er von sich gab, man verspürte den heftigen Drang, ihm zu glauben – er strahlte etwas Väterliches aus. Aber das war natürlich nur Schall und Rauch, ein Image, das er sich zugelegt hatte und das auf den TV-Bildschirmen ausgezeichnet funktionierte. Mit der Wirklichkeit hatte das alles nichts zu tun, in Wahrheit war Jack dem frisch gewählten Präsidenten ziemlich egal, und das würde auch immer so bleiben.

»Ich werde mein Bestes tun, Sir«, antwortete Jack. »Ich fühle mich sehr geehrt, dass Sie meine Hilfe in Anspruch nehmen wollen.«

»Wer wäre wohl besser geeignet, Jack?«

»Vielen Dank, Sir. Wenn ich dann gleich auf unser Thema kommen darf. Ich meine, das Wichtigste ist zunächst einmal, dass wir der Öffentlichkeit eine plausible Geschichte servieren.« Jack schaute jetzt zu der Frau am Fenster hin, die sich bemühte, ruhig und gefasst zu bleiben. Er erinnerte sich, dass Sharon genau die gleiche Haltung angenommen hatte, als Emmas Sarg langsam ins Grab hinabgelassen wurde. Damals hatte er ein leises Flüstern gehört, das gleiche Flüstern wie gerade eben im Hauptgebäude. Sharon hatte gesagt, es sei nur der Wind in den Baumwipfeln. Damals hatte er ihr geglaubt.

Er senkte leicht den Kopf. »Mrs. Carson.«

Als sie ihren Namen hörte, schien sie ganz langsam wieder in die Realität zurückzufinden. Sie wirkte dünn, als hätte sie die Freude am Essen verloren. Einen Moment lang starrte sie Jack verständnislos an, dann kam sie auf ihn zu.

»Madam, darf ich Sie fragen, ob Ihre Eltern noch immer diesen Bauernhof mit dem Olivenhain in Umbrien haben?«

»Ja, den haben sie noch. Warum?«

Jack sah Carson an. »Das scheint mir ein guter Ort zu sein, an dem Alli ›ihre Ferien verbringen könnte‹, meinen Sie nicht auch?«

»Ja, doch, das ist wahr.« Der zukünftige Präsident zog das Handy aus der Tasche. »Ich werde gleich meinen Presse-Chef davon unterrichten.«

Lyn Carson ging ein Stück auf Jack zu. »Ich weiß jetzt, was Sie durchgemacht haben müssen, Mr. McClure. Wegen Ihrer Tochter …« Sie zögerte, und Tränen traten in ihre Augen. Sie biss sich auf die Lippe und versuchte, sich wieder unter Kontrolle zu bekommen. Dann sagte sie: »Sie müssen Emma ganz furchtbar vermissen.«

»Ja, Madam, das tue ich.«

Carson hatte sein Gespräch beendet und gab seiner Frau ein Zeichen. Sie wandte sich um und ging zum Fenster zurück.

»Jack, da ist noch etwas, das ich Ihnen sagen muss. Sie wurden sicherlich schon unterrichtet über die Umstände und die Theorie, wer dahinterstecken könnte, und so weiter.«

»Sie meinen A-Zwei. Ja, Sir.«

»Was halten Sie davon?«

»Ich glaube, es steckt noch mehr dahinter. Die Leute von A-Zwei sind sicherlich die Hauptverdächtigen, aber ich glaube nicht, dass man sich nur auf sie allein als mögliche Täter konzentrieren darf.«

Lyn Carson kam wieder zurück zu ihnen. Ihr Mund war leicht geöffnet, als wollte sie noch etwas zu dem, was sie gesagt hatte, hinzufügen. Doch ihr Mann schüttelte den Kopf, und sie behielt es für sich.

Als er wieder zu reden begann, glaubte Jack jenen Ton in seiner Stimme zu hören, den er anschlug, wenn er bei kleineren Versammlungen von Vertrauten auftrat – nun klang er leise und verschwörerisch. »Jack, ich möchte Sie bitten, nicht in die gleiche Kerbe zu schlagen wie die anderen. Ich möchte, dass Sie Ihrem eigenen Instinkt folgen, Ihren eigenen Hinweisen. Ich habe eine Menge politischen Einfluss ausüben müssen, um Sie für diese Aufgabe verpflichten zu können.«

Lyn Carson reichte Jack ihre Hand. Sie war sehr schmal und sehr kalt, fühlte sich knochig und leblos an, aber dennoch pulsierte darin das Blut einer verzweifelten Mutter. In ihren Augen erkannte er die gleiche Verzweiflung, die er von sich selbst so gut kannte.

»Es ist schrecklich«, sagte sie bewusst doppeldeutig. Sie sprach nicht nur von Alli, sondern auch von Emma.

»Bitte finden Sie unsere Tochter.«

»Ich werde sie Ihnen zurückbringen.« Er drückte ihre Hand. Sie fühlte sich zerbrechlich an. »Ich verspreche es Ihnen.«

Tränen schossen aus den Augen von Lyn Carson, liefen ihr übers Gesicht und tropften zu Boden.

ACHT

»Sie hätten ihr das nicht versprechen dürfen«, sagte Nina. »Sie können ihr nicht garantieren, dass Sie Alli finden, und schon gar nicht, dass Sie sie zurückbringen werden.«

Jack fand die Tatsache, dass Nina Miller Zeugin seines Gesprächs mit den Carsons gewesen war, sehr aufschlussreich. Garner war eindeutig ausgeschlossen gewesen, und das deutete auf Konflikte innerhalb der Heimatschutzbehörde hin. Dahinter stand eindeutig die Spaltung der derzeit regierenden Republikanischen Partei in einen fundamentalistischen und einen moderaten Flügel, die sich ganz offensichtlich bekämpften. Dass diese Behörde für politische Zwecke instrumentalisiert wurde, war kein Geheimnis. Genau davor hatte Bennett ihn gewarnt, und es war klar, dass diese Situation ihm seinen Job nicht gerade erleichtern würde.

»Ich kann Hoffnung garantieren«, erwiderte Jack. »Sie braucht jetzt Hoffnung, um weiterleben zu können. Allein diese Hoffnung wird ihr helfen, die schlimmen Stunden zu überstehen, die auf sie zukommen.«

»Hoffnung suggeriert nur, dass das Schlimme nicht eintreten wird«, sagte Nina. »Und das ist eindeutig unfair.«

Sie gingen nebeneinander den Flur entlang. Jack hielt an und drehte sich zu ihr. »Was wissen Sie denn von diesen schlimmen Stunden, die sie durchmachen muss?«

Nina stand nur da und schaute ihn an. Sie sagte nichts, weil sie ganz offensichtlich keine Antwort darauf hatte.

»Ich bin durch diese schlimmen Stunden hindurch-gegangen«, fuhr Jack fort. »Ich weiß, wie die Carsons sich fühlen.«

Er stand ganz ruhig da, aber von ihm ging eine der-artig starke Ausstrahlung aus, dass Nina einen Schritt zurücktrat, als hätte sie einen Schlag ins Gesicht bekom-men.

Seine Augen leuchteten. »Ich werde Alli zurückbringen, Nina. Darauf können Sie sich verlassen.«

Jack führte sie nach rechts, und sie gingen an der Hütte vorbei. Vor ihnen lag ein schmales Stück Wiese. Dahinter standen eine Gruppe üppiger Nadelbäume sowie einige sehr alte Eichenbäume. Als sie sich den Bäumen näher-ten, bemerkte Jack, dass Nina ihre Hüften auf eine sinn-liche Art bewegte.

Sie stolperte über einen Stein, als sie gerade ansetzte, etwas zu sagen. »Ich möchte, dass Sie wissen ...«

»Was denn?«

»Ich ... habe auch schlimme Stunden durchgemacht.«

Jack schob sich zwischen den tief hängenden Zweigen hindurch und sagte nichts.

»Als ich noch ein Kind war ...« Nina duckte sich un-ter den Ästen hindurch und setzte vorsichtig ihre Füße zwischen die wulstigen Wurzeln am Boden. »Mein älterer Bruder ... er hat mich missbraucht.«

Jack hielt an und wandte sich ihr zu. Ihr Geständnis kam völlig unerwartet. Sicherlich fiel es ihr nicht leicht, darüber zu reden. Andererseits war es mitunter einfacher, einem Fremden gegenüber etwas Schlimmes zuzugeben, als einem guten Bekannten.

»Als ich mich wehrte, hat er mich geschlagen. Er sagte, ich müsse bestraft werden.«

Jack war, als würde in seinem Innern wie in einem Flipperautomaten eine stählerne Kugel hin und her geschossen. »Das ist schlimm.«

Nina blickte ihn verkniffen an, bemüht, die schrecklichen Erfahrungen ihrer Jugend zu bannen. »Er ist jetzt verheiratet und hat zwei Kinder. Jetzt hat er eine ganze Familie, die er terrorisieren kann. Ich hasse ihn, ich kann es nicht ändern.« Sie versuchte zu lachen, aber es klang eher wie ein Schluchzen. »Meine Eltern waren sehr gottesfürchtig, sie glaubten an seine Allgegenwart und Liebe. Das war ganz schön blauäugig.«

»Als wir noch klein waren«, sagte Jack, »haben die Eltern kaum darüber nachgedacht, welche Auswirkungen ihr Verhalten auf die Kinder hat.«

Nina dachte einen Moment lang darüber nach. »Das mag schon sein, aber das entschuldigt dennoch nicht ihre Ignoranz.«

Sie gingen weiter unter den mächtigen Tannen und Eichen hindurch. Jack hörte, wie der Wind die Blätter bewegte, und das leise Rauschen des Verkehrs auf der Straße jenseits des Grundstücks. Ein Vogel zwitscherte.

Nach einer Weile fragte Nina: »Wohin gehen wir?«

»Da ist ein geheimer Pfad.« Jack deutete nach vorn. »Na ja, die Schüler kennen ihn natürlich, aber die Lehrer und Erwachsenen nicht …«

Sie waren jetzt am Ende des kleinen Wäldchens angelangt. Er ging drei oder vier Schritte nach rechts ins Gebüsch, schob einige Zweige beiseite und gab den Blick frei auf einen schmalen Trampelpfad, der dort durchs Unterholz führte.

»Außer Ihnen«, stellte Nina fest.

Er nickte. »Außer mir.«

Nina folgte ihm auf dem verschlungenen Pfad. Immer wieder mussten sie sich bücken, um unter den tief herabhängenden Zweigen hindurchgehen zu können. Ihre Schuhsohlen knirschten auf dem trockenen Boden. Windstöße schüttelten die Zweige der vereinzelt herumstehenden Tannen, und mit Dornen bewehrte Büsche klammerten sich an ihre Kleider.

»Überall sind die Wiesen und Beete akkurat gepflegt«, sagte Nina. »Wieso hat hier niemand mal Hand angelegt?«

»Das ist wie eine natürliche Stacheldrahtbarriere«, sagte Jack.

»Und was machen die Schüler hier drin?« Nina musste ihren Mantel von einem widerspenstigen Dornbusch losreißen. »Drogen und Sex wahrscheinlich.«

»Ich bin mir ziemlich sicher, dass die Schüler hier auch mit Sex und Drogen zu tun haben«, sagte Jack. »Das liegt in der Natur der Sache.«

Nina sah ihn fragend an: »In der Natur des Luxus?«

»Tja, das wäre eine schöne Frage in einem Fernsehquiz.«

»Wer hat Ihnen von diesem Pfad erzählt? Emma?«

Jack lachte auf, es klang bitter. »Emma hat mir nie etwas erzählt.« Wie so vieles im Leben war das eine Frage des Vertrauens. Edward Carson vertraute Nina ganz offensichtlich, und sie wiederum hatte Jack ihr Vertrauen geschenkt, als sie ihm von ihrem dunklen Familiengeheimnis erzählte. Es hatte ihn berührt, so tief, wie sie sich das gar nicht vorstellen konnte. »Es war Alli, die mich darauf hinwies. Sie machte sich Sorgen über Emma.«

»Sorgen? Weswegen denn?«

»Das hat sie nie genau gesagt. Ich hatte den Eindruck, dass sie mir einfach nicht mehr sagen konnte. Aber sie hat mir mehrmals erzählt, dass Emma sich nachts, wenn sie glaubte, Alli würde schlafen, aus dem Zimmer schlich. Einmal ist Alli ihr gefolgt und hat gesehen, wie sie hier zwischen den Bäumen verschwand.«

»Ist sie ihr gefolgt?«

»Das hat sie nicht gesagt.«

»Haben Sie nicht nachgefragt?«

»Ich nehme an, Sie haben keine Kinder im Teenageralter. Ich bin ihr selbst gefolgt.«

»Und was ist passiert?«

Sie waren jetzt vor der hohen Backsteinmauer angelangt, die das Gelände des College umgab. Davor erstreckte sich eine Hecke aus Buchsbaum, dazwischen standen einige Weiden. Jack ging voran und verschwand im dichten Gebüsch.

Nina versuchte ihm zu folgen, aber an einer Stelle war die Hecke so dicht, dass sie ihren Mantel zurücklassen musste, um durch den engen Spalt im Dickicht zu gelangen. Gebückt ging sie weiter und stand kurz darauf direkt vor der hohen Backsteinwand. Jack kauerte auf dem Boden und versuchte einige Steine zu lockern. Zu Ninas großem Erstaunen konnte er sie ganz leicht aus der Mauer lösen. In kurzer Zeit hatte er einen Stapel zusammen. Durch das entstandene Loch in der Mauer konnte eine kleine bis mittelgroße Person hindurchkriechen.

»Da hindurch bin ich ihr nachgegangen.«

Nina hockte sich hin und schaute durch das Loch. Auf der anderen Seite sah sie ein Stück Rasen, ein Stück von einem Baumstamm und weiter hinten eine Baumgruppe aus Eichen, Birken und Lorbeer.

»Ich habe beobachtet, wie sie sich hier mit jemandem traf. Ich weiß nicht, wer es war, es war nur ein Schatten unter den Bäumen da drüben«, sagte Jack. »Vielleicht hörte sie ein Geräusch oder schaute sich einfach nur instinktiv um. Da sah sie mich und kam mir entgegen. Sie schob mich fort und zischte mich an wie ein wildes Tier.« Jack setzte sich auf den Boden und schaute in die Ferne. »Wir haben uns regelrecht geprügelt. Sie beschuldigte mich, ich würde ihr nachspionieren, was ganz offensichtlich auch der Wahrheit entsprach. Ich sagte, ich müsste ihr nicht hinterhergehen, wenn sie nicht mitten in der Nacht herumschleichen würde. Das war ein Fehler. Sie drehte durch und schrie mich an, was sie mache, habe mich überhaupt nicht zu interessieren, und außerdem würde sie mich hassen, und dann sagte sie noch einige Dinge, die sie in Wirklichkeit nicht so meinte. Hoffe ich zumindest.«

Nina schaute ihn mitfühlend an. »Aber Sie haben nie herausgefunden, wer die andere Person war?«

Jack schob sich gebückt in den Durchgang in der Mauer.

Sie krochen auf allen vieren auf die andere Seite. Es roch modrig wie auf einem Friedhof, der süßlich-morastige Geruch erinnerte Jack an seine Kindheit. Damals war die Katze einer Nachbarin in einer Mauerlücke seines Zimmers stecken geblieben und gestorben. Den Verwesungsgeruch, der sich danach ausbreitete, würde er nie vergessen. Die Nachbarin, eine alte Frau, die eine ganze Horde Katzen beherbergte, wollte die schwarze Katze zurückhaben, um sie ordentlich begraben zu können, aber Jacks Vater lehnte das ab. »Der Junge soll ruhig schon den Geruch des Todes kennenlernen, damit er spürt, dass der Tod eine reale Sache ist«, erklärte er der vertrockneten alten Frau. »Er muss lernen, dass das Leben nicht ewig dauert und ihn eines Tages der Tod einholen wird wie jeden anderen auch.«

Viele Nächte lang hatte Jack danach in seinem Bett gelegen, wütend, mit klopfendem Herzen, und sich bemüht den Verwesungsgeruch zu ertragen. Aber sein Magen hatte rebelliert, und er musste aus dem Zimmer rennen und sich in die Toilette übergeben. Im Nebenzimmer hörte er, wie seine Eltern laut stöhnend Sex hatten und dabei keine Rücksicht darauf nahmen, dass sie nicht allein waren.

Jack und Nina standen auf der anderen Seite der Mauer dicht nebeneinander, und Jack fragte sich, ob Nina wohl das Gleiche dachte wie er: Wurde Alli auf diesem Weg aus dem College entführt? Über Ninas rechte Schulter schaute er zu den Hügeln, hinter denen der Highway lag.

Die Saigon Road, auf der Emma ihren Unfall hatte, lag nur fünf Meilen entfernt von hier. Er spürte einen kalten Windhauch im Nacken und fröstelte. Ein Schauer lief durch seinen Körper. War Emma in irgendeiner Form hier in der Nähe? War so etwas möglich? Im Zuge seiner Arbeit war er einmal mit einem Parapsychologen zusammengetroffen, der davon überzeugt war, dass die Geister der Toten, die eine unerledigte Aufgabe hinter sich gelassen hatten, nicht frei sein konnten, sondern zuerst noch diese Aufgabe erledigen mussten. Dieser Gedanke brachte ihn dazu, an einen Vorfall zu denken, als Emma noch am Leben war.

Sharon hatte darauf bestanden, dass Emma auf das Langley Fields College gehen sollte. Jack fand nicht, dass seine Tochter sich unbedingt vier Jahre lang dem strengen Regiment dieser Hochschule unterwerfen sollte, aber Sharon hatte etwas anderes nicht gelten lassen. Die Ausbildung dort sei außergewöhnlich gut, hatte sie erklärt, und Emma würde eine Menge interessanter Kommilitonen aus aller Welt kennenlernen. Jack allerdings sah auch die Kehrseite dieser Welt: einen angeberischen Mercedes oder Bentley oder die aufgemotzten Geländewagen der silikongelifteten Mütter, die Handys, aus denen die Stimme von Britney Spears plärrte, die hässlichen kleinen Hunde, die wie Großstadtratten aussahen, und die Platin-Kreditkarten, die hier und da aufblitzten. Er hatte eine zweite Hypothek auf sein Haus aufnehmen müssen, um die gigantisch hohen Schulgebühren bezahlen zu können. Später hatte er sich gewünscht, er hätte mehr Widerstand geleistet, dann hätte Emma das Georgetown oder das George Washington College besuchen können, wo sie eigentlich hingehen wollte. Aber Sharon hatte sich in den Kopf gesetzt, dass ihre Tochter nur das Beste haben sollte, und weder auf ihn noch auf Emma gehört. Sie wollte, dass ihre Tochter die Ausbildung bekam, die ihr selbst verwehrt worden war.

»Wir müssen übrigens aufpassen«, sagte Nina, »dass Hugh Garner nicht mitbekommt, welche Rolle wir in seiner Truppe spielen. Er wird sonst garantiert Mittel und Wege finden, uns derart in Schwierigkeiten zu bringen, dass nicht einmal der zukünftige Präsident uns schützen kann.«

»Ich werde mich nicht an irgendwelchen politischen Machenschaften beteiligen«, sagte Jack, der immer noch an Emma dachte.

»Da sind wir einer Meinung, aber wir sollten trotzdem auf der Hut sein.« Nina, die ihren Mantel auf der anderen Seite der Mauer zurückgelassen hatte, fröstelte. »Hugh Garner ist ein ziemlich gewiefter Intrigant.«

Jack zog seinen Mantel aus, aber noch bevor es ihm gelang, ihn Nina um die Schultern zu legen, schüttelte diese den Kopf.

»Allis Schicksal hat nichts mit all diesen Propagandaschlachten und politischen Machtspielchen zu tun«, erklärte Jack.

»Schön wär's«, stellte Nina nüchtern fest. »In einer anderen Welt vielleicht.«

Nina schaute zu den mächtigen Eichenbäumen, die im Abendlicht fantastisch urtümliche Umrisse hatten, die sich wandelten, während ihre Äste sich im Wind bewegten. »Dieser Ort hier erinnert mich an irgendetwas«, sagte sie. »Man glaubt fast, der Teufel würde sich dort zwischen den Stämmen verstecken.«

»Was haben Sie gesagt?«

Nina zuckte mit den Schultern. »Seit meiner Kindheit fürchte ich mich vor irgendwelchen schrecklichen Dingen, die mir aus heiterem Himmel zustoßen könnten.«

Jack schaute sie schief an. »Das ist doch nur ein Pfad, der dort zwischen die Bäume führt.«

»Aber wer weiß, was dort vor sich geht?«

Durch die beginnende Dämmerung gingen sie auf

die Schatten der riesigen Bäume zu. Die Regenfälle der letzten Tage hatten den Boden aufgeweicht, der teilweise sogar morastig und matschig war. Sie kamen nur langsam voran. Nach einer Weile mussten sie sich ducken, um unter einem Busch hindurchzugelangen, und standen mit einem Mal auf einer kleinen Lichtung, auf die die letzten Sonnenstrahlen einen rötlichen, kupferfarbenen Glanz warfen. Ein Windstoß hob Ninas Rock an und gab den Blick auf ihre muskulösen Schenkel frei.

Am Fuße eines Baums, zwischen den dicken Wurzeln, entdeckten sie einen kleinen Hügel frisch aufgeworfener Erde.

»Was ist das denn?«

Nina hockte sich neben Jack, der sich hingekniet hatte, um die Stelle zu untersuchen. Hier war vor Kurzem gegraben worden. Jack fuhr mit der Hand in die Erde und zog einen fünfzehn bis zwanzig Zentimeter langen Gegenstand heraus, der in eine Ölhaut eingeschlagen war.

»Was zum Teufel …«, sagte Nina.

Vorsichtig wischte Jack Erde und modrige Blattreste ab und schlug dann die ölige Leinwand auseinander.

Ein blasses Stück Fleisch kam zum Vorschein, auf das die untergehende Sonne ihr rötliches Licht warf. Es war eine kleine Hand mit schmalen Fingern, deren Fingernägel kurz geschnitten waren wie bei einem Jungen. Einer der Finger trug einen Ring. Es war eindeutig die Hand eines jungen Mädchens. Sie musste längere Zeit im Wasser gelegen haben, worauf die angeschwollenen, runzeligen Fingerspitzen hinwiesen.

Nina schaute Jack erschrocken an: »Um Gottes willen, ist die von Alli Carson?«

Ohne die Hand zu berühren, untersuchte Jack den Ring aus Gold und Platin, der am blassen, kalten Ringfinger steckte.

»Das ist jedenfalls ihr Ring«, stellte er fest. »Den kenne ich gut.« Er deutete auf die Fingernägel. »Hier die Nägel, nicht poliert oder lackiert. Das passt auch. Sie hat sie kurzgeschnitten wie ein Junge.«

»Um Gottes willen«, sagte Nina. »Man hat sie ertränkt.«

NEUN

»Ich habe gerade das A-Zwei-Manifest gelesen«, sagte der Präsident, als Dennis Paull das Oval Office betrat. Er sollte den Nationalen Sicherheitsberater ablösen, der gerade dabei war, zu gehen.

Paull setzte sich auf den Stuhl direkt vor dem Schreibtisch des Präsidenten. Die Fahnen an den Wänden leuchteten weiß, blau und rot im Lampenlicht, sahen aber ziemlich schlapp aus. Genau so, wie er sich fühlte. Alle hier fühlten sich so. Alle waren ständig in Krisenstimmung, nur der Präsident, der sich wie immer ganz auf den Ratschlag seiner neokonservativen Berater verließ, blickte noch ausgeruht und zuversichtlich drein. Vielleicht ist es ja sein Glaube, dachte Paull, der ihm diese Zuversicht gibt, seine Überzeugung, Amerika auf den rechten Weg zurückzuführen. Paull selbst wurde ständig von Zweifeln geplagt, ob sie nun seine Vergangenheit oder die Zukunft betrafen.

Der Präsident hob einen Stapel Blätter in die Höhe: »Der Sicherheitsberater hat mir die Angelegenheit persönlich unterbreitet. Das ist wirklich schlimm, Dennis. Da draußen laufen Leute herum, die das reale Böse verbreiten. Sie wollen das Land ruinieren, es schwächen und verletzlich machen, damit es zur Beute der Extremisten werden kann. Sie wollen alles zerstören, was ich in den letzten acht Jahren aufgebaut habe.«

»Dem kann ich nur zustimmen«, sagte Paull.

Der Präsident warf die Blätter auf den Teppichboden und trat mit den Füßen darauf herum. »Wir müssen diese A-Zwei-Terroristen ausmerzen, Dennis.«

»Sir, ich sagte ja bereits, ich glaube, dass wir dafür nicht mehr genug Zeit haben. Ich bin mir da inzwischen ziemlich sicher. Wir haben das ganze Land durchgekämmt in den letzten Monaten, ohne Erfolg. Wo immer sie sind, wir können sie nicht finden.«

Der Präsident kam um seinen Schreibtisch herum und lief auf dem dicken blauen Teppich hin und her. »Das erinnert mich an 2001«, sagte er düster. »Die Leute, die für diesen Anthrax-Anschlag verantwortlich waren, haben wir auch nie gefunden. Dieser Fehlschlag belastet mich noch heute.«

Paull breitete die Arme aus. »Wir haben alles getan, was wir tun konnten, Sir. Wir haben unglaublich viel Geld und Arbeit hineingesteckt und so gut wie nichts herausgefunden. Sie kennen ja meine Theorie, Sir.«

Der Präsident schüttelte den Kopf. »Die Schuldigen innerhalb der Regierung zu suchen ist eine sehr gefährliche Angelegenheit, Dennis. Dagegen hat sich mein Sicherheitsberater immer gewehrt, und er hat recht. Wir müssen jetzt alle zusammenhalten. Eine Wagenburg bauen. Ich will nichts mehr hören von diesen Theorien über Verschwörer in den eigenen Reihen.«

»Ja, Sir.«

»Also gut, wenn wir also keine Spur von A-Zwei finden können …« Der Präsident hob eine Hand. »… dann müssen wir vielleicht unsere Taktik ändern. Vergessen wir unsere Pläne von einem direkten Zugriff auf diese Gruppe.« Er kniff die Augen zusammen. »Wir werden es diesen Leuten zeigen. Wir knöpfen uns diese Neuen Amerikanischen Säkularisten vor.«

Paull bemühte sich, seine Beunruhigung nicht zu zeigen. »Das ist eine legale Organisation, Sir«, erklärte er sachlich.

Das Gesicht des Präsidenten verdüsterte sich. »Verdammt noch mal, in diesen Zeiten können wir uns den Luxus nicht mehr leisten, diesen Terroristen zu erlauben, sich hinter der Fassade der freien Meinungsäußerung zu verstecken. Die Freiheitsrechte gelten nur für die guten und aufrechten, gottesfürchtigen Amerikaner.«

»Wir konnten ihnen bislang noch nicht einmal vorwerfen, von einer ausländischen Macht finanziert zu sein.«

Der Präsident wirbelte herum. »Aber vielleicht werden sie das ja.« Seine Augen leuchteten, was immer ein gefährliches Zeichen war. »Präsident Yukin, den ich, wie Sie wissen, in wenigen Tagen, persönlich treffen werde, hat gerade bekanntgegeben, dass er beabsichtigt, an der Macht zu bleiben.« Der Präsident stöhnte auf. »Der Glückliche! In Russland können sie so etwas ganz einfach machen.« Er fuhr mit der Hand durch die Luft. »Mit den Beweisen, die Sie für mich in der schwarzen Akte zusammengestellt haben, kann ich, glaube ich, bei ihm einiges bewirken. Jedenfalls dürfte das einfacher sein, als über Konzessionen für Öl-, Gas- und Uranförderungen zu verhandeln.«

Paull sprang auf wie von der Tarantel gestochen. »Was meinen Sie damit, Sir?«

»Ich glaube, Yukin ist genau der Richtige, der uns mit Belegen versorgen kann, die wir brauchen, wenn es darum geht, den Chinesen nachzuweisen, dass sie diese militanten Säkularisten mit Geldern unterstützen.«

Paull ahnte, dass diese Strategie vom Sicherheitsberater ausgeheckt worden war. Der Präsident war nicht clever genug, sich so etwas auszudenken.

»Das ist doch sowieso sonnenklar«, fuhr der Präsident fort. »Sie haben mir doch selbst gesagt, dass Peking dabei ist, eine streng atheistische Staatsmacht aufzubauen. Die Amerikaner hegten schon immer eine große Antipathie gegen China. Alle werden nur zu gern glauben, dass Peking es darauf abgesehen hat, seine Gottlosigkeit nach Amerika zu exportieren.«

Jack hatte versucht, Egon Schiltz auf dessen Handy zu erreichen, aber es war ausgeschaltet, und er verzichtete wohlweislich darauf, eine Nachricht auf der Mailbox seines Freundes zu hinterlassen.

Egon Schiltz war zwar kein alter Mann, aber er sah wie einer aus. Wer ihm nur kurz einen Blick zuwarf, konnte ihn leicht für siebzig halten statt für neunundfünfzig. Mit seinen runden Schultern und dem grauen Haar, das die Ohren teilweise bedeckte, hatte er etwas von einem Friseur. Ansonsten war er eher unscheinbar. Kurios war, dass er und seine Frau sich das Ja-Wort im Leichenschauhaus gegeben hatten, umgeben von Freunden, Familienmitgliedern und den Geistern der kürzlich Verstorbenen.

Jack und er waren Freunde geworden, als Jack dem Verschwinden einer Einbalsamierungsflüssigkeit nachgegangen war, die seltsamerweise auf dem Drogenmarkt gehandelt wurde und sehr gefährlich war, da eine zu hohe Dosis davon eine ernste Erkrankung der Wirbelsäule nach sich zog. Einige Spuren der Polizei deuteten darauf hin, dass

Schiltz selbst am Handel mit der Substanz beteiligt sein könnte. Nach einem längeren Gespräch mit ihm war Jack der Überzeugung gewesen, dass das nicht sein konnte. Also machte er sich auf die Suche nach dem Mittelsmann zwischen dem Dieb und dem Dealer, denn der hielt sich erfahrungsgemäß weniger bedeckt als Letztere. Dank seiner Informanten gelang es Jack, den Mann ausfindig zu machen, und er gab den Namen an Schiltz weiter. Gemeinsam überlegten sie sich dann eine Strategie, um den Täter zu überführen. Es handelte sich um einen Mitarbeiter des Gerichtsmedizinischen Instituts, der offenbar nicht auf seine Pension warten wollte, um sich zur Ruhe setzen zu können. Schiltz war Jack noch immer dankbar, dass er damals zu ihm gehalten hatte.

Das Gerichtsmedizinische Institut lag an der Braddock Avenue in Fairfax, Virginia, in einem niedrigen, kantigen Gebäude aus rotem Backstein, dessen moderner Stil so nichtssagend war, dass es beinahe unsichtbar wirkte. Jack fuhr über den Capital Beltway und brauchte für die knapp siebzehn Meilen gerade mal zwanzig Minuten.

»Dr. Schiltz ist nicht da«, erklärte ihm eine Mitarbeiterin.

»Wo ist er denn?«, forschte Jack nach. »Sie wissen es doch bestimmt«, fügte er hinzu, als sie schon den Mund öffnete. »Sagen Sie's doch einfach.«

Die Assistentin schüttelte den Kopf: »Dann reißt er mir den Kopf ab.«

»Nicht, wenn er erfährt, dass ich nach ihm gefragt habe«, beharrte Jack und schaute sie durchdringend an. »Sie wissen ganz genau, wo er ist, stimmt's?«

Sie biss sich auf die Lippe und sagte nichts.

»Rufen Sie ihn an«, verlangte er. »Sagen Sie ihm, Jack muss unbedingt mit ihm sprechen, sofort.«

Sie griff nach dem Hörer, wählte eine Nummer und fragte dann nach Dr. Schiltz. Einen Augenblick später war er offenbar selbst am Apparat, denn sie sagte: »Es tut mir leid, Sir, dass ich Sie beim Abendessen stören muss, aber …«

»Schon gut, das reicht«, sagte Jack und rannte aus dem Büro.

Egon Schiltz war ein typischer Südstaatler, dem seine Mahlzeiten heilig waren. Niemand durfte ihn beim Essen stören. Er war ein Gewohnheitsmensch, der immer am gleichen Ort speiste.

Das Southern Roadhouse lag an der Vorderfront eines Einkaufzentrums und war genauso unscheinbar wie Schiltz selbst. Vor dem Lokal erstreckte sich ein mit Kies bedeckter Platz, rechts und links vor dem Eingang standen zwei merkwürdige Säulen im Südstaatenstil, die nur unterstrichen, dass dieser Ort seine besten Tage schon hinter sich hatte. Früher hatte ein Regiment von Kellnern mit weißen Handschuhen hier bedient, allesamt Schwarze, die die Gäste begrüßt und ihre Wagen eingeparkt hatten. Das Lokal verfügte immer noch über zwei separate Toiletten, eine für schwarze und eine für weiße Gäste, auch wenn niemand gern über diesen Teil der Geschichte des Restaurants sprach, jedenfalls nicht Fremden gegenüber. Unter dem Personal kursierten allerdings noch immer eigenartige Witze über die Toiletten, die unter vorgehaltener Hand erzählt wurden, als wären es anzügliche Scherze.

Jack ging direkt in die Küche, zeigte dem Koch seinen Ausweis, der sich nicht entscheiden konnte, ob er sich über das unbefugte Eindringen empören oder vor lauter Angst vor dem Gesetz klein beigeben sollte. Wer wusste schon, wie viele illegal Beschäftigte in dieser heißen, lärmenden Küche arbeiteten?

Jack machte dem Disponenten Platz, der den Postenköchen seine Bestellungen zubrüllte, und fragte: »Hat Dr. Schiltz schon sein Porterhouse-Steak aufgegessen?«

Der Chefkoch, ein beleibter Mann mit dünnen Haaren und wässrigen Augen, nickte: »Wir bereiten gerade seinen Nachtisch vor.«

»Vergessen Sie's. Geben Sie mir einen leeren Teller«, verlangte er.

Nach wenigen Sekunden hielt er ihn in der Hand. Der Chefkoch fiel beinahe in Ohnmacht, als er sah, was Jack in die Mitte des Tellers legte. Er stieß einen hohen Ton aus, wie eine ängstliche Maus, und wandte sich ab.

Jack nahm den Teller, stieß die Schwingtür zum Gästeraum auf, ging mit der typischen Lässigkeit eines Kellners auf den Tisch von Schiltz zu und hielt dort abrupt an. Schiltz saß an seinem Stammplatz, aber er war nicht allein. Das war auch normal, denn er legte Wert darauf, sein Abendessen mit mindestens einem Mitglied seiner Familie einzunehmen, selbst dann, wenn er bis spät in den Abend arbeiten musste. Heute Abend war seine Tochter Molly an der Reihe. Sie war genau so alt wie Emma gewesen war. Sie saßen zusammen, unterhielten sich und lachten. *Ist es so, wenn man eine eigene Tochter hat?* Mit einem Mal spürte er, wie ihm die Tränen in die Augen schossen und es ihm den Atem verschlug. *Mein Gott,* dachte er, *hört das denn nie auf, werde ich es nie wieder schaffen, ein normales Leben zu führen?*

Molly bemerkte ihn, sprang auf und rannte so schnell auf ihn zu, dass Jack kaum noch Zeit hatte, das Tablett mit dem Teller hochzuheben.

»Onkel Jack!«, rief sie aus. Sie hatte ein rundes, fröhliches Gesicht, blaue Augen und maisblondes Haar. In ihrer Schule war sie Cheerleader. »Wie geht es dir?«

»Gut, danke dir. Du siehst ja schon richtig erwachsen aus.«

Sie verzog das Gesicht und hob neugierig den Kopf. »Was hast du denn da?«

»Eine Kleinigkeit für deinen Vater.«

»Darf ich mal sehen?« Sie stellte sich auf die Zehenspitzen.

»Es soll eine Überraschung sein.«

»Ich verrate es ihm nicht, ehrlich.« Sie bemühte sich um einen besonders aufrichtigen Gesichtsausdruck. »Ich bleibe stumm wie ein Fisch.«

»Er wird es dir aber ansehen«, sagte Jack.

Sie wartete noch kurz, bis sie sicher war, dass Jack sie wirklich nicht in seine Überraschung einweihen wollte, und gab dann auf: »Na gut, ich wollte sowieso gerade gehen.« Sie küsste ihn auf die Wange. »Rick wartet auf mich.«

Sie lächelte ihn schüchtern an. Sie hatte immer noch ein wenig Babyspeck um Wangenknochen und Kinn, aber so langsam wurde sie eine hübsche junge Frau. »Seit wann ist das zwischen dir und Rick denn etwas Ernstes?«

»Oh, Onkel Jack, bekommst du denn überhaupt nichts mit?« Sie riss sich zusammen. »O Gott, tut mir leid. War nicht so gemeint.«

Er fuhr ihr durchs Haar. »Ist schon okay.« Aber das war es nicht. Er hatte das Gefühl, als würde etwas in ihm zerreißen – wahrscheinlich war es sein Herz.

Molly drehte sich zu ihrem Tisch um. »Tschüss Daddy.« Sie winkte ihm zu und ging Richtung Ausgang.

Schiltz seufzte auf und schlug mit einer zusammengefalteten Ausgabe der *Washington Post* auf den Tisch. »Apropos Rick: Gerade habe ich Molly erklärt, wie sehr ihre religiöse Überzeugung und die Befolgung der Gebote Gottes ihr helfen werden, sich gegen die Versuchungen der Sünde zu wappnen, die ja in diesen Tagen für uns alle große Gefahren birgt. Denken wir nur an den guten Senator George. Ich nehme an, du hast davon gehört, dass dieser feine Demokrat sich des Ehebruchs schuldig gemacht hat?«

»Ehrlich gesagt hatte ich keine Zeit, mich mit Klatschgeschichten zu beschäftigen.«

»Habe ich dich deshalb so selten in letzter Zeit gesehen? Wie lang ist es überhaupt seit dem letzten Mal her?«

»Tut mir leid, Egon.«

Schiltz seufzte und schob die Zeitung in seine Aktentasche. Er deutete mit dem Kopf auf den Teller, den Jack noch immer in die Höhe hielt. »Ist das mein Nachtisch?«

»Nicht direkt.« Jack stellte den Teller vor ihn hin.

Schiltz wandte sich der abgeschnittenen Hand auf dem Teller zu. »Sehr lustig.« Er hob den Teller ein Stück hoch. »Ich möchte jetzt aber trotzdem gern meinen Nachtisch haben.«

»Ich fürchte, das wird nicht möglich sein. Du wirst gebraucht.«

Schiltz warf Jack einen skeptischen Blick zu. Er stellte

den Teller wieder sorgfältig auf das blütenweiße Tischtuch zurück, auf dem kein Krümelchen und kein Fleck zu sehen waren. Sein Gesicht war einen Moment lang vollkommen ausdruckslos, dann brach er in Lachen aus. »Du, verdammter Mistkerl«, sagte er, sprang auf und umarmte seinen Freund. »Ich hab dich vermisst, alter Junge.«

»Ich dich auch.« Jack macht sich los. »Aber ehrlich gesagt, brauche ich deine Hilfe.«

Schiltz deutete auf den Stuhl, auf dem zuvor seine Tochter gesessen hatte. »Setz dich doch.«

»Keine Zeit, Egon.«

»›Hab keine Zeit, hallo zu sagen, hallo und tschüss, hab keine Zeit, hab keine Zeit‹«, zitierte er das weiße Kaninchen aus *Alice im Wunderland* mit der Stimme von Bugs Bunny. Obwohl er nicht in der Stimmung war, musste Jack darüber lachen.

»Man hat immer Zeit«, sagte Schlitz dann. »Man muss sie sich nur nehmen.«

»Die Zeit hat mich genommen, Egon.«

»Das ist schade, Jack.« Er zog eine Cohiba Corona Especial aus seiner Brusttasche und bot Jack die Zigarre an. Der schüttelte den Kopf. »Ich hatte eigentlich gedacht, dass der tragische Tod von Emma, dir gezeigt hat, dass man sich Zeit für sich selbst nehmen muss.«

Jack spürte, wie ihm der Schweiß ausbrach. Sein Gesicht brannte, und er hatte wieder dieses flaue Gefühl im Magen wie damals, als er Emmas Leiche in der Saigon Road vorfand. Er nahm sich einen Stuhl und setzte sich darauf, nachdem er seine Dienstpistole, eine Glock G36, zur Seite geschoben hatte, um sich bequem zu fühlen. »Und du meinst, der Glaube allein reicht aus?«

»Ich weiß es.« Schiltz lehnte sich zurück, zündete sich die Zigarre an und drehte sie genüsslich zwischen Daumen und Zeigefinger, nachdem er die ersten Züge genommen hatte. »Das logische Denken stößt an die Grenzen der menschlichen Denkfähigkeit, deshalb ist seine Reichweite begrenzt. Nur im Glauben kannst du wirklich Hoffnung finden, der Glaube bewahrt dich vor der Verzweiflung, er hebt dich aus dem Sumpf und hilft dir weiter. Mit Logik allein kannst du dich aus dem Sumpf nicht erheben.« Er fuchtelte mit der Zigarre hin und her. »Sprechen wir von dem, um was es geht: Ich bin mir ziemlich sicher, dass du der Überzeugung bist, dass der Tod von Emma sinnlos war.«

Jack umklammerte mit beiden Händen den Rand des Tischs.

»Ich glaube das aber nicht, Jack. Sie ist aus einem guten Grund von uns gegangen, und diesen Grund kennt nur Gott allein. Daran glaube ich ganz fest.«

Über Schiltz konnte man ja sagen, was man wollte, aber immerhin war er ein guter Jäger, und er rauchte nur die besten Zigarren. Manchmal waren diese beiden Eigenschaften das Einzige, was Jack davor bewahrte, mit bloßen Händen auf ihn loszugehen.

»Jack, ich weiß ganz genau, wie sehr du leidest.«

»Und du nicht? Du hast Emma doch auch gekannt, genauso gut, wie ich Molly kenne. Wir haben zusammen gegrillt, sind zum Campen gefahren und haben Ausflüge unternommen.«

»Natürlich trauere ich um sie. Der Unterschied ist nur, dass ich versuche, ihren Tod in einem größeren Zusammenhang zu sehen.«

»Egon, ich muss einfach wissen, warum es geschehen ist«, sagte Jack mit einem Unterton tiefster Verzweiflung.

»Das ist ein vergebliches Unterfangen, mein Freund. Nur im Glauben wirst du Trost finden.«

»Da, wo du deinen Glauben findest, sehe ich nur Zweifel, Durcheinander und Chaos. Den ganz normalen alltäglichen Wahnsinn, der überhaupt keinen Sinn macht.«

Schiltz schüttelte den Kopf. »Ich sage dir das als Freund. Es wird Zeit, dass du aufhörst, dich selbst zu bemitleiden.«

Jack blockte diesen Ratschlag reflexartig ab, indem er in die Offensive ging: »Und was ist Glaube genau, Egon? Das hat mir bisher noch niemand erklären können.«

Schiltz strich die Asche von seiner Zigarre. »Wenn du es auf den letzten Grund reduzierst, dann ist Glaube ganz einfach die sichere und einfache Gewissheit, dass es etwas gibt, das viel größer und bedeutender ist als du selbst. Ein großer Plan, der weder von dir noch von irgendeinem anderen Menschen verstanden werden kann, weil er numinos ist, weil es der göttliche Wille ist, ein Zusammenhang, den nur *Er* allein ermessen kann.«

»Was ist mit den Engeln? Können die Gottes Plan ermessen?«

Schiltz atmete eine Wolke des aromatischen Rauchs aus. »Da siehst du wieder, wie sehr du an deine logischen Gedankengänge gefesselt bist, Jack. Sie ermöglichen es dir, alles, was du nicht verstehst, mit einer hämischen Bemerkung abzutun.«

»So wie Engel auf Einrädern, zum Beispiel.«

»Genau.« Schiltz verzichtete darauf, näher auf den Witz einzugehen. »So wie Engel auf Einrädern.«

»Dann müsste Emma da oben im Himmel also in Gottes Plan eingeweiht sein?«

»Ganz bestimmt.«

»Dann ist sie also zufrieden.«

Hinter seiner Wolke aus Tabakrauch kniff Schiltz die Augen zusammen. »Im Himmel sind alle zufrieden.«

»Wer sagt das?«

»Dafür hat Gott uns sein Wort gegeben.«

»In einem Buch, das von Menschen geschrieben wurde.«

Egon schaute Jack an, als würde er ihn für den Leibhaftigen halten. »Ich fürchte, es gibt heute Abend nur eine einzige Möglichkeit, dich wieder loszuwerden«, seufzte er.

»Was soll ich dir über diese Hand sagen?«

»Ob sie zu Alli Carson gehört oder nicht.«

Mit einem Mal war Schiltz interessiert. Seine weißen Augenbrauen hoben sich wie bei einer Comic-Figur. »Der Tochter des zukünftigen Präsidenten?«

»Genau die.«

Jack und Schiltz standen sich im Sezierraum des Leichenschauhauses gegenüber. Die Scheinwerfer verbreiteten gedämpftes Licht, und der Lichtschimmer wurde von den Edelstahlschränken und den blanken Kacheln zurückgeworfen.

Schiltz zog sich Gummihandschuhe über, setzte eine dicke Linse vor sein rechtes Auge und justierte den Scheinwerfer über dem Seziertisch so, dass die Hand gut beleuchtet wurde. Er beugte sich nach vorn, zog die Schultern hoch und sah jetzt aus, als hätte er einen Buckel wie der Glöckner von Notre-Dame. »Hat verdammt lang im

Wasser gelegen«, stellte er fest. »Da ist mit einem DNA-Test nichts mehr zu machen.« Er strich mit den Fingerkuppen über die Hand. »Sehr interessant.«

»Was denn?«, fragte Jack.

»Die Hand wurde von einem Fachmann abgetrennt.«

»Mit einer Kettensäge?«

»Das ist natürlich die naheliegendste Vermutung.« War da ein leichter ironischer Unterton in Schiltz' Stimme? »Aber das sieht eher nach was anderem aus. Etwas, was hin und her bewegt wurde, aber etwas Feineres.« Er zuckte mit den Schultern. »Am ehesten wohl eine chirurgische Säge.«

Jack beugte sich nach vorn. Der Geruch von Formaldehyd und Aceton verursachte ihm Übelkeit. »Der Täter kann also ein Arzt gewesen sein?«

»Möglicherweise.«

»Dann haben wir die Zahl der Verdächtigen ja schon auf einige wenige Millionen eingegrenzt.«

»Sehr witzig.« Schiltz schaute auf. »Ich kann Folgendes dazu sagen: Der Schnitt wurde mit sicherer Hand durchgeführt, ohne zu zögern. Durch das längere Liegen im Wasser ist die Haut permanent verquollen. Dem Täter war klar, dass wir keine Chance haben würden, Fingerabdrücke zu finden.«

»Und was heißt das? Dass der Täter in solchen Dingen Erfahrung hat?«

»Hmhm.«

Jack hielt die Plastiktüte mit dem Ring aus Gold und Platin in die Höhe. »Den hier hab ich vom Ringfinger abgezogen. Er gehörte Alli Carson.«

»Über ihren Gesundheitszustand können wir keine

Aussage treffen«, sagte Schiltz. Als er bemerkte, wie Jack erbleichte, fügte er hinzu: »Wir können nichts weiter sagen, als dass der Täter Zugang zu ihr hatte.« Schiltz kratzte mit einem Gerät, das wie ein Zahnbesteck aussah, unter dem Fingernagel und darum herum. »Sieh mal«, sagte er dann und hielt sein Arbeitsgerät ins Licht. »Was kannst du erkennen?«

»Etwas Rosafarbenes.«

»Es leuchtet auch.« Schiltz hielt sich das Gerät direkt vors Auge. »Das ist zweifellos Nagellack. Außerdem wurden die Nägel erst kürzlich geschnitten, also würde ich sagen, dass der Täter, aus welchem Grund auch immer ...«

»... die Fingernägel des Mädchens geschnitten und den Nagellack entfernt hat«, ergänzte Jack. »Aber Alli Carson hat keinen Nagellack getragen, und ihre Nägel waren kurz geschnitten wie bei einem Jungen. Dann ist das nicht ihre Hand.«

»Da könntest du recht haben, Jack. Aber ich bin forensischer Mediziner, ich brauche echte Beweise, bevor ich ein Urteil fälle.« Er ging zum Waschbecken und füllte eine Pfanne mit warmem Wasser. Er legte die Hand hinein und begann vorsichtig die Haut abzulösen. Er begann am Gelenk und zog sie ganz ab. Das graue, formlose Ding schwamm im Wasser. Mit der Hingabe eines Insektenforschers, der sich vorsichtig an einem Schmetterlingsflügel zu schaffen macht, zog er das durchsichtige Gewebe auseinander.

»Ami!«, rief er laut.

Wenig später steckte seine Assistentin ihren Kopf herein: »Ja, Sir?«

»Sie müssen Fingerabdrücke sichern.«

Ami nickte und setzte sich an den Labortisch neben ihm.

»Die linke Hand«, sagte er.

Ami legte ihre linke Hand ins Wasser, und Schiltz zog die Haut darüber wie einen Handschuh. Ami trocknete die Haut an der Luft, indem sie die Hand hochhielt. Dann wurden von diesem Handschuh aus Menschenhaut Fingerabdrücke genommen.

»Siehst du«, sagte Schiltz, während er jeden einzelnen Finger auf das Tintenkissen drückte, »wenn man die Haut strafft, kann man das Muster wiedererkennen, trotz der Schwellung.« Er hob die Karte, auf der die Abdrücke zu sehen waren, nickte Ami zu. Sie zog die Haut von der Hand, nahm die Karte und ging nach draußen. »Wir werden gleich wissen, ob diese Hand zu Alli Carson gehört oder nicht«, sagte Schiltz.

Er hob die abgeschnittene Hand aus dem Warmwasserbad, legte sie zurück auf das Metalltablett und schaute sie noch einmal genauer an. »Willst du wetten?«, fragte er.

»Ich weiß, dass es nicht ihre Hand ist«, sagte Jack.

Wenig später kam Ami wieder zurück. »Im Computer sind die Fingerabdrücke nicht gespeichert«, sagte sie. »Aber eins ist sicher. Diese Hand gehörte nicht Alli Carson.«

Jack atmete erleichtert aus. Er zog sein Handy aus der Tasche und rief Nina an, um ihr die gute Nachricht mitzuteilen. Dann steckte er den Apparat wieder ein und dachte kurz nach. »Da hätten wir also Allis Ring und eine Hand, deren Fingernägel auf genau die Länge gekürzt wurden, wie es bei Alli war, dann wurde die Hand ins Wasser gelegt, um die Fingerabdrücke unkenntlich zu machen. Wir sollten also glauben, dass es Allis Hand ist. Aber warum dieses grausige Spiel? Warum so viel Aufwand?« Warum war sie entführt worden, was war die Absicht dahinter? »Was ist das für ein krankes Hirn, das ein Mädchen verstümmelt, um uns in die Irre zu führen?«

»Ein ziemlich krankes Hirn, würde ich sagen«, ergänzte Schiltz. »Der Täter hat die Hand abgeschnitten, als das Mädchen noch lebte.«

Der Regen ließ den verlassenen Parkplatz wie eine Theaterbühne erscheinen, silbrig schimmernde Vorhänge aus Wassertropfen hingen unter den Bogenlampen. Jack lief über den nass glänzenden Kies und zog die Wagentür auf. Er setzte sich hinters Steuer und startete den Motor. Aber er fuhr nicht los. Die Erinnerung an die Ereignisse des Tages überwältigten ihn. In seinem Kopf pochte es, und jeder einzelne Muskel seines Körpers schien vor Schmerz aufschreien zu wollen. Er beugte sich nach rechts und öffnete das Handschuhfach. Er holte das Röhrchen mit den Ibuprofen-Tabletten heraus, zählte vier ab und zerkaute sie. Als er den bittersauren Geschmack im Mund spürte, verzog er das Gesicht.

Er dachte an die Hand des Mädchens. Der Täter hatte sie in Wasser gelegt, damit sie nicht in der Lage sein sollten, die Fingerabdrücke zu identifizieren. Aber Egon hatte trotzdem bewiesen, dass sie nicht zu Alli Carson gehörten. Und die Hand war abgesägt worden, während das Mädchen noch lebte? Warum das? Alle Indizien deuteten bislang darauf hin, dass der Täter methodisch vorging; es konnte kein Verrückter sein. Wollte er sie glauben machen, dass Alli noch am Leben war? Hatte er die Hand deshalb bei einem lebenden Mädchen abgeschnitten? Warum aber hatte er nicht die Hand von Alli genommen? Die Gedanken schossen in Jacks Kopf hin und her wie Blitze. Er rieb sich die Stirn.

Von der Interstate-Autobahn jenseits des Parkplatzes schienen grell die Scheinwerfer vorbeifahrender Autos herüber, stachen ihm in die Augen und verstärkten seine Kopfschmerzen. Eine Hupe ertönte, das Geräusch zog vorbei und wurde schwächer. Das rhythmische Hin und Her der Scheibenwischer wirkte auf ihn wie ein drohender Zeigefinger. Er ruckte nach vorn und drehte den Zündschlüssel um. Das Motorgeräusch erstarb. Er schaute den Regentropfen dabei zu, wie sie über die Windschutzscheibe nach unten rannen.

Alli, dachte er, *wo zum Teufel bist du? Was ist mit dir geschehen?*

Hilflos musste er zulassen, dass seine Gedanken wieder zu Emma schweiften. Er sehnte sich so sehr danach, mit seiner Tochter zu sprechen, damit sie ihm vergeben könnte. Tränen stiegen ihm in die Augen, seine Hände zitterten.

Schiltz' Rat kam ihm wieder in den Sinn: *Es wird Zeit, dass du aufhörst, dich selbst zu bemitleiden.* Er wusste, dass sein Freund recht hatte, aber er konnte einfach nicht aufhören. Es war wie bei einem Alkoholiker, der die Flasche angesetzt hat. Jede Faser seines Körpers sehnte sich danach, das Versäumte wiedergutzumachen, er wollte Emma sagen, wie sehr er sie liebte. Warum nur, fragte er sich verzweifelt, konnte er erst jetzt zugeben, wie sehr er sie geliebt hatte, wo doch alles zu spät war? Er schlug mit den Händen gegen das Lenkrad.

Er schaute auf und wusste nicht, ob es der Regen war oder seine eigenen Tränen, die seinen Blick verschleierten. Er nahm einen leichten Schimmer am Rand seines Gesichtsfelds wahr, wie die leicht gekräuselte Oberfläche eines Sees, und registrierte Emmas Geruch. War das ihr Gesicht, das ihn da aus dem Rückspiegel ansah? Er drehte sich um, aber da war in seiner Nase auch schon wieder der Geruch von heißem Metall, verschmortem Gummi und verbranntem Fleisch.

Nach Luft ringend schob er die Wagentür auf, stürzte nach draußen und kniete würgend auf dem nassen Asphalt. Der Regen prasselte mitleidlos auf seinen Kopf, und in seiner Verzweiflung wusste er sich nicht anders zu helfen, als immer wieder mit der Faust gegen die Wagentür zu schlagen. Schließlich zog er sich am Türgriff nach oben und spähte durch das nasse Fenster. Der Rücksitz war leer. Er legte die Stirn gegen das Glas, und seine Gedanken wirbelten wieder zurück in die Vergangenheit.

Er war einmal mit Emma, Egon und Molly zum Cumberland State Forest gefahren, um im Bear Creek Lake zu angeln. Die Mädchen waren damals zehn Jahre alt gewesen. Er hatte Emma ein Spielzeug-Luftgewehr gekauft. Eines Nachmittags war sie zurückgekommen, in Tränen aufgelöst. Sie hatte mit dem Gewehr auf ein Rotkehlchen gezielt, das auf einem Zweig gesessen hatte, und dann abgedrückt. Sie hatte überhaupt nicht die Absicht gehabt den Vogel zu verletzen, geschweige denn ihn zu töten. Aber genau das war passiert.

Sie war völlig verzweifelt und konnte kaum getröstet werden. Jack schlug vor, den Vogel zu begraben. Das Ausheben des kleinen Grabes schien sie wieder zu beruhigen, aber als er dann die Erde über den toten Vogel schaufelte, weinte sie erneut hemmungslos. Dann nahm sie das Gewehr und schleuderte es mit aller Kraft in den See. Es versank wie ein Stein.

Das war der letzte Moment, an den Jack sich erinnern konnte, wo er wirklich etwas mit seiner Tochter unternommen hatte. Was war in all den Jahren danach geschehen? Er konnte nicht nachvollziehen, dass die Zeit so schnell vergangen war, und dass Emma sich so rasch verändert hatte. Es war, als wäre er in einem rasenden Schnellzug eingeschlafen. Wenn es den Unfall nicht gegeben hätte, wäre er womöglich nie mehr aufgewacht.

Schiltz öffnete die Tür, nachdem Jack heftig geklopft hatte. Die Handschuhe des Mediziners waren mit irgendeiner Substanz beschmiert.

Er trat zur Seite, damit Jack hereinkommen konnte. »Du siehst schlimm aus. Was ist denn passiert?«

Jack, der noch immer erfüllt war von seiner tiefen Trauer, hätte Schiltz beinahe von seinen geisterhaften Erscheinungen erzählt. Aber er war der Überzeugung, dass es sich gar nicht um Erscheinungen, sondern nur um Wahnvorstellungen handelte, die aus seinem heftigen Wunsch resultierten, Emma wieder zum Leben zu erwecken. Andererseits hätte Egon, mit seinem festen Glauben an Gott und die göttliche Vorsehung, ihm vielleicht geglaubt und ihm einen Rat geben können. Dennoch entschloss Jack sich, nichts darüber zu erzählen. Es war viel zu persönlich und viel zu peinlich – er kam sich ja selbst vor wie ein kleines Kind, das an Gespenstergeschichten glaubt.

»Ich hab mir den Kopf angestoßen«, sagte er nur. Sharon hatte ihn immer wieder beschuldigt, er würde seine Gefühle hinter sarkastischen Bemerkungen verstecken. Aber was wusste sie schon davon?

Die Büros lagen im Dunkeln. Die Teppiche auf dem Boden und die holzverkleideten Wände standen in Kontrast zu der Edelstahl-Einrichtung der Seziersäle mit ihren Operationstischen, den Wasserschläuchen, Ausgüssen, den Schränken mit zahllosen Chemikalien, den Mikroskopen, Blöcken, mit denen die Körper angehoben werden konnten, damit es leichter fiel, ihre Brustkörbe zu öffnen, Schubladen mit forensischen und pathologischen Werkzeugen: Knochensägen, Seziermessern, Körpersonden, Hämmern, Skalpellen, Meißeln, Sägen und Nadeln, mit denen die Leichen später wieder zusammengenäht wurden. Jack und Egon durchquerten den Röntgenraum und das Vergiftungslabor, gingen durch einige Untersuchungszimmer, in denen es aussah wie in der Werkstatt eines Schweizer Uhrmachers, andere wiederum wirkten wie Schlachtertheken, wo Körperteile und Organe gemessen und zerteilt wurden. Sogar im Flur spürte man noch den eisigen Hauch der Kühlräume, in denen die Leichenschränke nebeneinanderstanden wie Bücherregale in einer Bibliothek.

»Warum bist du zurückgekommen? Weißt du nicht, wohin an diesem verregneten Dezemberabend?« Schiltz deutete auf die Leichenschränke. »Wir sind nicht ganz ausgebucht, wenn du willst, kannst du ein Bett in unserem Hotel bekommen. Es ist hier so ruhig wie auf einem Friedhof. Gegen acht Uhr wird ein deftiges Frühstück in der Autopsie serviert. Möchtest du lieber oben oder unten schlafen?«

Jack musste lachen. Egon hatte eine unnachahmliche Fähigkeit, ihn aus seiner Depression zurückzuholen.

»Ich wäre an den Betten interessiert, in denen die beiden Agenten vom Secret Service liegen.«

»Ah, ja«, sagte Egon. »Die *Men in Black*.«

Sinn für Humor – am besten für schwarzen Humor – war lebenswichtig für einen Gerichtsmediziner, das hatte Egon seinem Freund Jack einmal gesagt. »Man muss sich die Sachen vom Leib halten, sonst nimmt man irgendwann Schaden. Makabre Scherze sind der beste Schutz.«

Schiltz führte Jack an langen Reihen von Edelstahlschränken vorbei und zog dann zwei nebeneinanderliegende Schubfächer auf. »Ich war so fasziniert von dem Nachtisch, den du mir serviert hast, dass ich die beiden ganz vergessen habe. Vielleicht, weil ich nicht mit der eigentlichen Autopsie befasst war. Inzwischen ist vorgeschrieben, dass bei Todesfällen von Bundespolizisten Pathologen vom Militär hinzugezogen werden.« Er zuckte mit den Schultern. »Eigentlich Unsinn, wenn du mich fragst, aber so hat es die Regierung entschieden.«

Die beiden Leichen lagen auf dem Rücken, ihre Gesichter waren wächsern, sie sahen aus wie Puppen. Ihre Brustkörbe waren aufgeschnitten, das typische Autopsie-T verlief vom Schlüsselbein bis zum Unterleib. »Die Untersuchung ist erledigt, was deine beiden Kollegen hier betrifft. Sie kamen, sahen und fielen tot um.«

»Keine Besonderheiten?«

»Ich habe sie noch einmal untersucht, um ganz sicherzugehen, ob vielleicht ein Abdruck, ein Haar, winzige Hautfetzen, Farb- oder Schmutzspuren unter den Fingernägeln zu finden sind. Aber es war nichts vorhanden,

was helfen könnte, die Identität der Täter festzustellen.«
Schiltz zuckte mit den Schultern. »Auch sonst nichts Auf-
fälliges. Ein einziger Stich, gezielt und mit Nachdruck
beigebracht, ohne zu zögern, interstitiell, von hinten zwischen der dritten und vierten Rippe hindurch direkt ins
Herz.« Er hielt inne. »Jedenfalls so ähnlich.«

Jacks Herz begann heftig zu pochen. »Wie meinst du
das?«

Schiltz drehte die erste Leiche auf die Seite, schob sie
zurecht und legte sie auf den Bauch. Dann machte er das
Gleiche mit der zweiten. Jack bemerkte die Eintrittswun-
de.

»Schau mal, hier. Ich habe den Muskel ein Stück abgezogen, damit ich das Innere der Wunde besser betrachten
kann. Der Schnitt ist ganz glatt, es war also keine geriffelte
Klinge, aber hier an dieser Stelle ist eine kleine Kurve. Ich
habe keine Ahnung, welche Art von Klinge einen solchen
Schnitt macht.«

Aber ich weiß es, dachte Jack. Er hatte solche typischen,
leicht geschwungenen Stichwunden schon gesehen, vor
neunzehn Jahren. Im Laufe der schwierigen und gefährlichen Ermittlungen, die er ganz allein durchgeführt hatte,
war es ihm gelungen, die tödliche Waffe zu identifizieren:
Es handelte sich um eine dünne, flache Klinge, eine Palette. So ein Gerät wurde von Bäckern benutzt, um Teig, Fül-
lung oder Glasur zu verstreichen. Das Dumme daran war
nur: Eine Palette war rund und überhaupt nicht scharf.
Es war absolut unmöglich, jemanden damit zu erstechen.
Aber in diesem Fall gab es offensichtlich eine Neuerung:
Der Mörder hatte das runde Ende geschliffen, bis es sehr
spitz und scharf war.

»Geht's dir gut?«, fragte Schiltz, der Jacks versteinertes Gesicht bemerkt hatte.

»Ganz bestimmt«, sagte Jack mit erstickter Stimme.

»Jemand hat sich von hinten angeschlichen und dann zack! Ohne große Umstände zu machen.« Der leicht gelangweilte Ton in Schiltz' Stimme deutete darauf hin, dass er sich mit diesen Dingen in den letzten vierundzwanzig Stunden schon häufiger befasst hatte. »Sehr professionell, würde ich sagen, sogar beeindruckend, vor allem, wenn man bedenkt, dass es sich bei den Opfern um Profis gehandelt hat. Die Stiche wurden mit chirurgischer Präzision ausgeführt. Um ehrlich zu sein, ich hätte es auch nicht besser gekonnt.«

Jack hatte den letzten Satz seines Freundes kaum wahrgenommen. Er stand gebeugt zwischen den beiden Leichen, wie erstarrt, und seine Augen wanderten immer wieder von einer Wunde zur anderen. Sein pochendes Herz hatte sich beruhigt, es stand jetzt fast still.

Es ist absolut unmöglich, dachte er. *Ich habe Cyril Tolkan erschossen, als er versuchte, über das Dach zu flüchten, auf das ich ihn gescheucht hatte. Er ist tot. Ich weiß, dass er tot ist.*

Und doch war das, was er hier mit eigenen Augen sah, der Beweis für das Gegenteil. Diese Stiche waren das Markenzeichen eines Killers, den Jack vor neunzehn Jahren zur Strecke gebracht hatte, eines Mörders, dessen Tat ihn innerlich zutiefst aufgewühlt und beinahe zur Verzweiflung getrieben hatte.

ZWEITER TEIL

ZEHN

Mit fünfzehn Jahren hat Jack Schlafprobleme. Manchmal äußern sie sich darin, dass er schlafwandelt, aber meistens kann er nur einfach nicht einschlafen. Und dafür gibt es gute Gründe. Er wohnt in einem Reihenhaus in Hanglage dicht an der Grenze zu Maryland. Nachts, wenn die Nebelschwaden vorbeiziehen, liegt er in seinem Bett und schaut nach draußen auf die Ampellichter der Kreuzung, wo die New Hampshire und die Eastern Avenue aufeinandertreffen. Er geht ganz in seiner Betrachtung der Ampelphasen auf, er lebt, isst und atmet im Rhythmus der wechselnden roten und grünen Lichter. Von draußen dringen die Geräusche der Großstadt herein, eine Mischung aus Dröhnen, Gebell, Jaulen, Quietschen und Raunen, als hätte sich dort ein Rudel hungriger Hunde versammelt.

Im Haus selbst herrscht eine beängstigende Finsternis. Er hat das Gefühl, dass diese Dunkelheit ihn bedrängt, in die Enge treibt, ihm den Atem nimmt, bis er panisch nach Luft ringt und sich in seinem Bett aufrichtet. In diesem Moment kommt es darauf an, welche Farbe die Ampel hat. Ist sie grün, ist alles in Ordnung, bei Rot aber … Sein Herz pocht heftig, in seinen Ohren rauscht es, er ist benommen und fühlt sich ausgeliefert. Eine Katastrophe.

Wenn er es heute gelegentlich wagte, an diese Nächte zurückzudenken, war ihm klar, dass die Farbe der Ampel überhaupt keine Aussagekraft hatte. Dass er glaubte, er sei dem zufälligen Rhythmus eines technischen Geräts auf Gedeih und Verderb ausgeliefert, war natürlich eine Illusion gewesen. Aber wie viele Kinder tendierte auch er dazu, sich Illusionen hinzugeben, um die Büchse der Pandora geschlossen zu halten.

Zwischen ein und drei Uhr morgens horcht er auf die schweren Schritte seines Vaters, der dann von der Arbeit kommt. Auch in dieser Nacht ist es so wie immer. Es ist Juni und sehr schwül, nicht der geringste Windhauch bewegt die Wäsche draußen auf der Leine. Ein Hund winselt asthmatisch auf dem staubigen Parkplatz der Autowerkstatt nebenan. Irgendwo stöhnt ein alter Mann und hustet so lange, dass Jack schon Angst bekommt, er könne ersticken.

Der Dielenboden ächzt, als würde er gegen die schwergewichtige Anwesenheit seines Vaters protestieren. Jedes noch so kleine Geräusch, das die Bewegung seines Vaters anzeigt, jagt das Blut in Schüben durch Jacks Schläfen und lässt ihn vor Angst zusammenzucken.

Manchmal war das alles, was passierte, und irgendwann wurden diese Geräusche leiser und erstarben. Dann drehte Jack sich auf den Rücken und wartete, dass sein Herzschlag sich wieder normalisierte und irgendwann fiel er dann in einen unruhigen Schlaf. Aber es kam auch vor, dass die ersten Takte des Lieds »California Dreamin'« der Mamas and Papas in sein Zimmer drangen, und sein Herz begann sehr heftig zu schlagen, und er musste alle Kraft zusammennehmen, um zu vermeiden, dass er sich auf die Bettdecke erbrach.

»I'd be safe and warm …«

Die drei Stücke Peperoni-Pizza, die Jack zum Abendessen hatte, kommen ihm wieder hoch.

»… *if I was in L. A.* …«

Brennende Magensäure steigt ihm in die Kehle, und er denkt nur: *O Gott, er kommt.*

Die Melodie verselbstständigt sich, wie bei den Flötentönen eines Schlangenbeschwörers, die Worte bekommen eine andere, eigenartige Bedeutung, die nichts mehr mit dem ursprünglichen sonnigen Text gemein hat. Und wie eine Kobra, die sich von einem fremden Willen angetrieben hin und her bewegt und ihre Zähne tief ins Fleisch versenkt, kommt sein Vater nun zu ihm, und in der Hand hält er ganz locker den breiten schwarzen Ledergürtel, den er einmal in einem Motorradladen in Fort Washington gekauft hat.

Es ist ein altehrwürdiges Ritual im Haushalt der McClures, dieses Hin- und Herwippen des Gürtels. Es wäre viel besser, wenn Alkohol mit im Spiel wäre, dann hätte Jack nicht die alleinige Schuld an dem, was geschah. Aber Jack ist an allem schuld, das hat sein Vater ihm oft genug brutal eingebläut.

Und was ist die Rolle von Jacks Mutter in diesem brutalen Ritus? Wenn ihr Mann sich den Gürtel um die Faust schlingt, bleibt sie im Schlafzimmer, verschanzt hinter der fest verschlossenen Tür, aus deren Ritzen »California Dreamin'« dringt. Und Jack bereitet sich, kaum dass er die ersten Töne der süßlichen, unschuldigen Hippie-Hymne vernommen hat, auf die Schmerzen vor, die er gleich erleiden wird.

Es sind nicht die Fäuste, vor denen Jack sich fürchtet, obwohl sein Vater die kräftigen, knochigen Hände eines

Maurers hat. Dabei ist sein Vater nicht übermäßig groß, aber durch seine dunklen Augen, seinem mürrisch verzogenen Mund und der gebrochenen Nase kommt er Jack wie ein unheilvoller Koloss vor. Vor allem, wenn er anfängt, den Gürtel zu schwingen. Wie ein tumber Urmensch verwandelt er den Motorradfahrergürtel in ein hässliches Ding, das nun ein bösartiges Eigenleben entwickelt. Seinem Vater hat es nicht genügt, dass es mit Metallnieten beschlagen ist und breite eiserne Schnallen hat. An einem Sonntag, als Jack draußen Softball spielte, hat er die Ecken scharf gefeilt.

»Erzähl mir eine Geschichte, lies mir was vor«, fordert sein Vater ihn auf, nachdem er die Tür zu Jacks Zimmer aufgeschoben hat. Er wirft einen Blick auf das unglaubliche Durcheinander aus Kleidern, Comics, Zeitschriften, Schallplatten, Bonbontüten und Schokoladenriegeln. »Bücher, Bücher, wo sind die verdammten Bücher?« Er bückt sich und hebt ein Comic-Heft auf. »Batman«, sagt er abfällig. »Wie alt bist du eigentlich?«

»Sechzehn«, antwortet Jack automatisch, obwohl sein Mund trocken ist.

»Und dann liest du diesen Schrott?« Er hält seinem Sohn das Heft direkt unter die Nase. »Na gut, du Schlaumeier, dann lies mir mal was vor.«

Jacks Hände zittern so sehr, dass er das Heft beinahe wieder zu Boden fallen lässt.

»Schlag auf, Jack!«

Gehorsam schlägt Jack das Heft auf. Er möchte etwas lesen, er möchte seinem Vater zeigen, dass er es kann, aber seine Gefühle sind in Aufruhr. Er hat furchtbare Angst davor zu versagen, und genau das bewirkt, dass er alles, was er in der letzten Zeit gelernt hat, alle Fortschritte, die er gemacht hat, null und nichtig sind. Er kann die Buchstaben nicht mehr entziffern. Er starrt auf die Bilder. Die Sprechblasen hätten genauso gut mit chinesischen Schriftzeichen gefüllt sein können. Die Buchstaben wirbeln umher wie kleine Tierchen, die sich nicht bändigen lassen. Er sieht sie, aber er kann keinen Sinn in ihnen erkennen. Es ist ein einziges Durcheinander.

»Mein Gott, das ist doch nur ein blöder, beschissener Comic. Ein Sechsjähriger kann so was lesen, aber du nicht, was?« Sein Vater reißt ihm den Comic aus der Hand und schmeißt ihn in eine Ecke.

»He, pass doch auf«, sagt Jack und springt zur Seite.

Sein Vater hält ihn an der Hand fest und schiebt ihn aufs Bett zurück.

»Das war die neueste Ausgabe.«

»Woher willst du denn das wissen?« Sein Vater trampelt mit schweren Schritten in die Ecke und zerreißt das Heft. Dann knüpft er vorsichtig seine goldenen Manschettenknöpfe ab, wischt einen ganzen Stapel Comics mit dem Handrücken von Jacks Kommode und beginnt mit der Züchtigung. Er wickelt den Gürtel von der Hand ab, holt aus und schlägt damit gegen Jacks Brustkorb. Dann holt er wieder aus. Und jedes Mal, wenn der Gürtel auf seinen Körper niedersaust, hat sein Vater etwas dazu zu sagen.

»Du kannst also nicht sprechen.« *Klatsch!* »Du benimmst dich wie ein verdammter Zombie, wenn ich dich etwas frage.« *Klatsch!* »Du stehst dumm rum und wartest ab, weil du zu blöd bist, mich zu verstehen.« *Klatsch!* »Mein Gott, fünfzehn Jahre alt, und er kann noch nicht

lesen.« *Klatsch!* »Ich hab schon gearbeitet, als ich fünfzehn war.« *Klatsch!*

Sein Atem geht heftig, er atmet tief ein und aus. »Woher
zum Teufel kommst du eigentlich?« *Klatsch!* »Nicht von
mir, das steht mal fest!« *Klatsch!* »Aus irgendeinem dre-
ckigen Erdloch wahrscheinlich.« *Klatsch!*

Er ist unglaublich wütend, wie ein brüllender Riese. Er
sieht aus wie ein Mann, der seinen Sohn ansieht und es
einfach nicht ertragen kann. Als hätte er etwas Verdorbe-
nes ausgesät. Er hält es einfach nicht aus. Dass er einen
Sohn wie Jack hat, macht ihn wütend wie einen Berser-
ker, und diese Wut lässt ihn nur noch brutaler vorgehen.

»Deine Mutter hat sich wohl von einem Behinderten
schwängern lassen …« *Klatsch!* »… als ich unterwegs war,
um Geld ranzuschaffen.« *Klatsch!* »Du bist ein Schwach-
kopf, Jack.« *Klatsch!* »Ein Trottel.« *Klatsch!* »Ein Vollidiot.«
Klatsch! »Du bist der dümmste von allen.« *Klatsch!* »Jeder Geisteskranke hat mehr Grips in der Birne als du.«
Klatsch! Klatsch! Klatsch!

Jacks Körper erträgt die Peinigungen mit der üblichen
Abgestumpftheit. Tatsächlich wird er immer härter und
stärker. Es sind die Worte, die ihn tief verwunden und
sein inneres Gleichgewicht durcheinanderbringen, diese
endlose Litanei, die das mühsam errichtete Gebäude seines Selbstbewusstseins zum Einsturz bringt und ihm die
Lebensgrundlage entzieht. Sein Glaube an sich selbst ver-
liert sich in einem wabernden Nebel des nagenden Zwei-
fels und tief empfundenen Versagens. Wie sehr ist der
Mensch doch abhängig vom Urteil der anderen! Wenn
jemand von außen durch die Schutzhülle dringt, dann ist
der junge Mensch ihm ausgeliefert und wird schrecklich

verletzlich. Es ist ein heimtückischer Feind, der sich in uns festsetzt, ohne dass wir es richtig wahrnehmen. Wir verändern uns und gehen verwundet durchs Leben, ohne zu begreifen, was genau geschehen ist.

Nach der Tortur liegt Jack blutbesudelt auf dem Bett. Das Jaulen und Heulen der Stadt dringt wieder herein. Die Ampeln an der Kreuzung wechseln weiter zwischen Rot und Grün. Und wieder einmal haben diese Lichter sein Schicksal angezeigt. Aber nun ist das Licht nicht mehr wichtig für ihn. Jetzt ist er damit beschäftigt, die Folter, die sein Vater begonnen hat, fortzusetzen. Er weiß ja, dass er selbst an allem schuld ist. Der Fehler liegt ganz allein bei ihm. Sein unfähiges Gehirn ist der Fehler, es ist die Ursache für seine Unzulänglichkeiten und dafür, dass er immer wieder an allem scheitert, was er sich vorgenommen hat. Sein Vater hat recht. Es ist sein Fehler, und dieser Fehler wird von Tag zu Tag größer.

Anstatt liegen zu bleiben und weiter apathisch den grässlichen Geräuschen um sich herum zuzuhören, entschließt Jack sich, die verkommenen Straßen dort draußen aufzusuchen. Im Dunkel der Nacht leuchten die Lichter der Ampeln auf, durchdringen den schwarzen Nebel, der alles umgibt, hier und da blinken Neonschilder auf wie umherschwirrende Insekten, Bogenlampen tauchen Tankstellen in grelles Licht. Gesichter tauchen im Schein der Lichtquellen auf und verschwinden wieder, überqueren die Straßen auf der Suche nach Kokain oder taumeln an ihm vorbei, von einer Wolke aus Alkohol umgeben. Die Hände in den Taschen vergraben, den Oberkörper gebeugt, um sich vor Wind und Regen zu schützen, lehnt er an einem Laternenpfahl an der Eastern Avenue und sieht zu, wie die Welt an ihm vorbeizieht.

Es scheint, als hätte er sich selbst in der Hektik der Großstadt verloren. Sein Spiegelbild in den Schaufenstern ist verzerrt, er sieht aus, als hätte er inmitten der großen Welt seine eigenen Konturen verloren. Wie sehr er nicht in diese Welt passt, wird ihm schmerzlich klar, als eine Jugendgang ihn in einen Hof hinter einem Elektroladen zerrt und zusammenschlägt, ohne dass es einen besonderen Grund dafür gegeben hätte.

»Du respektierst uns nicht, du hast einfach unser Revier betreten.« Der Anführer der Gang spuckt ihm ins Gesicht als Jack schon längst im Rinnstein liegt. Er ist groß – jedenfalls einen Kopf größer als Jack – und hat lange Arme. Er glotzt ihn aus irren Augen an. »Wenn du noch mal hier auftauchst, dann nageln wir deinen Arsch an die Rückwand von dem Müllauto da drüben. Hast du gehört, du weißes Arschloch?« Und damit verpasst er Jack einen Tritt in den Unterleib.

Jack versucht zu nicken, aber er bringt nur ein schmerzerfülltes Stöhnen heraus.

Danach muss er wohl bewusstlos geworden sein. Als er seine verkrusteten Augen wieder öffnet, ist es hell geworden. Die Gang ist verschwunden, aber Jack ist nicht allein in dieser schmutzigen Gasse.

Ein Mann in mittleren Jahren mit einem eckigen, kaffeebraunen Gesicht, hockt neben ihm und sieht ihn mitfühlend an.

»Kannst du dich bewegen, Junge?« Seine Stimme klingt weich, als wäre er ein Sänger.

Jack kommt ganz zu sich, stöhnt auf vor Schmerz und versucht sich aufzurichten, wobei er sich gegen die Backsteinmauer des Ladens lehnen muss. Es gelingt ihm, sich hinzusetzen, und er zieht die Beine an und legt die Hände um die Knie. Er atmet tief durch und versucht mit seinen Schmerzen klarzukommen, aber die wogen durch seinen ganzen Körper. Er fühlt sich benommen, in seinem Magen rumort es. Mit einem Mal muss er sich zur Seite beugen und kotzen.

Der Mann mit der samtweichen Stimme sieht ihm zu, ohne besonders überrascht zu sein. Als Jack sich wieder gefasst hat, streckt er ihm eine Hand hin. »Du musst dich mal waschen. Komm, ich bring dich nach Hause.«

»Ich hab kein Zuhause«, murmelt Jack stumpf.

»Das wage ich zu bezweifeln, mein Junge, wahrhaftig. Vielleicht möchtest du ja im Moment nicht nach Hause zurück. Könnte das sein?«

Jack nickt.

»Aber bald wirst du es wollen, das verspreche ich dir.« Der Mann beugt sich ein Stück nach vorn und ergreift Jacks Hand. »Warum kommst du nicht mit mir mit, bis es so weit ist? Wir heilen, was zu heilen ist, und dann kannst du deine Familie anrufen. Sie machen sich bestimmt schreckliche Sorgen um dich.«

»Wahrscheinlich haben sie überhaupt nicht mitbekommen, dass ich weg bin«, sagt Jack, was bestimmt nicht richtig ist, aber so fühlt Jack sich nun mal im Augenblick.

»Wie auch immer, ich denke, sie haben ein Recht darauf zu wissen, wo du bist und wie es dir geht.«

Jack ist sich da nicht so sicher, aber dennoch schaut er dem Mann jetzt ins Gesicht.

»Ich bin Myron. Myron Taske.« Er lächelt ihn breit an. »Und wie heißt du?«

»Jack.«

Als Myron Taske klar wird, dass Jack nicht mehr dazu sagen möchte, nickt er. »Darf ich dir helfen, Jack?«

»Warum wollen Sie mir helfen?«

Myron lächelt noch breiter. »Weil Gott mich dazu ausersehen hat, mein Junge.«

Myron Taske ist der Pfarrer der Renaissance Mission Church an der Kansas Avenue. Das mit Schindeln bedeckte Haus, das die Kirche beherbergt, war einmal ein Zweifamilienhaus, aber zuerst ist die eine Familie an ihrer Hypothek gescheitert, dann die zweite. Das Gebäude wurde von der Bank konfisziert.

»Wir haben es dann gekauft«, erzählt Taske, als er Jack durch die Seitentür ins Pfarrhaus führt. »Glücklicherweise ist einer der Vizedirektoren der Bank Mitglied in unserer Kirchengemeinde. Wir suchten ein neues Heim, und dies hier sollte es dann werden.« Er zwinkert fröhlich. »Zu einem sehr guten Preis.«

»Aber in dieser Gegend gibt es viele Gangs und Verbrecher und Drogen«, sagt Jack und zuckt zusammen, als Taske seine Schürf- und Schnittwunden mit Wasserstoffperoxid behandelt.

»Gibt es einen besseren Ort, um Gottes Arbeit zu vollenden?« Taske fordert Jack auf, sein Hemd auszuziehen. »Was mich zu der Frage bringt, was du in dieser Ecke mitten in der Nacht gesucht hast.«

»Ich war einfach da.«

»Und warum nicht zu Hause in deinem Bett?«

Jack zieht sich das Hemd aus. »Ich dachte, draußen auf der Straße ist es sicherer für mich.«

Der Pfarrer schaut betroffen die blauen Flecken an, mit denen Jacks Brustkorb übersät ist. »Die hast du aber nicht gestern Abend abbekommen, oder?«

Jack beißt sich auf die Lippen.

»Vater oder Bruder?«

»Ich hab keinen Bruder«, sagt Jack. Wie würde es ihm zu Hause erst ergehen, wenn er sagen würde, dass sein Vater ihn so zugerichtet hat? Außerdem ist es ja nicht der Fehler seines Vaters, sondern es liegt daran, dass er so schrecklich dumm ist.

Myron Taske verarztet ihn schweigend. Währenddessen erzählt er ihm, dass er gerne singt und jeden Sonntag mit dem Kirchenchor nach der Predigt drei fröhliche Lieder aufführt. Liebeslieder, sagt er, aber von einer ganz besonderen Art, Songs, die Gottes Gnade und seine Güte preisen, im Himmel wie auf Erden. Davon schwärmt er, während er damit beschäftigt ist, Jack Pflaster aufzukleben und Bandagen umzubinden.

»Sind denn alle hier schwarz?«, fragt Jack.

Myron Taske lehnt sich zurück und sieht Jack über die Gläser seiner Nahsichtbrille hinweg an. »Hier ist jeder willkommen, der Gottes Wort hören möchte.«

Der Pfarrer beendet seine Arbeit und legt den Erste-Hilfe-Koffer zurück in den riesigen Schrank, der die ganze Wand des Zimmers einnimmt. Gegenüber hängt ein Bild mit einem Porträt von Jesus mit goldenem Heiligenschein.

»Glaubst du an Gott, Jack?«

»Ich … Ich habe nie darüber nachgedacht.«

Myron Taske spitzt die Lippen. »Möchtest du darüber nachdenken?«

Bevor Jack antworten kann, wird heftig gegen die Tür geklopft, dreimal kurz, zweimal lang.

»Einen Moment, bitte!«, ruft Taske laut, aber die Tür wird trotzdem aufgestoßen.

In der Tür steht ein riesiger Kerl, der ungefähr so breit wie hoch ist. Er muss wohl an die hundertachtzig Kilo wiegen. Seine Haut ist tiefschwarz, seine Augen sind gelb, seine Zähne riesig und extrem weiß bis auf den linken Schneidezahn, der ist aus Gold mit einem glitzernden Diamanten in der Mitte. Seine Hände sind so groß wie bei anderen Leuten die Füße, seine Füße so groß wie bei anderen Leuten der Kopf, sein Kopf ist glatt wie eine Bowlingkugel und glänzt wie frisch poliert.

»Also sag mal, Gus, kannst du nicht hören?«

Gus' Gesicht mit den Narben auf beiden Wangen ist so schwarz, dass es die ganze Helligkeit im Raum aufzusaugen scheint. Seine tiefe, heisere Stimme ist nicht weniger furchterregend.

»Klar kann ich hören«, sagt er und tritt ins Zimmer. Seine Oberschenkel sind so dick, dass er damit schon O-beinig aussieht. »Ich wollte nur mal selbst nachschauen, wen du diesmal aus der Gosse gezogen hast.«

»Das hat sich ja schnell herumgesprochen«, stellt Jack fest. Dann, als sich der bohrende Blick von Gus auf ihn richtet, holt er einmal tief Luft.

»Gute Nachrichten sprechen sich schnell herum«, sagt Gus. »Schlechte noch schneller.«

»Gus ist eine wahre Fundgrube für Aphorismen«, sagt Myron Taske. »Eine sehr tiefe Fundgrube.«

Gus' riesiger Oberkörper schüttelt sich, als er anfängt zu lachen. Er geht wie ein Sumo-Ringer und wirkt wie eine Naturgewalt.

Ohne die Augen von Jack zu nehmen, sagt er zu Pfarrer Taske: »Aber der hier ist anders. Der ist ja weiß.« Er sieht Jack schief an und sagt: »Du hast ja eine ganz schön üble Abreibung bekommen.«

»War mein Fehler«, sagt Jack.

»Echt?« Das scheint Gus zu interessieren. »Wieso das denn?«

»Ich stand an einer Straßenecke an der Eastern Avenue.«

Gus nickt mit seinem monströsen Kopf vor sich hin, während er Jack umkreist: »Und weiter?«

»Man hat mich in eine Ecke gedrängt und verprügelt. Einer von den Typen meinte, ich würde ihn nicht respektieren.«

Gus' Blick verdüsterte sich. »Was hast du denn gemacht?«

»Ich war auf seinem Gebiet.«

Gus wendet sich wieder dem Pfarrer zu. »Das war André.«

Taske nickt betrübt.

»Scheiße, ich hab Ihnen doch gesagt, dass diese Predigten bei dem nicht wirken.« Gus ist regelrecht angewidert.

»Wie oft habe ich dir eigentlich schon gesagt, dass eine solche Sprache im Haus Gottes nichts zu suchen hat?«, fragt Myron Taske ernst.

»Entschuldigen Sie, Pfarrer«, sagt Gus verlegen.

»Entschuldige dich nicht bei mir, Augustus.« Der Pfarrer deutet auf Jesus an der Wand. »Bei ihm sollst du dafür Buße tun und um Vergebung bitten.«

Gus wirft Jack noch einen letzten Blick zu, dreht sich um und stampft nach draußen. Hinter ihm kracht die Tür ins Schloss.

Die nachfolgende Stille hält Jack nicht lange aus. Er sagt: »Ich nehme an, Sie werden jetzt sagen, dass ich mir keine Sorgen machen muss, denn Hunde, die bellen, beißen nicht.«

Taske schüttelt reumütig den Kopf. »Nein, mein Junge. Du solltest Gus wirklich nicht in die Quere kommen.« Dann klatscht er mit den Händen auf die Oberschenkel und fügt hinzu: »Bist du nun bereit, nach Hause zurückzukehren?« Er schaut auf die Uhr. »Es ist schon nach acht.«

»Ich gehe nicht nach Hause«, sagt Jack störrisch.

»Dann bringe ich dich in die Schule.«

Jack senkt den Kopf. »Ich will nicht in die Schule. Die wollen mich da gar nicht haben.«

Eine Weile ist es ganz still. Jack hat Angst davor, dass Myron Taske ihn fragen könnte, warum er Probleme in der Schule hat.

Aber stattdessen sagt der Pfarrer nur: »Ich rufe den Kinderschutzbund an, die machen um neun Uhr ihr Büro auf. Die sollen dich davor schützen, dass du wieder geschlagen wirst.«

Jack beißt sich auf die Lippe. Kinderschutzbund. Das waren Fremde. Mit denen wollte er nichts zu tun haben. Die würden bestimmt schnell herausfinden, wie dumm er war, und dann würde sein Vater noch wütender werden. »Rufen Sie bitte niemanden an«, sagt Jack mit einem Unterton der Verzweiflung, der Taskes Aufmerksamkeit erregt.

»Na gut, dann werde ich das erst mal nicht tun«, sagt der Pfarrer nach kurzem Nachdenken. »Aber nur unter einer Bedingung. Ich möchte, dass du wieder hierherkommst, damit wir uns über Gott unterhalten können.«

Das kommt Jack ziemlich merkwürdig vor, aber er hat ja keine Wahl. Außerdem ist Pfarrer Taske wirklich sehr nett, und vielleicht wird er Jack ja mögen, wenn er nicht herausfindet, wie dumm er ist. Das bedeutete natürlich, dass er sich unbedingt von allem Geschriebenen fernhalten und verhindern muss, dass Taske ihn bittet, etwas vorzulesen. Ängstlich nickt er zustimmend.

»Glaub mir, Jack, der erste Schritt ist immer der schwierigste.« Mit einem Lächeln auf den Lippen legt Myron Taske seine Hände auf Jacks Schultern. »Du bist keine verlorene Seele, auch wenn du dich vielleicht so fühlst. Indem du Gott findest, wirst du auch dich selbst finden.«

ELF

Die Tochter des Präsidenten erwachte in einem Raum, dessen Konturen und Größe sie nicht ermessen konnte. Die Wände und die Decke waren nur schemenhaft zu erkennen. Vielleicht war sie in einem Bunker oder in einer Halle. Ob es Fenster gab, konnte sie ebenfalls nicht herausfinden. Eine nackte Glühbirne, die in einem schlichten Lampenschirm ihr grelles Licht verstrahlte, hing direkt über ihr und leuchtete sie an.

Sie saß gefesselt auf einem Stuhl, der aus einem einzigen, riesigen Baumstamm geschnitzt zu sein schien. Die Lehne reichte über ihren Kopf hinweg, der Bezug war aus einem kanariengelben Stoff mit roten und violetten Kringeln, die wohl Bougainvillea-Blüten andeuten sollten.

Ihre Fußknöchel waren an den Stuhlbeinen festgebunden wie bei den Insassen eines Irrenhauses im 19. Jahrhundert. Sie trug neue Kleider, nicht mehr das Nachthemd und die Boxershorts, die sie im Bett angehabt hatte. Ihre Füße waren nackt. Sie hatte das undeutliche Bedürfnis urinieren zu müssen, aber sie unterdrückte es. Sie hatte jetzt wirklich andere Probleme.

Alli wusste nicht, wie sie hierhergekommen war. Sie erinnerte sich schwach an eine Hand, die sich über ihren Mund gelegt hatte, und an den ekelerregenden Geruch von Äther, der in ihre Nase drang wie irgendwelche modrigen Ausdünstungen. Nun nahm sie nur ihren eigenen

Geruch wahr, den Angstschweiß, der von Panik, Wut und Hilflosigkeit hervorgerufen wird.

»Hallo? Hallo! Ist da jemand? Ich will hier raus!«

Ihre Stimme klang dünn und fremdartig, fühlte sich überanstrengt an, wie ein Gummiband, das bis zum Äußersten gedehnt wurde. Unter ihren Armen liefen Schweißtropfen herab. Sie spürte ihre Angst, die Arme und Beine zitterten und ließen sich nicht beherrschen.

Das muss ein Traum sein, dachte sie. Gleich werde ich aufwachen und liege wieder in meinem Bett in der Schule. Wenn das hier wirklich wäre, hätten meine Leibwächter mich längst gerettet. Mein Vater wäre hier und mit ihm ein ganzes Bataillon von Agenten des Secret Service.

Eine Maus trippelte in ihr Gesichtsfeld, eine echte, lebendige Maus – sie kreischte laut auf.

Schwarze Kapuzen über kaffeebraune Köpfe gezogen, schritten zwei junge Männer die T Street entlang und markierten auf diese Weise ihr Territorium, ähnlich wie Hunde es tun. Das Anacostia-Viertel war nicht gerade ein guter Aufenthaltsort für jemanden, der keine schwarze Hautfarbe hatte. Und selbst für diese beiden groß gewachsenen, kräftigen Zwanzigjährigen war es besser, wenn sie darauf achteten, nicht den Kolumbianern in die Quere zu geraten, die sie blöd anquatschen, ihnen das Geld abnehmen und sie womöglich auch noch zusammenschlagen würden.

Die beiden Schwarzen waren auf der Suche nach den Salvadorianern, diesen kleinen Kerlen, mit denen sie fertig werden konnten, an denen sie ihre Wut auslassen und denen sie das Geld abnehmen konnten, um sie anschließend womöglich auch noch zusammenzuschlagen. Seit Jahren schon machten sich die Kolumbianer, die den Drogenhandel kontrollierten, in schwarzen Gegenden wie Anacostia breit. Zuerst hatte es kleine Rempeleien gegeben, dann kämpferische Auseinandersetzungen, bei denen sich die Frontlinie jeden Tag veränderte. Sie würden sich bald zu einem regelrechten Revierkampf ausweiten, denn die Feindseligkeiten wuchsen von Tag zu Tag. Gewalt lag in der Luft. Im Schlepptau der Kolumbianer waren die Salvadorianer aufgetaucht, wie Radrennfahrer, die im Windschatten des Vordermanns auf ihre Chance warten. Sie hefteten sich an ihre Fersen und versuchten, sich ihren Anteil aus dem Hinterhalt heraus zu sichern.

In Anacostia ging es immer darum, gewalttätige Auseinandersetzungen zu suchen – auch die beiden jungen Männer mit den Kapuzenjacken waren darauf aus. Als sie den großen, roten Chevy mit den schmutzverkrusteten Kotflügeln vor der Ampel an der Oates Street anhalten sahen, nahmen sie ihn in die Zange. Die beiden kannten die Ampelphasen in Anacostia ganz genau, als hätten sie die Verkehrszeichen selbst aufgestellt, sie wussten wie viele Sekunden Zeit sie hatten und wie sie sie nutzen konnten. Sie waren wie Rodeo-Cowboys, die gerade mal zwei Minuten Zeit hatten, um ein Kalb zu überwältigen und zu fesseln. Außerdem kannten sie alle Autos, die hier in die Nachbarschaft gehörten – vor allem die gigantischen Geländewagen der Kolumbianer mit ihren aufgemotzten Motoren, monströsen Stoßstangen und den in grellen Farben gespritzten Karosserien. Der dreckbespritzte Chevy war ihnen unbekannt und deshalb ein geeignetes Opfer. Drinnen saß ein junger Schwarzer, der den Fehler beging, an der Kreuzung vor der Ampel anzuhalten anstatt Gas zu geben, um diese Gegend so schnell wie möglich zu durchqueren, egal ob die Ampel nun Grün zeigte oder Rot. Hier gab es sowieso keine Polizisten, die ihn deswegen hätten belangen können.

Genau genommen hätte er hier überhaupt nicht aufkreuzen dürfen, und weil er diesen Fehler begangen hatte, verdiente er jede Strafe, die sie sich nur ausdenken konnten, sogar aus dem Auto gezerrt und auf den Asphalt geworfen zu werden, wo sie ihn verhöhnten und mit den Füßen traten, bis seine Rippen brachen. Danach wurden ganz sachlich seine Taschen durchsucht, ihm das Handy abgenommen, die Armbanduhr, der Ring, die Halskette – alles verschwand in ihren tiefen Polyestertaschen. Seine Schlüssel wurden im gähnenden Schlund eines Gullys versenkt, um ihm klarzumachen, dass er sich übernommen hatte.

Dann rannten die beiden Gangster davon und stießen ein Freudengeheul aus, wobei sie ihre Kapuzen noch tiefer ins Gesicht zogen und nun aussahen wie Riesenschildkröten auf zwei Beinen.

Ronnie Kray kam aus seinem Hinterzimmer, als die Beleidigungen und rassistischen Beschimpfungen an sein Ohr drangen. Hinter einem schweren Vorhang verborgen, schaute er auf die Straße, wo zwei Rowdys die Straße entlangschlenderten, mit Pistolen herumfuchtelten und die Flagge ihrer Gang hochhielten, kampfbereit und nach Blut dürstend. Er kannte die beiden und wusste sogar, wo sie sich ihre Waffen besorgt hatten, so wie er alle gewalttätigen Jugendlichen aus dieser vergessenen Gegend kannte, in der Rücksichtnahme und Höflichkeiten abgeschafft worden waren und die Zivilisation in einen tiefen Schlaf gefallen war, aus dem sie so schnell nicht mehr erwachen würde. Er wusste, wie sie lebten und dass sie dieser schäbigen Existenz nie würden entfliehen können. Manchmal, wenn es nötig war, wandte er sein Wissen an. Diese Pistolen zum Beispiel waren genauso alt und mitgenommen wie die angeschlagenen Treppenstufen vor den Häusern. Kein Polizist würde solche schäbigen Waffen mit sich herumtragen, nicht mal ein simpler Streifenbeamter. Aber diese billigen, leicht erhältlichen, nicht registrierten Pistolen waren das Einzige, was diese jungen Männer besaßen; Jugendliche in Georgetown hatten ihre Eltern, die sie beschützten, diese Jungs hier hatten Waffen. Und genauso wie es manchmal bei Eltern der Fall war, würden sie sich womöglich im entscheidenden Moment, wenn sie ihren Beistand am nötigsten brauchten, nicht auf sie verlassen können.

Der Gedanke daran stieß Ronnie Kray sauer auf. Sein Blick schweifte über die mit Graffitis besprühten Häuserfronten, die Gitterzäune, die sich an morastigen Grundstücken entlangzogen, die halbverdorrten Grasflächen am Rande der mit Schlaglöchern übersäten Straßen. Die Angst hatte diese Gegend leergefegt, als hätte jemand eine Tränengasgranate gezündet. Ein Stück Zeitungspapier wurde vom Wind erfasst und aus dem Rinnstein gehoben. Etwas weiter entfernt bemerkte er noch etwas anderes, das sich bewegte: Es war der zusammengeschlagene junge Mann, der am Straßenrand entlangkroch und dann erschöpft zusammenbrach, sich übergab und alle viere von sich streckte wie ein erlegtes Tier.

Ronnie Kray schaute zu wie ein Raubvogel, der alles von seiner hohen Warte aus beobachtet. Er hätte nach draußen gehen können, um dem jungen Mann zu helfen, aber er tat es nicht. Er hätte die Polizei alarmieren können, aber auch das tat er nicht. Ehrlich gesagt, kam ihm das überhaupt nicht in den Sinn. Kray hatte eine Mission zu erfüllen, und wie alle Menschen, die sich einer großen Idee verschrieben haben, dachte er bereits weit in die Zukunft. Missionarischer Eifer schloss jede Art von Ablenkung vom eigentlichen Ziel aus. Also blieb er hinter seinem Vorhang stehen, schaute nach draußen auf eine Welt, die sich am absoluten Tiefpunkt befand, und war der festen Überzeugung, dass die finsterste Dunkelheit die Voraussetzung dafür war, jenen Funken zu zünden, der einen Feuerball erzeugen würde, der heller als tausend Sonnen leuchten sollte.

Es war jetzt an der Zeit, das wusste er so sicher, wie sein Herz schlug und seine Lungen sich regelmäßig mit Luft füllten. Schließlich, als draußen alle Bewegung erstorben war, wandte er sich ab und ging in ein staubiges Zimmer. Überall lagen Stapel von alten Büchern herum, weggeworfene Zeitschriften und alte Vinyl-Schallplatten in bunten Hüllen aus Pappe. Das alles gehörte nicht ihm, weshalb er kein Bedürfnis verspürte, es durchzusehen oder gar aufzuräumen. Er hatte nicht einmal Lust, alles beiseitezuräumen, obwohl er jedes Mal, wenn er hier entlangkam, einen genervten Blick auf das Durcheinander warf.

Er ging durch einen Flur, an dessen Wänden Schwarz-Weiß-Fotos eines intelligent dreinblickenden Mädchens von knapp zwanzig Jahren hingen. Die Bilder waren sehr grobkörnig, weil sie mit einem Teleobjektiv aufgenommen und stark vergrößert worden waren. Auf allen Fotos war der Hintergrund verwaschen und verschwommen. Aber auf einem oder zwei konnte man ein Stückchen von der Flagge der Vereinigten Staaten erkennen.

Die Küchenwände waren in einem angenehmen Gelbton gehalten. Es gab einen Schrank aus Holz, der strahlend weiß gestrichen war. Vor den Fenstern hingen bunt gestreifte Vorhänge. Er blieb vor dem Waschbecken stehen und spülte ein Glas aus, benutzte Spülmittel und heißes Wasser und stellte es dann verkehrt herum genau in die Mitte auf den Abtropfrost. Er zog die Kühlschranktür auf. Darin waren alle Regalteile entfernt worden, damit genug Platz war für das Mädchen, das er dort eingepfercht hatte. Sie hockte da, die Knie unters Kinn gepresst, die Augen glasig, mit bläulich-weißer Haut, die wie Krepppapier wirkte. Ihre Arme lagen auf den Oberschenkeln. Die linke Hand fehlte. Er griff in den dreieckigen Raum zwischen ihren Fersen und ihrem Hintern und zog ein kleines Stoffsäckchen hervor.

Hinter der Küche war ein kleiner Raum, der einmal als Vorratskammer gedient hatte. Es gab keine Fenster, aber einen metallenen Ausguss, einen uralten Geschirrschrank sowie eine ramponierte Truhe mit Schubladen, die als Sperrmüll an der Straße gestanden hatte und dann mit viel Mühe wieder hergerichtet worden war. Er zog eine der Schubladen auf, in der sich ordentlich verteilt auf verschiedene Metallkästchen eine Menge chemischer Substanzen befanden, außerdem Skalpelle, Sezierbesteck, sterile Spritzen, Glasfläschchen mit Seren. Er nahm eine chirurgische Zange heraus und steckte sie in die rechte Tasche seines Overalls.

Dann griff er nach oben und zog die Tür des Geschirr-schranks auf. Darin lag eine persische Trughornviper, fein säuberlich zusammengerollt wie ein Seemannstau. Das Licht leuchtete auf seine Hand, die eilig etwas hineinsetzte. Die Viper hob den Kopf und entrollte sich träge. Das Horn an ihrem Kopf ließ sie wie ein teuflisches Monster erscheinen. Unterhalb des Horns öffneten sich rötliche Augen, und eine gespaltene Zunge zischelte aus dem Maul. Als die Schlange das Säckchen bemerkte, riss sie das Maul auf und entblößte lange, spitze Zähne, in deren Hohlräumen sich das tödliche Gift befand.

»Ah, Carrie, du hat es gerochen, hm?«, säuselte Kray leise. Die rosafarbene Innenseite ihres Mauls hatte beinahe etwas Erotisches. Die Menschen sind leicht berechenbar, dachte Kray bitter. Aber bei Carrie wusste man nie. Das war das Aufregende an ihr, das nur er allein kannte. Jahrelang konnte sie sich ganz liebevoll um seinen Arm winden und dann eines Tages ganz plötzlich ihre Zähne in das weiche Fleisch zwischen seinem Daumen und Zeigefinger versenken. Er spürte, wie ein elektrischer Schauer seine Wirbelsäule entlanglief.

»Das Abendessen ist da.« Er öffnete das Säckchen und ließ den Inhalt auf seine Hand rutschen. Die Ratte lag da, müde, benommen, lethargisch von der Kälte. Wieder zischelte die Zunge suchend aus Carries breitem Maul. Sie wand sich um sein Handgelenk und senkte ihren dreieckigen Kopf über das leicht zuckende Beutetier.

»So ist es gut«, murmelte Kray. »Nimm dir dein Häppchen.«

Die Zunge zitterte, der Kopf hob sich, und gerade als die Ratte, der wieder warm geworden war, sich auf ihre rosa Pfoten drehte, biss die Viper sie in den Nacken. Die Ratte verdrehte die Augen, sie versuchte sich loszumachen, aber das Nervengift war so stark, dass sie schlagartig gelähmt war.

Und nun kommt der schönste Teil, dachte Kray, als die Schlange begann, ihre Beute ganz langsam in sich hineinzuwürgen. Zentimeter für Zentimeter verschwand die Ratte in ihrem Schlund. Sie konnte sich nicht mehr bewegen, war aber noch lebendig. Ihre Augen rollten panisch hin und her, während ihr Hinterteil langsam im Hals der Schlange verschwand.

Danach ging Kray zur Tür des hinteren Zimmers und zog einen Schlüssel aus der Tasche, der mit einer Kette an seinem Overall befestigt war. Er steckte den Schlüssel ins Schloss und trat ein.

Er schloss die Tür sorgfältig hinter sich, drehte sich um und sagte zu Alli Carson: »Was haben sie mit dir gemacht?«

ZWÖLF

Jack verlässt das Pfarrhaus und geht in die Kirche, wo er auf einer der Bänke Gus entdeckt. Der schwarze Riese hat die Augen geschlossen und bewegt lautlos die Lippen. Als Jack versucht, geräuschlos an ihm vorbeizuhuschen, schlägt er die Augen auf, starrt weiter stur geradeaus und fragt: »Bist du zum ersten Mal an so einem Ort?«

Jack ist verunsichert. »Meinst du in einer schwarzen Kirche?«

Gus dreht ihm ganz langsam den Kopf zu. In seinen Augen glaubt Jack Wut und Hass zu sehen, er stolpert ein paar Schritte zurück in den Schatten.

»Ich meine eine Kirche«, sagte Gus.

Jack ist völlig ratlos, was er darauf antworten soll.

»Ich spreche hier mit Gott.«

»Ich weiß eigentlich nichts über Gott«, gibt Jack zu.

»Was weißt du überhaupt?«

Jack zuckt mit den Schultern und kommt sich dumm vor.

»Ha, ein schlauer weißer Junge wie du. Denkst wohl, dir fällt alles von allein in den Schoß, hm? Wie kommst du eigentlich in diese Gegend? Warum liegst du nicht zu Hause in deinem schönen weichen Bett?«

»Ich will nicht nach Hause.«

»Echt? Lässt dich lieber in irgendwelchen dunklen Gassen verprügeln?«

»Ich bin es gewohnt, geschlagen zu werden.«

Gus schaut ihn eine Weile prüfend an, dann steht er auf. »He, komm mal ans Licht! Nur Ratten hocken immer im Schatten.«

Jack fühlt sich wie ein Insekt, das am Fliegenfänger klebt. Seine Beine verweigern den Dienst.

Gus blinzelt ihm zu. »Hast du Angst, dass ich dich verprügeln will? Deine Abreibung hast du doch schon bekommen.«

Jack macht zögernd einen Schritt nach vorn. Nun steht er dicht vor dem riesigen schwarzen Kerl und riecht Tabak, Karamell und Aftershave. Jacks Herz schlägt bis zum Hals, als Gus den Arm hebt und ihm seine riesige Hand auf die Schulter legt. Er dreht ihn um, dass er nun direkt im Schein der frühmorgendlichen Sonne steht, die durch die bunten Kirchenfenster hereinfällt.

»André ist ein Scheißkerl.«

Jack schaut Gus an und bemerkt eine Gefühlsaufwallung an ihm, die er aber nicht zu deuten vermag.

»Wird wohl mal wieder Zeit, dass jemand ihn und seine Gang in die Schranken weist, hm?«

Jack ist vor Aufregung wie gelähmt.

Gus legt einen dicken Zeigefinger an den Mund. »Aber sag dem Pfarrer nichts davon. Es ist unser Geheimnis, okay?« Er zwinkert ihm zu.

Gus' riesiger blendend weißer Lincoln Continental rollt durch die Straßen des heruntergekommenen Viertels. Jack sitzt auf dem Beifahrersitz und spürt, wie sein Herz aufgeregt pocht. Er hält sich mit einer Hand unsicher am Armaturenbrett fest. Verschiedene Skalen und Anzeigen leuchten auf. Gus ist so groß, dass er den Sicherheitsgurt bis zum Anschlag herausziehen musste. Er muss sich weit zurücklehnen, und es sieht aus, als würde er liegen. Jeder andere hätte in dieser Körperhaltung nur noch die Unterseite des Dachs gesehen.

Jenseits der Windschutzscheibe wirft das grelle Licht der aufgehenden Sonne bläuliche Schatten in den Rinnstein oder die Hauseingänge. Der Wind weht den Abfall durch die Straßen, gelegentlich entstehen kleine Wirbelstürme aus Staub und Schmutz. Eine alte Frau mit Strumpfbändern schiebt einen Einkaufswagen vor sich her, in dem sich ein Berg von Gerümpel türmt. Ein ausgemergelter Mann mit geballten Fäusten steht am Straßenrand und brüllt unsichtbare Dämonen an. Eine alte Bierflasche rollt ihm vor die Füße, und er tritt wütend dagegen. Die alte Frau trippelt hinterher, hebt sie auf, legt sie in ihren Wagen und brummte zufrieden vor sich hin.

Aber diese Szenerie dort draußen mit all ihren traurigen Details ist weit entfernt vom Innern dieses Autos, das Gus mit seiner mächtigen körperlichen Präsenz dominiert. Es ist heiß hier im Wagen, obwohl die Klimaanlage läuft. Jack spürt, dass diese unnatürliche Hitze ein Zeichen für extreme Gefahr ist.

Jack erinnert sich an einen Besuch im Zoo mit seiner Schulklasse, damals, als er noch zur Schule ging. Er fühlte sich gleichzeitig angezogen und abgestoßen von den Bären. In ihren schwarzen, unergründlichen Augen war keine Bösartigkeit zu erkennen, aber sie strahlten eine ungeheure Kraft aus, die bestimmt niemals ganz zu bändigen war, sondern jeden Moment in tödliche Gewalt ausbrechen konnte. Er stellte sich vor, so ein Bär wäre nachts in seinem Zimmer und würde schnüffeln und horchen, was sein Vater tat, und die Nüstern blähen, wenn er sich näherte. Die Musik würde diesem Bären überhaupt nichts sagen, Mama Cass und die anderen wären ihm egal. Und wenn dann die Tür von Jacks Zimmer aufschwang, würde er ihn mit einem Prankenschlag zu Boden werfen, noch bevor er die Zeit hatte, mit dem Gürtel auszuholen. Natürlich gab es nie so eine Kreatur in Jacks Leben – bis zum Zeitpunkt, als er in den weißen Lincoln einstieg und er wieder diese Faszination spürte, die ihn erfasst hatte, als er vor dem Käfig der Bären gestanden hatte.

»Weißt du, wo André sich aufhält?«, fragt Jack, vor allem weil er das dringende Bedürfnis verspürt, die Stille zu durchbrechen, die wie eine drückende Schwüle auf ihm lastet.

»Spielt keine Rolle«, sagt Gus, als sie um eine Ecke biegen.

Jack versucht nachzuvollziehen, was hier geschieht, aber alles, was in den vergangenen Stunden passiert ist, liegt so sehr jenseits seiner Erfahrung, dass er ratlos ist. »Aber du hast doch gesagt …«

Gus schaut ihn kurz an, ein rätselhafter Blick, unerbittlich. »Wenn André eine Abreibung bekommt, dann nicht von mir.«

Sie fahren schweigend weiter. Gus schiebt eine Kassette in die Stereoanlage, und James Browns Stimme dröhnt aus den Lautsprechern: *You know that man makes money to buy from other man.*

»It's a man's world«, singt Gus laut mit, und seine Stimme ist der von James Brown erstaunlich ähnlich. »Genau, Mann, so ist es.«

Schließlich halten sie vor einer Filiale der All Around Town Bakery an, die sich im Erdgeschoss eines mit Graffitis vollgeschmierten Gebäudes befindet. Durch das schmutzige Schaufenster kann Jack Männer sehen, die sich an Stehtischen unterhalten, hinter denen sich Regale mit Bergen von Broten, Kästen voller Muffins und Dosen mit Keksen befinden.

Sie treten ein, und sofort umfängt sie der Geruch von Butter und Zucker, der sich mit einem anderen speziellen Duft vermengt. Die anwesenden Männer hören auf zu sprechen, als sie zuschauen, wie Gus sich seinen Weg durch den engen Laden bahnt und auf den Glaskasten am hinteren Ende zugeht. Niemand scheint Jack zur Kenntnis zu nehmen.

»Cyril«, begrüßt Gus den kahlköpfigen Mann hinter dem Tresen.

Der Mann wischt sich die Hände an der Schürze ab, verschwindet durch einen offenen Durchgang nach hinten in einen Durchgang, in dem Dosen, Schachteln und Pakete in allen Größen gestapelt sind. Jack betrachtet die herumstehenden Männer. Einer säubert sich die Fingernägel mit einem Klappmesser, ein anderer schaut unentwegt auf seine Uhr, ein dritter blättert in einer Wettzeitung. Niemand sieht Gus an, keiner spricht mit dem anderen.

Der Kahlköpfige kommt zurück und nickt Gus zu.

»Komm«, sagt Gus, was offenbar an Jack gerichtet ist.

Jack folgt ihm hinter den Tresen. Als er an dem Kahlköpfigen vorbeigeht, greift der in ein Regal, holt einen Schoko-Keks aus einer Schachtel und reicht ihn Jack. Der nimmt ihn, beißt hinein und geht nachdenklich an den aufgestapelten Kisten vorbei.

Der Durchgang führt in einen niedrigen, dunkelbraun gestrichenen Raum. Darin stehen einige große Backöfen aus Edelstahl. Ein kühler Windhauch kommt von zwei großen Gitterkästen der Klimaanlage, die hoch oben unter der Decke hängen. Zwei Männer mit weißen Schürzen gehen ihrer Arbeit nach. Sie füllen die Knetmaschine und schieben die Formen mit dem Brotteig in die Öfen.

In der Mitte des Raums steht ein untersetzter Mann mit einem breiten Stiernacken. Sein olivfarbenes Gesicht ist so glatt, wie es nur ein professioneller Barbier hinbekommt.

»Hallo, Cyril«, sagt Gus. Er streckt nicht seine Hand aus. Cyril ebenfalls nicht.

Cyril nickt ihm zu. Er wirft einen kurzen Blick aus seinen runden, schwarzen Augen auf Jack, dann wendet er sich wieder Gus zu. »Sieht ja total fertig aus, der Junge.« Er hat einen merkwürdigen Akzent, als wäre Englisch nicht seine Muttersprache.

Gus hat den abfälligen Unterton in seiner Stimme mitbekommen. Er kaut eine Weile nachdenklich auf einem fiktiven Stück Kautabak herum, bevor er erklärt: »Er sieht so aus, weil André ihn fertiggemacht hat.«

Cyril, dem nun klar wird, aus welchem Grund die beiden gekommen sind, zuckt zusammen. »Und was hat das mit mir zu tun?«

Gus legt eine seiner breiten Hände erstaunlich sanft auf Jacks Schulter. »Jack gehört zu mir.«

Die Bäcker sehen die beiden Männer an, als würden sie damit rechnen, dass die beiden jeden Moment anfangen könnten, wie Titanen Blitze aufeinander zu schleudern.

»Ich schätze, das hat André nicht gewusst.«

»André und seine Gang haben Jack windelweich geprügelt«, stellt Gus anklagend fest. Seine Wut steht ihm sehr deutlich ins Gesicht geschrieben.

Cyril wartet einen Moment, dann lenkt er ein: »Ich werd mich drum kümmern.«

»Ich hab dich schon mal vor diesem Scheißkerl gewarnt«, legt Gus sofort nach.

Cyril breitet die Arme aus. »Ich will keinen Ärger mit dir haben, Gus.«

»Ha«, stößt Gus heiser hervor. »Den Horrortrip hast du ja schon hinter dir.«

Ein unsichtbares Feuer scheint im Innern des Lincoln Continental zu brennen, als Gus wieder losfährt. Gus grübelt nach, hat sich völlig in sich zurückgezogen, wie ein Igel, der seine Stacheln abspreizt.

»So ein Mistkerl«, murmelt er, während er stur geradeaus blickt.

Jack fragt sich, ob er nun André meint oder Cyril.

»Das war gar keine richtige Bäckerei«, sagt Jack. »Es gab gar keine Kundschaft, nur ein paar Männer standen herum.« Er weiß nicht, ob er sich erlauben kann, so etwas zu sagen, fürchtet sich davor, zum Opfer von Gus' Wut zu werden. Aber er kann nicht anders, es gehört zu seiner Störung im Gehirn. Er muss unbedingt mitteilen, was er gesehen, gehört, gespürt und gedacht hat.

»Natürlich ist das keine Bäckerei. Dieser scheiß Cyril betreibt dort sein Drogengeschäft und sein Wettbüro.«

In solchen Momenten, wenn es ihm gelingt, sich auf das zu konzentrieren, was sein Gehirn alles registriert hat, ersteht vor seinen geistigen Auge ein komplettes Bild der gerade gesehenen Zusammenhänge, ein dreidimensionales Abbild in einer Klarheit, die ihn in eine euphorische Stimmung versetzt. »Ich meine, dass sie dort was ganz anderes als Brot herstellen.«

Als Gus endlich verstanden hat, was er meint, bremst er scharf ab und parkt den Continental am Straßenrand. Der Motor grummelt vor sich hin, Gus stellt den Automatikhebel auf Parkposition. Er dreht sich zu Jack herum, und der Fahrersitz ächzt und stöhnt unter seinem Gewicht.

»He, von was zum Teufel redest du denn da überhaupt?«

Jack ist überhaupt nicht mehr eingeschüchtert. Er ist jetzt auf seinem Terrain, weiß ganz genau, was er gesehen hat und was er sagen will.

»Da war dieser Geruch.«

»Hefe und Butter und Zucker, na klar.«

»Dazwischen war noch was anderes, etwas Scharfes, Blaues.«

»Blau?« Gus starrt ihn an. »Wie zum Henker kann man denn Blau riechen.«

»Es ist einfach so«, sagte Jack. »Es ist blau und riecht, wie wenn meine Mutter sich die Fingernägel lackiert.«

»Aceton? Nagellack-Entferner besteht aus Aceton. Ich benutze das Zeug, um Klebstoff zu lösen, wenn Leute etwas Beklebtes in meinen Gebrauchtwarenladen bringen.« Gus schaut ihn jetzt interessiert an. »Und was noch?«

»Na ja, der Keks, den der eine mir gegeben hat, war schon ein paar Tage alt, dabei hätte er eigentlich frisch sein müssen. Außerdem klebte etwas an seinen Händen, aber es war nicht Mehl oder Hefe, denn seine Fingerspitzen waren orange verfärbt davon.«

Gus scheint eine Weile darüber nachzudenken. Er wirkt leicht benommen. Schließlich sagt er. »Weiter, was ist dir noch aufgefallen?«

Jack nickt. »In dem Raum, in dem die Öfen stehen, hätte es eigentlich sehr heiß sein müssen.«

»Natürlich war es nicht heiß, weil ja die Klimaanlage lief.«

»Aber es kam keine Wärme aus den Öfen, als sie die Türen öffneten. Und die Laibe waren viel zu dünn für Brote. Die haben da keinen Teig zum Backen reingeschoben, sondern etwas, das getrocknet werden soll.«

»Woher zum Teufel …?«

»Außerdem hat dieser Cyril eine Heidenangst vor dir.«

»Na klar, dazu hat er auch allen Grund.«

»Nein«, widerspricht Jack. »Er hat so viel Angst, dass er bestimmt etwas unternehmen wird.«

»Du meinst, er will sich gegen mich stellen?« Gus schüttelte den Kopf. »Das schafft er nie.«

»Doch, er wird es tun.«

»Cyril und ich haben eine Abmachung. Leben und leben lassen ist unsere Devise.«

»Nein, ist es nicht.«

Die Selbstsicherheit, mit der Jack das sagt, gibt Gus zu denken. »Was bist du eigentlich? Ein Orakel?«

»Was ist ein Orakel?«

Gus schaut aus dem Seitenfenster. »Magst du gebratene Rippchen mit Maisgrütze?«

»Maisgrütze kenn ich nicht.«

»Na klar, das passt«, Gus setzt ein angewidertes Gesicht auf. »Typisch weiß.«

Er legt den Gang wieder ein und gibt Gas.

DREIZEHN

Alli Carson sah, dass der gut aussehende Mann sie anlächelte. Er löste sich von der Tür, zog einen Stuhl heran, setzte sich rittlings darauf und legte die Arme auf die Lehne. Er hatte eine interessante Ausstrahlung, irgendetwas Anziehendes, ähnlich wie ihr Vater, aber doch anders: stählern, undurchsichtig. Wenn sie ihm ins Gesicht blickte, sah sie nichts außer ihrem eigenen Spiegelbild.

»Sie haben dich gefesselt, armes Mädchen«, sagte er freundlich. »Ich hab sie gebeten, es nicht zu tun, aber sie haben nicht auf mich gehört.«

»Wer …?« Allis Zunge war dick und klebrig. »Ich hab Durst«, stieß sie hervor.

Der Mann ging in eine dunkle Ecke und kam mit einem Glas Wasser zurück. Alli starrte es an, wollte unbedingt trinken, aber sie hatte auch Angst davor, weil sie in einer ihr völlig fremden Umgebung war. Was für Schrecken warteten hier auf sie?

Er beugte sich zu ihr und führte das Glas an ihren Mund. »Langsam«, sagte er, als sie gierig schluckte. »Trink langsam.«

Obwohl sie schrecklichen Durst hatte, tat Alli, was er verlangte. Als das Glas leer war, fuhr sie mit der Zunge im Mund umher. »Ich verstehe das nicht«, sagte sie. »Wer sind die anderen? Wer sind Sie? Warum haben Sie mich hierhergebracht. Was wollen Sie von mir?«

Er hatte sanfte Augen und wirkte sehr männlich. Er schien den ganzen beleuchteten Teil des Zimmers auszufüllen.

»Bleib ruhig«, sagte er. »Wenn es so weit ist, werden alle deine Fragen beantwortet.«

Sie hätte ihm gern geglaubt. Was er sagte, gab ihr Hoffnung, dass sie bald schon wieder freikommen würde. »Aber können Sie mich nicht losbinden?«

Er schüttelte traurig den Kopf. »Das wäre sehr unklug.«

»Bitte, ich laufe auch nicht davon. Ich schwöre!«

»Ich würde dir gerne glauben, Alli, wirklich.«

Sie fing an zu weinen. »Warum tun Sie's dann nicht?«

»Die anderen können jederzeit wiederkommen, weißt du, und wen würden sie dann bestrafen? Mich. Das willst du doch nicht, oder?«

Sie spürte, wie Verzweiflung sich in ihrer Brust regte, wie ein Vogel in einem Käfig. »Bitte, nur bis sie wiederkommen!«

»Willst du dich über mich lustig machen?«, fragte er mit einer Stimme, die sie traf wie ein Peitschenhieb. »Dir kann man doch nicht trauen. Du bist doch eine Lügnerin – und Betrügerin.«

Alli war völlig durcheinander. »Ich verstehe nicht, was … Wovon reden Sie denn da?«

Er zog einen dicken, braunen Umschlag hervor, legte ihn auf den Schoß und machte ihn auf. Ein Zittern lief durch ihren Körper, als sie einen Schnappschuss von sich selbst oben auf dem Stapel bemerkte. War das nicht eine Szene aus einem Film, den sie mal gesehen hatte? Und mit einem Gefühl des Entsetzens stellte sie jäh fest, dass ihr Bewusstsein und ihr Körper mit einem Mal getrennt waren. Sie schaute sich selbst aus einer gewissen Distanz zu, oder aus einer anderen Dimension, wo sie sicher aufgehoben war, wo sie immer in Sicherheit sein würde, weil nichts ihr bis dorthin folgen konnte.

Sie hörte, wie jemand mit ihrer eigenen Stimme fragte: »Was haben Sie denn da?«

»Dein Leben.« Er schaute auf. »Siehst du, Alli, ich weiß alles über dich.«

Die eigenartige Distanz in ihrem Innern wurde größer oder weiter. »Das dürfen Sie nicht … Das können Sie doch nicht …«

Er senkte den Blick und ging die Informationen durch, mit denen er offenbar gut vertraut war. »Allison Amanda Carson – Amanda war der Vorname deiner Großmutter mütterlicherseits –, geboren am dreiundzwanzigsten Januar, als Tochter von Edward Harrison Carson und Lyn Margaret Carson, geborene Hayes, die am vierzehnten September seit siebenunddreißig Jahren verheiratet sind. Du wurdest im Georgetown University Krankenhaus zur Welt gebrach, deine Blutgruppe ist Null negativ. Du bist auf die Birney Grundschule in Lincoln Middle gegangen, dann, lass mich nachschauen, auf die Banneker Highschool. Mit fünf Jahren hast du dir den Ellbogen des rechten Arms gebrochen. Mit acht hast du dir den rechten Knöchel so schlimm verdreht, dass du siebzehn Tage lang einen Gipsverband tragen musstest. Keine dieser Verletzungen hat bleibende Schäden verursacht. In der neunten Klasse wurde bei dir eine Überfunktion der Schilddrüse diagnostiziert, von – wie heißt der Arzt noch mal?« Er drehte die Seite um. »Ah ja, Dr. Hallow. Er empfahl eine Behandlung im Kinderkrankenhaus, wo du sechs Tage bleiben musstest. Du wurdest untersucht, und man hat dir Medizin verschrieben, die auf deinen Körper abgestimmt war.«

Er schaute auf und in Allis leidendes Gesicht. »Hab ich was vergessen? Ich glaube nicht.« Er wandte sich wieder seinen Unterlagen zu, schlug sich mit der Hand leicht gegen die Stirn, und dann breitete sich ein Lächeln auf seinem Gesicht aus: »Doch, ich habe was vergessen! Ich habe vergessen, Barkley zu erwähnen. Philip Barkley. Aber du hat ihn anders genannt – wie? Hilf mir doch mal, Alli. Nein? Na gut, dann sag ich es eben. Du hat ihn Bark genannt, stimmt's? Bark war deine erste große Liebe, aber du hast deinen Eltern nie die Wahrheit über dich und Bark erzählt, oder?«

»Das hat seine Gründe.«

»Natürlich. Es gibt immer irgendwelche Gründe«, sagte Kray. »Die Menschen versuchen, alles vernünftig zu betrachten. Hast du deinen Eltern nun die Wahrheit über Philip Barkley erzählt oder nicht? Ein einfaches Ja oder Nein würde mir schon reichen.«

Alli stöhnt auf und sank in sich zusammen.

»Siehst du jetzt, in was für eine Notlage du dich gebracht hast?«

Die ganze Zeit über war sie geistig wie gelähmt gewesen, aber jetzt kam ihr ein ganz bestimmter Gedanke. »Woher können Sie denn das mit Bark wissen? Ich habe nie jemandem was davon erzählt …«

»Von der Nacht auf dem Floß?«

Sie schnappte nach Luft. »Das ist unmöglich! Das können Sie nicht wissen!«

»Und doch weiß ich es. Warum sollte es denn unmöglich sein?« Er legte den Kopf zur Seite. »Vielleicht hilft es dir ja auf die Sprünge, wenn ich dir sage, dass ich Ronnie Kray heiße?«

Sie stieß einen unartikulierten Laut aus und musste würgen.

Ich bin eine Gefangene, dachte Lyn Carson zum ersten Mal in ihrem Leben. Sie, ihre Mitarbeiter und ihre Leibwächter standen in einem Stau. Sie waren auf dem Weg von einem Mittagessen, bei dem sie vor wichtigen Frauen aus Washington gesprochen hatte, zu einem Empfang für Spendensammler, wo sie ihren Mann vertreten sollte, der Gott weiß wo war und Gott weiß was gerade tat. Am Morgen hatte sie einen Auftritt bei »Good Morning, America« gehabt. Sie erinnerte sich kaum noch an das, was sie gesagt hatte.

Normalerweise liebte sie es, zu repräsentieren. Dadurch fühlte sie sich selbst ein wenig wie eine Senatorin – und jetzt war sie ja sogar die Frau des Präsidenten, das war mehr, als nur wie ein Anhängsel des Ehemannes überall herumgereicht zu werden. Aber die ganze Zeit über war sie so beschäftigt mit ihren Gedanken an Alli, dass es ihr schwerfiel, immer wieder dieses Lächeln aufzusetzen. All die Termine, die sie sonst so gern wahrnahm, rauschten an ihr vorbei wie Szenen aus einem schlechten Film. *Wie sinnlos das Leben doch ist,* dachte sie, als sie in ihrer gepanzerten Limousine quer durch die Stadt gefahren wurde. Autos machten Platz, Passanten sahen ihnen neugierig nach und fragten sich wohl, welches wichtige Regierungsmitglied in dem Wagen saß. *Aber ohne Alli war das Leben völlig leer.*

Verzweifelt holte sie ihr Handy hervor und wählte eine Nummer im Ausland. Sie schaute auf ihre Armbanduhr und rechnete sich aus, dass es in Umbrien jetzt Abend sein musste, sicherlich hatten sie schon gegessen. Die Dämmerung war längst über die Olivenbäume hereingebrochen. Das alte steinerne Haus war bestimmt schon erleuchtet von warmem Licht, und der Duft von Tomatensauce und gebratenem Fleisch hing noch in der Luft. Vielleicht erklang von irgendwoher Musik.

»Hallo, Mutter«, sagte sie, als die vertraute Stimme sich meldete. »Ja, mir geht es gut, alles ist gut. Aber natürlich vermissen wir dich sehr, vor allem Alli.«

Eine Weile hörte sie der melodiösen Stimme am andern Ende zu. Nicht, dass es sie nicht interessiert hätte, was es heute frisch auf dem Markt zu kaufen gab und wie es dem alten Mann ging, der die Oliven presste und einmal versucht hatte, ihr den umbrischen Dialekt beizubringen. Es lag einfach daran, dass die Welt ihrer Eltern so weit weg war und das Leben dort von einer fast schon kriminellen Sorglosigkeit. Mit einem Mal fühlte sie sich viel älter als ihre Mutter, die immer noch von der Qualität der diesjährigen Olivenernte schwärmte, von dem Wildschweinbraten, den sie zum Abendessen gehabt hatten, und von den Gemälden, an denen ihr Vater die ganze Zeit arbeitete.

Plötzlich wurde ihr klar, dass dies keine Ablenkung war. Solange Alli verschwunden war, gab es keine Ablenkung für sie. Sie konnte sich jede Menge alltägliche Arbeiten aufladen, monotone Tätigkeiten, aber es würde die Wirklichkeit nicht im Geringsten ändern. Der Albtraum senkte sich wieder über sie und lastete auf ihren Schultern wie ein Geier.

»Ich muss jetzt Schluss machen, Mom.« Sie war kurz davor, in Tränen auszubrechen, musste sich auf die Lippen beißen, um nicht mit der schrecklichen Wahrheit herauszuplatzen: *Mom, Alli wurde entführt. Wir wissen nicht einmal, ob sie noch lebt.* »Viele Grüße von allen an dich und Papa.«

Sie klappte das Handy zu und biss darauf, bis ihre Zähne im Metallgehäuse Abdrücke hinterließen.

»In dieser Hinsicht sollten wir vielleicht mal über deine beste Freundin, Emma, sprechen«, sagte Ronnie Kray, »unsere gemeinsame Bekannte.« Er zog ein Foto aus dem Ordner und hielt es Alli hin. Es war ein etwas körniger Schnappschuss von zwei Mädchen, die über den Campus von Langley Fields spazierten. »Erkennst du euch beide, dich und Emma McClure?«

Alli sah sich das Bild an und erinnerte sich an die Situation: Es war am ersten Oktober gewesen, kurz nach Mittag. Sie erinnerte sich auch, über was sie gesprochen hatten. Wie könnte sie das je vergessen! Dieser intime Augenblick war also festgehalten worden, jemand hatte sie belauscht! Der Gedanke daran verursachte ihr Übelkeit. Dann durchfuhr es sie wie ein Blitz aus heiterem Himmel: Sie war schon seit langer Zeit überwacht worden. Jemand – vielleicht der Mann, der ihr jetzt gegenübersaß – hatte sie bis in ihr Bett, bis in ihren intimsten Bereich verfolgt, ihr irgendwo in nächster Nähe aufgelauert, während sie ganz unschuldig ihrem Leben nachgegangen war. Sie musste sich zusammenreißen, um sich nicht zu übergeben. Seit sie die Romane *1984* und *Schöne neue Welt* gelesen hatte und seit ihr eigenes Leben immer stärker kontrolliert wurde, dachte sie, sie wüsste, was es heißt, überwacht zu werden. Aber dieser Einbruch in ihr Privatleben war einfach monströs, das war ein Großer Bruder mit perversen Gelüsten.

»Ich habe Emma von Bark erzählt.« Die Gedanken rasten so schnell durch ihren Kopf, dass ihr schwindelig wurde, sie fühlte sich noch mehr desorientiert. »Hat Emma es Ihnen erzählt?«

»Hat sie? Was glaubst du?«

»Was ich glaube?«, fragte sie begriffsstutzig. Sie fühlte sich wie in einem Aufzug, dessen Kabel gekappt worden waren und der sich nun im freien Fall befand. »Ich habe sie doch gekannt. So etwas hätte sie nie getan.«

Er schaute sie amüsiert an. »Darf ich dir mal eine Frage stellen, die dir vielleicht etwas frech vorkommt? Wieso hast du dich so tief herabgelassen? Emma kam nun wirklich nicht aus deiner sozialen Umgebung. Sie war derb und grobschlächtig, sie kam aus der falschen Gegend, wie wir früher zu sagen pflegten. Sie passte überhaupt nicht zu dir.«

Allis Augen blitzten auf. »Das beweist nur, dass Sie sie überhaupt nicht gekannt haben!«

Seine Gesichtszüge verhärteten sich. »Ich dachte, wir wären Freunde. Ich habe sogar schon überlegt, ob ich dich losbinden soll, obwohl es mich in üble Schwierigkeiten bringen könnte. Aber jetzt …«

»Bitte, binden Sie mich los. Es tut mir leid, dass ich so gesprochen habe.« Ihre aufsteigende Angst ließ ihre Stimme erzittern wie ein Glas kurz vor dem Zerspringen. »Ich werde das nie mehr tun, wenn Sie mich losbinden.«

Er schüttelte den Kopf.

Ihre Angst und ihre Wut verstärkten sich gegenseitig, und sie schrie empört: »Sie dürfen mich nicht so behandeln. Mein Vater wird Himmel und Hölle in Bewegung setzen, um mich zu finden.«

Ohne Vorankündigung holte Kray sein chirurgisches Besteck hervor. Alli verlor beinahe das Bewusstsein vor lauter Angst. Was wollte er ihr denn jetzt antun? Sie hatte schon viele Filme gesehen, in denen jemand gequält wurde. Sie versuchte sich an einzelne Szenen zu erinnern, aber ihr Gehirn war einfach nur von Panik erfüllt. Ihre Angst wuchs ins Unermessliche.

Sie sah, wie er aufstand. Sie fing an zu zittern und konnte ihre Augen nicht von den schrecklichen, glänzenden, leicht gebogenen Werkzeugen abwenden. Aber dann verschwand Kray ganz plötzlich in der Dunkelheit.

Alli konnte es kaum glauben. Sie fing an zu schluchzen. Alle Versuche, sich zusammenzureißen, halfen nichts. Es war das gequälte Tier in ihr, das sich nicht mehr zähmen ließ. Was sie jetzt fühlte, kam ihr geradezu unglaublich vor: Sie wollte, dass er zurückkam. Dieses Gefühl war so mächtig, dass es ihr physische Schmerzen bereitete.

Er war ihre einzige Verbindung zur Außenwelt zum Leben. »Lass mich nicht allein!«, rief sie aus. »Es ist mir egal, was du mir antust, ich werde dir nie etwas über Emma erzählen.«

»Du bist ja eine sehr treue Seele«, kam seine Stimme von irgendwo aus der Dunkelheit. »Aber das macht nichts. Ich weiß sowieso schon alles, was ich über Emma McClure wissen muss.«

Sie spürte eine Welle des Ekels, als ihre Panik anwuchs. »Nein, nein! Bitte!«

Sie wäre am liebsten im Boden versunken, in der Dunkelheit verschwunden, so wie er, aber sie saß weiterhin im grellen Licht und konnte nichts tun. Sie senkte den Kopf und spürte den heftigen Pulsschlag in ihren Schläfen.

»Was ist denn?«, fragte Kray jetzt mit sanfter Stimme. »Ich bin doch vernünftig. Erzähl es mir.«

Sie schüttelte den Kopf. Tränen standen ihr in den Augen.

Kray trat wieder ins Licht. »Alli, bitte, sprich mit mir.« Er blickte sie reumütig an. »Es ist doch nicht meine Schuld. Du hast mich doch gezwungen, dir Angst zu machen. Ich wollte das nicht, glaub mir.«

Einen Moment lang war sie wie gelähmt, dann weinte sie hemmungslos. »Ich muss … Ich muss zur Toilette.«

Kray lachte freundlich. »Aber warum hast du das denn nicht gleich gesagt?«

Er band sie vom Stuhl los. Sie wimmerte vor sich hin.

»Hier«, sagte er.

Sie starrte ihn mit weit aufgerissenen Augen an, wollte es einfach nicht glauben.

Er brachte ihr eine Bettpfanne.

»Das kann doch nicht wahr sein«, sagte sie mehr zu sich selbst. »Das kann ich nicht.« Sie schluchzte und bettelte gleichzeitig: »Bitte, das kann ich doch nicht.«

Er stand vor ihr wie ein Strafvollzugsbeamter, schaute sie aus seinen grauen Augen emotionslos an.

»Bitte!«, bat sie. »Schauen Sie nicht hin. Bitte, bitte, bitte, drehen Sie sich um. Ich bin auch brav, ich verspreche es.«

Ganz langsam wandte er sich um.

Sie beruhigte sich, bemüht, sich wieder zusammenzureißen. Aber es war furchtbar schwer. Jedes Mal, wenn sie glaubte, die Situation einigermaßen überblicken zu können, wurde ihr der Teppich unter den Füßen weggezogen, alles wurde ständig ins Gegenteil verkehrt: Gut war böse, Freundlichkeit bedeutete Schmerz, schwarz war weiß. Sie fühlte sich verwirrt, einsam, isoliert. Die nackte Angst nahm von jeder Faser ihres Körpers Besitz. Eine eisige Kälte breitete sich in ihr aus. Aber ihre Blase war so voll, dass sie platzen würde, wenn sie sie jetzt nicht entleerte. Leider ging es nicht.

»Emma hat Ihnen überhaupt nichts erzählt.« Sie zitterte wie Espenlaub. Jeder Muskel vibrierte. »Woher wissen Sie das von Bark und mir?«

»Ich sag's dir, Alli, weil ich dich mag. Ich möchte, dass du mir vertraust. Ich weiß es, weil in eurem Zimmer ein Mikrofon angebracht war. Als du es Emma erzählt hast, hast du es gleichzeitig mir erzählt.«

Alli schloss die Augen. Sie stand da mit gesenktem Kopf, zitternd, und endlich ging es. Sie entspannte sich, und es klang wie Regen, der auf ein Blechdach prasselt.

VIERZEHN

Der noch amtierende Präsident und sein Heimatschutzminister Dennis Paull saßen auf dem Rücksitz der gepanzerten Limousine des Staatschefs auf dem Weg vom
Weißen Haus zur Air Force One, die den Präsidenten
und seine kleine Gruppe von Diplomaten nach Moskau
bringen sollte, um den russischen Präsidenten Yukin zu
treffen. In der Aktentasche, die auf den Knien des Präsidenten lag, war der schwarze Hefter mit den Dokumenten, die bewiesen, dass der von Yukin persönlich aus-
gesuchte Chef des Staatsbetriebs RussOil ein ehemaliger
KGB-Attentäter war.

Der Präsident hätte auch den Hubschrauber Marine
One nehmen können, um zum Flughafen zu kommen,
aber hier auf dem Rücksitz seines Wagens, dessen hinterer
Teil durch eine Scheibe vom Fahrer getrennt war, hatte er
größtmögliche Sicherheit, dass niemand sonst ihnen zuhören konnte. Abhörsicher reden zu können war etwas,
das dem Präsidenten in den letzten Wochen seiner Regie-
rungszeit immer wichtiger geworden war. Es war in eine
regelrechte Obsession ausgeartet.

»Diese Entführung«, fragte er. »Wie läuft das denn so?«

»Wir verfolgen alle Spuren«, sagte Paull neutral.

»Ach, Dennis, reden wir doch mal Klartext, okay?« Der
Präsident schaute durch das Panzerglas nach draußen.
»Wir haben wirklich großes Glück. Diese Sache, so un-

erfreulich sie auch für die Carsons sein mag – und Gott weiß, dass ich jeden Tag für die baldige Rückkehr der armen jungen Frau bete –, hat uns die Möglichkeit in die Hand gegeben, endlich gegen diese missionarischen Säkularisten vorzugehen. Und zwar gegen alle.« Er drehte sich wieder um. In seinen Augen flackerte das Feuer des Glaubens. »Warum ist in dieser Hinsicht noch nichts unternommen worden?«

»Der Agent, den Carson sich ausgesucht hat – Jack McClure – verfolgt eine vielversprechende Spur.«

»Siehst du, Dennis, jetzt hast du deinen Finger auf das Problem gelegt.«

Paull schüttelte den Kopf. »Ich verstehe nicht, Sir«, sagte er, obwohl er sich ziemlich sicher wahr, dass er die Gedanken des Präsidenten sehr genau nachvollziehen konnte.

»Mir kommt es so vor, als würde dieser Jack McClure die Ermittlungen behindern.«

»Sir, ich glaube, er hat eine Spur gefunden, die uns zu Alli Carsons Entführer bringen könnte. Ich bin bislang davon ausgegangen, dass es absolute Priorität hat, sie gesund zurückzubringen.«

»Hast du unsere letzte Unterhaltung vergessen, Dennis? Gib den Befehl an Hugh Garner weiter und lass uns das weiterverfolgen. Wenn ich von Moskau zurück bin, möchte ich, dass diese sogenannten Neuen Amerikanischen Säkularisten verhaftet sind. Dann werde ich der Öffentlichkeit die Beweise präsentieren, die ich von den Russen bekommen habe.«

»Ich werde Garner sofort unterrichten, wenn Sie an Bord der Maschine sind, Sir«, stimmte Paull schweren Herzens zu. Er fragte sich, wie er es schaffen sollte, diese Intrige zu kaschieren, die ihm der Präsident da aufgedrückt hatte. Im Augenblick sah er keine andere Möglichkeit, als Garner auf die Säkularisten zu hetzen. Er hoffte, wenn er darauf bestand, dass Jack McClure weiterhin seine Nachforschungen betreiben durfte und der Schaden sich in Grenzen hielt. Natürlich geriet damit McClure zwischen alle Fronten. Vor allem, wenn er im Visier von Garner war, würde ihn das in Schwierigkeiten bringen, aber das ließ sich nun mal nicht vermeiden. Agenten waren immerhin darauf trainiert, mit allen Situationen fertig zu werden. Abgesehen davon war McClure entbehrlich, Paulls Mann beim Secret Service aber war es nicht.

Inzwischen war die Limousine an der Andrews Air Force Base angekommen. Paull, der schon den ganzen Morgen darüber nachgegrübelt hatte, ob er ein derart schwieriges Thema zur Sprache bringen sollte, entschied sich im gleichen Moment, als der Wagen auf der Startbahn neben der Air Force One zu halten kam, und sagte: »Sir, bevor Sie losfliegen, habe ich die Pflicht, Ihnen sagen zu müssen …«

»Ja?« Das helle, frisch rasierte Gesicht des Präsidenten schien ausdruckslos, seine Gedanken schienen schon Tausende Meilen entfernt im schneeverwehten Moskau zu sein. Er freute sich bestimmt schon darauf, Yukin in seine Schranken zu verweisen.

»Nightwing ist nicht zu seinem letzten Treffpunkt erschienen.« Nightwing war der wichtigste Agent für hochgeheime Spezialeinsätze.

»Wann hätte er sich den melden müssen?«, fragte der Präsident genervt.

»Vor zehn Tagen«, erwiderte Paull angespannt.

»Dennis, warum um Himmels willen erzählen Sie mir das in dem Moment, wo ich nach Moskau fliegen will?«

»Er hat seine nächsten Termine auch verpasst, die waren vor vier Tagen und gestern angesetzt. Ich wollte Sie nicht zu früh damit belästigen, weil ich hoffte, er würde schon wieder auftauchen. Aber das ist nicht der Fall.«

»Wissen Sie, Dennis, ich frage mich wirklich, warum Sie sich darüber so große Gedanken machen, wo Sie doch sowieso schon so viel zu tun haben.«

»Solche Agenten sind ziemlich schwer berechenbar. Sie mussten eine Menge heikler Aktionen durchführen – sehr zwielichtige Sachen. Leute, die ohne Skrupel töten, tendieren dazu, sich selbst für das Zentrum des Universums zu halten. Deshalb sind sie so erfolgreich, das treibt sie an. Ich habe das schon beobachtet. Manchmal gehen sie allerdings zu weit. Es kann durchaus passieren, dass ihr Drang, etwas Besonderes zu sein, ihre Disziplin untergräbt.«

»Was ist das jetzt, ein Grundkurs in Psychologie?«, fragte der Präsident gereizt.

»Sir, ich will nur meine Position deutlich machen. Wenn ein solcher Agent nicht mehr diszipliniert arbeitet, dann verwandelt er sich schlicht und ergreifend in einen Serienkiller.«

Die Hand des Präsidenten lag schon auf dem Türknopf. Sein Gesichtsausdruck verriet, dass er weiter voraus war und an seine Ankunft in Russland dachte. »Ach, ich bin mir ziemlich sicher, dass das nicht auf Nightwing zutrifft. Mein Gott, er ist seit über dreißig Jahren einer unserer wichtigsten Agenten. Da hat sich nichts geändert, bestimmt nicht. Hören Sie auf, im Nebel zu stochern. Ich bin mir ziemlich sicher, dass es einen guten Grund für sein Schweigen gibt.« Er lächelte ermutigend. »Konzentrieren Sie sich mal auf diese Säkularisten. Nightwing kann sehr gut auf sich selbst aufpassen.«

»Das Problem bei dem Vorschlag des Präsidenten ist«, sagte Paull, »dass man einem solchen Agenten, selbst wenn er so produktiv und unantastbar ist wie Nightwing, niemals derart viel Unabhängigkeit geben darf. Meiner Meinung nach ist das nur ein Freifahrtschein in die totale Gesetzlosigkeit und läuft auf den Zusammenbruch aller moralischen Prinzipien hinaus.«

»Der Präsident hat mich besucht.« Irgendwo in Louises umnachteten Gehirn war kurz so etwas wie Erkenntnis aufgeblitzt. »Ist das nicht nett von ihm?«

»Ja, wirklich sehr nett, Liebling.«

Paull saß mit seiner Frau auf der verglasten Veranda ihres Pflegeheims. Er spürte die Wärme, die von der Fußbodenheizung ausging.

»Daddy«, fragte sie. »Wo bin ich?«

»Zu Hause, Liebling.« Paull drückte ihre Hand. »Einfach nur zu Hause.«

Louise lächelte leer und verschwand wieder in den unergründlichen Tiefen ihres Bewusstseins. Paull schaute sie an. Ihre Demenzerkrankung hatte ihrer Schönheit nichts angetan, und gerade das schmerzte ihn so sehr. Heute lag eine unsichtbare Wand zwischen ihnen, die er nicht durchdringen konnte, sosehr er es auch versuchte. Er hatte sie verloren, und sie hatte sich selbst verloren. Er konnte diesen Gedanken nicht ertragen. Inzwischen kam er hierher, um mit ihr zu sprechen, als wäre sie seine engste Vertraute für heikle Staatsangelegenheiten. Er erzählte ihr all das, was er ihr früher, als sie noch jung und von Leben erfüllt gewesen war, niemals sagen durfte. Damals hatte er sie notwendigerweise von seinem Arbeitsalltag ferngehalten. Inzwischen teilte er ihr alles mit, was ihn beschäftigte, um auf diese Weise wenigstens etwas von ihrer Begegnung mitzunehmen, wenn er sie verließ.

»Ich habe Nightwing vor acht Jahren übernommen. Was mir vor allem Sorgen macht, Louise, ist, dass ich zwar für ihn verantwortlich bin, ihn aber noch nie zu Gesicht bekommen habe. Kannst du dir das vorstellen? Unsere Kommunikation beschränkt sich auf Briefe, die jedes Mal in einem Hotel in einer anderen Gegend abgegeben werden, das von ihm selbst ausgesucht wird. Die Briefe sind immer an ›Onkel Dan‹ adressiert.«

Er schüttelte den Kopf und war jetzt, nachdem er es ausgesprochen hatte, noch mehr beunruhigt als vorher schon. »Zuerst hat Nightwing uns mit Informationen aus Russland und China versorgt. Kürzlich hat er sein Einsatzgebiet auf das Abfangen von Geheimdienstmeldungen im Nahen Osten erweitert und auch Informationen von unseren Verbündeten dort abgeschöpft. Diese Daten sind sehr zuverlässig und sehr wertvoll, weshalb es nicht wundert, dass der Präsident darauf besteht, dass wir ihn mit Samthandschuhen anfassen. Aber Nightwing war auch an zweifelhaften Unternehmungen beteiligt, er handelt nach seinen eigenen Gesetzen. Ist es wirklich so verwunderlich, dass ich beunruhigt bin, weil ich so gut wie nichts über ihn weiß? Seine Personalakte ist sehr dünn. Vermutlich sind die Informationen über ihn sowieso mehr Legende als Realität. Wer diese Legenden erfunden hat und warum, ist nicht bekannt. Nightwings ehemaliger Vorgesetzter ist tot, wir können also niemanden mehr fragen. Ich habe Nächte damit verbracht, in den Computern der Heimatschutzbehörde nach Daten über ihn zu suchen – wir haben Zugriff auf die Systeme von CIA, FBI und NSA –, ohne auch nur den kleinsten Hinweis auf seine Existenz zu finden. Mir ist sogar schon der Gedanke gekommen, dass Nightwing seine eigene Personalakte selbst verfasst hat.«

Louises Hand war kühl und fühlte sich an wie die einer Marmorstatue. Zwar spürte man feine Linien und Strukturen, aber sie wirkte dennoch wie aus Stein geformt. Er fragte sich, ob sie ihn hören konnte, ob seine Stimme für sie bekannt klang, eine Erinnerung war wie eine Radiosendung, die man in der Jugend öfter gehört hat. Er hoffte, seine Stimme bewirkte, dass sie sich sicher und gut aufgehoben fühlte. Geliebt. Seine Augen füllten sich mit Tränen, für kurze Zeit konnte er nichts mehr erkennen. Er fuhr mit seiner Erörterung fort, in der Hoffnung, dass er sich später an alles Gesagte erinnern würde. Wenn er dann wieder in der unruhigen Welt dort draußen war, würde ihm das vielleicht helfen, an sie zu denken, auch wenn sie für immer im Labyrinth ihrer Gedanken verloren gegangen war.

»Tatsächlich wissen nur zwei Männer mehr über diesen Agenten als ich: der Präsident und sein Sicherheitsberater. Da der Präsident das Verschwinden von Nightwing auf die leichte Schulter nimmt, liegt für mich die Vermutung nahe, dass, entgegen den Vorschriften, einer von beiden ohne mein Wissen Kontakt mit diesem Agenten aufgenommen hat. Aber ich weiß auch, dass es politischem Selbstmord gleichkäme, wenn ich versuchen wollte, meinen Verdacht zu beweisen.«

Nein, entschied er, als er die Schnellwahltaste drückte, um Hugh Garner anzurufen, er würde sich dem Rat des Präsidenten fügen und sich um die Entführung von Alli Carson kümmern. Im Augenblick musste er Nightwing, der in seiner Behörde als Ian Brady geführt wurde, einfach links liegen lassen. Wenn der Nationale Sicherheitsberater nun allerdings besonders eng mit dem Präsidenten verbandelt war, dann wurde es Zeit, dass er, Dennis Paull, Kontakt mit seinem mächtigen Alliierten aufnahm. Inzwischen war die politische Landschaft ins Rutschen geraten, und es war besser, man machte einige entscheidende Schritte rechtzeitig, bevor man von einer Lawine begraben wurde.

Er beendete den Anruf und löste seine Hand aus der Umklammerung von Louise. Als er sich zu ihr beugte und ihre blassen Lippen küsste, durchfuhr ihn ein Gefühl von Liebe und Verlangen, und er musste an ihre rosigen Wangen und das Lachen von einst denken, an ihr im Sonnenlicht schimmerndes Haar, wenn sie sich von ihm durch die Luft wirbeln ließ.

FÜNFZEHN

»Großartig, McClure«, sagte Hugh Garner. »Da haben wir schon genug Probleme, und nun bescheren Sie uns noch ein zweites Mädchen – wahrscheinlich gleich alt und ähnlich gebaut wie die Tochter des Präsidenten –, und die ist auch verschwunden. Sie dürfte entweder schon tot sein oder sie wünscht sich das; immerhin ist sie ja ernsthaft verstümmelt worden.« Er tippte energisch auf die drei Seiten, die er in der Hand hielt. »Leider gibt es für uns, laut Bericht des Gerichtsmediziners, keine Möglichkeit sie zu identifizieren.« Er grinste und warf Jack und Nina einen Blick zu. »Wer von euch beiden Hübschen meldet sich freiwillig dafür, Edward Carson, diese großartige Neuigkeit mitzuteilen?«

»Das mache ich«, sagte Jack. »Ich rufe ihn sowieso jede Stunde an.«

Garner legte den beunruhigenden Bericht von Schiltz beiseite. »Nein, ich brauche Sie hier. Nina, du wirst die Carsons mit den neuesten Entwicklungen vertraut machen.«

Nichts in Ninas Gesicht verriet ihre Empfindungen. Sie trug ein gut geschnittenes Kostüm, dazu eine Bluse mit Perlmuttknöpfen und am Kragen eine hübsche Brosche. Wie eine Frau gleichzeitig so spröde und so sexy sein konnte, war Jack ein Rätsel.

Sie saßen an einem Konferenztisch in der Kommandozentrale in Langley Fields. Auf dem Tisch lagen jede

Menge Meldungen von FBI, CIA, DIA, NSA und von vielen städtischen und regionalen Polizeibehörden, die vom Heimatschutzministerium dazu verdonnert worden waren, nach Alli Carson zu suchen.

Die drei waren das Auge des Sturms, der um sie herum toste. Rund dreißig Agenten drängten sich im Büro der Schuldirektorin und saßen vor Computern, die mit sämtlichen Sicherheitsnetzwerken des Landes verbunden waren. Viele telefonierten und gaben hereingekommene Informationen an die Agenten draußen im Einsatz weiter. Tüten von McDonald's, KFC und irgendwelchen Imbissbuden in der Nähe lagen überall verstreut herum. Die Papierkörbe waren gefüllt mit leeren Getränkedosen. Über allem hing der schale Geruch von Essen, Schweiß und Angst.

Einer hatte die Datei angezapft, in der sämtliche vermissten Personen in Virginia und Maryland verzeichnet waren, und diese ausgedruckt, aber das brachte sie auch nicht weiter. Abgesehen von den üblichen Ausreißern aus dem ganzen Land, die möglicherweise in dieser Gegend untergetaucht waren, hatte diese Liste nichts zu bieten.

»Also wieder an die Arbeit«, sagte Garner zu Jack, nachdem Nina gegangen war.

Er führte Jack zu einem Hinterausgang, durch den sie in einen schwach beleuchteten Flur kamen. Über eine kurze Betontreppe gelangten sie in den Unterrichtsbereich. Hier gab es jede Menge Seminarräume und Hörsäle, in denen all die Gerätschaften herumstanden, die ein hochklassiges College wie Langley Fields besitzen musste, um in den Augen der Eltern kompetent und gut ausgestattet zu wirken, schließlich mussten sie Zehntausende von

Dollar pro Jahr für den Aufenthalt ihrer Kinder zahlen. Kein exklusives College konnte es sich leisten, schäbig zu wirken, und daher musste in einer so großen Institution alles ständig auf Vordermann gebracht werden.

Lehrer waren im Moment nirgendwo zu sehen. Im Werkraum, den sie jetzt betraten, waren zwei Personen mit Kapuzen über den Köpfen, die von zwei bewaffneten Männern bewacht wurden. Die Gefangenen saßen so an zwei entgegengesetzten Seiten des Raums, dass sie einander nicht sehen konnten. Zwischen ihnen erstreckten sich eine Reihe überdimensionaler Waschbecken mit Werkbänken, über denen Borde hingen, auf denen Sägen, Hämmer, Pfrieme, Wasserwaagen, Metalllineale und Hobel lagen. Schraubenzieher, Meißel, Zangen und Schraubenschlüssel in allen möglichen Größen lagen daneben. An manchen Bänken waren Schraubzwingen befestigt, es roch nach Klebstoff und geöltem Metall. Durch die Fenster konnte man in den Rosengarten schauen, der jetzt nur aus einer Armee von dornenbesäten kahlen Ästen bestand, die sich über dem halbgefrorenen Boden in die Höhe reckten.

»Was ist das denn hier?«, fragte Jack.

Garner zog ihn noch einmal zurück in den Korridor.

»Wir haben die Anführer der Neuen Amerikanischen Säkularisten verhaftet«, sagte er mit gesenkter Stimme. »Einige Mitglieder dieser Organisation haben sich A-Zwei angeschlossen. In unseren Augen sind die Säkularisten eine Art Rekrutierungsbüro für A-Zwei. Die Neuen Amerikanischen Säkularisten sind sozusagen der legale Arm dieser Terrorgruppe.«

»Verhaftet? Sind das denn Verbrecher?«

Garner ignorierte Jacks Frage und fuhr fort: »Halten Sie ganz einfach den Mund, dann erfahren Sie vielleicht etwas Nützliches.«

Sie gingen wieder in den Raum. Garner gab den Wächtern ein Zeichen, woraufhin sie die Stühle mit den Gefangenen drehten und ihnen die Kapuzen abnahmen. Die Männer blinzelten und schauten sich verwirrt um. Sie sahen erst einander, dann Garner und Jack mit weit aufgerissen Augen an. Sie waren völlig verängstigt.

»Wer sind Sie?«, fragte der eine. »Und warum sind wir hier?«

Garner schlenderte zu einem der Waschbecken, steckte einen Gummipfropfen in den Abfluss und drehte den Kaltwasserhahn ganz auf. »Peter Link und Christopher Armitage, Sie sind beide Mitglieder von A-Zwei, einer säkularistischen Terrorgruppe«, sagte er, während das Waschbecken sich füllte.

»Wie bitte?«, riefen die beiden Männer gleichzeitig aus. »Das stimmt nicht!«

Garner sah zu, wie der Wasserpegel stieg. »Wollen Sie etwa behaupten, dass Sie keine Säkularisten sind?«

»Wir glauben, dass die organisierte Religion – und zwar jede Religion – eine Gefahr für die moderne Gesellschaft darstellt«, sagte Chris Armitage, der auf der rechten Seite saß.

»Aber wir sind doch keine Terroristen«, fügte Peter Link auf der anderen Seite hinzu.

»Sind Sie nicht, hm?« Garner gab einem der Wächter ein Zeichen. Der löste Links Fesseln, zog ihn am Kragen hoch und schob ihn Garner zu. Garner drehte den Wasserhahn ab. Das Waschbecken war bis zum Rand gefüllt.

Links Blick wanderte von Garner zu dem gefüllten Waschbecken, dessen Oberfläche sich sachte kräuselte. »Das kann doch nicht Ihr Ernst sein. Wir leben doch nicht in einem Polizeistaat.«

Garner schlug ihm mit der Faust in den Magen. Link krümmte sich. Garner packte ihn mit beiden Händen am Kopf und drückte ihn ins Waschbecken. Das Wasser spritzte und gurgelte, als Link versuchte, sich zu wehren.

»Das dürfen Sie nicht!«, rief Armitage. »Wir sind in Amerika. Hier gibt es das Recht auf freie Meinungsäußerung.«

Garner zog den spuckenden und hustenden Link aus dem Wasser. Der Wächter hielt ihn an den Armen fest, als Garner sich an Armitage wandte. Er fasste in seine Tasche, zog seinen Dienstausweis hervor und hielt ihn dem Gefangenen vors Gesicht. »Was Sie und Ihren Komplizen hier betrifft, repräsentiere ich Amerika.«

Er steckte den Ausweis wieder ein und drückte Links Kopf zum zweiten Mal unter Wasser. Jack trat neben ihn und legte eine Hand auf seinen Arm.

»Das bringt doch nichts«, sagte er ruhig. »Das ist doch nur eine Finte.«

Dann merkte er, dass er genau das Falsche gesagt hatte. Garner drückte Links Gesicht nach unten und sah Jack dabei direkt in die Augen.

»Nehmen Sie Ihre Hand da weg, sonst sind Sie als Nächster dran!«

»Sie haben mich als Unterstützung hinzugezogen«, sagte Jack ruhig. »Ich sage nur meine Meinung.«

»Ich hab Sie bestimmt nicht dazu geholt, McClure. Tatsächlich habe ich versucht, Sie rauszuhalten. Aber der neue Präsident wollte unbedingt seinen Willen durchsetzen, ob es nun was bringt oder nicht.«

Jack schlug Garner mit der Handkante gegen den Ellbogennerv, sodass dieser den Griff lockern musste. Garner ließ Link los, und Jack zog ihn aus dem Wasser. Tränen schossen aus Links Augen, und er spuckte einen großen Wasserschwall aus.

»Jesus Christus!«, rief Armitage erschrocken aus.

Garner ging zu ihm hinüber und brüllte ihn an: »Diese Worte werden Sie nicht in den Mund nehmen, verstanden!« Er kochte vor Wut, er atmete heftig, und er ballte die Fäuste. Die Adern auf seiner Stirn traten hervor.

Jack sah, dass Link halb bewusstlos war, und legte ihn auf den Boden. Er kniete sich neben ihn und fühlte seinen Puls. Er war unregelmäßig und schwach. Er schaute auf und sagte zu Garner: »Ich hoffe nur, dass hier ein Arzt in der Nähe ist.«

Garner schien etwas erwidern zu wollen, besann sich dann aber eines Besseren und zog sein Handy hervor. Kurz darauf ging die Tür auf, und ein Mediziner trat ein. Dann kniete er sich neben Peter Link, der in einer Pfütze aus Wasser und seinem eigenen Erbrochenen auf dem Boden lag.

Jack stand auf und sagte zu Garner: »Lassen Sie uns mal rausgehen.«

Über den Himmel zogen schwere, hässliche graue Wolken. Eisiger Wind schlug ihnen ins Gesicht.

»Das wird noch ein Nachspiel haben«, sagte Garner, als sie an dem kahlen Rosengarten vorbeiliefen. »Damit ist Ihre Karriere ruiniert.«

»Sie sollten sich erst mal beruhigen«, sagte Jack, »bevor Sie solche Drohungen ausstoßen.«

Garner stapfte wütend voran und wirbelte dann herum. »Sie haben meine Autorität da drinnen in Zweifel gezogen.«

»Sie haben Ihrer Autorität selbst geschadet«, sagte Jack ruhig. »Wir sind doch hier nicht im Irak.«

»Das hat doch damit nichts zu tun. Hier geht es um die nationale Sicherheit. Wir werden von Terroristen im eigenen Land herausgefordert. Das sind Verräter.«

Jack schaute seinen Gesprächspartner forschend an. Er wollte unbedingt ruhig bleiben. Einer musste doch vernünftig sein in dieser Angelegenheit. »Weil sie Sie und die momentane Regierung nicht mögen?«, fragte er.

»Sie haben die Tochter des kommenden Präsidenten entführt!«

»Das wissen Sie doch gar nicht.«

»Genau, und das ist ganz allein Ihr Verdienst, vielen Dank auch. Wir wissen es jedenfalls nicht sicher. Aber wir haben zwei deutliche Hinweise darauf am Tatort gefunden.«

»Die könnten auch von jemand anderem stammen.«

Garner lachte auf. »Das glauben Sie doch selbst nicht!«

»Ehrlich gesagt, weiß ich nicht, was ich glauben soll, weil wir überhaupt noch nicht wissen, was hier abläuft.«

Garner drehte um und machte sich auf den Rückweg. »Stimmt. Wir sollten das Verhör fortsetzen und es herausfinden.«

Jack trat ihm in den Weg. »Ich werde nicht zulassen, dass Sie diese Männer weiter foltern.«

»Sie können mir gar nichts verbieten.«

Jack zog sein Handy heraus und hielt es ans Ohr. »Dann werde ich den zukünftigen Präsidenten anrufen.«

Garner hob die Arme. »Jetzt hören Sie doch mal zu. Ich bin hier, um die Leute zu finden, die seine Tochter gekidnappt haben. Und Sie?«

»Mit Folter werden Sie gar nichts erreichen«, sagte Jack. »Entweder schweigt ein Verdächtiger, bis er stirbt, oder, was meist der Fall ist, er lügt. Er erzählt Ihnen genau das, was Sie hören wollen, aber es stimmt nicht. Glücklicherweise gibt es bessere Methoden, um herauszufinden, ob diese Männer die Täter sind.«

Garner fuhr sich mit der Zunge über die Lippen. Jack merkte, dass seine Wut allmählich verflog.

»So? An was denken Sie denn?«

Jack steckte sein Handy wieder ein. »Ich gehe rein und rede mit Chris Armitage. Dann lass ich ihn gehen.«

»Sind Sie wahnsinnig? Das lasse ich nicht zu!«

»Wir lassen ihn frei und Link auch, wenn er wieder zu Kräften gekommen ist«, sagte Jack. »Wir beschatten sie. Rund um die Uhr. Wenn sie was mit der Sache zu tun haben, werden wir es bald wissen.«

Garner dachte kurz darüber nach, dann nickte er. »Es ist Ihre Idee, also können Sie auch die Beschattung übernehmen.«

Zu spät wurde Jack klar, wie Garner sich rächen wollte, weil er sich gegen ihn gestellt hatte. Eigentlich hätte er nichts lieber getan, als sich aus dem Dunstkreis von Garner zu verabschieden, um seiner eigenen Spur zu folgen. Nicht zuletzt, weil er sich vorstellen konnte, dass Cyril Tolkan etwas damit zu tun hatte. Aber er konnte sich natürlich nicht einfach davonstehlen, also nickte er zustimmend.

»Ich brauche aber jemanden der mich unterstützt, immerhin sind es zwei Personen.«

»Das ist Ihr Problem. Sehen Sie zu, wie Sie es lösen können.«

Sie trennten sich, aber Garner rief ihm noch hinterher: »Sie haben achtundvierzig Stunden Zeit. Und wenn Sie Ihre Chance nicht nutzen, ist Ihre Karriere beendet.«

SECHZEHN

»Warum ist das Licht aus?«

Alli Carson saß in vollkommener Dunkelheit und spürte, wie ein Luftzug über ihr Gesicht strich. Sie zuckte zurück, weil sie fürchtete, er könnte sie schlagen. In den drei Tagen, die sie jetzt hier war, hatte er sie nie geschlagen, aber die Möglichkeit, dass er Gewalt anwenden würde, lag in der Luft und nährte nur das Grauen, das sie empfand. Es war nicht länger nötig, sie an den Stuhl zu fesseln, sie war bereits viel zu ängstlich, um aus eigenem Antrieb aufzustehen.

»Was habe ich dir gesagt?« Krays Stimme drang wie körperlos von irgendwoher aus der Dunkelheit. »Du sollst nicht sprechen außer während des Essens.«

Sie hielt den Kopf gerade. Er wollte sie nicht verletzen, er wollte ihr nur etwas beibringen, was sie noch nicht beherrschte, das wusste sie jetzt.

»Du musst dich konzentrieren, Alli.«

Die Stimme erklang jetzt dicht vor ihr, also hatte er sich offenbar dort hingesetzt. Sie war inzwischen in der Lage, kleinste Nuancen einer Bewegung anhand von leisen Geräuschen zu erkennen, stellte sie aufgeregt fest. Dies hier war also Ronnie Kray, der Mann, mit dem Emma sich getroffen hatte und über den sie mehr herausfinden wollte. Nun war sie an der Reihe. Diesen Gedanken musste sie unbedingt im Bewusstsein behalten. Emma hatte ihr beigebracht, wie man hart blieb, wie man seinen eigenen Weg ging. Emma war furchtlos gewesen, was Alli von sich leider nicht behaupten konnte. Vielleicht war jetzt ihre Chance gekommen. *Sei tapfer*, sagte sie sich. *Das Schicksal hat dich in die gleiche Situation gebracht wie Emma. Du hast die Möglichkeit, zu Ende zu führen, was sie begonnen hat. Du schaffst es vielleicht, diesen rätselhaften Mann zu verstehen.*

»Du bist wirklich sehr aufgeweckt«, fuhr Kray fort. »Aber dein Bewusstsein ist getrübt, weil du so behütet aufgewachsen bist. Man hat dir eingeredet, dir könne nichts passieren, aber das stimmt nicht. In Wahrheit warst du eine Gefangene. Man hat dir verboten, dahin zu gehen, wo du möchtest, und das zu sagen, was du denkst. Du darfst dich nicht einmal mit jemandem befreunden, ohne dass dein Vater davon weiß. Euer Privatleben wird vom Secret Service ausgeschnüffelt. Du gehörst nicht dir selbst, Alli. Du bist nur eine Puppe, die nach der Pfeife ihres Vaters tanzt.«

Ein Stuhl knarrte, offenbar hatte er sich zurückgelehnt. Am Geräusch des Stoffes erkannte sie, dass er ein Bein über das andere gelegt hatte. *Ich kann sehen, ohne zu sehen*, dachte sie. Sie war ihm dankbar dafür, dass er das Licht ausgelassen hatte, dankbar dafür, dass er ihr die Gelegenheit gab, ihre Sinne zu schärfen. Zum ersten Mal seit ihrem Zusammentreffen mit Emma McClure war es ihr gelungen, aus dem normalen Trott auszuscheren. Sie hatte die Existenz verlassen, von der Kray behauptete, sie sei extra für sie entworfen worden.

Als hätte er ihre Gedanken gelesen, sagte Kray: »Du lebst nur, um deinem Vater zu genügen. Die Alli Carson, die dieses Land – und sogar die ganze Welt – kennt, ist ein Produkt, wie ein Schokoriegel. Du bist ein typisch amerikanisches Mädchen mit typisch amerikanischen Werten und typisch amerikanischen Idealen. Hast du jemals gesagt, was du wirklich denkst? Hat man dir jemals eine eigene Stimme zugestanden? Deine Aufgabe war doch bisher nur gewesen, die Karriere deines Vaters zu fördern.«

Sie hörte seine Stimme, nur seine Stimme.

»Stimmt das nicht, Alli?«

Die Dunkelheit verlieh dieser Stimme noch mehr Macht, sie sah sie aufglühen wie ein Juwel, das in ihren Kopf gepflanzt worden war.

»Du hast doch eigene Gedanken, oder?«

Eine ganze Weile sagte sie nichts, obwohl sie das Gefühl hatte, die Antwort schon auf der Zunge zu haben. Sie merkte, wie bekannt ihr diese Angst war, etwas zu sagen. Seit vielen Jahren schon fürchtete sie sich davor zu sagen, was sie wirklich dachte, weil es etwas anderes war, als die Berater ihres Vaters ihr für öffentliche Äußerungen zugestanden hatten. Nur Emma hatte gewusst, was wirklich in ihrem Kopf vorging, nur Emma hätte ihr beibringen können, furchtlos zu sein, aber Emma war tot. Sie senkte den Kopf und spürte, wie eine tiefe Traurigkeit sie erfasste, Tränen rollten über ihre Wangen, tropften auf ihre Handrücken. Es war grausam und unfair gewesen, dass man ihr die einzige Freundin genommen hatte.

»Konzentrier dich, Alli«, sagte Kray im Ton eines Lehrers. »Du musst dich konzentrieren, damit es dir gelingt, diese künstliche Alli Carson zu besiegen, die man dir verordnet hat. Du musst deinen Verstand schärfen. Und jetzt antworte mir: Hast du eine eigene Meinung?«

»Ja, hab ich«, sagte Alli, und ihre Kehle schien endlich frei zu werden von der Blockade, die bislang verhindert hatte, dass die Worte nach draußen drangen. Sie dachte wieder an den Campus und an die Zeit, als sie mit Emma spazieren gegangen war. Emma hatte ihr mehr oder weniger die gleiche Frage gestellt. Sind das die Ansichten deines Vaters oder deine eigenen?

Er seufzte auf, vor Freude, wie ihr schien.

»Dann gibt es ja noch eine Chance, dass ich die wahre Alli Carson erreiche. Es gibt eine Chance, das rückgängig zu machen, was man dir angetan hat.«

Der Stuhl knarrte. »Du möchtest also sprechen?«

Woher wusste er das? Er verfügte ja über die unglaublichsten Fähigkeiten!

»Bitte, ich erlaube es dir.«

»Warum tun Sie das?«, fragte sie.

»Weil ich es tun muss.«

Er sagte es auf eine Art, die sie erschütterte. Sie wusste nicht warum, sie war viel zu sehr erstaunt über ihre eigene Reaktion. Aber so langsam ahnte sie, dass sie bald verstehen würde, was hier mit ihr geschah und warum.

Sie spürte, wie er sich in ihre Richtung beugte, spürte seine Körperwärme und seinen Herzschlag.

»Ich möchte dir was sagen, Alli. Ich bin fest davon überzeugt, dass ich etwas Wichtiges tue. Abgesehen davon bin ich ein Patriot. Dieses Land ist vom rechten Weg abgekommen. Ein Schatten liegt über unserer Demokratie, und seine Name ist Gott – der christliche Gott, in dessen Namen schon so viele Kriege geführt, Menschen und ganze Völker getötet wurden: die Azteken, die Inkas, die Juden in Spanien, die Kalifen in Konstantinopel und Trapezunt, die Chinesen, die Schwarzen, unsere eigenen Indianer. Alles Sünder, nicht wahr?«

Sie hörte seinen Atem, wie er die Luft einsog und ausstieß und jedes seiner Worte mit Emotionen auflud. Diese Emotionen waren ihr vertraut, sie verstand, was er meinte, ohne dass sie weiter darüber nachdenken musste. Und sie spürte Emma neben sich, mit der sie in ihrem gemeinsamen Zimmer in Langley Fields abends geflüstert hatte und die nun weit weg war. Wieder begann sie zu weinen, ganz leise, für Emma, aber auch über sich selbst und ihr eigenes, zerbrochenes Ich und darüber, dass man sie gezwungen hatte, ein Leben zu leben, das sie nicht wollte. Was hatte sie nicht alles vermisst: Freunde, Gelächter, das Recht, über die Stränge zu schlagen und ganz einfach nur Unsinn zu tun. Sie selbst sein, was immer das genau bedeutete. Diese Gedanken ließen sie nur noch mehr schluchzen. Auf ihre Brust senkte sich ein schweres Gewicht, das sie kaum ertragen konnte.

Währenddessen verhielt sich Kray still. Er hielt ihre Hand, war bei ihr in dieser Dunkelheit. Sie war dankbar dafür, dass er schwieg und dass er ihr beistand.

»Seit mehr als einem Jahrzehnt«, sagte er, nachdem ihre Tränen versiegt waren und ihr Atem wieder regelmäßig ging, »gibt es eine Verschwörung gegen die Demokratie. Erst in den letzten acht Jahren ist sie ans Tageslicht getreten. Mit der Behauptung, man wisse schon, was das Beste für dieses Land sei, haben die rechten Fanatiker einen Pakt mit den religiösen Fundamentalisten geschlossen, die sich nichts so sehr wünschen wie eine einheitliche christliche Nation. Diese Allianz ist eine neue Ausprägung dessen, was Eisenhower einmal den militärisch-industriellen

Komplex nannte. Er fürchtete, diese Allianz könnte eines Tages das Land unter ihre Herrschaft bringen, und er hat recht behalten. Die Ölkonzerne regieren Amerika und beherrschen unsere Außenpolitik. Wenn es im Nahen Osten nicht so viel Erdöl gäbe, wäre es uns vollkommen egal, wer da wem die Köpfe einschlägt. Wir wüssten noch nicht mal, was ein Sunnit ist, und schon gar nicht, warum er unbedingt seinen schiitischen Nachbarn umbringen will. Aber nun hat sich die religiöse Rechte in diese Verschwörung eingebracht, und wir haben einen Präsidenten bekommen, der der Überzeugung ist, er würde Gottes Willen vollstrecken. Aber ich glaube wie Millionen anderer Menschen auf der ganzen Welt, dass Gott nicht existiert. In wessen Auftrag handelt also der Präsident?«

Alli hört ihm gebannt zu. Sie stand unter Hochspannung, es kam ihr vor, als würde diese Anspannung sie aus ihrem Körper ziehen und als Geist über dem materiellen Geschehen schweben lassen. Es war ein großartiges Gefühl, mit einem Mal spürte sie Kraft und Energie in sich anwachsen.

»Du und ich, Alli, wir werden von diesen religiösen Fanatikern überrannt, die sich als demokratische Regierung maskiert haben. Wie oft hat dieser Präsident schon gesagt, dass es ihn nicht interessiert, was das Volk oder der Kongress will, weil er sowieso weiß, was das Beste für uns ist und was das Richtige ist? Seine moralische Rechtfertigung ist nichts weiter als die Wahnvorstellung dieser so genannten rechtschaffenen Bürger, die behaupten, alle ihre Entscheidungen seien richtig, und alle, die sie kritisieren, seien nur linksradikale Feinde der Gesellschaft. Für sie ist der unerschütterliche Glaube an Gott gleichbedeutend mit Patriotismus, und wer daran zweifelt, ist in ihren Augen ein Verräter. Wir müssen diese falsche Moral bekämpfen; wir müssen sie aufhalten, bevor sie noch mehr Unheil anrichtet.«

Er drückte ihre Hand ein letztes Mal und ließ sie dann los. »Jetzt weißt du, wer ich bin. Ich habe das noch nie einem anderen Menschen gesagt.«

Er stand auf, und sie spürte, dass er davonging. Sie wollte ihn zurückrufen, aber sie wusste, dass sie das nicht durfte. Sie hatte ihre Lektion gelernt.

»Ich möchte dir vertrauen, Alli. Das ist mein größter Wunsch. Aber du musst mir noch beweisen, dass du mein Vertrauen wirklich verdienst.« Seine Stimme wurde schwächer. »Ich bin überzeugt, dass du das kannst. Ich glaube an dich.«

SIEBZEHN

Jack geht nicht nach Hause zurück. Er hat Angst, sein Vater könnte nach ihm suchen, ihn mit Hilfe der Polizei wieder in dieses Zimmer zurückbringen, vor dessen Fenster die Ampeln an der Kreuzung stehen und in dem er sich nachts vor den knarrenden Schritten seines Vaters ängstigt. Er weiß, er muss irgendwie verschwinden.

Aber wohin soll man gehen, wenn man sich dem Zugriff des Staates entziehen will? Früher konnte man sich beim Militär verpflichten, davor gab es für Romantiker die Möglichkeit, zur Fremdenlegion zu gehen. Aber diese Zeiten sind vorbei. Wenn er sich den Autoritäten entziehen will, muss er bei Gus bleiben.

Gus ist Inhaber des »Hi-Line«, eines Leihhauses an der Kansas Avenue, wo der Bürgersteig glitschig ist von all den verspritzten Körperflüssigkeiten, und das ganze Jahr über rüttelt ein feuchter, hässlicher Wind an den Fensterläden und streicht über die zerbröckelnde Hauswand.

Am Tag nach ihrem gemeinsamen Besuch in der Bäckerei steht Jack um sieben Uhr morgens vor dem mit einem Gitter verrammelten Eingang des Leihhauses und wartet auf Gus.

Der scheint nicht sehr erstaunt über seine Anwesenheit zu sein. »Oh, dem weißen Jungen hat die Grütze wohl gut geschmeckt.« Er schließt das Gitter auf und schiebt es nach oben. »Hätte ich mir denken können.«

»Ich gehe nicht nach Hause.« Jack folgt Gus in den lang gestreckten Laden. Auf der rechten Seite stehen Glaskästen, auf der linken eine Reihe Spiegel. Es ist unmöglich, irgendetwas hier drin zu tun, ohne dass Gus es registriert. »Ich möchte für dich arbeiten.«

Gus schaltet das Licht ein, dann die Klimaanlage, die mit einem lauten, rumpelnden Geräusch zu laufen beginnt.

»Ich könnte natürlich ablehnen, trotz der Sachen, die Pfarrer Taske mir erzählt hat.« Im hinteren Bereich des Ladens gehen noch mehr Lampen an. »Der denkt, er weiß alles, weil er einen direkten Draht zu Gott hat.« Jetzt fangen die Lichter in den Glaskästen zu flackern an, bevor sie ganz hell werden und die ausgestellten Gegenstände beleuchten. »Ich hab ein bisschen rumtelefoniert, nachdem ich dich gestern abgeliefert hatte. Jetzt weiß ich besser über Cyril Bescheid.«

Gus tritt hinter den Tresen, öffnet die Ladenkasse und legt einen Stapel Scheine rein. Er schaut auf und sieht ein klein wenig überrascht aus. »Mein Name ist Augustus Turlington der Dritte, ungelogen. Schon allein dieser Name könnte mir Zugang zu sämtlichen Country Clubs von Amerika verschaffen. Jedenfalls so lange, bis sie meine schwarze Visage sehen.« Er murmelt etwas Unverständliches vor sich hin und sagt dann: »Was machst du denn auf der Kundenseite? Wenn du da stehen bleibst, wirst du nie etwas über das Geschäft lernen.«

Das »Hi-Line« wird von tätowierten Kredithaien besucht, versteckt agierenden Pornografen, raubeinigen Kolumbianern, stämmigen Zuhältern, blassen Drogenhändlern und korrupten Streifenbeamten, die ihre dicken Bäuche durch den hell erleuchteten Laden schieben.

Zunächst besteht Jacks Aufgabe einfach nur darin, das zu tun, was Gus oder dessen Kunden ihm sagen. Aber tatsächlich ist Jack damit beschäftigt, sie zu beobachten, wie nur er es kann, und herauszufinden, auf welche Art sie ihre Geschäfte abwickeln.

»Ich möchte, dass du dich hier eingewöhnst«, sagt Gus am ersten Tag zu ihm. »Ich möchte, dass du dich mit den Leuten, die hier regelmäßig reinkommen, vertraut machst, kapiert?«

Gus lebt in einem großen Haus am Ende der Westmoreland Avenue, gleich hinter der Grenze zu Maryland. Erstaunlicherweise ist es umgeben von hohen Bäumen und dichtem Gebüsch. Jack bekommt sein eigenes Zimmer im oberen Stockwerk. Wenn er aus dem Fenster sieht, ist es fast so, als würde er in einem Baumhaus wohnen. Überall wuchern dicht bewachsene Zweige, alles ist grün. In einer Astgabel entdeckt er ein Vogelnest, in dem im Frühjahr sicherlich gebrütet werden wird. Am frühen Morgen fällt der goldene Schein der Sonne auf die grünen Blätter, nachts lässt das Mondlicht alles silbrig schimmern. Abgesehen vom Zwitschern der Vögel und den Zikaden im August ist es sehr ruhig.

Aber manchmal kann Jack Musik hören. Obwohl er sehr ängstlich ist, fühlt er sich von diesen traurigen Klängen, die manchmal durchaus zornig klingen, angezogen. Nach und nach besiegt er seine Angst und entschließt sich, nach unten zu gehen. Er hört eine männliche Stimme, sie klingt tief, voll und viel glatter als die von James Brown.

Er hockt sich auf die unterste Treppenstufe und hört zu, die Arme um die knochigen Knie geschlungen, leicht im Rhythmus vor und zurück schaukelnd. Eine Stunde oder länger lässt er sich von den Klängen mitreißen, und es ist, als würde er in einer goldenen Kutsche über das Dach fliegen, weg von den blinkenden Verkehrsampeln, den hupenden Autos, den quietschenden Bremsen und dem Geschrei der Betrunkenen, weit fort in eine Region der reinen Seligkeit.

Wenn der letzte Ton verklungen ist, steigt er wieder die Treppe hinauf, kriecht ins Bett und fällt in einen tiefen, traumlosen Schlaf.

Jeden Abend, wenn die Musik ertönt, tut er das Gleiche: Er geht leise die Treppe hinunter und setzt sich dort hin. Allein und doch nicht einsam, denn er gehört zu der unsichtbaren Welt der Musik und des Gesangs von Männern, die Dinge gesehen haben, die er sich in seinen kühnsten Träumen nicht vorzustellen vermag.

Am Wochenende weiht Pfarrer Taske Jack in die Geheimnisse des Glaubens ein. An den Werktagen arbeitet er im »Hi-Line«, passt auf oder katalogisiert und kontrolliert die Listen, in denen all die traurigen Dinge verzeichnet sind, die die heruntergekommenen Kunden in den Laden bringen, um sie von Gus schätzen zu lassen. Der gibt ihnen ein wenig Geld dafür, wenn er den Sachen überhaupt einen Wert beimisst. Die meisten Schuldner kommen nie zurück, um die versetzten Sachen wieder auszulösen, obwohl sie ihnen aus unerfindlichen Gründen einmal sehr wichtig waren. Jeden Monat hält Gus eine Auktion ab und verkauft alles, was länger als ein halbes Jahr im Laden stand, so lauten die Geschäftsbedingungen des »Hi-Line«. Es gibt immer einige Kostbarkeiten unter den alten Gitarren, Timex-Uhren, Broschen oder goldenen Medaillons. Indem er sie verkauft, verdient Gus sein Geld. Allerdings ist Jack sich schon nach weniger als einer Woche sicher, dass er seinen Hauptverdienst im Hinterzimmer macht.

Während einer solchen Auktion stößt Jack auf eine Kiste mit Comics. Begeistert stöbert er sie durch, bis er merkt, dass es seine eigenen sind. Sein Vater ist offenbar an einem Wochenende, als Jack bei Pfarrer Taske war, vorbeigekommen und hat sie verpfändet. Jack ist sofort klar, dass sein Vater nicht die Absicht hat, sie jemals wieder zurückzukaufen. Und da überkommt ihn mit einem Mal ein tief empfundenes Gefühl von Freiheit, das ihn gleichermaßen froh und traurig stimmt. Es ist das gleiche Gefühl, wie wenn er am Abend der Musik von Gus zuhört.

Kurz überlegt er, ob er Gus bitten soll, ihm den Betrag für die Comics vom Gehalt abzuziehen. Doch dann schlägt er eins der Heftchen auf und beginnt zu lesen. Sofort legt er es beiseite und schlägt ein anderes auf, dann noch eins und noch eins und noch eins. Er legt sie alle beiseite. Dann stellt er die Kiste auf den Tresen zu den anderen Sachen, die bei der nächsten Auktion versteigert werden sollen.

Als er aufschaut, bemerkt er, dass Gus ihn die ganze Zeit beobachtet hat.

Eines Morgens, ungefähr eine Woche nach der Auktion, kommt Jack zum Frühstück herunter und sieht ein großes Paket an seinem Platz stehen, eingewickelt in Geschenkpapier.

Verwundert bleibt er stehen. Gus hat sich eine Schürze umgebunden, an seinen Fingern klebt Mehl. »Na los«, sagt er. »Mach es schon auf!«

»Ich habe doch gar nicht Geburtstag.«

Fachkundig legt Gus vier runde Teigstücke in eine Pfanne. »Du willst doch bestimmt nicht, dass ich das jemand anderem schenke, oder?«

Jack kann es kaum noch abwarten, seine Hände zittern, als er das Papier aufreißt. Darunter befindet sich eine quadratische Kiste mit einem Gitter auf einer Seite. Er klappt sie auf, es ist ein Plattenspieler. Drinnen liegen drei Langspielplatten, eine von Muddy Waters, eine von Howlin' Wolf und eine von Fats Domino.

Gus wendet die Maiskuchen in der Pfanne und sagt: »Ein Leben ohne Blues-Musik ist eine Sünde. Der Blues erzählt dir alle Arten von Geschichten von den Leuten, die die Stücke komponiert haben.«

Er stellt eine Platte mit fertigen Maiskuchen auf den Tisch. »So, jetzt iss dein Frühstück. Heute Abend hören wir uns diese Platten zusammen an. Ist doch Quatsch, dass du immer allein auf der Treppe herumsitzt.«

Nach sechs Wochen ist Gus der Ansicht, dass Jack so weit ist, die Geschäfte im Hinterzimmer zu beobachten. Das Hinterzimmer ist ein karger, kleiner, quadratischer Raum, in dem ein Sofa, zwei La-Z-Boy-Sessel stehen, dazwischen ein Sideboard mit einer Reihe Schnapsflaschen und Cocktail-Gläsern aus funkelndem Kristallglas. Jeden Tag kommt ein Mädchen, um Staub zu wischen und zu saugen. Gus legt Wert darauf, dass seine Geschäfte in einer angemessenen Umgebung getätigt werden.

Jack befürchtet, dass diese Geschäfte etwas mit Drogen zu tun haben könnten, denn das ist ja das, womit Cyril Tolkan sich beschäftigt, und offensichtlich sind Cyril und Gus Rivalen. Aber er hätte sich keine Sorgen machen brauchen. Die Geschäfte von Gus sind ganz anderer Art.

Am ersten Tag im Hinterzimmer erklärt Gus ihm: »Ich war mein ganzes Leben lang ein Außenseiter, und ich wollte immer ein glücklicherer Mensch werden als mein Vater. Nur jedes Mal, wenn ich es versuchte, stand mir ein weißer Mann im Weg. Also hab ich es irgendwann aufgegeben und bin in meine eigene Welt zurück, wo ich der König bin.«

In bestimmten Abständen kommen Polizisten durch die Hintertür des »Hi-Line«. Obwohl sie alle unterschiedlich aussehen, scheinen sie für Jack eines gemeinsam zu haben: Sie sind hart, argwöhnisch und missgelaunt. Sie haben offenbar genug gesehen, die meisten sogar zu viel, auf diesen Straßen, auf denen sie für Ruhe und Ordnung sorgen sollen. Zu viel Wut, zu viel Enttäuschung, zu viel Eifersucht und Neid, zu viel Blut. Sie stecken bis zum Hals in einer Welt der Prostitution, des Drogenhandels, der Auftragsmorde und der Bandenkriege. Mit ihren müden Augen haben sie in alle menschlichen Abgründe geblickt. Jack sieht es ihnen an, er kann es sogar riechen und schmecken, als würden sie eine ätzende Ausdünstung verströmen.

Sie wollen alle das Gleiche von Gus: Tipps, um ihre Verdächtigen hinter Gitter zu bringen. Sie wollen verhaften ohne Wenn und Aber, und zwar so, dass die Täter auch in Gewahrsam bleiben und ihnen die Beweise nicht um die Ohren geschlagen werden. Gus kann ihnen helfen, denn

Gus handelt mit Informationen – das ist sein Geschäft. Gus' Reich ist vielleicht kleiner, als er es gerne hätte, aber darin gibt es jede Menge Spitzel, Informanten, Opportunisten und Karrieristen, die ihm zuarbeiten.

Egal was diese Polizisten wollen, Gus hat es oder kann es in wenigen Tagen besorgen. Das hat natürlich seinen Preis. Sie zahlen ihn widerwillig und schlecht gelaunt, aber sie zahlen, denn sie wissen den Wert der Informationen zu schätzen.

Einer von Gus' regelmäßigen Kunden ist ein Detective namens Stanz. Er hat ein Gesicht, das so zerknittert ist wie ein benutztes Taschentuch, seine Schultern sind so muskulös wie die eines gealterten Boxers, seine Nase ist bei einer Schlägerei auf der Straße gebrochen worden, als er so alt war wie Jack, und sie wurde nie korrekt behandelt. Er raucht wie ein Drache und spricht mit einer von Nikotin und Teer belegten rauen Stimme.

Stanz arbeitet schon seit Jahrzehnten bei der Polizei, achtet aber trotzdem immer noch auf seine Kleidung. Er öffnet einen Knopf seines gut geschnittenen Maßanzugs und zieht sich die Hosenbeine ein Stück nach oben, wenn er sich auf das Sofa setzt. Dann zündet er sich eine Camel ohne Filter an und inhaliert tief.

»Die Gonzales-Sache hast du gut hingekriegt.« Er hält Gus einen weißen Briefumschlag hin. »Der Dreckskerl wird bis in absehbare Zukunft kein Geld mehr mit Koks verdienen.«

»Freut mich, wenn ich helfen konnte.« Gus steckt den Umschlag in die Tasche, ohne den Inhalt zu kontrollieren. Ganz offensichtlich hat er Vertrauen zu Stanz.

»Wo wir gerade davon sprechen.« Der Detective pickt

einen Tabakkrümel von der Zunge. »Mein Boss macht mir die Hölle heiß wegen dieses Doppelmordes beim MacMillan-Stausee.«

Gus runzelt die Stirn. »Ich sagte doch, ich arbeite daran.«

»Arbeiten allein reicht nicht.« Stanz rutscht an den Rand des Sofas und beugt sich vor. »Die letzten drei Wochen waren die reine Hölle für mich – kein Schlaf, keine Freizeit. Ich komme nicht mal dazu, es meiner Alten zu besorgen. Weißt du, was das für einen Mann in meinem Alter bedeutet? Meine Prostata ist schon so dick wie ein Softball.«

Die Asche am Ende seiner Zigarette zittert. »Ich bin am Arsch, Gus. Drei Wochen Befragungen, Verhöre, Nachgrübeln über alte Fälle, Durchkämmen der Nachbarschaft, Durchsuchen von jedem beschissenen Mülleimer oder Container, um das Messer zu finden oder ein anderes scharfes Ding, mit dem die Opfer erstochen wurden. Ich fühle mich, als hätte ich einen Marathonlauf hinter mir, und was habe ich erreicht? Was wird mein Chef dazu sagen, und was soll er dem Staatsanwalt und dem Bürgermeister erzählen? Siehst du, in welchem Schlamassel ich stecke? Dieser ganze Druck macht mich fertig. Ich bin der Typ, dem sie am Schluss die Arschkarte verpassen.«

Er drückt seine Camel aus und steht auf. »Besorg mir den Namen des Täters.« Er deutet mit dem Finger auf Gus. »Andernfalls werde ich meine Geschäftsverbindungen mit dir abbrechen, und wenn ich gehe, werden die anderen mir folgen.«

Gus' Augen sind halb geschlossen. Jack spürt eine Hochspannung im Raum und geht unwillkürlich einen Schritt zurück.

In diesem müden Tonfall, von dem Jack längst weiß, dass er Ärger bedeutet, sagt Gus: »Wie lange bist du nun schon bei der Polizei – dreißig Jahre?«

»Dreiunddreißig, um genau zu sein.«

»Nein.« Gus schüttelt den Kopf. »Dreiunddreißig Jahre, acht Monate und siebzehn Tage.«

Stanz starrt ihn an und muss blinzeln. Er hat keine Ahnung, worauf das hinauslaufen wird. Aber Jack ahnt es, und er grinst vor sich hin.

»Das ist eine ganz schön lange Zeit«, sagt Gus gedehnt. »Da sammelt sich eine Menge Dreck an.«

Jetzt scheint Stanz zu verstehen. »Moment, warte mal.«

»Vor fünf Jahren. Die Ochoa-Geschichte«, redet Gus weiter, als hätte Stanz nichts gesagt. »Du warst an seiner Verhaftung beteiligt. Bei ihm wurden dreißig Kilo Kokain gefunden und fünfundzwanzig Mille. Davon sind allerdings nur dreiundzwanzig in der Beweissammlung der Polizei gelandet. Achtzehn Monate vorher, wurde ein Hispanic tot aufgefunden. Die Spurensicherung fand eine Pistole in seiner Hand, aber wir beide wissen, dass er keine Waffe bei sich trug, als er erschossen wurde, denn du hast die Pistole von mir gekauft. Und ich hab genug Notizen, um das beweisen zu können.«

Stanz' Gesicht wird knallrot. »He, du hast mir gesagt …«

»Solche Spielchen macht man nicht mit mir«, sagt Gus, der sich kaum noch beherrschen kann. In seinen Augen lodert die kalte Wut.

Stanz wendet sich einen Moment ab, um sich wieder zu fassen, dann sagt er: »Ich hatte nicht die Absicht, dich unter Druck zu setzen, Gus. Du weißt doch, wie lange wir schon zusammenarbeiten.«

Gus' Körpermasse scheint das ganze Zimmer auszufüllen und sämtlichen Sauerstoff verbraucht zu haben.

Stanz bemüht sich, sein Keuchen zu unterdrücken. »Lass uns die Sache vergessen, ok?«, fragt er.

Er sieht aus, als würde er am liebsten so schnell wie möglich abhauen.

ACHTZEHN

»Wie geht es Pete?«

»Der Arzt meint, er wird sich wieder erholen«, sagte Jack. »Er wurde ins Bethesda-Krankenhaus gebracht. Dort ist er gut versorgt.«

Jack hatte sich freiwillig gemeldet, um Chris Armitage nach Hause zu fahren. Feiner Schneeregen fiel aus dem weißgrauen Himmel. Die Reifen der Autos verursachten ein surrendes Rauschen auf dem glitschigen Straßenbelag.

Armitage erschauerte. »Bis sie ihn wieder foltern.«

»Er wird nicht mehr gefoltert.«

»Na klar, ganz bestimmt nicht.« Armitage lehnte sich gegen das Beifahrerfenster, so weit wie möglich von Jack entfernt. »Ich werde Anzeige erstatten.«

»Das würde ich Ihnen nicht raten.« Jack bog auf den George Washington Memorial Parkway ab. »Falls Sie das tun, wird Garner Sie wieder holen lassen. Und die Anzeige wird garantiert nie beim Staatsanwalt landen.«

»Dann wende ich mich an die Öffentlichkeit – sämtliche Nachrichtenmedien werden sich die Finger danach lecken.«

»Das würde Garner auch nicht schaden. Der hätte keine Probleme, zu beweisen, dass Sie ein durchgeknallter Spinner sind. Alle Glaubwürdigkeit Ihrer Bewegung wäre in kürzester Zeit verspielt.«

Armitage musterte ihn einen Moment. »Und wer sind Sie? Der gute Bulle?«

»Ich bin tatsächlich der Gute«, sagte Jack. »Und zwar der einzige, den Sie in den nächsten drei Wochen treffen werden.«

Armitage dachte eine Weile darüber nach. »Wenn Sie der Gute sind, dann sagen Sie mir mal, was hier eigentlich vorgeht.«

Jack überholte einen schweren Sattelschlepper. »Das kann ich leider nicht.«

»Das ist wirklich ein furchtbarer Albtraum«, sagte Armitage verzweifelt.

Alle zwanzig Sekunden schaute Jack kurz in den Rückspiegel. »Erzählen Sie mir was über Ihre Organisation.«

Armitage stöhnte auf. »Jedenfalls haben wir nichts mit A-Zwei zu tun. Aber auch gar nichts.«

Ein grauer Fünfer-BMW reihte sich zwei Autos hinter ihnen ein.

»Aber Sie wissen über A-Zwei Bescheid.« Jack bemühte sich, die Spannung, die er empfand, nicht mitklingen zu lassen.

»Natürlich weiß ich, wer das ist«, sagte Armitage. »Können wir die Heizung ein bisschen mehr aufdrehen? Mir ist kalt.«

Jack drehte den Regler hoch. »Das ist die Angst, die entweicht.«

»Die entweicht nicht. Es fühlt sich eher so an, als würde ich sie bis an mein Lebensende mit mir herumschleppen.«

Jack wechselte auf die mittlere Fahrspur. Der graue BMW wartete einige Minuten und folgte dann.

»Jede Bewegung hat ihre Extreme«, sagte Armitage. »Aber man kann uns nicht über denselben Kamm scheren. Das wäre ja so, als würde man behaupten, alle Moslems seien Terroristen.«

Sie näherten sich einer Ausfahrt. Jack wechselte auf die linke Fahrspur. »Sie wären überrascht, wie viele Amerikaner genau das glauben.«

»Vor fünfzig Jahren glaubten die Amerikaner noch, die Juden hätten Hörner«, sagte Armitage. »Das ist genau das, was an diesem Land falsch ist. Und dagegen kämpfen wir.«

Der graue BMW schob sich ebenfalls auf die linke Spur.

»Ich könnte mir vorstellen, dass Garner und seine Leute immer noch daran glauben«, sagte Jack bissig.

»Warum sagen Sie ›Garner und seine Leute‹? Gehören Sie denn nicht zu denen?«

»Ich wurde hinzugezogen, um sie im Zaum zu halten.« So ungefähr konnte man es wohl sehen, dachte Jack. »Ich teile nicht ihre Überzeugungen.«

»Wie auch immer, jedenfalls vielen Dank. Sie haben Peter wahrscheinlich das Leben gerettet.«

Jack merkte, dass Armitage ihn forschend ansah.

»Es sei denn, es war nur eine Show.«

»War es nicht.«

»Woher weiß ich jetzt, dass Sie nicht lügen?«

Jack lachte. »Das können Sie nicht wissen.«

»Ich wüsste nicht, was daran witzig sein sollte«, sagte Armitage eingeschnappt.

»Ich wollte damit sagen, dass es eine Frage des Glaubens ist. Sie müssen mir halt glauben, dass ich die Wahrheit sage.«

Armitage bemühte sich, zu lächeln. »Ich habe keine Probleme zu glauben, denken Sie das nicht. Ich glaube an die Menschheit, an die Wissenschaft, daran, dass die Vernunft über die rückschrittlichen Kräfte siegen wird, die von der Religion bestimmt werden. Die Vernunft braucht keinen Priester oder Rabbi oder Imam, um existieren zu können.«

»Sie klingen sehr selbstbewusst.«

»Das kommt nicht von ungefähr«, sagte Armitage. »Ich war mal Priester.«

Das interessierte Jack fast genauso sehr wie der graue BMW im Rückspiegel. »Sie sind ein Abtrünniger?«

»Ich weiß schon, was Sie jetzt denken. Aber nein, es war nicht wegen einer Frau. Es war viel klarer als das, und das hat die Sache für mich letztlich sehr einfach gemacht. Ich bin eines Tages aufgewacht und stellte fest, dass die Welt der Religion überhaupt nichts mit der Welt zu tun hat, in der ich lebe und in der ich als Priester arbeitete. Die Bischöfe und Erzbischöfe, meine spirituellen Führer also, hatten nicht den blassesten Schimmer, was dort draußen in der wirklichen Welt vor sich ging. Schlimmer noch, es war ihnen egal.«

Armitage legte den Kopf zurück, er sah jetzt sehr in sich gekehrt aus. »Eines Tages beging ich den Fehler, ihnen gegenüber meine Bedenken zu äußern. Sie haben sie sofort verworfen, aber im gleichen Moment spürte ich, dass sie mich als Bedrohung empfanden. Anschließend wurde ich innerhalb meiner eigenen Gemeinde zunehmend isoliert.«

Sie fuhren weiter den Dolley Madison Parkway entlang Richtung Süden. »Und dann sind Sie ausgetreten.«

Armitage nickte. »Meine Verbindung mit dieser irrationalen, nur auf Glauben basierenden Ideologie wurde gekappt. Stattdessen beschäftigte ich mich mit Physik, Quantenmechanik, organischer Chemie – nicht als Wissenschaftler, sondern um zu versuchen, die Welt zu verstehen. Ich fand heraus, dass alle wissenschaftlichen Erkenntnisse auf Beweisen beruhen. Man kann sie exakt beschreiben. Sie können sogar quantifiziert werden. Es bleibt kein Raum für Interpretationen. Die organisierte Religion hat das gesamte menschliche Leben vergiftet. Sie macht die Leute abergläubisch, ignorant und intolerant gegenüber allem, was nicht in ihr Weltbild passt. Außerdem übertragen sie Macht an Personen, die überhaupt keine Macht ausüben dürften.«

»Wo wir gerade davon sprechen, halten Sie sich mal gut fest«, sagte Jack.

Er hatte sich bemüht, knapp unter dem Tempolimit zu bleiben, aber da die Ausfahrt nur noch knapp hundert Meter entfernt war, drückte er nun aufs Gaspedal. Der Wagen schoss nach vorn. Jack schlug das Lenkrad ein und bog auf die mittlere Fahrspur, gleichzeitig begann um sie herum ein wütendes Hupkonzert. Er bremste heftig ab, damit ein Laster sich vor ihn schieben konnte, und schwenkte dann auf die rechte Fahrspur und mit beängstigender Geschwindigkeit auf die Ausfahrtspur.

Hinter ihnen hörten sie die quietschenden Reifen des BMW, noch mehr zorniges Hupen und das Geräusch von blockierten Rädern auf dem glitschigen Asphalt.

Armitage drehte sich um, so weit es sein Sicherheitsgurt erlaubte. »Sie haben sie noch nicht abgehängt«, stellte er fest.

»Wenn ich sie abhängen will, schaffe ich das auch«, sagte Jack.

Er wollte den Parkway so schnell wie möglich verlassen und links auf die Kirby Road einbiegen, aber vor sich bemerkte er nun eins von diesen vorübergehend aufgestellten Verkehrszeichen, dessen Schrift von blinkenden Lichtern erleuchtet wurde. Das Problem war nur, dass er nicht lesen konnte, was darauf stand. Die Lichterkette blinkte wild durcheinander. Er fuhr schnell darauf zu, keine Zeit mehr, sein Gehirn dazu zu bringen, diese Buchstaben zu entziffern, also lenkte er den Wagen auf die Ausfahrt.

»Was zum Teufel machen Sie denn da?«, rief Armitage aus. Er klammerte sich am Armaturenbrett fest.

Jack sah, was er meinte. Die Zufahrt zur Kirby Road war blockiert. Sie schlitterten zwischen einigen Sperren hindurch, erreichten eine von Schlaglöchern übersäte Straße, die teilweise aufgerissen war. Straßenarbeiter brüllten und gestikulierten. Der Wagen senkte sich in ein großes Schlagloch und sprang wieder heraus und landete unsanft auf den Stoßdämpfern.

Das Lenkrad unter Jacks Händen vibrierte. »Was stand auf dem Schild?«

»Was soll denn das heißen?«, fragte Armitage verwirrt. »Das konnten Sie doch genauso gut lesen wie ich.«

»Sagen Sie mir, was draufstand!«, rief Jack.

»Da stand, dass die Kirby Road über eine halbe Meile eine Baustelle ist.«

Das brachte jetzt auch nichts mehr. »Egal«, sagte Jack grimmig.

Sie rumpelten über die aufgewühlte Fahrbahn, Jack

lenkte den Wagen mal nach rechts, mal nach links, um wenigstens die tiefsten Schlaglöcher zu vermeiden. Die Baustelle schien ewig lang zu sein, aber schließlich erreichten sie einen frisch geteerten Abschnitt. Jack schaute in den Rückspiegel und sah, wie der BMW sich über die Straße hinter ihnen quälte.

Armitage drehte sich um und fragte: »Wieso verfolgt uns jemand?«

»Verdammt gute Frage.«

Jack klappte sein Handy auf und wählte die Nummer seines Büros, das sich nur wenige Minuten entfernt befand. »Hier ist McClure. Gib mir Bennett«, sagte er, als jemand sich meldete. Rodney Bennett ging sofort dran.

»Wie sieht's aus, Jack?«

»Das weiß ich erst in ein paar Minuten, Chef. Ich werde verfolgt. Nagelneuer BMW der Fünfer-Serie. In drei Minuten bin ich auf dem Claiborne Drive. Ich brauch Unterstützung. Stoppen und abkassieren.«

»Geht klar«, brummte Bennet ins Telefon.

»Danke. Bis später.« Er steckte das Handy wieder ein.

»Machen Sie mal das Handschuhfach auf«, sagte er zu Armitage. »Nehmen Sie den Block und den Stift raus.«

Armitage tat es.

Genau drei Minuten später bog Jack vom Claiborne Drive scharf nach rechts ab. Es war eine reiche Wohngegend mit großen Häusern, weitläufigen Grundstücken und ausgedehnten Vorgärten.

Jack sah im Rückspiegel, wie der BMW ihnen folgte. Eben bog er auf den Claiborne Drive ein.

»Warum werden wir langsamer?« Armitage war jetzt ernsthaft beunruhigt. »Die haben uns gleich!«

»Seien Sie still und schreiben Sie die Nummer des BMW auf«, fuhr Jack ihn an.

Armitage schrieb hastig die Nummer ab. »Hab ich.«

Jack hörte, wie sich von der Kirby Road Sirenen näherten. Sie kamen in ihre Richtung.

Der BMW war jetzt dicht hinter ihnen. Jack scherte nach links aus. Der Wagen sprang über den Bordstein, rollte über ein Rasenstück, durch ein dichtes Buchsbaumgehölz und verschwand auf der anderen Seite des Hauses. Gleichzeitig rasten die zwei von Bennett geschickten Wagen mit Blaulicht auf den grauen BMW zu und hielten ihn auf.

NEUNZEHN

»Der Typ, den wir jetzt besuchen, mag Leute nicht, die er nicht kennt«, sagt Gus. »Außerdem mag er Weiße nicht. Das sind schon zwei Sachen, die gegen dich sprechen.«

»Soll ich lieber im Wagen bleiben?«, fragt Jack.

Gus dreht am Lenkrad. Sie rollen langsam die T Street entlang. »Ha! Du bleibst im Wagen, und der Marmoset bringt es fertig und kommt rüber und schießt dir in den Kopf. Er fragt nicht erst, ob ich einverstanden bin. Wenn ihm was nicht ganz koscher vorkommt, handelt er.«

»Was ist denn ein Marmoset?«, fragt Jack.

»So eine Art Affe. Ich glaube, der lebt in Baumspitzen im Wald oder so ähnlich.«

»Hast du schon mal einen gesehen, also einen echten Marmoset-Affen?«

»Ich? Nein.«

Gus sucht die Straße ab. Jack merkt, dass Gus nach irgendetwas sucht.

»Glaubst du etwa, ich hab Zeit, in den Zoo zu gehen?«

Zwischen der Sechzehnten und Siebzehnten Straße lenkt Gus den Wagen in eine Parklücke und schaltet den Motor aus.

»Das hier ist Anacostia, das ist nicht deine Welt, okay? Also bleib dicht bei mir, halt den Mund und verhalte dich ruhig, kapiert?«

»Alles klar«, sagt Jack.

Der Motor des Continental knackt beim Erkalten laut, es klingt wie das Ticken einer Uhr. Die Hitze des frühen Abends sickert ins Wageninnere, es wird stickig. Gus brummt vor sich hin und schiebt die Fahrertür auf.

Die Straße wird gesäumt von schmalen Reihenhäusern mit verblichenen Fensterläden, üppig bewachsenen Vorgärten, dazwischen Zäune. Ein großer Schäferhund bellt sie an und springt gegen den Zaun.

»He, Godzilla.« Gus schlendert vorbei, Jack bleibt dicht hinter ihm. »Der Nachbar vom Marmoset sorgt dafür, dass der Hund immer schön hungrig ist, damit er nach jedem schnappt, der zu nahe kommt.« Gus sucht in seinen Taschen, fördert ein paar Hundekekse zutage und wirft sie über den Zaun. »Ich kann es nicht ertragen, wenn Tiere schlecht behandelt werden.«

Als Godzilla sich über den ersten Keks hermacht, sind Gus und Jack schon vor dem nächsten Haus angelangt. »Mein Vater war Hundefänger«, erzählt Gus. »Mann, wie hat er seinen Job gehasst – er hatte ja mit all dem ständig zu tun, Tollwut, Misshandlungen. Er ist immer dagegen angegangen.«

Gus steigt die Stufen zu einem dunkelblau gestrichenen Haus mit hübschen weißen Fensterläden hinauf. Es hat Schindeln auf dem Dach statt der sonst üblichen Teerpappe.

»So, da wären wir.« Er klopft an die Tür.

Kurze Stille, dann hören sie eine männliche Stimme: »Kommt rein.«

Genau in dem Moment, als Gus die Tür aufschiebt, ertönen drei Schüsse, und Gus stößt Jack zurück auf den Treppenabsatz. Jack stürzt zu Boden, seine Ohren klingeln, er hört nichts mehr, aber im Liegen beobachtet er, wie Gus eine Magnum aus der Jacke zieht und die Tür aufstößt. Er ruft Jack etwas zu und verschwindet im Haus, aber Jack hat nichts verstanden.

Jack springt auf und eilt hinterher. Als er an der Tür vorbeigeht, bemerkt er drei Durchschüsse im Holz. Es ist eigenartig, sich zu bewegen, wenn man gleichzeitig überhaupt nichts hört, alles in vollkommene Stille getaucht ist. Als wäre die Welt mit Watte gedämpft.

Er rennt hinter Gus her und gelangt in einen schwach erleuchteten Raum, der so sehr mit Büchern, Schallplatten, Zeitschriften, Kleidern, Hüten, Schuhen und Turnschuhen überfüllt ist, das man das Gefühl hat, man steht in einem Labyrinth. Die Deckenverkleidung wurde entfernt, und man sieht das rohe Mauerwerk und Tapetenfetzen, die aussehen wie das Fell eines räudigen Hundes. Auf Tischen, Stühlen und dem Boden stehen zahllose kleine Lampen herum, die ein eigenartiges farbiges Licht verbreiten. Alle Lampenschirme sind zusätzlich mit bunten Stofffetzen verhängt, wodurch ihr Schein gleichzeitig gedämpft und eingefärbt wird.

Am anderen Ende des Raums sieht Jack, wie Gus aus einer hellgelb gestrichenen Küche zurückkommt. Die Magnum zu Boden gerichtet, sagte Gus etwas zu ihm, wobei er mit der freien Hand heftig gestikuliert, aber Jack ist immer noch taub – vielleicht hat er ja einen Schock – und geht weiter auf ihn zu.

Er weicht einem schiefen Bücherstapel aus und stolpert über einen anderen Hügel. Auf diesem undefinierbaren Ding erkennt er rote Flecken, die wie Markierungen oder ein Brandzeichen aussehen. Dann erst merkt er, was er da vor sich sieht. Er gerät aus dem Gleichgewicht, seine Knie werden weich, und er kippt um.

Dann hockt er auf allen vieren und starrt in ein verzerrtes Gesicht dicht vor ihm. Tote, weit aufgerissene Augen glotzen zurück. Er bemerkt ein Blutrinnsal, das aus dem halb geöffneten Mund tropft, und ein grässlicher modriger Geruch steigt ihm in die Nase. Er schreit laut auf, springt auf, prallt zurück, stolpert über ein Paar Stiefel und fällt auf den Rücken. Das wäre vielleicht ganz lustig gewesen, wenn Jack nicht so furchtbar erschrocken wäre. Er steht wieder auf und stößt gegen die Wand, als er sich umdreht, um aufzustehen und aus dem Haus zu rennen. Das Einzige, woran er denken kann, ist, sich so schnell wie möglich so weit, wie es nur geht, von diesem toten Mann zu entfernen.

Er weint, ihm ist schlecht, er kotzt auf den Fußboden. Es gelingt ihm nicht, das Bild des Toten aus seinem Kopf zu verbannen. Er will weg hier, zurück unter das schützende Dach des Lincoln, wo er in Sicherheit war, bevor dieser Horrortrip hier anfing.

Gus packt ihn am Kragen, hebt ihn hoch und stellt ihn auf die Füße. Jack ist jetzt völlig hysterisch, tritt um sich und schreit. Er ist noch immer halb taub, und das macht alles noch viel schlimmer, es ist wie in einem Albtraum, aus dem er nicht aufwachen kann. Nichts ist wirklich und dann doch viel zu real: diese Augen, das Blut, das aus dem halb geöffneten Mund rinnt, der Gestank nach Exkrementen und Blut und einem menschlichen Körper, der vom Leben zum Tod wechselt. Es ist einfach zu viel für ihn. Er trommelt mit den Fäusten gegen Gus' Schulter und tritt ihm immer wieder gegen das Schienbein.

Dann ist er endlich draußen, und Gus lässt ihn los, und er bricht zusammen, ringt nach Luft und muss würgen und fühlt sich, als würde jede Zelle in seinem Körper vor Angst und Schmerz explodieren. Dann breitet sich eine entsetzliche Leere in ihm aus, seine Eingeweide fühlen sich an, als wären sie nach außen gestülpt. Jeder Nerv in seinen Muskeln scheint zu brennen, seine Gliedmaßen zittern, sein Oberkörper zuckt vor sich hin.

Langsam findet er den Weg zurück von jenem Abgrund, in den Angst und Schrecken ihn gestoßen haben. Und nach und nach wird ihm bewusst, dass Gus ihn in die Arme genommen hat und ihn wie ein kleines Kind hin und her wiegt.

Dann hört er die Sirenen und stellt fest, dass er wieder richtig hören kann. Zuerst sind sie noch weit entfernt, aber dann kommen sie schnell näher.

»Kannst du wieder gehen?«, fragt Gus.

Jack klammert sich an ihn, sein Gesicht in Gus' mächtigem Oberkörper vergraben. Gus steht auf und trägt Jack zum Wagen. Sie fahren los, und gerade als sie um die Ecke auf die Sixth Street einbiegen, blitzen im Heckfenster die roten Blinklichter auf, und die Sirenen heulen dicht hinter ihnen. Gus gibt Gas, und sie entfernen sich rasch.

Einige graue Straßenzüge weiter hält Gus vor einer Telefonzelle an.

»Ich muss kurz einen Anruf machen«, sagt er. »Nur eine Minute, okay?« Er schaut sich Jack genau an. »Du kannst mich die ganze Zeit sehen.«

Jack beobachtet, wie Gus seinen massigen Körper in die Zelle quetscht und Münzen einwirft. Seine Zähne beginnen zu klappern, eiskalte Schauer durchzucken ihn, dann spürt er erneut diesen grauenerregenden Geruch in der Nase und fängt wieder an zu weinen.

Erst als er Gus zurückkommen sieht, wischt er sich die Tränen aus den Augen und putzt sich die Nase. Einmal noch schluchzt er auf, als Gus wieder neben ihm Platz nimmt. Dann sitzen sie eine Weile schweigend da. Gus starrt geradeaus. Jack versucht, sich zusammenzureißen, aber ab und zu muss er doch noch schluchzen.

Schließlich fasst er wieder Mut und fragt: »War das … War das …?«

»Der Marmoset?« Gus nickt. »Ja, das war er.«

»Was … Was …?«

Gus seufzt. »Erinnerst du dich noch an diesen Doppelmord am McMillan-Stausee, bei dem Stanz meine Hilfe wollte? Der Marmoset war mein Informant.« Gus schaut sich um. »Anscheinend ist er ziemlich dicht dran gewesen.«

»Zu dicht«, sagt Jack zitternd.

Gus legt seinen Arm über die Rückenlehne. »Wie auch immer. Du brauchst dir keine Sorgen zu machen.« Er runzelt die Stirn. »Das weißt du doch, oder?«

»Ich hab gerade an den Marmoset gedacht«, sagt Jack. »Sie sollten ihn beerdigen und nicht die ganze Zeit an ihm rummachen, wo sie ihn doch gar nicht kannten.«

Lange Zeit sagt keiner von ihnen etwas. Schließlich lässt Gus den Motor an, legt den Gang ein und fährt aus der Parkbucht auf die Straße.

Jack hat keine Ahnung, wohin sie nun fahren, es ist ihm auch egal. Er ist in diese Welt geraten, die er nur aus Zeitungen, dem Fernsehen und dem Kino kennt. Er wusste, dass es sie gibt, aber er konnte es sich nicht recht vorstellen. Nun war sie viel zu früh auf ihn hereingebrochen, er war unvorbereitet gewesen. Er wundert sich über die Tränen, die er vergossen hat, denn er kann sich nicht erinnern, überhaupt jemals Tränen vergossen zu haben. Er hatte sich fest vorgenommen, niemals zu weinen, wenn sein Vater ihn verprügelte, nicht einmal, wenn sein Vater danach wieder fortging und die letzten Takte von »California Dreamin'« verhallten. Er weinte auch nicht, als André und seine Bande ihn in der Gasse neben dem Elektroladen zusammenschlugen. Aber heute, so scheint es, kann er gar nicht damit aufhören.

Gus braucht genau elf Minuten, um zur Connecticut Avenue dreitausendeins zu kommen, dem Eingang des städtischen Zoos.

Jack dreht sich herum und schaut aus dem Fenster. »Es ist doch schon Abend. Der Zoo ist längst geschlossen.«

Gus schiebt die Tür auf. »Wie kommst du denn darauf? Lass uns mal nachschauen.«

»Schau nur, wie klein er ist.« Gus guckt nach oben durch die Zweige. Von dort schaut ein kleines, schwarz-weißes Gesicht auf sie herab. Es gibt auch noch andere Marmosets in diesem großen Käfig, aber dieser hier, der sie jetzt anschaut, ist ihnen am nächsten. Die anderen sind damit beschäftigt, Früchte zu verzehren, die sie in ihren Krallen halten, oder sie nagen an Baumstämmen, wobei sie erstaunlich lange untere Schneidezähne entblößen.

Jack schaut in die schwarzen Augen, die auf sie herabblicken. Das Gesicht des Äffchens sieht so intelligent und wissend aus, als könnte es die Welt gleichzeitig größer und kleiner betrachten als er.

»Was denkt er jetzt wohl?«, fragt Jack.

»Ich weiß es nicht.«

»Genau das ist es«, sagte Jack gebannt. »Niemand weiß es.«

Gus legt einen Arm um Jacks Schulter. »Geh nicht zu nah ran, Junge«, warnt er. »Vielleicht beißen diese Kerle ja.«

Jack denkt nicht weiter darüber nach, wie es Gus gelungen ist, ihnen um diese Zeit Zugang zum Zoo zu verschaffen. Er weiß, dass Gus ihm das ohnehin nicht erzählen wird. Außerdem möchte er diesen schönen Augenblick nicht zerstören, denn jetzt sind alle Gedanken an den Tod und den starren Blick der Leiche und den üblen Verwesungsgeruch gebannt. Hier ist das Leben, es ist seltsam und wunderbar, und weil es so eigenartig ist, umso schöner. Jack spürt sein Herz im Brustkorb schlagen, und eine angenehme Wärme durchflutet ihn.

»Hallo, Marmoset«, sagt er. »Ich bin Jack.«

ZWANZIG

Alli biss von dem Hamburger mit Senf, gerösteten Zwiebeln und Gurken ab, den Ronnie Kray ihr hinhielt. Er sah überhaupt nicht bedrohlich aus und kam ihr eher vor wie ein Vogel, der ausgeflogen war, um Futter für sein Junges zu holen.

Sie kostete den Geschmack ihres Hamburgers aus und schluckte ihn dann erst hinunter. In der anderen Hand hielt er einen Milchkaffee, in dessen Schaumkrone ein gebogener Strohhalm steckte. Er hielt ihr den Strohhalm hin, und sie trank den stark gesüßten Kaffee.

»Woher weißt du denn, was ich am liebsten esse und trinke?«, fragte sie leise. Sie hatte jetzt keine Angst mehr vor ihm. Sie hatte gelernt, dass sie während der Essenszeiten auch ohne Erlaubnis sprechen durfte.

Kray lächelte sie freundlich an, und sie fühlte sich zu ihm hingezogen. »Ich kümmere mich eben um dich«, sagte er ebenso leise wie sie. »Ich bin der Vater, von dem du immer geträumt hast.«

Sie machte ein Zeichen mit dem Kopf, und er gab ihr mehr von dem Hamburger. Während sie kaute, schaute sie ihn unverwandt an.

»Ich weiß genau, was du magst und was nicht«, fuhr er fort. »Und warum möchte ich das wissen, Alli? Weil du mir viel bedeutest, weil ich möchte, dass es dir gut geht.«

Alli trank noch einen Schluck von ihrem Milchkaffee.

»Aber warum hast du mich dann auf diesem Stuhl hier festgebunden?«

»Diesen Stuhl habe ich vor sieben Jahren in Mexiko gekauft, gleichzeitig mit einem bemalten Totenkopf aus Zucker, die man dort am Tag der Toten hat. Dieser Stuhl ist mein kostbarster Besitz, aber du darfst gern darauf sitzen. Bis heute habe nur ich darauf gesessen.«

Er merkte, dass sie noch Appetit hatte, und gab ihr den Rest des Hamburgers. »Kennst du den Tag der Toten, Alli? Nein? In Mexiko ist das der eine Tag im Jahr, an dem die Tür zwischen Leben und Tod offen steht. Dann können die Lebenden mit den Toten sprechen. Wenn sie daran glauben.« Er schaute sie auffordernd an. »Sag mal, Alli, an was glaubst du eigentlich?«

Die Frage verunsicherte sie. »Ich … Ich weiß nicht, was du meinst.«

Er beugte sich nach vorn und stützte die Ellbogen auf seine Knie. »Glaubst du an Gott?«

»Ja«, sagte sie ohne zu zögern.

»Glaubst du wirklich ganz aufrichtig an ihn – oder plapperst du nur nach, was deine Eltern dir eingebläut haben?«

Sie schaute ihn eine Weile an, ihr Mund wurde trocken. Wieder einmal schien er tief in ihr Innerstes geschaut zu haben. Es war, als würde er alle ihre Geheimnisse kennen.

»So etwas darf man doch nicht sagen.«

»Da siehst du es, Alli. Dein ganzes Leben lang wurdest du vom wirklichen Leben ferngehalten. Man hat dir vorgeschrieben, was du sagen darfst und was du denken sollst. Aber ich kenne dich besser. Ich weiß, dass du auch deine eigene Meinung hast, deinen eigenen Glauben. Ich beurteile dich nicht nach den Maßstäben deiner Eltern. Und niemand ist hier, außer dir und mir.«

»Und was ist mit den anderen?«

»Ach, die anderen.« Kray tupfte ihr die Mundwinkel mit einer Serviette ab. »Ich verrate dir ein Geheimnis, Alli, du hast es dir verdient. Es gibt gar keine anderen. Nur mich. Nur mich und meinen Schatten.« Er lachte leise.

»Warum hast du mich angelogen?«

»Das muss manchmal so sein, wenn man jemandem etwas beibringen will, Alli. Du fängst gerade an, das zu verstehen. Wenn man bestimmte Dinge gelernt hat, muss man nicht mehr belogen werden. Und wo wir gerade dabei sind, möchte ich dir noch ein anderes Geheimnis verraten: Ich mag es gar nicht, dich belügen zu müssen.« Er lehnte sich zurück. »Du bist was ganz Besonderes, weißt du, aber nicht in dem Sinn, wie deine Eltern es dir eingetrichtert haben.«

Er nahm ihre Hände. »Du und ich, Alli, wir werden diesen ganzen sinnlosen Eintrichterungen ein Ende bereiten, all den Bärendiensten, die man dir erwiesen hat. Willkommen am Beginn eines neuen Lebensabschnitts! Hier, an diesem Ort, darfst du deinen Gedanken freien Lauf lassen. Du bist freier, als du es je in deinem Leben warst.« Er ließ ihre Hände los. »Und jetzt sag mir die Wahrheit: Glaubst du an Gott?«

Alli schaute ihn an. Nach all dem Durcheinander, der Verwirrung, den Zweifeln und der Angst, schien sie nun klarer denken zu können als je zuvor. Wie konnte das sein? Vielleicht würde sie bald die Antwort darauf finden, wenn sie nur lange genug in das Gesicht von Ronnie Kray blickte.

»Nein«, sagte sie bestimmt. »Die Idee, dass es da einen alten, bärtigen Mann irgendwo im Himmel gibt, der die Welt erschaffen hat, unseren Gebeten zuhört und uns unsere Sünden vergibt, ergibt keinen Sinn für mich. Dass Eva aus der Rippe von Adam gemacht wurde, ist doch ein dummer Gedanke.«

Kray schaute sie nachdenklich an. »Und glaubst du an dein Land, an die Vereinigten Staaten?«

»Natürlich tue ich das.« Sie zögerte. »Aber …«

Kray schwieg, aber seine vollkommene Gelassenheit beruhigte sie.

Mit einem Mal brachen all ihre tiefen Gefühle hervor, die sie zurückgehalten hatte, seit Emma, ihre einzige Vertraute, gestorben war. »Ich verabscheue es, dass dieses Land zu einer Festung geworden ist. Der Präsident und seine Anhänger verachten uns. Sie können tun und lassen, was sie wollen, sagen, was sie wollen, sich aus allen Skandalen herauswinden, allen Dreck von sich streifen, Leute anheuern, die ihre politischen Feinde verleumden, und niemand hat den Mut, aufzustehen und ihnen Einhalt zu gebieten. Tag für Tag töten sie Hunderte von Menschen, trampeln auf der Rechtsstaatlichkeit herum und haben die Trennung von Staat und Kirche abgeschafft. Das ist ihnen gelungen, weil jeder, der es wagt, sich gegen sie zu stellen, als Verräter beschimpft wird, als gefährlicher, linksradikaler Irrer oder beides.«

»Das ist auch deinem Vater passiert.«

»Ja.«

»Aber er hat all ihre Angriffe und Intrigen überstanden und wird nun der nächste Präsident.«

»Ja.«

»Trotzdem hat er die Verbindung zwischen den christlichen Fundamentalisten und der noch amtierenden Regierung nicht kritisiert. Bedeutet das, er ist damit einverstanden? Haben sich die Kettenhunde der jetzigen Regierung in den Medien zurückgehalten, weil er sie nicht kritisiert hat?«

Sie spürte, dass er im Begriff war zu gehen, und sie spürte, wie dieses Gefühl vollkommener Verlassenheit in ihr anwuchs.

»Was glaubst du wohl, betet er, wenn er mit deiner Mutter am Sonntag in die Kirche geht?«

»Ich …« Jetzt war sie wieder schrecklich verwirrt. »Ich weiß nicht.«

»Jetzt überraschst du mich aber«, sagte Kray.

Sie hörte den scharfen Ton in seiner Stimme. Er war nicht einverstanden mit ihr. Das machte ihr Angst.

»Ich …«

Kray legte den Zeigefinger an seine Lippen. »Die Essenszeit ist vorbei.«

Dann stand er auf und verschwand im Dunkeln.

EINUNDZWANZIG

Nina Miller erhielt Jacks Anruf, als sie sich gerade mitten auf dem Potomac River befand.

»Entschuldigen Sie, bitte«, sagte sie.

»Einen Moment«, sagte Dennis Paull. »Ich möchte die Meerjungfrau treffen.«

Nina kniff die Augen zusammen, als ein kalter Windhauch ihr entgegenschlug. »Glauben Sie, dass das schlau ist?«

»Tun Sie einfach, was ich sage«, fuhr Paull sie an.

Sie nickte gehorsam und ging nach achtern. Sie befanden sich auf der Dreißig-Meter-Jacht des Chefs des Heimatschutzministeriums, die groß genug für einen Hubschrauber-Landeplatz auf dem oberen Deck war. Der Rotor des Helikopters vibrierte leicht im Wind. Im Cockpit saß der Pilot, bereit wieder loszufliegen.

Paull sah Nina aus dem Augenwinkel heraus an, als sie ihm den Rücken zuwandte, sich eine Nelkenzigarette anzündete und das Handy ans Ohr hob. Er machte sich Gedanken wegen ihr. Er fragte sich, ob er ihr trauen konnte. Aber genaugenommen fragte Dennis Paull sich das bei allen Menschen, denen er im Laufe seines vierundzwanzigstündigen Arbeitstages begegnete. Er spielte ein gefährliches Spiel, und niemand wusste das besser als er. Wie viele Leute hatten er und seine Untergebenen im Laufe der letzten Jahre enttarnt, die ein gefährliches

Spiel spielten? Natürlich war er das Auge des Sturms, das ruhige Zentrum, von dem aus er wie ein Gott auf seinem Olymp gleichzeitig in alle Richtungen schauen konnte. Aber er machte sich nichts vor, er wollte verhindern, dass seine herausgehobene Position als rechte Hand des Präsidenten ihn dazu verführte, unvorsichtig oder nachlässig zu werden. Er blieb wachsam.

Seit gut zwei Jahren, seit der Präsident den Zenit seiner zweiten Amtszeit hinter sich hatte, lebte er auf des Messers Schneide. Er hatte ständig Magenschmerzen, seine Nerven lagen blank, er konnte sich nicht erinnern, wann er das letzte Mal ruhig geschlafen hatte. Er hatte sich angewöhnt, tagsüber kurze Nickerchen zu machen, fünf Minuten hier, eine Viertelstunde da. Mitten in der Nacht trank er starken schwarzen Kaffee und spann weiter sein Spinnennetz. Inzwischen hatte er sich schon so weit in seine eigenen Machenschaften verstrickt, dass er sich keine Zweifel mehr leisten konnte. Und um erfolgreich zu sein, musste er seinen Plan bis zu Ende führen. Jeder kleinste Zweifel konnte tödlich sein.

Er setzte sein Lächeln auf, das er für seine Vertrauten reserviert hatte – falls man bei ihm überhaupt jemals von Vertrauen sprechen konnte. Paull misstraute allem und jedem; das brachte seine Stellung nun mal mit sich.

Seine Gedanken verloren sich, als er dem Schaum auf den Bugwellen seiner Jacht nachblickte. Nina kam zurück und blieb neben ihm vor der Kabine stehen. Es war stürmisch, und die ganze Zeit über regnete es. Nicht gerade der ideale Tag für einen Bootsausflug, aber gerade deshalb war Paull jetzt hier auf dem Wasser statt in seinem Büro, wo er ganz leicht abgehört werden konnte. Selbst auf dem freien Feld war man nicht sicher vor neugierigen Ohren. Entsprechende Richtmikrofone konnte ohne Weiteres auf dem Dach eines unauffällig aussehenden Lieferwagens angebracht werden. Paulls Jacht hingegen wurde dreimal am Tag nach Wanzen durchsucht, und zwar das ganze Schiff von oben bis unten. Außerdem waren spezielle Störvorrichtungen am Bug und am Heck installiert. Ein Freund aus dem Verteidigungsministerium hatte ihm diesen Dienst erwiesen.

Für Uneingeweihte mochten diese Vorsichtsmaßnahmen vielleicht das Produkt paranoider Vorstellungen sein, aber wie der Schriftsteller William S. Burroughs einmal sagte: *Manchmal bedeutet Paranoia einfach nur, dass man alle Fakten kennt.*

»Das war McClure«, sagte Nina und klappte ihr Handy zusammen. »Er möchte, dass ich mich mit ihm in der Zentrale der Neuen Amerikanischen Säkularisten treffe.«

Paull gefiel das überhaupt nicht. »Was macht er denn da? Die NAS liegt doch im Zuständigkeitsbereich von Hugh Garner.«

»Garner hat ihn offenbar darauf angesetzt.«

Sie standen im Wind, niemand in der Nähe konnte sie hören, nicht einmal die Schiffscrew, denn Paull hatte angeordnet, dass alle unter Deck gehen mussten. »Was zum Teufel hat dieser McClure denn vor?«

»Ich weiß es nicht«, sagte Nina. »Aber ganz offensichtlich glaubt er nicht daran, dass die A-Zwei hinter der Entführung steckt.«

»Wer denn sonst, verdammt noch mal?«

»Das weiß ich nicht, Sir, aber ich habe das Gefühl, McClure ist näher daran, das Problem zu lösen, als wir.«

Der Minister schaute sie nachdenklich an. »Von jetzt an bleiben Sie immer nah an ihm dran.«

Nina zog an ihrer Nelkenzigarette. »Wie nah?«

Der Minister warf ihr einen durchdringenden Blick zu. »Tun Sie alles, was Ihnen hilft, dicht an ihm dranzubleiben. Die Zeit läuft uns davon, wir haben kaum noch Spielraum.«

Nina blieb kühl und beherrscht, als sie sagte: »Wie fühlt sich das denn so an, wenn man den Zuhälter für andere spielt?«

Er wischte ihre Bemerkung mit einer Handbewegung beiseite. »Sie machen sich jetzt besser sofort auf den Weg.«

Nina ging zum Heck.

»Eins noch, Nina!«, rief er hinter ihr her.

Sie drehte sich um und strich sich die Haare aus dem Gesicht.

»Er heißt jetzt nicht mehr McClure für Sie, er heißt Jack, vergessen Sie das nicht.«

In seiner mit Mahagoni ausgekleideten Kabine ließ sich der Kapitän der Jacht nicht von dem Geräusch des startenden Hubschraubers aus der Ruhe bringen. Er kannte den Namen der Frau nicht, die jetzt davongeflogen wurde, es war ihm auch egal, um wen es sich handelte. Seine Aufgabe war ganz einfach. Er schrieb auf der kleinen Tastatur seines Blackberry das Protokoll der Unterredung zwischen ihr und Paull, von dem er sich auf einem Zettel Notizen gemacht hatte. Er war mit einer tauben Schwester aufgewachsen und konnte sehr gut Lippen lesen. Als er den Text fertig hatte, drückte er auf eine Taste, und die E-Mail wurde direkt dahin geschickt, wo der Präsident sich gerade befand und bestimmt schon ungeduldig auf diesen Bericht wartete.

Nachdem er die Angelegenheit erledigt hatte, legte er das Blackberry neben das Fernglas, mit dem er die protokollierte Unterhaltung beobachtet hatte. Dann widmete er sich wieder ganz dem Steuern der Jacht, was an diesem stürmischen Tag eine durchaus spannende Aufgabe war. Er hatte noch nie einen Unfall oder eine Havarie erlebt, seit er Kapitän war, und er wollte auch heute nichts riskieren.

ZWEIUNDZWANZIG

»Jede Aktion lädt ein zu einer Reaktion. Nein, nein.« Ronnie Kray hüpfte lässig von einem Fuß auf den anderen. »Jede Aktion verursacht eine Reaktion. Die christlichen Fundamentalisten haben die Regierung übernommen und damit eine Reaktion provoziert: uns, ihren Feind, die militanten Säkularisten, die Armee der Vernunft.« Er lachte. »Das klingt absurd, nicht? Aber so ist es: Ohne sie würde es uns nicht geben. Sie haben uns hervorgebracht. Jedes Extrem verursacht sein extremes Gegenteil.«

Er beugte sich vor, um Allis Handgelenke loszubinden. »Die Hände über den Kopf.«

Es war mehr so dahingesagt als ein ernst gemeintes Kommando. Dennoch hob Alli die Arme an, ließ sie aber kurz darauf in den Schoß fallen.

»Ich … Ich kann nicht«, sagte sie. »Ich habe keine Kraft.«

»Dagegen habe ich ein Mittel.«

Er kniete sich hin und machte ihre Fußgelenke und Beine los. Dann zog er sie hoch und legte einen Arm um ihre Hüfte, um sie zu stützen. Sie stand da, schwankend wie ein Kleinkind und musste sich gegen seine Schulter lehnen.

Mit seiner Unterstützung machte sie einen vorsichtigen Schritt, dann noch einen, aber ihre Beine versagten den Dienst, und Kray musste sie halten, damit sie nicht zusammenbrach.

»Ich glaube, du musst mir das Laufen noch mal ganz von vorn beibringen«, sagte sie und lachte entschuldigend auf.

»Dazu wirst du mich nicht brauchen.« Er schob sie aus dem Zimmer heraus, in dem sie eine Woche lang gefangen gewesen war, half ihr beim Duschen und Anziehen, und das alles war ihr weder peinlich noch schämte sie sich. Warum sollte sie auch? Er hatte ihr ja auch schon beim Urinieren und Stuhlgang zugesehen, wahrscheinlich hatte er sie auch im Schlaf beobachtet. Intimeres konnte es kaum noch geben.

Es gab nichts an ihr, das er nicht ganz genau kannte. Er hatte gerade mal eine Woche benötigt, um ein Teil von ihr zu werden.

In der Küche schob er ihr einen Stuhl zurecht. Sie setzte sich hin, einen Arm auf den Tisch gestützt, auf dem mehrere Packungen Orangensaft und Milch sowie einige Wasserflaschen ordentlich nebeneinanderstanden. Er schenkte ihr ein Glas Orangensaft ein, den mit Fruchtfleisch, den sie am liebsten mochte.

Er wartete, bis sie das Glas geleert hatte. »Nach dem Abendessen machen wir einen Spaziergang ums Haus. Du wirst schnell wieder zu Kräften kommen«, sagte er. »Also, was möchtest du essen?«

»Eier mit Speck, bitte.«

»Ich werde dir Gesellschaft leisten.« Kray zog die Tür des Kühlschranks auf, aber nur so weit, dass das Innere von Alli nicht eingesehen werden konnte. Das andere Mädchen saß immer noch zusammengefaltet dort, als würde sie einen Zirkustrick ausführen. Er holte einen Karton mit Eiern heraus, die Butterdose aus der Innenseite der Tür. Eine Packung mit dicken Scheiben von durchwachsenem Speck lag auf dem unteren Regal neben den blau angelaufenen Füßen des Mädchens. Ihre Haut sah inzwischen schlimm aus. Sie löste sich wie die Haut einer Schlange. Schon bald musste er sie woanders hinbringen, entweder in die Gefriertruhe im Keller – was aber bedeuten würde, dass er sie in Stücke schneiden musste – oder woandershin, auf eine Müllhalde oder in eine Grube. Aber noch war es nicht so weit. Er hatte sie betäubt, bevor er ihr die Hand abschnitt, damit sie nicht zu große Schmerzen litt. Das hatte sie nicht verdient. Inzwischen gehörte sie ja schon hierher, und es widerstrebte ihm, sie fortzubringen. Es war nicht ihre Schuld gewesen, dass sie zu Tode kam. Er hatte sie einfach gebraucht, um der Polizei den Beweis zu liefern, dass Alli nicht tot und begraben war. Er war immer noch genau in seinem Zeitplan. Es war wichtig, dass sie nach einer lebenden Person suchten, das machte die Sache umso dringlicher.

Er schloss die Kühlschranktür und stellte die Zutaten nebeneinander auf den Küchentresen neben dem Herd, hob eine gusseiserne Pfanne auf die Feuerstelle und drehte das Gas an. Um sich die Finger nicht fettig zu machen, benutzte er eins der glänzenden Messer, die an einem Magnetstreifen an der Wand hingen. Er hob sechs Speckscheiben ab und legte sie nebeneinander in die Pfanne. Dann drehte er die Hitze hoch, und sie begannen zu zischen. Der Duft von gebratenem Speck breitete sich in der Küche aus.

Als der Speck goldbraun war, legte er die Scheiben auf ein Stück Küchenpapier und goss das Fett aus der Pfanne. Er machte sie nicht weiter sauber, sondern schnitt ein dickes Stück Butter ab und ließ es in die Pfanne fallen. Dann stellte er den Eierkarton und eine Metallschüssel mit einem Schneebesen auf den Tisch.

»Wie wär's, wenn du das Rührei machst?«

Wieder war es mehr ein Vorschlag als ein Befehl. Alli wusste, dass sie auch ablehnen konnte, aber sie wollte nicht Nein sagen. Sie öffnete den Karton, nahm nacheinander die sechs Eier heraus und schlug sie in die Schüssel. Dann gab sie etwas Milch hinzu und begann zu rühren.

»Ich frage mich, was Leute dazu bringt, Rührei aus der Packung zu machen«, sagte sie.

»Oder Omeletts nur aus Eiweiß«, ergänzte er.

Sie rührte, aber bald schon wurde ihr Arm schwach. Sie ruhte sich kurz aus und machte weiter, bis die Masse hellgelb war.

»Fertig«, sagte sie.

Kray nahm ihr die Schüssel ab, gab drei Prisen Salz dazu, etwas Pfeffer und goss das Ganze in die Pfanne. Er nahm einen weißen Kochlöffel aus Plastik und rührte darin herum.

»Weißbrot dazu?«

»Vollkorn, würde ich sagen«, antwortete Alli.

»Ist in der Vorratskammer.« Er legte den Löffel beiseite und ging in die Kammer. Kaum war er drinnen, drehte er sich um, um sie aus dem Dunkel heraus zu beobachten. Sie stand auf, wobei sie sich mit der Hand auf der Tischplatte abstützte, und ging zum Herd. Ihre Hand glitt an den Messern vorbei und fasste nach dem Köchlöffel. Sie rührte die Eier in der Pfanne und summte vor sich hin.

Kray war zufrieden und griff nach dem Vollkornweizenbrot und klemmte es unter den Arm. Dann fasste er nach oben auf den Schrank. Carrie lag zusammengerollt in ihrem Käfig. Ihre roten Augen starrten ihn geheimnisvoll an.

Er legte einen Finger auf die Lippen und machte: »Schsch.«

Nachdem er aus der Kammer getreten war, schloss er sorgfältig die Tür.

Alli drehte sich um. »Fast fertig«, sagte sie.

War da der Anflug eines Lächelns auf ihrem Gesicht?

Beim Essen saßen sie einander gegenüber.

»Ich habe mich nicht in dir getäuscht«, sagte er schließlich. »Obwohl du in einem goldenen Käfig aufgewachsen bist, bist du nicht dumm. Du machst dir nichts aus Privilegien.«

Alli schluckte ihr Ei mit einem Bissen Brot herunter. »Angst und Schrecken.«

Er nickte. »Hunter Thompson.«

Zum ersten Mal schaute sie ihn überrascht an. »Du hast ihn gelesen?«

»Weil er einer deiner Lieblingsautoren ist.«

Ein Schauer durchzuckte sie, kein ängstlicher, sondern ein wohliger Schauer.

»Erzähl mir mal, was du an Thompson so magst.«

Alli zögerte nicht. »Er war ein Subversiver. Er war der Meinung, dass die Zivilisation eine heuchlerische Angelegenheit ist. Er führt den Menschen gern vor, wie scheinheilig sie alles, was sie tun, schönreden.«

Kray biss ein Stück Speck ab. »Anders ausgedrückt, war er so wie wir – wie du und ich.«

»Wie meinst du das?«

Kray wischte sich den Mund ab und lehnte sich zurück. »Meiner Ansicht nach ist die Zivilisation, die Thompson kritisiert hat, unentwirrbar mit der Religion verbunden. Und was ist Religion anderes als Totalitarismus? Die Verbote, die Gott Adam und Eva machte, die sowohl im Alten wie im Neuen Testament beschrieben werden, sind doch nichts weiter als eine Reihe von extremen, niemals einhaltbaren Vorschriften. Am sogenannten Anfang, im Garten Eden, sagt Gott zu Adam und Eva, dass er sie mit allem versorgt hat, was sie sich jemals wünschen könnten. Mit einer einzigen Ausnahme: Seht ihr den Baum da drüben? Das ist der Baum der Erkenntnis. Wenn ihr wissen wollt, was wirklich geschieht, dann müsst ihr seine Früchte essen. Aber das dürft ihr leider nicht, denn ich verbiete es euch, also vergesst die Sache mit der Erkenntnis, wer braucht das schon, wenn ich euch doch sowieso alles liefere, was ihr benötigt. Das bedeutet doch, dass die Religion darauf besteht, dass wir in Unwissenheit verharren, und das ist auch absolut in Ordnung, denn wir haben ja unsere Priester und Politiker, die uns sagen, was wir tun und denken sollen.

Soll ich noch weitermachen? Okay, wie wäre es dann damit: Du sollst nicht begehren deines nächsten Weib. Dieses Gebot sagt nicht, du sollst nicht mit der Frau eines anderen vögeln, das wäre noch möglich. Stattdessen verlangt es von dir das Unmögliche: Es verbietet dir, auch nur daran zu denken, du könntest vielleicht die Frau eines anderen vögeln!

Siehst du, worum es hier geht? Religion wurde von Menschen gemacht, um die Sünde zu erfinden. Weil es ohne Sünde keine Angst geben kann, und wie will man denn eine größere Gruppe von Menschen kontrollieren ohne Angst? Füge zu diesem Konzept noch eine elitäre Theokratie hinzu, die in regelmäßigen Abständen Edikte veröffentlicht, wie es ihr gerade in den Kram passt, um an der Macht zu bleiben, dann hast du ein perfektes totalitäres Konzept.«

Alli brauchte eine Weile, um verarbeiten zu können, was Kray gesagt hat, bevor sie antwortete: »Und was ist mit dem Totalitarismus von Hitler und Stalin?«

Ein wissendes Lächeln breitete sich auf Krays Gesicht aus. »Der Vatikan hat sich mit Hitler arrangiert. Tatsächlich waren sie 1933 sehr schnell bereit, sich zu fügen. Sie unterschrieben eine Vereinbarung mit Hitler, in der festgeschrieben wurde, dass es deutschen Katholiken verboten ist, an irgendwelchen politischen Aktivitäten teilzunehmen, die das Nazi-Regime in Zweifel ziehen. Nach dem Krieg versorgten sie Nazi-Größen mit Dokumenten und Ausweisen, die ihnen ermöglichten, nach Südamerika zu fliehen. Kein Deutscher wurde jemals wegen begangener Kriegsverbrechen exkommuniziert. Die historische Verbindung zwischen den christlichen Kirchen und dem Faschismus ist unwiderlegbar bewiesen und längst Allgemeingut geworden. Das ist auch nicht weiter verwunderlich, wenn man mal darüber nachdenkt. Totalitarismus verbrüdert sich mit Totalitarismus. Beide Systeme behaupten das Absolute und sind nicht in der Lage, sich für ihre Missetaten zu entschuldigen. Denk mal kurz darüber nach. Totalitäre Systeme, egal ob es sich nun um eine Religion wie das Christentum oder um einen faschistischen Staat handelt, basieren immer auf dem Glauben. Auf den absoluten Glauben an ihre unfehlbaren Führer.

Wir Säkularisten aber haben immerhin die Freiheit – und deshalb auch die Pflicht –, unsere Fehler zuzugeben und sie zu korrigieren.«

Alli war jetzt ganz in sich gekehrt und gedankenverloren. Sie nahm all seine Worte begierig auf, sog sie auf wie ein Schwamm. »Das stimmt«, sagte sie nach einer Weile. »Das alles macht mir auch Angst. Eine Gruppe von Menschen mit unglaublicher Macht und völlig eingeengter Weltsicht, und ein Volk, das Angst davor hat, seine Meinung zu äußern, und die immer größere Einschränkung von individueller Freiheit.« Sie dachte kurz nach. »Aber was bedeutet das? Es ist doch kaum zu glauben, aber vielleicht heißt es, dass wir uns immer weiter von der Demokratie entfernen?«

»Die Tatsache, dass du diese Frage gestellt hast, ist es wert, gefeiert zu werden.« Kray schob seinen Teller zur Seite. »Also, was meinst du? Deine Meinung ist genauso wichtig wie meine.«

Sie verzog das Gesicht und lächelte schelmisch. »Wirklich? Obwohl ich in einem goldenen Käfig aufgewachsen bin?«

»Gerade weil du in einem goldenen Käfig aufgewachsen bist«, antwortete Kray ernst.

Sie stand auf und sammelte Geschirr und Besteck ein.

»Das musst du nicht tun«, sagte er.

»Ich bin schon wieder etwas kräftiger.« Sie trug alles zum Ausguss und ging jetzt viel sicherer. Sie wandte ihm den Rücken zu und begann mit dem Abwasch.

Kray stand auf. »Alli?«

»Ja?«

»Du kannst jederzeit von hier weggehen.«

Alli schrubbte Eigelb und Fett von einem Teller und stellte ihn bedächtig auf den Abtropfrost. »Wenn ich jetzt nach Hause gehe«, sagte sie, ohne sich umzudrehen, »dann lerne ich ja nichts mehr.«

DREIUNDZWANZIG

»Was heißt stoppen und abkassieren?«, fragte Armitage. Er war jetzt sehr nervös. Sein Gesicht war so weiß wie die Graupelkörner, die sich auf der Windschutzscheibe festgesetzt hatten.

Jack hatte am Rand der Kirby Road angehalten, ungefähr fünf Meilen vom Claiborne Drive entfernt. »Das bedeutet, dass man einen Täter oder einen Verdächtigen abfängt, ihn in die Mangel nimmt und fragt, wo er hinwill, warum er in dieser Gegend ist und was er in seinem Auto hat.«

»Dazu brauchen Sie doch einen hinreichenden Verdacht.«

Jack zog seine Pistole hervor. »Das hier ist mein hinreichender Verdacht.«

»Aber Sie können doch nicht einfach …«

»Sind Sie nun ein ehemaliger Priester oder ein ehemaliger Anwalt?«

Armitage schwieg und versuchte sich zusammenzureißen.

»Was für eine Nummer hatte der BMW?«, fragte Jack.

Armitage hielt ihm den Block hin, aber Jack war viel zu aufgewühlt, viel zu sehr unter Druck, als dass er sich auf das Gekritzel konzentrieren konnte.

»Lesen Sie's mir vor.«

Armitage schaute ihn verwirrt an.

»Ich muss mich auf die Straße konzentrieren«, log Jack. Er hatte es nie geschafft, sich offen zu seiner Behinderung zu bekennen.

Armitage las die Nummer vor.

Jack rief Bennett an. »Ich brauch den Namen des Besitzers eines grauen Fünfer-BMW, neuestes Modell, die Nummer ist zwei-vier-neun-neun CXE. Ja, genau. Danke.«

Jack unterbrach die Verbindung. Eine Weile fuhren sie weiter und schwiegen unangenehm berührt.

Schließlich sagte Armitage: »Sie können mich nicht dazu zwingen, hier mitzumachen.«

»Wollen Sie aussteigen?«

Armitage sah Jack verschämt an.

»Erzählen Sie mir mehr über die Neuen Amerikanischen Säkularisten.«

Armitage fuhr sich mit der Hand durchs nasse Haar.

»Na los«, drängte Jack. »Das Reden wird Ihnen guttun.«

»Also gut.« Armitage leckte sich nervös die Lippen. »Vor allem und zuallererst sind wir der Überzeugung, dass man ein ethisches Leben ohne Religion führen kann. Tatsächlich sind die Religionen, und das trifft auf alle zu, daran schuld, dass eine vorherrschende Ethik als Mittel der Unterdrückung existiert. Das Wort Gottes ist die beste Methode, um ethische und moralische Prinzipien zu missbrauchen und die Folgen dieser Handlungen zu verschleiern. Wer fromm ist, findet immer eine Entschuldigung für seine Verbrechen und seien sie noch so scheußlich – Menschen verbrennen auf dem Scheiterhaufen, ihnen im wahrsten Sinne des Wortes die Eingeweide ausreißen –, alles im Namen Gottes. Die sogenannten religiösen Gesetze wurden immer wieder neu geschrieben und verändert, um die Handlungen der religiösen Führer zu rechtfertigen.«

Genau in diesem Augenblick spürte Jack ein leichtes Prickeln im Nacken. Die Haare auf seinem Unterarm stellten sich auf, als wären sie elektrisiert, und seine Augen wurden vom Rückspiegel magisch angezogen. Ganz kurz glaubte er, verrückt geworden zu sein, denn da saß seine geliebte Emma, schaute ihn aus ihren hellen Augen an und wirkte so lebendig, wie sie nur sein konnte.

»*Dad* …«

Er hörte ihre Stimme! Es war eindeutig ihre Stimme, aber als er Armitage einen Blick zuwarf, wurde ihm sofort klar, dass der nichts gehört hatte. Jack wischte sich mit der Hand über das Gesicht, schaute erneut in den Rückspiegel und sah nur noch die Straße hinter ihnen und den Verkehr, der sich ganz normal vorwärtsbewegte. Niemand saß auf dem Rücksitz.

Er musste schlucken. Woher kamen diese Halluzinationen? Das waren doch Halluzinationen, oder? Was sollte es denn sonst sein?

Nur mit großer Anstrengung gelang es ihm, sich seinem Beifahrer zuzuwenden. Er hatte ihm eigentlich eine ganz andere Frage stellen wollen, aber aus seinem Mund kam: »Bedeutet das, dass Sie nicht an Gott glauben?«

»Gott hat damit nichts zu tun«, sagte Armitage sachlich. »Es geht um das, was die Religion in Gottes Namen verbrochen hat. Dagegen müssen wir rebellieren.«

»Dann haben Sie ja etwas gemeinsam mit den Leuten von A-Zwei, die eine zweite Aufklärung fordern.«

Armitage seufzte. »Das ist richtig. Aber wir sind absolut gegen die Art und Weise, wie sie ihre Ideen durchsetzen wollen. Das sind Extremisten, und wie alle Extremisten sind sie darauf versessen, ihr Ziel sofort und mit allen Mitteln zu erreichen. Sie denken in zu kurzen Zeitabständen, sie wollen direkt auf den Sieg zumarschieren, und das bedeutet, dass sie Gewalt anwenden müssen. Wie bei allen Extremisten auf der ganzen Welt und in der Menschheitsgeschichte verlieren sie dann ihr eigentliches Ziel aus den Augen.«

»Das kann ich alles nachvollziehen.« Jack warf wieder einen Blick in den Rückspiegel, konnte aber nichts Verdächtiges entdecken. Sein Handy klingelte. Es war Edward Carson. Offenbar hatte Jack seinen stündlich fälligen Rapport vergessen. Er meldete sich und versicherte dem zukünftigen Präsidenten, dass er seine eigene Spur verfolge und schon Fortschritte mache. Mehr konnte er nicht sagen, da ja Armitage direkt neben ihm saß. Carson schien zu verstehen, dass Jack nicht frei sprechen konnte, und legte auf.

»Ich verstehe nicht, wieso Garner und seine Leute glauben, Sie würden mit A-Zwei unter einer Decke stecken«, sagte Jack.

»Das ist ein wunder Punkt.« Armitage verschränkte die Arme. »In den letzten Monaten – ich weiß nicht genau, wie lange, aber sicher kein ganzes Jahr – sind einige unserer jüngeren Mitglieder ausgetreten. Tatsächlich sind sie regelrecht verschwunden. Wir haben Gerüchte gehört, sie hätten sich A-Zwei angeschlossen, aber das sind nur Gerüchte.

Zumindest hat Garner mal etwas Relevantes herausgefunden, dachte Jack.

»Falls wir als Sprungbrett für Extremisten gedient haben sollten, dann war das nicht beabsichtigt. Außerdem ist dies immer noch ein freies Land – mehr oder weniger. Und weder Pete noch ich können kontrollieren, was unsere Mitglieder tun. Im Gegensatz zur Kirche ist das auch nicht unsere Absicht.«

Jacks Handy klingelte erneut. Es war Bennett.

»Bist du sicher, dass die Nummer stimmt, die du mir gegeben hast?«

»Zwei-vier-neun-neun CXE«, wiederholte Jack.

»Tja, mein Freund, dann hast du ein Problem.« Bennetts Stimme klang streng.

»Sehr schlimm?«

»Es gibt keine Zulassung für diese Nummer, keine Informationen, keine Daten in irgendeinem Computer.« Er hielt kurz inne. »Das bedeutet, der Wagen gehört zu einer Gruppe von geheimen Ermittlern, die direkt der Regierung unterstellt sind. Sie sind niemandem sonst Rechenschaft schuldig.«

Jack dachte fieberhaft nach. »Das bedeutet, dass sie tun und lassen können, was sie wollen.«

»Es gibt nur vier Personen in diesem Land, die einen Wagen ohne Registrierung fahren lassen können«, erklärte Bennett, »der Präsident, der Nationale Sicherheitsberater sowie die Minister für Verteidigung und Heimatschutz.«

»Woher weißt du das?«

»Ich weiß auch, dass diese schwarzen Autos immer ausländische Fabrikate sind, weil niemand glauben würde, dass ein amerikanischer Agent etwas anderes als ein amerikanisches Auto fährt.« Bennett lachte vor sich hin. »Ich schätze, die Zeiten, wo du dachtest, du wüsstest alles über mich, sind vorbei.«

»Danke.«

»Wofür? Wir haben nie darüber gesprochen«, sagte Bennett und legte auf.

»Was?«, fragte Armitage. »Wer kann tun und lassen, was er will?«

»Die Leute im BMW.« Jack dachte kurz über seine Situation nach. »Der Wagen ist nicht registriert. Offiziell gibt es ihn gar nicht. Genauso wie seine Insassen.«

Armitage stöhnte auf. »Das ist ja ein Albtraum.«

»Nicht, solange Sie nicht den Kopf verlieren.« Jack drehte sich zu seinem Beifahrer. »Ich erzähl Ihnen jetzt mal, worum es hier geht. Ich glaube, Sie haben ein paar Erklärungen verdient.«

Armitage starrte ihn mit aufgerissenen Augen an. Jack hoffte, dass er mit dem, was er ihm jetzt sagen würde, was anfangen konnte.

»Vor sechs Tagen wurden zwei Agenten des Secret Service ermordet. Am Tatort wurde das Emblem von A-Zwei gefunden. Deshalb haben Garner und seine Leute Sie einkassiert. Das ist genau das Ereignis gewesen, auf das sie gewartet haben. Jetzt können sie die ganze säkularistische Bewegung diskreditieren. Ich fürchte, die noch amtierende Regierung wird alles tun, um ihre Mitglieder als Kriminelle darzustellen – schlimmer noch, die werden sie als Terroristen im eigenen Land verfolgen. Die wollen sie zerstören, darum geht es.« Jack hielt kurz inne. »Aber es gibt eine Möglichkeit, das zu verhindern.«

Armitages sarkastisches Lachen verwandelte sich in leises Schluchzen. »Da wissen Sie aber mehr als ich.«

»Ganz bestimmt«, sagte Jack. »Wenn Sie mir helfen, diese Mörder zu finden, dann sind Sie anschließend in einer günstigen Ausgangsposition, um gegen den Propagandasturm anzugehen, den die Regierung gegen Ihre Organisation geplant hat.« Er sah einem Auto hinterher, das sie überholt hatte. »Das Problem dabei ist nur, dass Sie kaum Zeit haben. Ich kann Ihnen diese Leute für einen Tag vom Hals halten, vielleicht sogar für drei Tage, aber mehr nicht.«

Armitage stöhnte laut auf. »Was wollen Sie denn von mir wissen?«

»Zunächst einmal brauche ich eine Liste der Abtrünnigen«, sagte Jack. »Dann müssen wir sie ausfindig machen.«

Armitage schaute aus dem Fenster in den grauen Himmel und auf die ebenso graue Straße. »Ich habe keine andere Wahl, oder?«

»Das müssen Sie selbst entscheiden.«

Armitage nickte. »Also gut. Dann fahren wir am besten so schnell wie möglich in mein Büro, damit wir an die verschlüsselten Daten rankommen.«

Jack legte den Gang ein und bog auf die Straße ein. »Wo müssen wir hin?«

»Kansas Avenue südlich der Kreuzung von Eastern und New Hampshire«, sagte Armitage. »Kennen Sie den Renaissance Mission Congress?«

Jack hatte schon mal davon gehört.

»Bevor die Organisation eine größere und luxuriösere Unterkunft bekommen hat, hieß sie noch Renaissance Mission Church. Wir sind vor zwei Jahren in ihr altes Gebäude gezogen. Ironischerweise.«

Der Mann weiß wirklich nicht, um was es hier eigentlich geht, dachte Jack.

Sein Handy klingelte wieder. Es war Bennett.

»Und, wie lief's beim Stoppen und Abkassieren?«, fragte er und machte sich auf das Schlimmste gefasst.

»Da lief gar nichts«, sagte Bennett. »Ich weiß nicht, in was für ein Schlamassel du dich da reingeritten hast, Jack, aber ich bin offiziell gerügt worden, und man hat mich aufgefordert, mich von denen fernzuhalten.«

»Tut mir leid, Chef. Aber immerhin haben Sie sie mir vom Hals gehalten.«

Ein Schatten tauchte am Rand von Jacks Gesichtsfeld auf. Sofort griff er nach seiner Pistole. Er hörte ein lautes Knacken, und das Auto erzitterte, als die Kugel durch das Metall der Karosserie drang. Armitage schrie auf. Ein zweiter Schuss, und die Windschutzscheibe zersprang in tausend Stücke. Jack benutzte den Kolben seiner Pistole, um das zerstörte Glas aus seinem Sichtfeld zu klopfen. Wind und Schneeregen drangen in den Wagen und nahmen ihm die Sicht. Dennoch hatte sein Gehirn im Bruchteil einer Sekunde ein dreidimensionales Bild der Situation erzeugt. Die Straße, sein Wagen, der BMW und ihre genaue Position zueinander – alles stand deutlich vor ihm.

Direkt links vor ihnen fuhr der graue BMW. Jack sah deutlich, dass der Fahrer nach der perfekten Position suchte, damit der Scharfschütze genau zielen konnte. Es waren Profis, die nichts dem Zufall überlassen wollten.

Das Szenario war perfekt in seinem Gehirn abgebildet, das Spielfeld war abgesteckt, und es gab keinen besseren Spieler als ihn selbst.

Jack warf einen kurzen Blick in den Rückspiegel und überdachte tausend Aspekte dieser Situation in nur einer einzigen Sekunde. Dann bremste er scharf ab. Die Reifen des Toyotas hinter ihnen quietschten, er verlangsamte seine Fahrt und prallte gegen das Heck von Jacks Wagen. Er und sein Beifahrer wurden nach vorn geschleudert und von den Sicherheitsgurten wieder in die Sitze gedrückt. In dem kurzen Augenblick des Stillstands, schossen Tausende Details durch Jacks Gehirn, und er schätzte Winkel, Geschwindigkeit und Distanz ein. Dann rammte er den rechten hinteren Kotflügel des BMW.

Der BMW drehte sich im Uhrzeigersinn. Alles ging irrsinnig schnell. Der Fahrer verlor die Kontrolle, und der Wagen scherte nach links aus, seine Reifen schrammten über den nassen Asphalt. Jack sah, wie der Fahrer verzweifelt versuchte, den Wagen wieder in den Griff zu bekommen. Der Schütze war aus dem Gleichgewicht geraten, und sein Gesicht wurde bleich. Der BMW prallte gegen die linke Leitplanke, sein Heck sprang hoch, dann brach er durch die Absperrung, überschlug sich und rollte die Böschung hinunter.

Eine Sekunde später waren Flammen zu sehen und jede Menge Schmutz, der durch die Luft geschleudert wurde, als der Benzintank explodierte. Jack gab Gas und lenkte seinen Wagen Richtung Kansas Avenue, direkt in seine Vergangenheit hinein.

DRITTER TEIL

VIERUNDZWANZIG

Alli Carson lag in der Vorratskammer auf einem Klappbett, das Kray ihr dort aufgebaut hatte, und döste vor sich hin. Sie hatte die Decke bis unters Kinn gezogen. Ihr Gesicht war gerötet, aber entspannt. Kray stand neben ihr und leerte eine Spritze in eine Falte hinter ihrem linken Ohrläppchen, wo man den Einstich nie finden würde. Im Schrank unter Carries Käfig lag eine weitere Spritze mit einer Kappe, damit die Nadel steril blieb. Kray warf die leere Spritze in den Sondermüllbehälter, beugte sich zu Alli hinunter und begann ihr ins Ohr zu flüstern.

Allis Bewusstsein schwebte über einer Wolke, die die Formen ihrer Lieblingsspielzeuge aus Kindheitstagen annahm: Splash der Delfin, Ted die Giraffe und Honey der Teddybär. Sie tollten lachend mit ihr herum und verwandelten sich in andere Formen. Die neuen Bilder erschienen ihr zunächst wie ein einziges Durcheinander, unscharf und verwirrend, aber dann konnte sie erkennen, dass es sich um bekannte Szenen handelte, wichtige Geschehnisse, die ihr Leben bestimmt hatten, bevor sie entführt worden war.

Sie war jetzt wieder in der Zeit angelangt, als ihre Schilddrüsen-Überfunktion nicht erkannt worden war. Damals war sie dreizehn, und sie hatte solche Depressionen, dass ihre Mutter sie zu einer Psychologin brachte. Die verwies sie an einen Allgemeinarzt, der sie zu einem Endokrinologen schickte, der schließlich die Diagnose stellte. Ihre Hirnanhangdrüse war in Mitleidenschaft gezogen, ihre Augen traten leicht hervor, und ihre Stimmungsschwankungen waren fürchterlich. Immer wieder litt sie an Angstzuständen, die Schweißausbrüche verursachten und sie völlig erschöpften. Manchmal glaubte sie, sie würde den Verstand verlieren. Sie lag im Bett, starrte zur Decke und verlor sich in der schwarzen Leere des Universums, in der vollkommenen Sinnlosigkeit des Daseins. Zukunft? Welche Zukunft? Und warum sollte man eine Zukunft haben wollen? Ihr Herz raste immer schneller, bis es kurz davor war zu explodieren. Sie musste Thiamazol nehmen, um zu verhindern, dass ihre Schilddrüse zu viele Hormone produzierte. Daraufhin wurden die Angstzustände schwächer, ihr Herz schlug wieder normal, und ihre Augen traten wieder in ihre Höhlen zurück.

Diese aufeinanderfolgenden Erinnerungen wurden verdrängt von einem schimmernden Nebel, der sich lichtete, und nun war sie in jenem Sommer angekommen, als sie das erste und einzige Mal in ein Sommercamp gefahren war. Damals war sie fünfzehn gewesen. Sie hatte ihre Eltern angebettelt, dass sie sie mitfahren ließen. Sie wollte der lähmenden Atmosphäre des Lebens als Tochter eines Senators entgehen und ausprobieren, wie sie ganz auf sich allein gestellt zurechtkäme. Sie brauchte einen Ort, wo sie sich selbst kennenlernen konnte. Dort lernte sie einen Jungen kennen – einen unglaublich gut aussehenden Jungen aus einer wohlhabenden Familie in Hartford. Seine Mutter hatte eine Karriere als Model hinter sich. Das erzählte der Junge ihr in allen Einzelheiten. Er hieß Barkley, aber alle nannten ihn Bark. Na ja, nicht alle. Die

Teilnehmer an der Freizeit, die sich zu Arbeitsprogrammen verpflichtet hatten, um auf diese Weise ihren Aufenthalt finanzieren zu können, nannten ihn Dorkley, was so was Ähnliches wie Dummkopf heißen sollte.

Dass ein Teil der Feriengruppe – die ohnehin schon sehr überschaubar war – ihn ausgrenzte, machte ihn für Alli umso liebenswerter. Er passte nicht hierher, genau wie sie, und sie konnte sich mit seiner Außenseiterrolle identifizieren. Nach dem Abendessen machten sie gemeinsame Spaziergänge in der Dämmerung, wenn sich das kobaltblaue Licht des Abends auf die Softball-Plätze und über das Ufer des Sees legte. Oft setzten sie sich ans Ufer und schauten hinaus auf den See, in dessen Mitte ein Floß festgemacht war. Sie saßen dicht nebeneinander, aber ihre Schultern berührten sich nie, und erst recht nicht ihre Hände. Irgendeine magnetische Kraft sorgte dafür, dass sie sich zueinander hingezogen fühlten, eine gemeinsame Sehnsucht spürten und einen leichten Schmerz irgendwo tief drinnen an einem Ort, den sie gar nicht genau beschreiben konnten. Sie sprachen über das Floß in einer Sprache, die sie besser verstanden als alle anderen im Camp – als würden sie über das Land Oz, Peter Pans Insel oder die Welt auf der anderen Seite von Alice' Spiegel sprechen, jene romantischen Orte, an denen andere Wesen lebten, die nichts mit der normalen Welt gemein hatten.

Eines Abends unterhielten sie sich so lange, bis das Licht des Tages vollkommen erloschen war. Die Luft wurde kühl und feucht, aber sie gingen trotzdem nicht zurück. Sie hatten sich alles gesagt und schwiegen jetzt. Wer sich als Erster ausgezogen hatte, konnte Alli im Nachhinein nicht mehr sagen. Irgendwann standen sie jedenfalls in ihrer Unterwäsche nebeneinander, die Füße im kalten Wasser. Irgendwo im See quakte ein Frosch, und sie sahen Wasserspinnen über die Oberfläche huschen. Die Lichter waren weit hinter ihnen, oben auf dem Hügel, wo die Häuser standen. Dies hier war ganz allein ihre Welt. Alli erschauerte, als sie ihre Angst vor der Nacktheit überwand und Slip und BH auszog.

Sie wateten ins Wasser, die Arme fest gegen den Körper gepresst, und glitten schließlich in das kühle Nass, als wäre es ein Bett. Alli kraulte bis zum Floß und erreichte es einige Sekunden vor Barkley. Sie zog sich hoch. Wassertropfen rannen über ihren Körper. Er kam dicht hinter ihr an.

Zuerst lagen sie auf den Bäuchen, vielleicht aus Schamgefühl oder auch nur, weil Kinder oftmals in dieser Lage schlafen. Sie waren ja noch immer mehr Kinder als Erwachsene, wussten das auch und klammerten sich an diese Sicherheit.

Mit einem Mal durchzuckte Alli ein Gefühl von Angst, und sie sagte: »Ich will hier nichts machen, verstehst du?«

Barkley, der den Kopf auf die Unterarme gelegt hatte, lächelte und sagte: »Ich auch nicht. Wir sind einfach nur hier, okay. Nur wir beide. Wir haben diese ganzen tumben Kerle hinter uns gelassen.«

Alli lachte leise vor sich hin. Er drückte sich manchmal wirklich unbeholfen aus, aber gerade das war es ja, was sie an ihm mochte. Die anderen Jungs, die immer angeberisch herumliefen und mit ihren Leistungen protzten, gefielen ihr nicht. Die strichen nur um sie herum, weil sie sich einen Vorteil bei ihrem Vater erhofften oder sich in seinem Glanz baden wollten. Sie fühlten sich von seiner Macht angezogen, und das würde so lange so bleiben, bis sie endlich selbst Macht besaßen. Dann würden es die Frauen sein, die ihrerseits diese Männer umschwirrten.

Sie lagen nebeneinander auf ihrer sanft auf und ab gleitenden schwimmenden Insel und horchten auf die Wellen, die leise gegen das Floß schlugen, und das leise Säuseln der Nacht, das ferne Quaken eines Froschs, das Flattern eines Vogels, der zu seinem Nest flog, oder das Rufen einer Eule. Wer hat sich als Erster umgedreht? Alli konnte sich später nicht mehr erinnern, aber irgendwann lagen sie auf dem Rücken und schauten nach oben in den schwarzen Himmel, und nicht auf das weiße, nackte Fleisch, das neben ihnen lag. Das war nur ein heller Schimmer am Rand ihres Gesichtsfelds.

»Ich wäre gern irgendwo da oben«, sagte Barkley. »Auf einem Raumschiff auf dem Weg zu einem fernen Planeten.«

Er war Science-Fiction-Fan, las Heinlein, Asimov und Pohl. Alli hatte diese Autoren auch gelesen und wusste sie einzuordnen. Sie kamen aus der untergehenden Welt der Groschenhefte und hatten großartige Ideen im Kopf, aber es waren keine echten Schriftsteller, jedenfalls nicht im Vergleich mit ihren Lieblingsautoren wie Melville, Hugo oder Steinbeck.

»Aber auf anderen Planeten gibt es keinen Sauerstoff«, sagte Alli. »Was sollten wir dort denn anfangen?«

»Irgendwie würden wir schon überleben«, sagte Barkley selbstsicher. »Der Mensch wird immer überleben.« Er drehte den Kopf und schaute sie an. »Werden wir doch, oder?«

Alli schwieg. Sein Blick lähmte sie. Sie fragte sich, was er wohl über den Körper dachte, der da neben ihm ausgestreckt lag. Sie schaute seinen nicht an.

Er drehte sich zur Seite, um sie besser mustern zu können. Sein Haar war golden, seine Haut schimmerte. Alles an ihm schien golden zu sein. »Möchtest du nicht auch weitweg fliegen, Alli?«

Vor einem Moment hätte sie vielleicht noch zugestimmt, aber nun wusste sie nicht mehr, was sie eigentlich wollte. Sie dachte an ihre Familie. Sie vermisste sie nun doch, auch wenn sie sie langweilig und steif fand. Trotz allem wollte sie doch gern wieder bei ihnen sein. Und dann wurde ihr mit einem Mal klar, dass sie ja tatsächlich ein ganz normales Mädchen war. Der Gedanke deprimierte sie ein wenig.

»Ich möchte zurück.«

Sie setzte sich auf, aber Barkley legte eine Hand auf ihren Unterarm. »He, es ist doch noch früh. Hab keine Angst. Niemand kann uns sehen, wir sind hier ganz sicher.«

Zögernd legte sie sich wieder hin, aber sie war jetzt angespannt, und es fiel ihr schwer, einen ruhigen Gedanken zu fassen.

Als hätte Barkley gespürt, dass sie sich unwohl fühlte, schob er sich an sie heran und legte einen Arm um sie. »Ich halte dich einfach nur fest. Ich beschütze dich. Und dann schwimmen wir zurück, okay?«

Sie sagte nichts, schob sich ihm aber ein klein wenig entgegen und seufzte unwillkürlich. Sie legte eine Hand unter ihre Wange und schloss die Augen. Ihre Gedanken schossen auf der Innenseite ihrer Augenlider hin und her wie Glühwürmchen. Sie spürte die Wärme seines Körpers, die Glühwürmchen erloschen und verschwanden, und sie fiel in einen friedlichen Schlummer.

Sie wurde nur ganz langsam wieder wach, fühlte sich wie betäubt, hörte ein rhythmisches Geräusch und spürte, wie etwas heftig gegen sie drückte. Als sie endlich zu Bewusstsein kam, merkte sie, dass sie einen deutlichen Schmerz empfand, genau zwischen ihren Hinterbacken. Dann wurde ihr klar, dass das rhythmische Geräusch und dieser Schmerz zusammenhingen. Barkley schnaufte und hielt sie fest umklammert. Schweiß tropfte auf ihren Rücken, sie bemerkte einen eigenartigen durchdringenden Geruch, und ihr wurde schlecht.

»Was machst du denn da?« Ihre Stimme klang heiser und noch immer leicht benommen.

Sein Stöhnen wurde immer heftiger.

Endlich wurde sie vollkommen wach und spürte wie etwas gegen ihren nackten Hintern gepresst wurde.

»Bist du verrückt geworden?«

Und dann versuchte sie, sich gegen seine Umklammerung zu wehren. Es schien eine Ewigkeit zu dauern, bis es endlich vorbei war.

Erst später, als sie in ihrem Bett lag und sich wieder halbwegs sicher fühlte, wurde ihr klar, dass sie das Opfer einer Vergewaltigung geworden war. In diesem Moment wurde sie von einem Gefühl der Hilflosigkeit und Angst überwältigt, und es war wie ein Schock. Sie begann, schrecklich zu zittern. Am liebsten hätte sie sich ganz zusammengerollt, sich zusammengeballt wie ein Stück Papier oder eine leere Tüte. Sie wollte weinen, sich auf einen anderen Planeten beamen lassen wie bei Star Trek.

Holt mich hier weg, dachte sie verzweifelt. Aber sie blieb da, wo sie war, mit diesem grässlichen Gefühl der Umarmung durch einen monströsen, schwitzenden Oktopus, der aus dem See emporgestiegen war, um sie mit seinen Tentakeln zu umklammern.

Die Zeit verging wie in Zeitlupe. Sie tat so, als wäre sie gar nicht mehr da, keine Gefangene, die auf die sonnengebleichten Planken des Floßes gedrückt wurde. Aber noch immer hörte sie die Bäume am Ufer rauschen, sah die düstere Wolke, die über den Himmel zog und den bleichen Mond verdeckte, hörte den Ruf der Eule, sah einen Schwarm Fledermäuse über dem Wasser … Gleichzeitig fühlte sie sich wie taub und blind. Ihre Gedanken flüchteten durch dunkle Gänge, in denen es nach ihm roch, nach ihnen beiden, nach Schweiß und Angst, modrigem Holz und Verzweiflung. Auch dort fühlte sie sich nicht sicher, also flüchtete sie noch tiefer in die uneinnehmbare Festung ihres Selbst, zog die Zugbrücke hoch und schloss sich dort ein wie eine Prinzessin in einem Märchen.

Nachdem Barkley fertig war und von ihr abließ, kroch sie Zentimeter für Zentimeter zum Rand des Floßes und ließ sich in das ruhige, schwarze Wasser gleiten. Nach Luft ringend und schluchzend schwamm sie zurück ans Ufer.

Ihren Eltern erzählte sie nicht, was in jener Nacht passiert war. Tatsächlich sprach sie so gut wie gar nicht mehr mit ihnen. Fragen beantwortete sie mit einem ablehnenden Stöhnen oder reagierte gar nicht. Im nachfolgenden Herbst setzte ihre Mutter ihr zu, sie solle sich mit Barkley verabreden, den sie für den perfekten Schwiegersohn hielt. Es kam dann sogar so weit, dass Alli gezwungen wurde, Barkley zusammen mit ihren und seinen Eltern zum Abendessen zu treffen. Der Junge, den sie mal hübsch gefunden hatte, kam ihr jetzt nur noch monströs vor. Als sie ihn wiedersah, hatte sie das Gefühl, sich übergeben zu müssen. Ihr verging jeder Hunger, als man sie neben ihn an den Tisch setzte. Es folgte ein entsetzlich schwieriger und peinlicher Abend. Es gab schauderhaften Kaffee und widerlichen Schokoladenkuchen. Barkley versuchte, sich bei ihrem Vater einzuschmeicheln. Gleichzeitig schob er unter dem Tisch seine Hand zwischen ihre Schenkel. Alli sprang auf und floh aus dem Restaurant, wofür sie später einen schweren Tadel erhielt, denn sie hatte die strengen Benimmregeln gebrochen, die ihrer Mutter so wichtig waren.

Die alte Alli, die in allem ihrer Mutter nachstrebte, hätte das vielleicht aus der Bahn geworfen, aber dieses Mädchen war ja tot, erwürgt von einem Oktopus auf einem Floß im See. Als sie zurück in den See geglitten war und das schwarze Wasser über ihr zusammenfloss und ihr Haar über ihr Gesicht glitt, hatte sich eine Kluft aufgetan. Ihr altes Ich verwandelte sich in eine Wolke, die sich vor den Mond schob. Sie ließ alles hinter sich, was sie je gefühlt oder geglaubt hatte. Sie welkte und schrumpfte zusammen, verschloss sich wie eine Muschel, denn nur ganz allein mit sich selbst fühlte sie sich noch sicher.

Nach einer Weile wurde sogar ihrer Mutter klar, dass etwas nicht stimmte. Da weder Zuwendung noch Drohungen halfen, schickte sie Alli zu einem Psychologen, der Alli nur noch tiefer in ihre innere Trutzburg trieb. Sie sah sich gezwungen, Lügen zu erzählen, um zu vermeiden, dass sie sich dieser kalten, unpersönlichen Praxis und dem idiotischen Psychogeschwätz völlig ausgeliefert fühlte. Es war ihr ziemlich egal, was dieser ernste Mann, der ihr gegenübersaß, von diesen Lügengeschichten hielt. Sie hatte sich längst ihr eigenes zynisches Bild von Männern zurechtgelegt – man konnte ihnen nicht trauen und damit fertig.

Nachdem er sechs Wochen lang vergeblich versucht hatte, aus ihr schlau zu werden, zog der Psychologe einen Psychiater hinzu, der sich zwanzig Minuten lang mit ihr unterhielt. Er diagnostizierte eine Depression und verschrieb ihr freundlich lächelnd Wellbutrin XL, ein Antidepressivum.

»Sie muss das Mittel einige Wochen lang nehmen. Falls es nicht anschlägt, gibt es noch eine ganze Reihe anderer Medikamente, mit denen wir es versuchen können«, sagte er. »Keine Sorge, wir kriegen das wieder hin, es wird gar nicht lange dauern.«

Sie warf die Packung mit den cremefarbenen kleinen Pillen noch in der Apotheke in den Mülleimer.

Allis drogenumnebeltes Gehirn machte einen Sprung, nun war es drei Jahre später. Sie hörte »Neon Bible« von Arcade Fire wie aus weiter Ferne. Die Musik wurde überdeckt von einer bekannten Stimme, die Instruktionen wiederholte, die so simpel waren, dass jeder Idiot ihnen folgen konnte. Dennoch wiederholte sie sie zum Refrain von »Neon Bible« immer wieder und so lange, bis sie ein Teil von ihr geworden waren.

Dann zog die Wolke der Erinnerung in ihrem Kopf weiter. Sie lernte Emma McClure schon am ersten Tag auf dem College von Langley Fields kennen, und gleich vom ersten Augenblick an wollte sie, dass Emma das Zimmer mit ihr teilte. Die Schule hatte ihr eine andere zugeteilt, eine blondes Mädchen aus Texas, die sie schon aus der Entfernung verabscheute; schon allein ihr Akzent brachte sie auf die Palme, ganz zu schweigen von ihrem Hang zu teuren Kleidern und Kosmetikartikeln. Alli bat um eine Änderung, damit sie und Emma zusammenziehen konnten, und nach einiger Zeit wurde ihrem Wunsch entsprochen. Dabei musste sie noch nicht einmal so weit gehen, einen entsprechenden Antrag zu stellen, es genügte, ihrem Vater gegenüber ihre »stressige« Wohnsituation zu erwähnen. Die Direktorin hatte kein Interesse an einer juristischen Auseinandersetzung mit Edward Carson. Niemand hatte das, nicht einmal der Präsident.

Es gab gute Gründe für Alli, Emma zu mögen. Emma kam aus der falschen Ecke der Gesellschaft, aus einer Familie, die Schulden machen musste, um ihre Tochter nach Langley Fields schicken zu können. Außerdem war sie intelligent, witzig und, was das Wichtigste war, hegte keine Vorurteile. Alli dagegen war in eine Familie geboren worden, die nur Vorurteile kannte; jedenfalls erschien es ihr so, und deshalb hatte sie Angst, diesen Charakterzug geerbt zu haben. Sie fürchtete, er könnte eines Tages hervorbrechen und all ihre guten Vorsätze Lügen strafen. Als sie, auf Emmas Vorschlag hin, Hunter S. Thompsons *Angst und Schrecken in Las Vegas* las, wurde ihr klar, dass Emma eine Art Talisman für sie war, dass ihre Aufmüpfigkeit ihr einen geradezu magischen Charme verlieh, der Alli half, sich gegen ihre möglicherweise angeborene Überheblichkeit zu immunisieren.

Außerdem zeigte Emma eine Härte und Schärfe, einen Überlebensdrang, den sie sich auf der Straße erworben hatte. Sie hatte keine Angst. Privilegien, das merkte Alli jetzt, machten einen weich, verletzlich und ängstlich, schwächten die Widerstandskraft. Das war ein schwerer Schönheitsfehler, den sie bei sich entdeckt hatte, ein Fehler, bei dem sie erst das Gefühl hatte, sie könnte ihn korrigieren, als Emma in ihr Leben getreten war.

Dann veränderte sich alles.

FÜNFUNDZWANZIG

»Totaler Blackout«, sagte Bennett, »als ob der verunglückte Wagen nie existiert hätte.«

»Was ist mit den Schüssen auf der Kirby Road?«, fragte Jack.

Bennett schüttelte den Kopf. »Es gibt nur eine Meldung über einen Milchtransporter, der Feuer gefangen hat.«

Sie saßen in einem kleinen Coffeeshop mit gestreifter Markise in Tysons Corner direkt am Schaufenster an einem kleinen Bistro-Tisch. Jack hatte von seinem Platz aus einen guten Blick durchs Fenster auf die baumbestandene kleine Straße und die gelegentlich vorbeifahrenden Autos. Nachdem er den deutlich mitgenommenen Armitage bei sich zu Hause abgeliefert hatte, hatte er Bennett angerufen. Dann war er in Windeseile hergekommen und hatte so gut wie jede rote Ampel überfahren. Die Verfolgungsjagd, der Schusswechsel und das, was danach passiert war, hatten ihm mehr zugesetzt, als er zugeben wollte. Er fühlte sich, als hätte er einen neuen, besonders gefährlichen Kampfplatz betreten.

Bennett drehte seine Kaffeetasse, als würde ihn irgendetwas an deren perfekter Rundung beunruhigen. »Irgendjemand weit oben in der Regierungshierarchie steckt hinter diesem ganzen Irrsinn«, stellte er fest.

»Nach deinen Informationen kann das doch nur der Präsident, der Verteidigungsminister oder der Nationale

Sicherheitsberater sein. Warum um alles in der Welt will mich einer von denen denn umbringen?«

Bennett sah zu, wie ein Mann in mittleren Jahren das Café betrat und sich in eine Nische zu einer jungen Frau setzte, die auf ihn gewartet hatte. Sie lächelte ihn an, fasste nach seiner Hand. Bennett wandte sich ab.

»Ich bin jetzt seit dreißig Jahren in diesem Geschäft«, sagte er. »Aber ich bin noch nie so heftig gegen eine Mauer gerannt wie dieses Mal. Bisher bin ich immer ziemlich geschickt im Umgehen von diesen Mauern gewesen und habe das bei den verschiedensten Regierungsorganisationen geschafft, aber diesmal ist es anders. Keiner meiner Kontakte kann mir helfen – oder sie wollen alle nicht.«

»Haben sie Angst?«

Bennett nickte. »Tut mir leid, Jack. Ich hätte dich überwachen sollen, damit wir dich schützen können.«

»Das ist nicht deine Aufgabe.«

»Immerhin habe ich zugestimmt, dass du Hugh Garner und seiner Bande zugeteilt wirst.« Er grinste Jack schief an. »Mir war schon klar, dass ich dich da in die Höhle des Löwen geschickt habe.«

Jack nickte. »Du hast mich gewarnt. Aber es war Edward Carson, der mich angefordert hat. Und ich kann mir nicht vorstellen, dass du eine Möglichkeit hattest abzulehnen.«

Sie schwiegen, als die Bedienung kam und ihre Kaffeetassen auffüllte. Bennett ließ seinen Blick durchs Fenster nach draußen schweifen. Auf der anderen Straßenseite befand sich ein Laden, in dessen Schaufenster sich teure Flaschen mit Wein, Whisky, Wodka und Rum stapelten, alle mit großer Könnerschaft hübsch angeordnet.

»Ich schätze, es wird nicht einfacher«, sagte Jack.

Bennett schüttelte den Kopf. »Es ist wie der Gesang der Sirenen.«

»Solange du an den Mast gebunden bist wie Odysseus, besteht keine Gefahr.«

Bennett schaute ihn wieder an. »Meine Frau hat mich verlassen, weil ich ständig betrunken war. Ich werde jetzt bestimmt nicht aufgeben.«

»Freut mich zu hören.«

Bennett goss etwas Kaffeesahne in die Tasse und gab Zucker dazu. Das war seine Medizin. »Wo wir gerade von Ehefrauen sprechen. Ich finde, du solltest wieder zu Sharon zurückgehen.«

»Ich habe mich schon gewundert, dass du sie ins Krankenhaus geholt hast.«

»Sie war sehr erfreut, als ich sie gefragt habe. Ich glaube, sie wollte unbedingt bei dir sein.«

Jack trank seinen Kaffee und schwieg.

»Ich weiß, dass du noch immer stocksauer auf sie bist wegen Jeff.«

»Das kann man so sagen. Er war mein bester Freund.«

Jack blickte zur Seite, starrte ins Nichts.

»Sharon hat das gemacht, weil sie dich bestrafen wollte. Sie hat dich für Emmas Tod verantwortlich gemacht. Es war ein Fehler«, sagte Bennett eindringlich. »Jack, du solltest eure Beziehung nicht zerstören. Sie liebt dich doch.« Er lachte kurz auf. »Mensch, du bist doch überhaupt nicht der kaltschnäuzige Typ, den du immer spielst.«

Als Jack auf die Kansas Avenue trat, bemerkte er Nina, die auf ihn wartete. Er hatte sie von dem Coffeeshop aus angerufen. Sie stand da, gegen ihren schwarzen Ford gelehnt, und rauchte eine von ihren Nelkenzigaretten. Mit ihren hochhackigen Stiefeln, den dunklen Hosen und der bis oben zugeknöpften Caban-Jacke sah sie ungeheuer attraktiv aus. Den Schneeregen, der um sie herum fiel, schien sie gar nicht wahrzunehmen.

Das »Hi-Line« hatte sich in das Black Abyssinian Cultural Center verwandelt. Der Elektronikladen, hinter dem André und seine Gang ihn zusammengeschlagen hatten, war nun ein 99-Cent-Geschäft. Sonst sah die Kansas Avenue noch fast genauso aus wie früher. Die Straße war immer noch schmutzig und heruntergekommen und offenbar kein Ort mehr für die Gemeinde des Renaissance Mission Congress. Aber das alte, mit Schindeln verkleidete Haus, von dem immer noch die Farbe abblätterte und dessen Wände vor sich hin schimmelten, war jetzt die Heimstatt der Neuen Amerikanischen Säkularisten.

Jack und Armitage stiegen aus. Nachdem Jack sie einander vorgestellt hatte, sagte Nina: »Neue Amerikanische Säkularisten? Irgendwie klingt das aber auch wie eine Religionsgemeinschaft.«

»Genau deshalb haben wir uns so genannt.« Armitage führte sie ins Gebäude, das so viele Erinnerungen von Jack in sich barg. »Es sollte so eine Art Werbegag sein.«

Nina ließ ihre Zigarette zu Boden fallen und trat sie mit dem Absatz aus. »Damit Sie nicht so gefährlich wirken?«

Armitage hielt abrupt an, schaute sie pikiert an und sagte: »Wir sind nicht im Geringsten gefährlich.« Dann ging er weiter voraus und führte sie in den Gemeindesaal.

Hier, wo früher Kirchenbänke und eine Kanzel gestanden hatten, war jetzt ein Großraumbüro mit kleinen

Arbeitsnischen, die mit Hilfe von beweglichen Wänden abgeteilt waren. In jeder Nische befand sich ein Schreibtisch mit schnurlosem Telefon, Computer-Terminal und anderen Büro-Utensilien. Ein verhaltenes Murmeln erfüllte den Raum, in dem einst ein Chor lautstark Gott gepriesen hatte.

In den Nischen saßen Männer und Frauen aller Altersstufen, die äußerst geschäftig wirkten. Nur eine junge Frau schaute kurz auf, als sie vorbeigingen.

Armitage – und wahrscheinlich auch Peter Link – stand ein separates Büro in dem Raum zur Verfügung, in dem früher das Pfarramt von Myron Taske war. Jack blieb in der Mitte des Zimmers stehen und schaute sich um. Der riesige Schrank stand immer noch vor der einen Wand und ihm gegenüber der angeschlagene Schreibtisch, an dem der Pfarrer immer gesessen hatte. Alles andere jedoch war verändert worden. Jetzt gab es moderne, helle, glänzende Möbelstücke. Vielleicht lag es an der neuen Einrichtung, dass der Raum ihm so klein vorkam, überlegte Jack. Oder seine Erinnerung täuschte ihn. Ähnlich wie in den Räumlichkeiten von Langley Fields fühlte Jack sich leicht desorientiert – so als wäre er hier und dann doch wieder nicht. Er fragte sich, ob Emma sich so gefühlt haben könnte, als sie ihm auf dem Rücksitz seines Wagens erschienen war.

Armitage saß bereits hinter seinem Schreibtisch. »Sie sagten, Sie wollten eine Liste der Mitglieder, die während der letzten achtzehn Monate ausgetreten sind.«

Jack räusperte sich. »Genau.«

Armitage nickte. »Die kann ich Ihnen zusammenstellen.«

Er tippte auf der Tastatur den Code ein, der ihm Zugang zur Datenbank seiner Organisation verschaffte. Kurz darauf erschien eine Tabelle, aus der er Namen kopierte und in ein neues Dokument einfügte. Er drückte auf eine Taste, und der Drucker spuckte zwei beschriebene Seiten aus. Armitage lehnte sich zur Seite und holte sie aus der Ablage, um sie Jack zu reichen.

Jack spürte Ninas Anwesenheit direkt neben sich. Sie beugte sich zu ihm und las die Liste offenbar so leicht, dass es ihm, der alles mühsam entziffern musste, einen Stich gab. So etwas zu lesen war jedes Mal wieder eine Qual für ihn. Er versuchte sich zu konzentrieren, nach der Methode, die Pfarrer Taske ihm beigebracht hatte; erinnerte sich an die dreidimensionalen Buchstaben, die er ihm angefertigt hatte, damit Jack sie anfassen konnte, um ihre Umrisse zu ertasten. Auf diese Weise sollte er ihre zweidimensionale Natur begreifen und ihre Anordnung nebeneinander besser verstehen. Die Buchstaben hörten auf, vor seinen Augen zu verschwimmen, und fanden sich zusammen wie ein Fischschwarm an einem Korallenriff. Jack konnte die Namen lesen, langsam zwar, aber exakt.

»Ist jemand dabei, den Sie kennen?«, fragte Armitage.

Jack, der sich sehr konzentrieren musste, schüttelte den Kopf.

Nina schaute sich um und sagte zu Armitage: »Ehrlich gesagt, verstehe ich gar nicht, was Sie eigentlich so tun.«

»Es ist überhaupt nichts Geheimnisvolles dabei, wenn man mal davon absieht, was die Leute in den Medien über uns spekulieren. Wir wollen nicht in einer Gesellschaft leben, die sich als ›christliche Nation‹ definiert. Wir wollen nicht von einer Regierung vertreten werden, die sich als heilig und unantastbar dünkt. Vor allem aber wollen wir keinen Präsidenten haben, der sich einbildet, er würde den Willen Gottes ausführen. Wir kämpfen für die Freiheit, das Unbekannte erforschen zu dürfen, egal wohin es uns führt.«

»Und wie stehen Sie zur menschlichen Seele?«

»Nicht wenige führende Wissenschaftler weltweit, die sich als Säkularisten verstehen, glauben, dass das, was wir Seele nennen, eine Art elektrische Energie darstellt und dass diese Energie, wenn ein Körper stirbt, weiter existiert. Das ist eins dieser Geheimnisse, die wir erforschen wollen.«

»Und Gott?«

»Gott ist eine persönliche Angelegenheit, Miss Miller. Viele von uns glauben an Gott, in welcher Form auch immer. Wir kämpfen nicht gegen Gott, sondern gegen das, was in seinem Namen mit Hilfe von religiösen Systemen angerichtet wird. Hier, ich will Ihnen mal ein historisches Beispiel geben.« Er wühlte in seinem Schreibtisch herum und zog ein Buch mit dem Titel *Die Hochzeit von Himmel und Hölle* hervor. »Dies hier sind die Worte von William Blake, dem großen englischen Visionär des achtzehnten Jahrhunderts:

›Alle Bibeln und sakralen Codes haben die folgenden Irrtümer begründet:

Dass der Mensch aus zwei verschiedenen Prinzipien besteht, einem Körper und einer Seele.

Dass jene Energie, die wir das Böse nennen, allein vom Körper ausgeht, und die Vernunft, die wir das Gute nennen, allein von der Seele.

Dagegen jedoch ist Folgendes wahr:

Der Mensch hat keinen Körper, der von der Seele getrennt ist – denn das, was wir Körper nennen, ist jener Teil der Seele, den wir mit unseren fünf Sinnen wahrnehmen …

Energie ist das Einzige, was lebt, sie gehört zum Körper, und die Vernunft ist das, was diese Energie umhüllt.‹«

Armitage schloss das Buch und legte es beiseite. »Was William Blake damit sagen will, ist, dass das Böse dem Menschen nicht angeboren ist. Und das glaube ich auch. Die Geschichte von dem Apfel vom Baum der Erkenntnis ist von Männern erfunden worden, die Macht über andere ausüben wollen, indem sie diese in Unwissenheit halten.«

»Trotzdem verstehe ich nicht, warum es Ihnen so wichtig ist, nach dem Sinn von allem zu fragen. Was ist denn, wenn es keinen Sinn gibt?«

»In Unwissenheit zu verharren liegt im Interesse der Kirche«, sagte Armitage ruhig. »Wissen ist Macht, Miss Miller. Und wer Macht über sich selbst hat, ist ein freier Mensch.«

»Manchmal verhelfen Wissen und Macht aber dazu, egoistisch zu werden. Zu viel Ego verursacht Chaos.«

»Lass mal.« Jack zog Nina am Arm Richtung Tür. »Mit dem kannst du bis zum Sankt Nimmerleinstag debattieren.« Er schob sie zur Tür hinaus und sagte. »Vielen Dank für Ihre Unterstützung, Armitage.«

»Gern geschehen.« Armitage wandte sich wieder seinem Bildschirm zu und las die eingegangenen E-Mails.

»Könnte sein, dass ich noch mal auf Sie zurückkommen muss«, sagte Jack und schloss leise die Tür hinter sich.

Kaum hatten Nina und Jack das Hauptquartier der Säkularisten verlassen, beendete eine junge Frau Anfang zwanzig ihr gerade geführtes Gespräch. Sie war hübsch, hatte dunkles Haar und sehr helle Haut. Tatsächlich sah sie dem obdachlosen Mädchen sehr ähnlich, das Ronnie Kray auf der Straße aufgelesen hatte, um ihr die linke Hand abzusägen, und das jetzt in seinem Kühlschrank vermoderte.

Die hübsche Aktivistin wählte eine Nummer aus der Stadt. Sofort meldete sich eine bekannte männliche Stimme.

»Hallo, Calla.«

»Er ist gerade gegangen«, sagte sie.

»Bist du sicher, dass er es war?«, fragte Kray.

Calla schaute in die geöffnete Schublade ihres Schreibtischs. Zwischen Füllern, Bleistiften, Radiergummis, Papierclips und Stapeln von weißen Blättern lag das kleine Foto von Jack McClure, das Kray ihr gegeben hatte. Es war genauso körnig und unscharf wie die Fotos von Alli Carson, die an der Wand in Krays Haus in Anacostia hingen.

»Ganz bestimmt«, sagte Calla.

»Heute Abend. Gleiche Zeit, gleicher Ort.«

Kray legte auf.

SECHSUNDZWANZIG

»Gottverdammt!«

Dennis Paull verlor nur selten die Beherrschung, aber wenn es doch einmal so weit kam, tat man gut daran, ihm aus dem Weg zu gehen.

»Gottverdammte Scheiße!« Der Minister für Heimatschutz presste das Telefon so heftig gegen die Schläfe, dass die Adern, die seine Ohren mit Blut versorgten, abgedrückt wurden.

Er hörte ganz genau auf das, was die Stimme am anderen Ende der Leitung sagte. Der Anruf war reingekommen, als er gerade zu einem Einsatzgespräch mit dem Präsidenten, dem Verteidigungsminister und einigen hochrangigen Generälen aufbrechen wollte. Um welche Generäle es sich handelte, hatte er vergessen, für ihn sahen sie ohnehin alle gleich aus und redeten auch gleich. Der Präsident war soeben von seiner Russlandreise zurück, auf der es ihm gelungen war, Yukin in die Enge zu treiben. Dementsprechend war er gut gelaunt. Er forderte Paull auf, seinen Arsch in den Westflügel zu bewegen, wo sie sich über den Beluga-Kaviar hermachen wollten, den Yukin ihm als Abschiedsgeschenk mitgegeben hatte, trotz der Zugeständnisse, die er hatte machen müssen.

Paull hatte eigentlich vorgehabt, seine Frau zu besuchen. Natürlich würde sie ihn wieder nicht erkennen, aber wenn es ihm nicht gelang, sie wenigstens einmal pro

Woche zu besuchen, machte ihm das schwer zu schaffen. Dann musste er wieder an die Zeit denken, als er um sie geworben hatte und an ihre ersten gemeinsamen Jahre, und die Erinnerungen würden ihn wie eine Flutwelle überrollen und ihn fortziehen in jene Gefilde, in die sie längst abgedriftet war. Einen kurzen, verrückten Moment lang hatte er das Undenkbare erwogen: Dass er den Präsident sitzen ließ, um Louise zu besuchen und ihre Hand zu halten, ihr erstauntes Gesicht anzusehen und zu versuchen, sie – wenigstens für einen Augenblick – wieder in die Gegenwart zu holen. Aber dann hatten seine Überlebensinstinkte, die er in den Jahren in der Regierung erworben hatte, wieder die Oberhand gewonnen und ihn zur Vernunft gebracht.

Paull wollte noch etwas sagen, riss sich dann aber zusammen. Er stand auf dem blauen Teppich, der zum Oval Office führte, vor den cremefarbenen Wänden mit der polierten Holzvertäfelung. Um ihn herum die gedämpften Geräusche der umhereilenden Angestellten, die ihrer Arbeit wie in einem präzise arbeitenden Uhrwerk nachgingen. In der Nähe des Oval Office spürte er die magnetischen Wellen der Macht zusammenfließen, was kein Wunder war: Die Macht konzentrierte sich in diesem Raum und nicht in der Person des Präsidenten, der sie für eine begrenzte Zeit ausüben durfte. Paull ging weiter den Korridor entlang und schlüpfte in ein verlassenes Büro. Sein Telefon war so konstruiert, dass seine Gespräche elektronisch verschlüsselt weitergegeben wurden, nicht Eingeweihte hörten nur elektronische Geräusche. Dennoch achtete er akribisch darauf, dass niemand ihm zuhören konnte.

»Sind Sie sicher, dass sie tot sind?«, fragte er.

»Sie hatten keine Zeit, mehr auszusteigen«, sagte der Mann am anderen Ende der Leitung. »Höchstens Superman hätte diese Explosion überlebt, glauben Sie mir.«

»Wie zum Teufel konnte das passieren?«

»Anscheinend hat McClure sie ausgetrickst. Er hat sie bemerkt und ihnen ein paar Experten aus seiner Dienststelle auf den Hals gehetzt. Damit hatten sie nicht gerechnet.«

Paull verdrehte die Augen. Warum musste er immer wieder unter der Inkompetenz von anderen leiden? Die Antwort auf diese Frage kannte er schon lange: Seine Regierung hatte diese Inkompetenten engagiert. »Und weiter?«, drängte er.

»Dann sind sie wohl übereifrig geworden.«

Paull zählte in Gedanken bis zehn, bevor er mit ruhiger Stimme fragte: »Ein Feuergefecht mitten im Straßenverkehr nennen Sie übereifrig? Das war doch kein Mordauftrag, zum Donnerwetter!«

Schweigen am anderen Ende.

Paull spürte einen ungeheuren Druck in seinem Kopf. »Das war ganz bestimmt kein Mordauftrag.«

»Sir«, sagte die Stimme am anderen Ende. »Genau das haben sie aber gedacht.«

»Was ist mit deinem Auto?«, fragte Nina.

Jack fuhr auf der Kansas Avenue Richtung Süden. Angesichts des Vorfalls mit dem grauen BMW erschien es ihm vernünftiger, seinen eigenen Wagen für den Rest des Tages stehen zu lassen. »Wenn wir fertig sind, kannst du mich zurückbringen.«

»Dann ist vielleicht nicht mehr davon übrig als eine ausgebrannte Hülle«, sagte sie.

»Oder es ist ganz verschwunden, dann kann ich ein neues beantragen.«

»Ha, ha.« Nina drückte die Türsicherung herunter. »Wohin soll's denn jetzt gehen?«

»Wirf mal einen Blick auf die Liste da.«

Nina griff nach den beiden Blättern, die Armitage ihnen ausgedruckt hatte, und ging die Namen durch. »Wonach suche ich denn?«

»Nach bekannten Kriminellen.«

»Mal sehen.« Nina ließ ihren Zeigefinger über die Namensliste gleiten. »Nee, ich finde da nichts.«

Jack bog auf die Peabody Street ein. Er schaute in den Rückspiegel. Genügend Gründe, sich verfolgt zu fühlen, gab es ja. »Sieh mal auf das zweite Blatt, der vierte Name von unten.«

»Joachim Tolkan? Wer ist das?«

»Vor fünfundzwanzig Jahren hat sein Vater sich als Krimineller hier in der Gegend betätigt.« Jack gab Gas. »Er betrieb illegale Wettbüros, mischte in der Drogenszene mit und handelte mit Sprengstoff. Sein Hauptquartier war die All Around Town Bakery.«

Nina lachte. »Da hole ich mir immer meinen Kaffee und meine Croissants. Es gibt bestimmt ein Dutzend Filialen.«

»Damals gab es nur eine einzige.«

Nina spürte einen speziellen Unterton in seiner Stimme. »Du kanntest den Vater, diesen Cyril Tolkan, richtig?«

»Er hat jemanden umgebracht.« Jack bremste ab, als sie das Gebäude der alten Zentrale der All Around Town Bakery erreichten. »Jemanden, den ich gut kannte.«

Nina verzog das Gesicht, während Jack einparkte. »Es geht hier doch nicht um eine persönliche Racheaktion. Wir haben wirklich keine Zeit, uns noch mit irgendwelchen anderen Sachen zu beschäftigen.«

Jack war kurz versucht, ihr die genauen Details der Behandlung von Peter Link durch Hugh Garner zu beschreiben, entschied sich dann aber dagegen. Stattdessen sagte er: »Ich hab da so eine Ahnung. Falls sie sich als falsch erweisen sollte, lassen wir die Sache fallen und gehen wieder die üblichen Wege.«

Ihm war bewusst, dass er ziemlich aufgebracht war. Was für einen Grund gab es, dass jemand von ganz oben den Auftrag gab, ihn zu beschatten und anzugreifen? Wollten sie Armitage zum Schweigen bringen? Nichts Genaues zu wissen, war ihm mehr als unangenehm. Er widerstand dem Drang, Bennett anzurufen. Er wusste ja, dass sein Chef ihn anrufen würde, wenn er irgendwelche konkreten Hinweise hatte.

Als sie die Bäckerei betraten, ertönte eine Glocke. Es war hier noch immer fast genauso, wie es ihm in Erinnerung geblieben war, es roch lecker nach Butter, Zucker, Hefe und frisch gebackenem Brot. Er wusste noch ganz genau, wie es hier ausgesehen hatte, als Gus ihn das erste Mal hierhin mitgenommen hatte. Noch immer sah er Cyrils Schläger herumstehen und die Wettzeitungen studieren, während sie auf Anweisungen warteten, um Drogen oder Waffen irgendwohin zu bringen, Schulden einzutreiben oder, wenn der Umschlag nicht gut genug gefüllt war, Blutzoll einzutreiben. Er erinnerte sich noch an den Mann mit der Glatze hinter dem Tresen, der ihm den Schokokeks geschenkt hatte. Und an Cyril mit seinen dunklen olivfarbenen Augen, den hohen Wangenknochen und der unheimlichen Ausstrahlung. Heute aber standen hier nur ein paar ältere Damen im Laden, die Brot kaufen wollten. Sie lächelten ihn an, als sie an ihm vorbei nach draußen gingen, in den Taschen die aromatisch duftenden Gebäckstücke.

»Hallo, mein Name ist Oscar. Was kann ich für Sie tun?«

Ein untersetzter Mann mit Bäckerschürze, einem mönchisch wirkenden Haarkranz um den milchkaffeebraunen Schädel und einer breiten, platten Nase, die einmal gebrochen worden war, schaute sie neugierig an und lächelte freundlich. Die heutige All Around Town Bakery hatte überhaupt nichts mehr mit dem ehemaligen Laden von Cyril Tolkan zu tun.

»Ich nehme ein Stück Streuselkuchen.« Jack drehte sich zu Nina um. »Und du, Liebling?«

Nina ließ sich nichts anmerken und schüttelte den Kopf.

Jack grinste Oscar an. »Die Dame ist ein bisschen verschüchtert wegen der Gegend.«

»Das verstehe ich voll und ganz.« Auf Oscars platter Nase waren Sommersprossen zu sehen. Er bettete Jacks Kuchenstück auf ein quadratisches Stück Papier und legte es auf die Glasvitrine. An Nina gewandt, sagte er: »Wie wäre es mit einem Schokokeks?« Er nahm einen aus der Auslage und hielt ihn ihr hin. »Niemand kann unseren Schokokeksen widerstehen.«

Jack erinnerte sich. Sogar trocken schmeckten die noch gut.

Nina lächelte höflich und nahm den Keks an.

Jack zog den Geldbeutel heraus.

»Der Keks ist ein Geschenk des Hauses«, sagte Oscar.

Jack bedankte sich und zahlte. Dann biss er in den Kuchen und sagte: »Köstlich.« Er kaute eine Weile, dann fragte er: »Ist Joachim zufällig da?«

Oscar ordnete ein Tablett mit Linzer Torte neu an. »Privat oder geschäftlich?«

»Ein bisschen von beidem.«

Oscar nahm diese Nicht-Antwort gelassen hin. »Der Chef ist morgen wieder zurück. Er ist in Miami Beach, zum Begräbnis seiner Mutter.«

Jack schaute sich um und aß weiter seinen Kuchen. »Wissen Sie, wann genau er wieder hier sein wird?«

»Gleich morgen früh«, sagte Oscar. »Ich hab eben mit ihm telefoniert.« Er nahm einem dünnen Mann, der aus der Backstube kam, ein Blech mit Butterkeksen ab. »Soll ich ihm was ausrichten?«

»Nein.« Jack aß den Streuselkuchen auf und rieb sich die Finger. »Wir kommen wieder.«

Oscar hielt ihm zwei Kekse hin. »Noch was für den Weg?«

Jack nahm sie.

SIEBENUNDZWANZIG

Die Renaissance Mission Church ist mehr als nur eine Kirche für Jack; es ist seine Schule. Es dauert nicht lange, bis Pfarrer Taske herausfindet, dass Jack Probleme mit dem Lesen hat. Zufälligerweise hat er sich mal mit Dyslexie beschäftigt, und nun nimmt er sich das Thema wieder vor. Jeden Abend, wenn Jack nach seiner Arbeit im »Hi-Line« zurück kommt, hat Taske wieder etwas Neues in einem der Bücher entdeckt, die er sich aus Bibliotheken in ganz Washington leiht.

Eines Abends ist Jack besonders frustriert, weil er vergeblich versucht hat, ein Buch zu lesen – in diesem Fall war es ein Gedichtband von Emily Dickinson. Er wird wütend und zerschlägt ein Glas auf Taskes Schreibtisch. Dann schämt er sich dafür und will die Scherben aufsammeln. Dabei schneidet er sich in die Hand. Nachdem er die Glasscherben in den Müll geworfen hat, öffnet er den großen Schrank und holt den Erste-Hilfe-Koffer heraus. Mit einem Mal bemerkt er auf dem Boden des Schranks etwas Eigenartiges. Er schiebt einige Kisten beiseite und entdeckt eine Art Tür.

Als er die Kisten wieder an ihren Platz schiebt, kommt Taske herein. Sofort bemerkt er, was geschehen ist. Er streckt die Hand aus, und Jack reicht ihm den Erste-Hilfe-Koffer. Taske bedeutet ihm, sich hinzusetzen, dann schaut er sich Jacks Hand an.

»Was ist passiert?«

»Ich hatte Probleme mit dem Lesen, und da bin ich wütend geworden.«

Taske untersucht die Wunde, um sicherzugehen, dass kein Glassplitter stecken geblieben ist. »Das mit dem Glas ist nicht schlimm«, sagt er, als er sich daranmacht, die Wunde zu desinfizieren. »Aber wir müssen was gegen deine Wut unternehmen.«

»Es tut mir leid«, sagt Jack.

»Bevor du einen solchen Wutausbruch zulässt, solltest du erst mal darüber nachdenken, warum du wütend bist.« Taske bandagiert die Wunde und deutet auf den Wandschrank. »Ich nehme an, du fragst dich, wohin diese Falltür führt.« Er schaut Jack eingehend an. »Ich kann dir doch vertrauen?«

Jack setzt sich aufrecht hin. »Jawohl, Sir.«

Pfarrer Taske zwinkert ihm zu. »Weißt du, damals in den Dreißigerjahren, als Alkohol verboten war, gehörten diese Gebäude einer Bande von Schnapsschmugglern. Hier drunter ist ein Tunnel, der direkt ins Hinterzimmer von Gus führt.« Er klappt den Erste-Hilfe-Koffer zu und packt ihn weg. »So, und nun wollen wir uns wieder mit Emily Dickinson befassen.«

»Ich werde das nie kapieren«, sagt Jack verzweifelt.

Taske fordert ihn auf, das dünne Buch beiseitezulegen. »Hör mal zu, Jack, du hast ein ganz besonderes Gehirn. Es funktioniert auf eine Art, wie mein Gehirn das nicht kann – dreidimensional.« Er überreicht Jack einen bunten Würfel. »Da sind lauter farbige Kästen. Jede der Farben soll auf eine der sechs Seiten.«

Jack dreht den Würfel und versteht sofort, wie es funktioniert. Es dauert nicht lange, da ist er fertig und kann Taske den Würfel zurückgeben. Jede Seite ist jetzt einfarbig.

»Ich würde nicht direkt sagen, dass ich überrascht bin«, sagt Taske. »In allen Büchern steht, dass du keine Probleme haben würdest, das Rätsel des Zauberwürfels zu lösen. Aber in vier Minuten!« Er stößt einen Pfiff aus. »Niemand, den ich kenne, schafft das, Jack. Und schon gar nicht so schnell.«

»Wirklich?«

Taske lächelt. »Wirklich.«

Obwohl sie sich in einer heruntergekommenen Gegend befindet, die eher unbedeutend ist, bekommt die Renaissance Mission Church nicht wenig mediale Aufmerksamkeit und wird deshalb auch von den Lokalpolitikern ernst genommen. Das verdankt die Gemeinde der hingebungsvollen Arbeit von Pfarrer Taske, der es sich zur Aufgabe gemacht hat, jugendlichen Straftätern im Alter von dreizehn oder vierzehn Jahren einen Weg aus ihrer kriminellen Existenz zu weisen, damit sie normale Bürger werden können, die sich um die Belange ihrer Nachbarschaft kümmern. Taskes hochgestecktes Ziel ist es, die ganze Gegend zu erneuern, und zwar nicht, indem er weiße Unternehmer dazu bringt, hier zu investieren, wo die schwarzen Geschäftsleute gescheitert sind, sondern indem er die Schwarzen ermutigt, ihre Geschäfte wieder in lukrative Bahnen zu lenken. Unglücklicherweise verdienen die meisten Unternehmer in der Gegend ihr Geld mit Wettbüros, Prostitution oder Drogenhandel. Alte Gewohnheiten sind schwer zu ändern, vor allem wenn sie gute Gewinne mit wenig Arbeit bieten, wenn man keine Ausbildung dafür braucht und sich nicht um Gesetze kümmern muss. Warum soll man sich zivilisiert benehmen – oder auch nur halbwegs zivil –, wenn es nichts bringt? Einfacher ist es, sich auf seine Muskeln, Pistolen und Eisenstangen zu verlassen.

Das traf auch auf André zu. Nachdem er von seinem Boss Cyril Tolkan wegen seines Übergriffs auf Jack eine Abreibung bekommen hat, steigt er auf Tolkans krimineller Karriereleiter mit beängstigender Geschwindigkeit nach oben. Natürlich will er Tolkans harte Hand so schnell wie möglich wieder loswerden, aber die Energie, die er dabei aufwendet, ist weitaus größer, als selbst Gus erwartet hat. André kommt nicht mehr in die Kirche, und seit Pfarrer Taske von einem Besuch in seinem neuen Schlupfwinkel mit einem blauen Auge und einer aufgeschlitzten Wange zurückgekommen ist, hat er nicht einmal mehr seinen Namen erwähnt. Gus ist darüber so wütend, dass er sich André am liebsten persönlich vorknöpfen würde, aber Taske erlaubt ihm das nicht. Eines Sonntagmorgens wird Jack zufällig Zeuge ihrer Unterhaltung im Pfarrbüro, wo er gerade sitzt und versucht, sich durch den Roman *Der große Gatsby* durchzuarbeiten. Jack findet das Buch interessant, weil die Hauptfigur wie er selbst ein Außenseiter ist. Die Sache wird aber noch viel spannender, als Jack bei der Lektüre der Biografie von F. Scott Fitzgerald erfährt, dass der berühmte Schriftsteller wie er selbst Dyslexiker war.

»Ich hab die Schnauze voll, immer nur zuzusehen, wenn André die Leute fertigmacht«, erklärt Gus.

»Du kannst es bloß nicht ertragen, dass er dir das Geschäft vermasselt«, antwortet Pfarrer Taske.

»Was? Schauen Sie sich doch nur mal an, was er mit Ihnen gemacht hat!«

»Berufsrisiko«, sagt Taske. »Du bist nicht mein Daddy, Augustus. Ich kann sehr gut auf mich selbst aufpassen.«

»Indem Sie ihm die andere Wange auch noch hinhalten.«

»So habe ich es gelernt, Augustus. Daran glaube ich.«

»Was Sie glauben, ist doch nichts weiter als dummes Geschwätz.«

Jack hält den Atem an. Er ist neugierig, steht auf und geht den Flur entlang. Vor der Tür zum Büro bleibt er stehen und späht durch den Türspalt. Er sieht den Pfarrer, der zum Teil von Gus' mächtiger Gestalt verdeckt wird.

»Da du sehr aufgebracht bist, verzeihe ich dir, dass du mich beleidigt hast. Aber deine Gotteslästerung kann ich dir nicht verzeihen. Wenn wir hier fertig sind, musst du Buße tun.«

»Heute nicht, Pfarrer. Ich hab keine Lust, die andere Wange hinzuhalten. Wenn ich damit anfange, bin ich in null Komma nichts aus dem Geschäft. Und Sie glauben doch nicht, dass Gott das dann für mich erledigen wird, oder?«

»Ich sorge mich nur um deine unsterbliche Seele, Augustus«, sagt Taske zurückhaltend.

»Ha! Sie sollten sich lieber mit wichtigen Dingen beschäftigen, zum Beispiel mit der Frage, wer nun Ihre Kosten trägt, nachdem Ihr großartiger Bankier wegen Betrugs von den Bullen einkassiert wurde. Die Behörden werden sich jetzt mit seinen Geschäftsmethoden befassen, auch mit denen, die es ermöglicht haben, Ihren Laden hier in den letzten drei Jahren am Laufen zu halten.«

Jack hört das laute Knarzen eines Stuhls, als der Pfarrer sich hinsetzt. »Da hast du einen wunden Punkt getroffen, Augustus.«

»Wissen Sie, ich verdiene eine Menge Geld, und ich gebe Ihnen gern so viel ich kann.«

»Die Kirche möchte dir nicht jeden Cent abluchsen, den du verdient hast.«

»Wie auch immer«, beharrt Gus. »Selbst wenn ich Ihnen alles gebe, wird es nicht reichen. Sie müssen anfangen, langfristiger zu denken.«

»Hast du diesbezüglich einen Vorschlag?«

In diesem Moment klopft Jack an die Tür. Es folgt eine kurze Stille, dann ruft Pfarrer Taske: »Herein!«

Jack bleibt in der Tür stehen, bis Taske ihn drängt, ganz einzutreten. »Was kann ich für dich tun, Jack? Hast du Schwierigkeiten, F. Scott Fitzgerald zu verstehen?«

»Nein, das ist es nicht.« Einen Moment lang fehlen ihm die Worte. *Taske sieht sehr müde aus und viel älter als sonst. Wieso habe ich das noch nie bemerkt?*, fragt sich Jack.

»Augustus und ich sind gerade in einem wichtigen Gespräch, Jack«, sagt Taske freundlich.

»Ich weiß, deshalb bin ich ja gekommen.«

»So?«

»Ich hab zufällig alles mitgehört.«

»Dann mach mal lieber die Tür zu, damit du auch der Einzige bleibst«, sagt Gus.

Jack schließt die Tür gut zu und dreht sich wieder um. »Ich hab das mit den Geldproblemen gehört.«

»Das geht dich gar nichts an«, sagt Gus abweisend.

»Ich glaube, ich weiß einen Ausweg«, sagt Jack.

Die beiden Männer scheinen nicht zu wissen, ob sie

auf diese Aussage mit ungläubigem Staunen oder amüsiertem Gelächter reagieren sollen. Dass ein fünfzehnjähriger Junge einen Ausweg für die finanzielle Schieflage hat, in die die Renaissance Mission Church sich durch undurchsichtige Winkelzüge gebracht hat, erscheint ihnen aberwitzig. Andererseits, und das wissen sie beide, ist Jack kein normaler Junge und manchmal in der Lage, Schlüsse zu ziehen, deren Logik jenseits ihrer eigenen gedanklichen Fähigkeiten liegt.

Also fordert Taske ihn auf: »Schieß los, Jack. Wir hören dir zu.«

»Ich dachte an Senator Edward Carson.«

Taske runzelt die Stirn. »Was ist mit ihm?«

»Er war doch letzte Woche hier. Ich hab die Zeitungen gelesen – Sie haben doch gesagt, ich soll das jeden Tag machen.«

Taske lächelt. »Ich weiß, dass du es tust.«

»Ich hab gesehen, dass der Senator eine Menge guter Artikel bekommen hat, weil er hier gewesen ist. Er hat sich sogar Zeit genommen, nach der Messe mit den Gemeindemitgliedern zu sprechen. Er erzählte, dass er früher in seiner Heimat in Nebraska im Kirchenchor gesungen hat. Und ich habe gehört, dass Sie ihn eingeladen haben, mit unserem Chor zu singen.«

»Stimmt alles«, sagt Taske. »Und worauf willst du nun hinaus?«

»Im Herbst sind doch Wahlen. Und die Kriegskasse für die Kampagne von Senator Carson ist gut gefüllt. In den Zeitungen steht, dass seine Partei große Hoffnungen in ihn setzt. Es heißt sogar, dass sie ihn aufbauen wollen, damit er eines Tages für die Präsidentschaft kandidieren kann. Dass er letzte Woche hier war, deutet ja auch darauf hin. Ich glaube bestimmt, dass an diesen Gerüchten was dran ist. Aber wenn er Erfolg haben will, braucht er jede Stimme, die er kriegen kann. In Nebraska, wo er herkommt, gibt es ja nicht gerade viele schwarze Wähler, und da kommt dann die Renaissance Mission Church ins Spiel.«

»He, das klingt ja, als ob der Junge sich ein paar Gedanken gemacht hat«, stellt Gus fest. »Echt wahr.«

Taskes Mund steht halb offen. Man kann direkt sehen, wie es in seinem Gehirn arbeitet.

»Ich glaub's nicht«, sagt Taske schließlich. »Du meinst, ich soll ihm Stimmen versprechen, wenn er uns unterstützt?«

Jack nickt.

»Aber wir sind doch bloß eine kleine Gemeinde.«

»Heute noch«, sagt Jack. »Das ist ja die Idee dahinter. Sie sprechen doch immer darüber, dass Sie die Kirche erweitern wollen. Das ist die große Chance. Wenn Senator Carson mitspielt, kann die Renaissance Mission Church sich in der Region ausbreiten und schließlich eine nationale Organisation werden. Wenn Carson dann für die Präsidentschaft kandidiert, sind Sie in der Lage, ihm die Unterstützung zu geben, die er dann braucht.«

Gus lacht. »Der Junge hat ja ganz schöne Flausen im Kopf.«

»Ja«, sagt Taske nachdenklich, »aber irgendwie hat er recht.«

»Carson muss natürlich wollen«, wirft Gus ein.

»Warum sollte er nicht wollen?«, fragt Jack. »Er ist ein erfolgreicher Politiker. So jemand macht Karriere, indem er Deals macht, Gefälligkeiten erweist, Allianzen schmiedet. Denkt doch mal drüber nach. Er hat ja keinen Nachteil dadurch. Sogar wenn die Kirche nicht so groß werden sollte, bekommt er wegen seiner Unterstützung einer unterprivilegierten Minderheit eine gute Presse.«

»Jack hat recht. Das ist eine ziemlich geniale Idee«, sagt Taske. Er denkt noch eine Weile darüber nach. »Und sie könnte womöglich sogar funktionieren!« Er schlägt mit einer Hand auf die Tischplatte und springt auf. »Ich wusste es! Dass Gott dich zu uns gesandt hat, war ein Wunder!«

»Jetzt bleiben Sie mal auf dem Teppich«, brummt Gus, aber Jack merkt, dass er genauso stolz auf ihn ist wie der Pfarrer.

»Mein Junge, niemand sonst wäre auf diese grandiose Idee gekommen!« Myron Taske ergreift Jacks Hand und schüttelt sie begeistert. »Ich glaube, du hast uns alle gerettet.«

ACHTUNDZWANZIG

Lyn Carson stand am Schlafzimmerfenster ihrer Suite in einem der oberen Stockwerke des Omni Shoreham Hotel. Die Dämmerung brach herein, und das Tageslicht verlosch, als würde man nach und nach Kerzen ausblasen. Lichterketten bewegten sich über die Massachusetts Avenue, und das Gerüst der Connecticut Avenue Bridge wurde von grellen Flutlichtern angestrahlt. Sie war mit ihrem Mann für einige Tage hierher gezogen, um der deprimierenden Realität ihres Alltags zu entgehen, die immer schwerer wog.

Irgendwo dort draußen war Alli. Lyn hätte sie gern kraft ihres Willens zurück in ihr Leben geholt, hierher neben sie, in Sicherheit.

Sie hörte, wie Edward durch den Salon kam, und wandte sich um. Sie wusste, warum er dieses mehrstöckige Hotel mehr als alle anderen in Washington mochte, obwohl es architektonisch so bescheiden war, dass man es fast schon hässlich nennen konnte. Aber in diesem Hotel, in Zimmer Nummer 406 D, hatte sich der von Edward Carson so verehrte Harry Truman immer mit seinen Freunden, Senator Stewart Symington, und den Abgeordneten John McCormack und Fishbait Miller, getroffen.

In diesem Moment klingelte ihr Handy, und ihr Herz schlug bis zum Hals. Alli, mein Liebling, dachte sie, während sie durch die offene Tür eilte. Ihre Gedanken sprangen in alle Richtungen: *Sie haben sie gefunden, sie ist tot, lieber Gott im Himmel, bitte mach, dass es gute Nachrichten sind!*

Sie hielt inne, als Edward, der ihren Gesichtsausdruck bemerkt hatte, den Kopf schüttelte. Nein, es gab keine Neuigkeiten von Alli. Aufgewühlt und enttäuscht, gleichzeitig aber erleichtert, wandte Lyn sich ab und stolperte zurück in den Salon. Ihr Blick war von Tränen getrübt. *Wo bist du, mein Liebling? Was haben sie dir angetan?*

Sie ging wieder zum Fenster und schaute, von einer irrationalen Wut erfasst, auf die teilnahmslose Welt dort draußen. Wie konnten die Menschen lachen, zum Abendessen fahren, Partys veranstalten, sich lieben, wie konnten sie herumjoggen, sich verabreden? Wie konnten sie so sorglos sein, wo die Welt doch voller Schrecken war? Was war falsch mit ihnen?

Sie presste die Hände zusammen. *Lieber Gott*, betete sie zum zehntausendsten Mal, *bitte gib Alli die Kraft, zu überleben. Bitte gib Jack McClure die Energie, sie zu finden. Gott, bring mir meine geliebte Tochter zurück, dann will ich dir alles opfern. Ich werde dir alles geben, was du verlangst. Du bist die Kraft und die Herrlichkeit in Ewigkeit, Amen.*

Dann spürte sie den Arm ihres Mannes um ihre Schultern, und die harte Schale um ihre Persönlichkeit zerbrach in tausend Stücke. Tränen schossen ihr in die Augen, und ein lautes Schluchzen bahnte sich seinen Weg. Sie drängte sich an seine Brust und weinte hemmungslos, während immer wieder schreckenerregende Visionen vor ihrem geistigen Auge aufblitzten.

Edward Carson hielt sie fest und küsste sie auf die Stirn. Auch seine Augen waren tränenerfüllt, auch er spürte die Enttäuschung und die Verzweiflung, die sie erfasst hatten. »Das war Jack. Er hat noch keine Neuigkeiten, aber er sagt, er macht Fortschritte.«

Lyn stieß einen kehligen Laut aus, halb Japsen, halb Stöhnen.

»Alli ist stark, sie wird es überstehen.« Er strich ihr liebevoll über den Rücken. »Jack wird sie finden.«

»Ich weiß, dass er es schafft.«

Lange Zeit standen sie so zusammen, hoch über der Hauptstadt, die jetzt ihnen gehörte, die Welt zu ihren Füßen und ein bitterer Geschmack in ihrem Mund. Und doch schlugen ihre beiden Herzen im gleichen Rhythmus, sie schlugen kräftig, und beide wussten, dass sie eine schwere Zeit durchmachen mussten. Aber es gab Hoffnung. Hoffnung und Zuversicht.

Ein durchdringendes Klopfen an der Tür ließ sie zusammenschrecken.

»Alles wird gut.« Edward Carson küsste seine Frau. »Ruh dich jetzt eine Weile aus bis zum Abendessen.«

Sie nickte und sah zu, wie er die Tür zum Schlafzimmer hinter sich schloss. Ausruhen, dachte sie, wie kann man sich ausruhen, wenn einem das Herz so schwer ist?

Der zukünftige Präsident zog die Tür auf und trat zur Seite, um Dennis Paull, den noch amtierenden Minister für Heimatschutz, hereinzulassen.

»Nina hat Ihre Botschaft weitergegeben«, sagte Carson.

»Die Secret-Service-Agenten sind draußen?«

»Ganz sicher. Darauf können Sie sich verlassen.« Er ging zum Sideboard. »Was zu trinken?«

»Sehr gern.« Paull setzte sich auf das Sofa, von dem aus man den großartigen Ausblick durch das Fenster genießen konnte. »Was ich am Fliegen am liebsten mag, das ist, dass man so weit oben ist, und es nichts anderes gibt außer dem Himmel. Kein Leid, keine Unsicherheit, keine Angst.«

Er nickte dankend, als er das Glas mit dem Malt Whisky entgegennahm. Carson hatte gar nicht erst fragen müssen, welches Getränk Paull bevorzugte. Die beiden Männer kannten sich schon seit vielen Jahren, schon aus der Zeit, bevor der noch amtierende Präsident ins Amt gehoben worden war. Im zweiten Jahr seiner Amtszeit sollte Paull erneut eine der typischen halb legalen Direktiven dieser Regierung ausführen, die er nicht gutheißen konnte, und war damit in ein professionelles Dilemma geraten. Er hätte seinen Rücktritt einreichen können, aber stattdessen wandte er sich hilfesuchend an Edward Carson. Im Nachhinein war Paull klar geworden, dass er seine Entscheidung zu diesem Zeitpunkt schon getroffen hatte. Sein Entschluss war wesentlich schwieriger und gefährlicher, als einfach nur das Handtuch zu werfen. Er hatte sich vorgenommen, im Amt zu bleiben und für das Amerika zu kämpfen, an das er glaubte, und zwar auf jede Art. Der erste Schritt dazu war die Zusammenarbeit mit Edward Carson.

Sie fanden erstaunlich leicht zusammen. Beide hatten die gleiche Vision von Amerika, vor allem wollten sie die Trennung von Religion und Staat wiederherstellen. Obwohl sie in wirtschaftlichen Dingen konservativ dachten, waren sie auf allen anderen Gebieten gemäßigt liberal. Sie verabscheuten kämpferische Rhetorik und politische Intrigen. Sie wollten Dinge bewegen, ohne sich die ganze Zeit Schlammschlachten mit der Opposition liefern zu müssen. Sie wollten die Außenpolitik reformieren, um Amerikas Ansehen in der Welt wiederherzustellen. Sie wollten, dass Amerika sich wieder als Teil dieser Welt empfand und nicht als Großmacht rücksichtslos nur auf den eigenen Vorteil aus war. Beide Männer waren innerlich fest davon überzeugt, dass ihr Land an einem kritischen Punkt angelangt war und dass es jetzt darauf ankam, die Weichen in die richtige Richtung zu stellen. Das Land musste mit sich selbst versöhnt werden. Damit das gelang, mussten die schlimmen Fehler der jetzigen Regierung korrigiert werden. Sonst würde weiterhin ein Klima der Einschüchterung, der Spaltung und der Angst vorherrschen.

Keiner der beiden war ein blauäugiger Idealist. Tatsächlich hatten sie über die Jahre hinweg so manche schwierige Entscheidung fällen und manchen faulen Kompromiss schließen müssen, um ihre Ziele zu erreichen, was manchmal schmerzhaft gewesen war. Aber sie waren grundsätzlich der Meinung, dass ihr Land in die falsche Richtung marschierte und dass dieser Umstand so schnell wie möglich korrigiert werden musste. Und deshalb taten sie sich zusammen. Wann immer es in seiner Macht stand, arbeitete Paull gegen die Abschaffung demokratischer Prinzipien, die von der aktuellen Regierung betrieben wurde. Im Gegenzug – so war es abgemacht – würde Edward Carson ihn nach seiner Amtsübernahme zum Verteidigungsminister ernennen.

Sie saßen schweigend da, was unter normalen Umständen durchaus angenehm hätte sein können. Aber nun stand die schreckliche Tatsache im Raum, dass Alli entführt und möglicherweise umgebracht worden war.

»Wie kommen Sie beide damit zurecht?«, fragte Paull, der Carsons gerötete Augen bemerkt hatte.

»So gut es eben möglich ist.«

»Jack tut alles, was in seiner Macht steht, da bin ich ganz sicher«, sagte Paull. »Außerdem wird er überwacht.«

»Überwacht?« Carson hob den Kopf. »Von wem?«

Paull starrte auf die leicht gekräuselte Oberfläche seines bernsteinfarbenen Drinks. Keine Eiswürfel. Eiswürfel sind für Amateure. »Ich würde es gern mit Sicherheit beantworten können, aber das kann ich nicht.«

»Dann geben Sie mir wenigstens einen Tipp.«

Paull überlegte kurz. »Die Messer sind gezückt. Alles deutete auf den Nationalen Sicherheitsberater.« Er schaute auf. »Das Problem ist nur, dass ich das Gefühl habe, dass er nicht allein dasteht.«

Paull schaute Carson an, der verstand, dass mit dieser Bemerkung nur der amtierende Präsident gemeint sein konnte.

Nach kurzer Bedenkzeit sagte Carson nachdenklich: »Gibt es Beweise dafür?«

Paull schüttelte den Kopf. »Nicht vor dem einundzwanzigsten Januar. Wenn ich genug Zeit habe, werde ich sicher eine Schwachstelle beim Sicherheitsberater ausfindig machen, aber ich glaube nicht, dass ich viel weiter komme.«

Die Verantwortung für bestimmte Handlungen von sich zu weisen, war eine wichtige Taktik eines jeden Präsidenten, mitunter seine wirkungsvollste Verteidigungsstrategie. Carson nickte und nahm einen Schluck von seinem Whisky. »Wir müssen auf jeden Fall eine Person zur Verantwortung ziehen. Das wird unsere erste Aufgabe nach dem einundzwanzigsten Januar sein.«

»Es wird mir ein Vergnügen sein, glauben Sie mir.«

Die Standuhr auf dem Kaminsims schlug. Carson wurde bewusst, dass vor allem die Zeit schwer auf seinen Schultern lastete.

»Schauen Sie mal nach da unten, Dennis. Jetzt ist Feierabendzeit, alle machen sich erleichtert auf den Heimweg. Aber mir könnte an diesem Abend das Schlimmste bevorstehen, was ich mir nur denken kann, der Tod meiner Tochter.«

»Glauben Sie an Gott, Sir?«

Carson nickte. »Ja, das tue ich.«

»Dann wird alles gut werden, nicht wahr?«

Es war schon spät, als Nina Jack an der Kansas Avenue absetzte. Jack stieg in seinen Wagen. Er war müde, bemühte sich aber, wachsam zu bleiben. Er fühlte sich, als hätte man ihn eine Woche lang mit dem Schlagstock bearbeitet. Wann hatte er das letzte Mal geschlafen? Er wusste es nicht. Er erinnerte sich, irgendwann eine Flasche Wasser in einem Zug ausgetrunken zu haben. Und wann hatte er das letzte Mal etwas Vernünftiges gegessen, abgesehen von dem Stück Streuselkuchen? Irgendwann zwischendurch hatte er einen Egg McMuffin verzehrt, aber ob das heute oder gestern Morgen gewesen war, wusste er nicht mehr.

Er merkte, dass er Hunger hatte. In der Hand hielt er die Tüte mit den Zuckerkeksen der All Around Town Bakery, aber er aß sie nicht.

Stattdessen versuchte er, sich einen Überblick über die Umgebung zu verschaffen. Er suchte nach einem zweiten Auto mit Verfolgern. Noch immer hatte er keine Nachricht von Bennett erhalten, wer ihm das erste Auto auf den Hals gehetzt hatte. Ob das nun eine gute oder schlechte Sache war, wagte er nicht zu beurteilen. Außerdem war er längst viel zu müde, um sich derartige Gedanken zu machen.

Schließlich wurde ihm klar, dass er die ganze Zeit hoffte, Emma würde ein weiteres Mal auf diese mystische Art auf dem Rücksitz erscheinen. Er sah in den Rückspiegel und stellte fest, dass er allein war. Er legte die Kekstüte auf den Beifahrersitz. Sollte das ein Opfer sein oder ein Lockangebot?

»Emma«, hörte er sich sagen. »Wirst du jemals zurückkommen?«

Er erschrak vom Klang seiner eigenen Stimme. Er bekam Angst. Was passierte da mit ihm? Drehte er durch? Natürlich hatte er Emma nicht gesehen, natürlich hatte er ihre Stimme nicht gehört. Aber was hatte er dann gesehen und gehört? War das alles nur in seinem Kopf passiert?

Mit einem Mal waren diese Fragen einfach zu groß für ihn. Er spürte, dass er es einfach nicht länger aushalten würde, sie immer wieder hin und her zu wälzen. Er startete den Motor und fuhr los, zu Sharon. Sie wohnte in einem bescheidenen Häuschen in Arlington Heights, das aussah wie viele andere Häuser hier. Er brauchte fünfunddreißig Minuten, um hin zu kommen. Während dieser Zeit hatte er genug Muße, herauszufinden, ob ein Audi oder ein Mercedes den Platz des grauen BMW eingenommen hatte.

Die Lichter im Haus waren an, als er in die Einfahrt fuhr, und er fragte sich, ob das nun ein gutes oder ein schlechtes Zeichen war. Bevor er ausstieg, schaute er noch nach, ob die Kekse noch da waren. Sie standen immer noch auf dem Beifahrersitz an der Rille, wo Sitzfläche und Rückenlehne zusammentreffen. Er war schon halb aus dem Wagen, da feuchtete er seinen Zeigefinger an und nahm damit ein paar Krümel auf, die auf den Keksen klebten. Er ließ sie im Mund zergehen. Er spürte, wie ihm die Tränen in die Augen schossen, und fühlte sich Emma ganz nah.

Er drückte auf die Klingel und spürte, wie sein Herz pochte. Sharon zog die Tür auf, und der Duft von Hühnchen mit Reis drang heraus. Das Wasser lief ihm im Mund zusammen. Sie starrte ihn auf eine rätselhafte Art an. Sie trug einen Rock, der sich eng an ihre Schenkel schmiegte, eine ärmellose Bluse, die ihre hellbraunen Schultern zur Geltung kommen ließ. Neben ihr hätte Nina blass und fahl gewirkt, nicht rank und schlank. Einen Moment lang sagte sie nichts.

»Jack, geht's dir gut?«

»Ja, ich kann mich bloß nicht daran erinnern, wann ich das letzte Mal eine vernünftige Mahlzeit bekommen habe.«

»Du warst doch so lange auf dich allein gestellt. Wieso hast du eigentlich nicht kochen gelernt?«

»Die Tyrannei des Einkaufens hat mir immer den Rest gegeben.«

Sie lächelte ihn zögernd an und trat zur Seite, damit er hereinkommen konnte.

Jack schloss die Tür hinter sich und zog den Mantel aus, den er über die Lehne des Sofas im Wohnzimmer warf. Nachdem sie sich getrennt hatten, war Jack in ein altmodisches Haus mit knarrenden Dielen gezogen. Sharon dagegen bevorzugte moderne Wohnungen. Sie hatte die Wände in ihren Lieblingsfarben frisch gestrichen, neue dicke Teppiche angeschafft und alle Zimmer nicht nur mit anderen Möbeln, sondern auch mit allerlei Dekoration versehen: Duftkerzen, ein Wandteppich, kleine Gefäße mit farbigen Muscheln und gestreiften Kieselsteinen. Zum Glück gab es keine Einhörner, aber anderen Nippes und Souvenirs und Fotos von Emma und von Sharon als Kind in selbst gebastelten Bilderrahmen. Doch das alles konnte den fehlenden Charakter des Hauses nicht aufwiegen. Im Gegensatz zu dem Haus, in dem Jack jetzt lebte, war dies nur ein zweistöckiger Kasten zum Wohnen. Er merkte, dass ihn seine Anwesenheit hier orientierungslos machte. Er würde sich nie daran gewöhnen, dass Sharon hier wohnte, allein, ohne ihn.

Und was war für ihn von Emma übrig geblieben? Ihr iPod fiel ihm ein, der ganz hinten in seinem Spind lag. Eines Abends hatte er ihn mit nach Hause genommen und dann nicht schlafen können. Schließlich muss er aber doch eingenickt sein, denn er schreckte jäh auf, weil er geträumt hatte, wie er gelähmt und stumm dastand und zusah, wie Emmas Auto gegen den Baum raste. Er hörte, wie das Holz splitterte, wie die Scheiben zerbarsten und das Metall zusammengequetscht wurde. Die Wagentür sprang auf, ein lebloser Schatten wurde herausgeschleudert und prallte gegen seine Brust. Dann saß er aufrecht in seinem Bett, schrie und zitterte, und der Angstschweiß rann an ihm herunter. Den Rest der Nacht verbrachte er mit dem bedauernswerten Nick Caraway aus *Der große Gatsby*, jenem Buch, das er so sehr liebte. Er war froh, als endlich das erste Licht des Tages anbrach.

Jack griff nach einem Foto von Emma, aber das Bild kam ihm flach und nichtssagend vor. Es war nur ein schemenhafter Abklatsch von dem Mädchen, das einst lebendig und undurchschaubar vor ihm gestanden hatte. Fotos von anderen Personen gab es nicht, das wusste er.

Sharon hatte keine Vergangenheit, weshalb er nicht wissen konnte, welchen Reiz sie auf ihn ausüben würde. Sie hatte Eltern gehabt, aber sie traf sie nie und sprach auch nicht mit ihnen. Ein Bruder von ihr lebte in Rotterdam, wo er als Anwalt arbeitete. Aus Gründen, die er nie in Erfahrung bringen konnte, hatte Sharon sich von ihrer Familie losgesagt. Als sie sich kennenlernten, erzählte sie ihm, sie habe keine Familie. Nach ihrer Heirat aber fand er Fotos in einem Papierkorb, die aus einer alten Zigarrenkiste gefallen waren. Darauf waren ihre Mutter, ihr Vater und ihr Bruder zu sehen.

»Für mich sind sie tot«, sagte sie, als er sie danach fragte. Sie ließ nie mehr zu, dass er das Thema zur Sprache brachte.

Er hatte sich oft gefragt, ob das etwa bedeutete, dass Sharon niemals träumte? Seine Träume handelten immer von der Vergangenheit, es waren immer die gleichen Szenen mit vorhersehbarem Ausgang, manchmal aber auch nicht. Mitunter gab es bizarre Verzerrungen und Wendungen, an die er sich nach dem Aufwachen erinnerte. Dann lachte er darüber oder rätselte über die Bedeutung des Traums. Es kam ihm so vor, als würde das Leben einen Reichtum bereithalten, der mit den Jahren immer größer wurde und von der Vergangenheit genährt wurde. Er konnte sich nicht vorstellen, dass Schopenhauer recht gehabt hatte, als er schrieb, dass kein ehrlicher Mann am

Ende seines Lebens ernsthaft anstreben kann, alles noch einmal durchzumachen. Aber es erschien ihm denkbar, dass Sharon genau das glaubte und die Ausmerzung ihrer Vergangenheit der Versuch war, ihr Leben noch einmal, aber anders zu leben.

Er legte das Bild weg und wandte sich ab. Dennoch wurde seine Laune nicht besser. Die aufdringliche Gemütlichkeit der Wohnung verursachte ihm Bauchschmerzen. Und was sein Herz betraf: Es war taub geworden in dem Moment, als sie in der Tür erschienen war.

Zu ihrem kurzen Rock trug Sharon rosafarbene Ballett-Slipper mit zierlichen Schleifen und papierdünnen Sohlen. Auf ihnen bewegte sie sich elegant und leise durchs Haus, sogar auf dem gekachelten Küchenboden. Egal wie man sie auch immer betrachtete, ihre Beine waren großartig. Jack versuchte, seinen Blick abzuwenden, aber das war so ähnlich, wie einer Motte beizubringen, sich nicht der Flamme zu nähern.

Sharon zog die Glastür eines Schranks über dem Waschbecken auf, streckte sich und holte zwei Weingläser herunter. Ihre Haltung betonte ihre Figur derart vorteilhaft, dass Jack das Bedürfnis spürte, sich hinzusetzen.

Sie entkorkte eine Flasche mit Rotwein und schenkte ein. »Glücklicherweise habe ich genug für zwei gekocht.«

»Hmhm«, war alles, was er herausbrachte, weil er sich auf die Zunge beißen musste, um keine bittere Bemerkung zu machen.

Sie reichte ihm eins der Gläser. »Also?«

»Was also?«

Sie nahm sich einen Stuhl und setzte sich im rechten Winkel neben ihn. »Diesen Blick kenne ich doch.«

»Welchen Blick?« Wieso fühlte er sich mit einem Mal schuldig?

»Diesen ›Wie wär's mit uns zwei‹-Blick.«

»Ich hab nur deine Beine bewundert.«

Sie stand auf und ging mit dem Weinglas zum Herd. Sie rührte in einem Topf und kontrollierte das Hühnchen im Ofen. »Warum hast du so was nie gesagt, als wir verheiratet waren?« Sie klang eher enttäuscht als zornig.

Jack wartete, bis sie einen Schluck Wein getrunken hatte, dann sagte er: »Als wir verheiratet waren, hat deine Schönheit mich eher gehemmt.«

Sie wirbelte herum. »Wie bitte?«

»Das ist so, wie wenn man einen wahnsinnig gut aussehenden Filmstar trifft …«

Ihr Blick verfinsterte sich. »Wo bist du denn neuerdings zu Hause? In Beverly Hills?«

»Ich spreche doch nur von einer Fantasiegestalt. Jetzt erzähl mir bloß nicht, dass du nicht solche Fantasien hast …«

»Über Clive Owen, falls du es genau wissen möchtest.« Sie holte das Hühnchen aus dem Ofen und stellte es beiseite, damit der Fleischsaft zur Ruhe kam. »Und weiter?«

»Okay, nehmen wir mal an, ich bin allein mit … Scarlett Johansson.«

Sie rollte mit den Augen. »Träum weiter, Kleiner.«

»Ich bin allein mit ihr in Gedanken«, beharrte Jack. »Aber wenn ich dann versuche, sie zu – du weißt schon –, passiert nichts.«

Sie füllte den Reis in eine Servierschüssel. »Das klingt aber gar nicht nach dir.«

»Stimmt. Nicht, wenn ich mit dir zusammen bin. Aber

wenn ich an Scarlett Johansson denke – wenn ich ernsthaft an sie denke –, dann ist es einfach zu viel für mich. Ich frage mich dann, warum eine Göttin wie sie sich mit mir abgeben sollte. Und dann löst sich die ganze Fantasie in Nichts auf.«

Sie starrte eine Weile in den dampfenden Reis, ihre Wangen röteten sich. Nach einer Weile schien sie ihre Stimme wiedergefunden zu haben. »Willst du damit sagen, dass du mich für so schön hältst wie Scarlett Johansson?«

Wenn er jetzt Ja sagte, was würde sie dann tun? Er wusste es nicht, also sagte er nichts, auch dann nicht, als sie ihn direkt ansah. Stattdessen stand er unbeholfen auf und half ihr das Essen zum Tisch zu tragen.

Sie setzten sich wieder. Wortlos reichte sie ihm das Tranchier-Besteck. Er nahm es wortlos entgegen und begann die Brust vom Knochen zu lösen, so wie er es immer getan hatte. Sharon legte dann das Fleisch auf die Teller, zusammen mit einigen Löffeln Reis und Brokkoli, den sie mit Olivenöl und Knoblauch zubereitet hatte. Sie aßen schweigend, und jeder schien tiefer in seinen eigenen Gedanken zu versinken.

Schließlich sagte Sharon. »Geht's dir jetzt besser?«

Jack nickte. »Ja, vielen Dank.«

»Ich dachte …« Sie legte die Gabel beiseite. Sie hatte kaum etwas angerührt. »Ich dachte, dass du dich nach unserem Zusammentreffen im Krankenhaus vielleicht melden würdest.«

»Das wollte ich«, sagte Jack, und war sich gar nicht sicher, ob er damit die Wahrheit sagte. »Ich wollte dir nämlich was erzählen.«

Sharon setzte sich bequem hin. »Also gut.«

»Es ist wegen Emma.«

Sie prallte zurück. »Ich will nichts …«

»Lass mich doch erst mal …« Er hob beschwörend beide Hände. »Bitte, Sharon, lass mich einfach sagen, was ich sagen möchte.«

»Zum Thema Emma habe ich schon alles von dir gehört.«

»Nein, das noch nicht.« Er holte tief Luft und atmete wieder aus. Er wollte es ihr erzählen und dann doch wieder nicht. Aber diese Gelegenheit schien so gut wie jede andere zu sein – vielleicht sogar besser als irgendwann in letzter Zeit. »Es ist nämlich so …« Seine Stimme versagte. Er räusperte sich. »… ich hab Emma gesehen.«

»Was?«

»Ich habe sie in der letzten Woche mehrmals gesehen.« Jack sprach hastig weiter, weil er Angst hatte, er könnte die Nerven verlieren. »Das letzte Mal saß sie auf dem Rücksitz in meinem Auto. Und sie sagte ›Dad‹ zu mir.«

Sharons Gesichtsausdruck zeigte ihm, dass er einen schrecklichen Fehler begangen hatte.

»Bist du wahnsinnig!«, schrie sie ihn an.

»Ich hab sie gesehen und gehört …«

Sie sprang auf. »Unsere Tochter ist tot, Jack! Sie ist tot!«

»Ich sage ja nicht …«

»Oh, nein, das ist wirklich das Allerletzte«, rief sie aus. »Auf diese Weise versuchst du also, dich aus deiner Verantwortung für ihren Tod zu stehlen.«

»Es geht doch nicht um Verantwortung, Sharon. Es geht darum, etwas zu verstehen …«

»Ich wusste schon, dass du verzweifelt versuchst, dich

von deiner Schuld reinzuwaschen.« Sie gestikulierte so heftig, dass sie ihr Weinglas umstieß. »Aber ich wusste nicht, wie verzweifelt.«

Jack stand auf. »Sharon, bitte, beruhige dich doch. Du hörst mir ja gar nicht zu.«

»Mach, dass du hier rauskommst, Jack!«

»Bitte tu das nicht.«

»Ich sagte, verschwinde!«

Sie sprang auf ihn zu, und er trat den Rückzug an, durch das Wohnzimmer mit all dem bunten Nippes, vorbei an den Postkarten, die Emma ihnen aus der Schule geschickt hatte, und den Fotos, auf denen sie als Kind zu sehen war. Er griff nach seinem Mantel.

»Sharon, du missverstehst das alles.«

Das war nun allerdings das Allerschlimmste, was er zu ihr sagen konnte. Sie stürzte sich mit erhobenen Fäusten auf ihn und trieb ihn rückwärts durch die Eingangstür. Er stolperte hinaus, und sie warf die Tür ins Schloss. Dann gingen alle Lichter im Erdgeschoss aus, und er wusste, dass sie jetzt dasaß zusammengekrümmt, die Fäuste auf die Oberschenkel gepresst, haltlos schluchzend.

Er taumelte eine Stufe hinauf, hob die Faust, um gegen die Tür zu klopfen, aber dann legte er nur hilflos die geöffnete Hand gegen die Tür, als wollte er auf diese Weise versuchen, ihre Anwesenheit zu spüren. Dann drehte er sich um, stolperte die Stufen hinunter und stieg in seinen Wagen.

NEUNUNDZWANZIG

Jack dachte eigentlich, dass er nach Hause fahren würde, aber stattdessen stellte er fest, dass er in die Einfahrt von Egon Schiltz einbog und direkt hinter Candy Schiltz' Audi A4 Avant anhielt. Er stieg aus, ging zur Haustür und drückte auf die Klingel. Wenn Sharon nicht mit ihm über Emma sprechen wollte, würde es ja vielleicht Egon tun. Jack schaute auf die Uhr. Es war spät genug, eigentlich müsste er jetzt zu Hause sein.

Schiltz wohnte seit Jahrzehnten in Falls Church im Stadtteil Olde Sleepy Hollow in einem hübschen zweistöckigen Haus im Kolonialstil, für das er einmal rund hunderttausend Dollar bezahlt hatte. Das war damals nicht gerade wenig gewesen, aber heute dürfte es sicher fünfzehn Mal so viel wert sein.

Molly öffnete die Tür und schrie auf vor Begeisterung, als er sie hochhob und herumwirbelte.

»Molly Maria Schiltz, was geht da vor sich?«

Candy eilte in den Flur, aber als sie Jack erkannte, wandelte sich ihr beunruhigter Gesichtsausdruck, und sie lächelte breit.

»Jack McClure, das ist aber wirklich lange her!«, sagte sie hocherfreut.

Er küsste sie auf die Wange. Taffy, der Irish Setter, kam angerannt, mit heraushängender Zunge und wedelndem Schwanz.

»Wir sind gerade mit dem Abendessen fertig«, sagte Candy. »Aber es ist noch jede Menge übrig.«

»Ich habe gerade gegessen, vielen Dank.«

Candy führte ihn ins Wohnzimmer, und Molly ging nach oben, um ihre Hausaufgaben zu erledigen.

»Ich hätte noch Kirschkuchen«, sagte Candy augenzwinkernd. »Den magst du doch am liebsten, wenn ich mich richtig erinnere.«

Jack lachte auf, obwohl er schlecht gelaunt war. »Da erinnerst du dich ganz richtig.«

Da er nicht wusste, wie er sich herausreden konnte, ließ er es zu, dass sie in die Küche ging und herumhantierte. Taffy trottete fröhlich hinterdrein. Candy war eine klassische Schönheit mit aschblonden Haaren. In ihrer Jugend war sie wirklich umwerfend schön gewesen. Inzwischen, in mittlerem Alter, sah sie noch immer gut aus und strahlte eine heitere Gelassenheit aus. Sie schnitt ein Stück vom Kuchen ab, der genauso üppig war wie ihre Figur, holte eine Schale mit Schlagsahne aus dem Kühlschrank und gab einen großzügigen Klacks darauf.

»Milch oder Kaffee?«, fragte sie, als sie den Teller mit einer Gabel in die Durchreiche stellte. Taffy spazierte aus der Küche, setzte sich auf ihre Hinterbeine und schaute aus klugen Augen zu Jack hoch.

»Gern einen Kaffee«, sagte Jack und rieb mit den Fingerknochen über die Stirn des Hundes. Taffy knurrte wohlig. Jack griff nach der Gabel. »Wie viele Personen sollen von dieser Portion denn satt werden?«

Candy goss den Kaffee in einen Becher, den sie in einem Töpferkurs selbst gemacht hatte, und kicherte. »Ich weiß auch nicht wieso, aber für mich bist du immer noch ein Junge, der wachsen soll.« Sie kam mit dem Becher an seinen Platz. Sie wusste noch, dass er seinen Kaffee am liebsten schwarz trank. »Außerdem finde ich, dass du ziemlich mager aussiehst.« Sie legte eine Hand auf seine. »Du kommst doch zurecht?«

Jack nickte. »Alles bestens.«

Candy schaute ihn ungläubig an. »Du solltest öfter mal zu uns kommen. Egon würde sich freuen.« Sie deutete mit dem Kopf nach oben. »Und Molly auch.«

»Molly ist schon groß, sie hat ihre eigenen Freunde.«

Candy verzog amüsiert das Gesicht. »Glaubst du, sie wird ihren Onkel Jack jemals links liegen lassen? Du solltest dich schämen. So läuft das nicht hier in unserer Familie.«

Das versetzte Jack einen Stich. So hätte sein Familienleben auch sein können – wenn nicht so schrecklich viel schiefgelaufen wäre. »Der Kuchen ist ganz köstlich«, sagte er und schnalzte mit der Zunge. »Ist Egon oben? Ich würde gern mal kurz mit ihm sprechen.«

»Er ist leider nicht da«, sagte sie. »Er hat angerufen, dass er heute länger im Institut bleiben muss, wegen irgendeiner eiligen Regierungsangelegenheit. Aber du kannst ja rüberfahren. Er freut sich bestimmt, wenn er Gesellschaft hat. Und du weißt ja, dass er gut zuhören kann.« Sie strich sich das Kleid glatt. »Ach, ich wünschte, du würdest dich wieder mit Sharon zusammenraufen.«

Jack starrte auf die Reste des Kuchens. »Na ja, du weißt ja, wie es ist.«

»Nein, weiß ich nicht«, sagte Candy beinahe streng. »Ihr liebt euch doch. Das hat sogar ein so unromantischer Typ wie mein Egon mitbekommen.«

Jack seufzte. »Ich weiß nicht, was das mit Liebe zu tun haben soll, wenn Sharon mich total ablehnt. Das wird sich auch sehr wahrscheinlich nicht mehr ändern.«

»Das ist doch alles nur fatalistisches Gerede, mein Lieber.« Candy räumte den Kuchen weg und wusch die leere Sahneschale aus. »Alles kann sich ändern. Und eine Ehe ist sehr wohl zu retten, wenn beide Partner es wollen.« Sie trocknete sich die Hände mit einem grün-weiß gestreiften Handtuch ab. »Ihr müsst einfach daran arbeiten.«

Jack schaute auf. »Arbeitet ihr auch daran, du und Egon?«

»Natürlich tun wir das.« Candy lehnte sich gegen die Durchreiche. »Wir haben auch unsere Hochs und Tiefs, wie alle anderen, würde ich mal sagen. Aber das Wichtigste ist, dass wir beide das Gleiche wollen – zusammenbleiben.« Sie schaute ihn wissend an. »Und das ist doch auch das, was ihr wollt, oder?«

Jack nickte stumm.

Candy räumte den Teller ab und scheuchte ihn aus dem Wohnzimmer. Taffy bellte, weil ihr das gar nicht gefiel. »Geh jetzt«, sagte Candy und gab ihm einen herzlichen Kuss. »Besuch meinen Gatten. Das wird dich hoffentlich auf andere Gedanken bringen.«

»Danke, Candy.«

Sie blieb auf der Türschwelle stehen. »Du könntest dich bei mir bedanken, indem du öfter mal bei uns vorbeischaust.«

In der Leichenhalle herrscht Totenstille, dachte Jack, als er das Gerichtsmedizinische Institut erreichte. Früher hätte dieser kleine Scherz ihn zum Lachen gebracht, aber nicht an diesem Abend. Er lief die verlassenen Korridore entlang, in denen man außer seinen Schritten nur das Rauschen der Klimaanlage hören konnte. Auf dem Schreibtisch im Büro von Schiltz stand ein halb voller Kaffeebecher, aber von ihm selbst war nichts zu sehen. Den Becher mit der Aufschrift »Weltbester Daddy« hatte Molly ihm vor einem Jahr geschenkt. Jack tauchte einen Finger in den Kaffee. Er war immer noch warm. Sein Freund musste also irgendwo in der Nähe sein.

Im Autopsieraum war es genauso ruhig. Die stählerne und chromglänzende Einrichtung ließ alles aussehen wie Dr. Frankensteins Labor. Nur die elektrischen Blitze fehlten noch. Im Kühlraum war es dunkel. Jack blieb in der Tür stehen und wartete, dass seine Augen sich an die Dunkelheit gewöhnten. Er erinnerte sich, wie er einmal mit Emma hierhergekommen war. Sie sollte ein Referat über forensische Medizin machen. Er war auch vorher schon öfter hier gewesen, aber er fand es sehr erhellend, diese Umgebung einmal aus ihrer jugendlichen Perspektive zu betrachten. Egon hatte sie in Empfang genommen, herumgeführt und Emmas zahllose Fragen beantwortet. Aber als sie sagte: »Warum erlaubt Gott, dass Menschen umgebracht werden?«, hatte Egon den Kopf geschüttelt und gesagt: »Wenn ich das wüsste, Mädchen, dann wüsste ich alles.«

Jack bemerkte eine Bahre, die aus dem Kühlschrank herausgezogen war. Das war zweifellos das Objekt, an dem Egon noch zu so später Stunde dringend arbeiten musste. Jack ging darauf zu und wollte schon den Namen seines Freundes rufen, als er von irgendwoher Stimmen hörte. Es klang, als wären einige Leichen wieder lebendig geworden und würden miteinander tuscheln. Da endlich sah er Egon.

Er lag auf der Bahre mit dem Gesicht nach unten auf Ami, seiner Assistentin. Er war nackt und sie ebenfalls. Ihr rhythmisches Auf und Ab machte wirklich einen sehr dringlichen Eindruck, dachte Jack sarkastisch.

Gleichzeitig fühlte er sich benommen, und einen Moment lang war er wie gelähmt. Er versuchte, sich darüber klar zu werden, was er da sah, aber es war ein zu großer Brocken, um ihn einfach herunterzuschlucken. Das konnte nicht sein.

Er schlich rückwärts aus dem Raum, drehte sich um und ging zurück in Egons Büro. Er ließ sich auf den Stuhl hinter dem Schreibtisch fallen und starrte die Kaffeetasse an. Na ja, das würde ihn jetzt bestimmt nicht aufmuntern. Er durchsuchte alle Schubladen, bis er Egons Bourbon fand, und kippte drei Fingerbreit davon in den Kaffee. Er hob den Becher und trank ihn in einem einzigen Zug aus. Dann lehnte er sich zurück.

Bei einem Mann wie Egon Schiltz – Familienvater, Kirchgänger und gottesfürchtiger christlicher Fundamentalist – war es eigentlich undenkbar, dass er eine Affäre hatte. *Was würde Gott dazu sagen, um Gottes willen?* Noch so ein Scherz, der Jack heute nicht einmal ansatzweise zum Lachen brachte.

Er fühlte sich müde und ausgebrannt, ins Abseits gedrängt, verloren.

Kurz überlegte er, ob er einfach wieder weggehen sollte, bevor Egon ins Büro zurückkam und erfuhr, dass seine »dringende Arbeit« nun ein offenes Geheimnis war. Aber er schaffte es nicht aufzustehen. Stattdessen trank er noch einen Schluck Bourbon, aber das hatte nur den Effekt, dass er noch weniger Energie übrig hatte, sich aus dem Stuhl zu stemmen.

Und dann war es auch schon zu spät. Er hörte die bekannten Schritte den Korridor entlangkommen, und Egon erschien in der Tür. Er hielt abrupt an, als er Jack bemerkte, und fuhr sich unwillkürlich durch das zerzauste Haar.

»Jack! Das ist ja eine Überraschung!«

Das glaube ich dir gern, dachte Jack grimmig. »Rate mal, wo ich gerade herkomme, Egon.«

Schiltz breitete ratlos die Arme aus und schüttelte den Kopf.

»Ich gebe dir einen Tipp«, sagte Jack. »Ich habe gerade den besten Kirschkuchen auf Gottes Erden serviert bekommen.« Ging da ein Zucken über Schiltz' Gesicht? »Und wo wir gerade von Gott sprechen …«

»Du weißt es also.«

»Ich hab's gesehen.«

Schiltz vergrub sein Gesicht in den Händen.

»Wie lange geht das schon so?«

»Sechs Monate.«

Jack stand auf. »Wie kann man bloß … Was zum Teufel ist denn los mit dir?«

»Ich … bin in Versuchung geraten.«

»Versuchung?« wiederholte Jack empört. »Steht denn in der Bibel nicht an vielen Stellen, was mit den Leuten passiert, die der Versuchung nachgeben? Verlangt die Bibel nicht von dir, dass du dich anständig verhalten und der Versuchung widerstehen sollst?«

»Aber … diese Leute müssen auch nicht Tag für Tag mit so jemandem wie Ami zusammenarbeiten.«

»Was ist das denn für eine eigenartige Rechtfertigung? Mir scheint du bist nichts weiter als ein übler Heuchler.«

Schiltz fing heftig zu zittern an. »Ich bin doch kein Heuchler, Jack! Du kennst mich doch.« Er ließ sich auf einen Besucherstuhl fallen. »Ich bin eben ein Mann und habe männliche Schwächen.« Er schaute auf, und einen Moment lang schien ein ganz spezielles Feuer in seinen Augen zu lodern. »Ich mache Fehler, wie alle anderen auch. Aber das ändert nichts daran, dass ich an Gott und seine Gebote glaube.«

Jack breitete die Arme aus. »Und wie erklärst du ihm das hier?«

»Das kann ich nicht.« Schiltz schaute zu Boden.

Jack schüttelte den Kopf. »Wenn du Candy betrügen willst, dann mach nur weiter, ich bin bestimmt der Letzte, der dich davon abhält. Allerdings weiß ich aus eigener Erfahrung, wie schlimm sich eine solche Affäre auf eine Ehe auswirken kann, wie sie die Liebe zwischen Menschen vergiften kann, und zwar so sehr, dass es irgendwann keinen Weg mehr zurück gibt.«

Schiltz starrte ihn unglücklich an. »Sag doch so etwas nicht«, sagte er leise.

»Noch so eine Wahrheit, die du nicht hören willst.« Jack ging um den Schreibtisch herum. »Wenn du unbedingt deine Ehe zerstören willst, kann ich dich wohl kaum davon abhalten. Deshalb bin ich auch nicht sauer auf dich. Ich bin sauer, weil du jeden Sonntag mit deiner Familie in die Kirche gehst, gläubig und rechtschaffen, wo du die sogenannten sexuell Degenerierten denunzierst und die unmoralischen Politiker, vor allem die Demokraten, deren Affären ans Tageslicht gekommen sind.

Von deiner hohen Warte aus fällt es dir leicht, die Sünder abzustrafen. Aber ich frage mich, wie du das wohl in Zukunft machen willst. Du bist kein Auserwählter Gottes, Egon. Wenn man dich an deinen Taten misst, dann bist du nichts weiter als einer von uns Sündern.«

Egon seufzte. »Du hast ja recht. Ich verdiene es, dass du mir ein solches vernichtendes Urteil entgegenschleuderst. Aber, mein Gott, ich liebe Candy, das darfst du nicht vergessen. Ich würde mir lieber einen Arm abhacken, als ihr wehzutun.«

»Mir geht es genauso, also mach dir keine Sorgen. Ich werde ihr nichts erzählen.«

»Danke, Jack, ich weiß das sehr zu schätzen.«

Sie schwiegen peinlich berührt.

»Bist du denn niemals in Versuchung geraten, Jack?«

»Das spielt doch keine Rolle. Hier geht es um dich, Egon. Genau genommen um dich und Candy. Du kannst nicht beide haben, Ami und sie, und zwar deshalb, weil du dann nie mehr erhobenen Hauptes in die Kirche gehen kannst. Ich glaube nicht, dass Gott dir diese Sünde vergeben würde.«

»Es ist ein Fehltritt, ich habe mich selbst erniedrigt«, gab Schiltz zu.

Vom Korridor her war ein Rascheln zu hören, und kurz darauf erschien Ami in der Tür mit einem Klemmbrett in der einen und einem Stift in der anderen Hand. Sie blieb stocksteif stehen, als sie Jack bemerkte. »Oh, ich wusste gar nicht, dass Sie da sind, Mr. McClure.«

»Sie hatten wohl gerade woanders zu tun«, sagte Jack, und sie zuckte kaum merklich zusammen.

Sie wollte ihrem Chef das Klemmbrett mit den Notizen

überreichen und bemerkte jetzt sein starres Gesicht. »Ist alles in Ordnung, Dr. Schiltz?«

»Egon«, korrigierte Jack. »Sie können ihn ruhig Egon nennen.«

Ami schaute Jack an, dann Schiltz und rannte aus dem Zimmer.

»Mach weiter, Jack. Gönn dir ein paar Scherze auf meine Kosten.« Schiltz blickte reumütig drein. »Gott wird mir vergeben.«

»Ist das derselbe Gott, der sich auch um Candy kümmern sollte, und um Emma?«

»Ich erinnere mich noch an Zeiten, als alles anders war, einfacher«, sagte Schiltz.

»Jetzt klingst du wie ein alter Mann«, stellte Jack fest.

»Heute Abend fühle ich mich auch alt.« Schiltz nippte an seinem Bourbon und verzog das Gesicht. Das Zeug, das sie hier servierten, war nicht im Entferntesten so gut wie der Whisky in seinem Büro.

Sie saßen in einer Nachtbar an der Braddock Avenue, nicht weit von seinem Arbeitsplatz entfernt. Das Lokal gehörte zu einem Motel. Auch wenn die Einrichtung nicht ganz so schäbig war wie die des Motels, waren die Gäste doch wesentlich zweifelhafter. Unter der niedrigen Decke hingen künstliche Balken, Glühbirnen unter grünen Lampenschirmen leuchteten matt, der Linoleumboden war extrem abgenutzt, und die Jukebox mit Musik von Muddy Waters und B. B. King zog Randexistenzen an, die um Mitternacht nicht mehr wussten, wohin sie sonst gehen sollten oder zu wem.

»Dann denk doch an deine Tochter.«

Schiltz schüttelte den Kopf. »Ich kann nicht an Molly denken, ohne dass mir Emma in den Sinn kommt.«

»Tatsächlich bin ich wegen Emma zu dir gekommen«, sagte Jack.

Schiltz' Gesicht hellte sich ein wenig auf.

»Es ist etwas ... na ja, etwas, das ich nicht erklären kann.«

Schiltz lehnte sich nach vorn. »Erzähl.«

Jack holte tief Luft. »Ich hab sie gesehen.«

»Wie meinst du das?«

»Sie saß auf dem Rücksitz meines Wagens und hat mit mir gesprochen.«

»Jack ...«

»Sie sagte ›Dad‹ zu mir. Es klang so deutlich wie deine Stimme jetzt.«

»Hör mal, Jack, ich habe schon von solchen Erscheinungen gehört. Tatsächlich sind sie nicht ungewöhnlich. Du glaubst, Emma zu sehen, weil du deine Schuldgefühle nicht ertragen kannst. Du hältst dich für mitschuldig an dieser Tragödie und glaubst, es wäre nicht geschehen, wenn du ihr mehr Aufmerksamkeit geschenkt hättest.« Schiltz hob eine Hand. »Aber darüber haben wir doch schon so oft gesprochen. Es tut mir wirklich leid für dich, dass du noch immer nicht darüber hinweggekommen bist.«

»Du glaubst mir also auch nicht.«

»Das habe ich nicht gesagt. Ich bin fest davon überzeugt, dass du Emma gesehen hast und dass sie mit dir gesprochen hat, aber das alles ist nur in deinem Kopf passiert.« Schiltz holte tief Luft. »Wir sterben, und wir kommen in den Himmel. Oder in die Hölle. Es gibt keine Gespenster oder umherwandernden Geister.«

»Woher willst du das wissen?«

»Ich kenne die Bibel, Jack, das Wort Gottes. Spiritualismus ist etwas für Scharlatane. Sie nutzen die Schuldgefühle von Menschen aus und deren verzweifeltes Bedürfnis, Kontakt mit denen Aufnehmen zu wollen, die sie für immer verloren haben.«

»Es gibt nicht nur Leben und Tod, Egon. Es gibt auch noch etwas anderes, das wir nicht sehen oder spüren können, etwas Unbekanntes.«

»Ja, das stimmt. Und dieses Unbekannte ist Gott.«

Jack schüttelte den Kopf. »Das ist jenseits von Gott oder der Bibel oder Gottes Gesetzen.«

»Das kannst du doch nicht im Ernst glauben.«

»Wieso kannst du nicht akzeptieren, dass es noch etwas Unbekanntes gibt, das nichts mit Gott zu tun hat?«

»Weil alles mit Gott zu tun hat, Jack. Du, ich, die Welt, das Universum.«

»Nur Emmas Erscheinung passt offenbar nicht in dieses Universum.«

»Doch, das tut sie.« Schiltz leerte sein Glas. »Wie ich schon sagte, sie ist ein Produkt deines unerträglichen Leidens.«

»Und was, wenn du unrecht hast?«

Schiltz schaute ihn nachsichtig lächelnd an. »Hab ich nicht.«

»Siehst du, genau das ist es, was mich an euch religiösen Menschen so stört. Ich seid so unglaublich überzeugt von Dingen, die ihr überhaupt nicht beweisen könnt.«

»Das ist Glaube, Jack.« Schiltz bestellte noch eine Runde Whisky. »Es gibt kein machtvolleres Gebäude in der Welt als den Glaubens.«

Jack wartete, bis der Bourbon serviert wurde und die leeren Gläser verschwunden waren.

»Es ist natürlich sehr tröstlich, zu glauben, dass alles einem großen Plan folgt.«

Schiltz nickte. »Das ist es in der Tat.«

»Wenn also etwas Schlimmes geschieht – zum Beispiel wenn deine neunzehnjährige Tochter mit ihrem Auto gegen einen Baum rast und stirbt –, dann musst du dir keine großen Gedanken machen. Du sagst dir einfach, das ist Teil des großen Plans. Ich weiß zwar nicht, was das für ein Plan sein soll, und ich werde es auch nie erfahren, aber egal, es geht schon in Ordnung. Der Tod meiner Tochter hatte seinen Sinn, denn er war Teil des Plans.«

Schiltz räusperte sich. »Das klingt zwar etwas abfällig, so wie du es gesagt hast, aber es ist im Prinzip richtig.«

Jack schob den schlechten Bourbon beiseite. »Jetzt beantworte mir mal eine Frage, Egon. Welcher auch nur halbwegs zurechnungsfähige Mensch will einen solchen beschissenen Plan haben?«

Schiltz schnalzte mit der Zunge. »Jetzt klingst du wie einer von diesen militanten Säkularisten.«

»Ich bin sehr enttäuscht, dass du so etwas sagst, auch wenn es mich nicht wundert.« Jack machte mit dem beschlagenen Glas ein Muster aus feuchten Ringen auf der Tischplatte. »Weil ich nämlich ganz bestimmt kein militanter Säkularist bin.«

»Okay. Dann ist es eben so, dass du seit dem Tod von Emma von Gott abgeschnitten bist.«

»Oh, von dem bin ich schon sehr viel länger abgeschnitten«, sagte Jack. »Und inzwischen glaube ich, dass es noch eine Alternative gibt, einen dritten Weg.«

»Entweder glaubst du an Gott oder nicht«, sagte Schiltz. »Es gibt keinen Weg dazwischen.«

Jack sah seinen Freund an. Viele Jahre lang hatten sie dieses Thema nur am Rande berührt, weil sie ihre Freundschaft nicht gefährden wollten. Aber heute Abend war es an der Zeit, die selbst gesetzte Grenze zu überschreiten, auch wenn dann kein Weg mehr zurückführte. »Man darf also nicht darüber diskutieren oder sich von den in Stein gemeißelten Glaubenssätzen entfernen?«

»Die Zehn Gebote wurden tatsächlich in Stein gemeißelt«, stellte Schiltz fest. »Und das hatte gute Gründe.«

»Hat Moses sie nicht zerschlagen?«

»Hör auf, Jack.« Schiltz verlangte nach der Rechnung. »Das führt uns doch nirgendwohin.«

Genau das war ja das Problem, dachte Jack. »Und was passiert jetzt?«

»Ehrlich gesagt, weiß ich das auch nicht.«

Schiltz starrte zur Tanzfläche, wo ein paar alleinstehende Frauen, die es aufgegeben hatten, nach männlichen Partnern zu suchen, jetzt miteinander tanzten. Dazu ertönte »Don't Be Cruel« von Elvis Presley. Dann richtete er seinen Blick wieder auf Jack. »In Wahrheit habe ich Angst, nach Hause zu gehen. Ich fürchte mich davor, dass Candy es herausfinden könnte, vor der Schande, wenn meine Kirche davon erfährt. Ich weiß, dass einige meiner Freunde nie mehr mit mir sprechen werden, wenn sie es wissen.«

Jack überlegte eine Weile. Er war überrascht, dass seine Wut auf Schiltz sich gelegt hatte, nachdem sie einige Gläser Whisky zusammen geleert hatten. In Wirklichkeit tat er ihm leid.

»Ich wünschte, ich könnte dir helfen«, sagte er.

Schiltz wehrte ab. »Meine Sünden sind meine eigene Bürde.«

»Ich kann dir aber noch einen anderen Gedanken mit auf den Weg geben, Egon. Das, was heute Abend passiert ist, war ein Test, ob dein eiserner Glaube wirklich funktioniert. Du hast dich ganz bestimmten religiösen und sittlichen Werten verschrieben, von denen du nicht abweichen sollst und die du nicht in Frage stellen darfst. Aber so einfach ist das jetzt nicht mehr. Es war doch nicht Gott, der dir befohlen hat, eine Affäre mit Ami anzufangen, und es war auch nicht der Teufel. Du warst es selbst. Du hast dich ganz bewusst entschieden, und damit hast du eine Grenze überschritten und verbotenes Gelände betreten.«

Schiltz schüttelte müde den Kopf. »Wird Candy mir vergeben? Wenn ich das nur wüsste.«

»Als ich heute am frühen Abend bei ihr war, hat sie mir sehr klar und deutlich beschrieben, wie stark die Liebe zwischen euch ist. Du hast schon jede Menge schwieriger Probleme bewältigt, Egon.«

»Aber das hier ist viel schwieriger.«

»Candy hat ein großes Herz.«

Schiltz warf Jack durch den schummrigen Dunst der Kneipe einen forschenden Blick zu: »Hast du Sharon verziehen?«

»Ja«, sagte Jack. »Hab ich.« Und im gleichen Moment wurde ihm klar, dass es tatsächlich stimmte. Jetzt verstand er auch, warum ihr Gefühlsausbruch ihn so sehr verletzt hatte. »Also, was ist nun mit dir, Egon?«, fuhr er fort. »Du siehst, ich kann dir verzeihen, was du getan hast. Ich weiß um das Spiel, das du spielst, und um die Lügen, die du dir zurechtgelegt hast. Und dennoch mag ich den Mann, der dahintersteht. Ich mag dich, obwohl du Candy und Molly hintergangen hast – und mich auch. Du bist mein Freund, Egon. Das ist das Wichtigste im Leben. Freunde versagen, sie machen Fehler, aber man vergibt ihnen. Was den religiösen Aspekt betrifft, glaube ich nicht, dass der hier eine große Rolle spielt. Es kommt darauf an, wie du als Mensch handelst, davon hängt ab, ob du den Rest deines Lebens mit einer Lüge verbringen willst oder ob du etwas änderst. Ob du Candy von deinem Fehltritt erzählst oder nicht, hängt ganz von dir allein ab.«

Die Everly Brothers sangen »All I Have To Do Is Dream«. Die beiden Frauen auf der Tanzfläche lagen sich in den Armen, als wären sie eingeschlafen.

»Dies ist deine Chance, dich selbst besser zu verstehen, Egon, dein wahres Ich, das sich seit vielen Jahren hinter der Bibel versteckt. Ich habe dieses Ich kurz aufscheinen sehen, draußen im Wald oder beim Angeln mit deiner Tochter, wenn ihr zusammen in die Sterne geguckt habt oder du ihr Gespenstergeschichten erzählt hast.«

Schiltz trank den restlichen Bourbon aus und starrte auf den Tisch mit den leeren Gläsern, feuchten Ringen und zerknüllten Servietten. »Ich glaube, ich habe dich nie richtig verstanden, bis heute Abend.«

Er wandte sich ab. Jack bemerkte das Aufschimmern einer Träne in seinem Augenwinkel. »Ich weiß nicht …«, sagte Schiltz heiser und musste sich räuspern, bevor er fortfahren konnte: »Ich weiß nicht, ob ich genug Kraft habe, mein wahres Ich kennenzulernen, Jack.«

»Das weiß ich auch nicht, Egon.« Jack legte ein paar Münzen auf den Tisch. »Aber ich gehe jede Wette ein, dass du es versuchen wirst.«

DREISSIG

Die Spanische Treppe an der Twenty-Second Street zwischen Decatur Place und S Street gehörte zu dem hübschen Ensemble rund um den baumbestandenen Dupont Circle in Washingtons Nordwesten. Offiziell hießen sie Decatur Terrace Steps, aber niemand, schon gar nicht die Bewohner dieser Gegend, nannten sie so. Sie bevorzugten die romantischere Bezeichnung in Anspielung auf die echte Spanische Treppe in Rom. In jedem Fall handelte es sich um eine hübsche Treppe aus Beton und Stein, die zu beiden Seiten von reich verzierten Laternen gesäumt und oben von einem Löwenbrunnen gekrönt wurde. Tagsüber rannten Kinder um das steinerne Tier, aus dessen Maul eine Wasserfontäne sprühte. Nachts hatte der Ort einen geradezu europäischen Charme und war ein bevorzugter Treffpunkt für Liebespaare.

Calla wartete auf der obersten Stufe auf Ronnie Kray. Sie war einige Minuten vor Mitternacht angekommen, um den nächtlichen Glanz des illuminierten Platzes genießen zu können. Eine der Laternen auf der rechten Seite war erloschen und der dadurch entstandene Schattenbereich auf der Treppe wirkte besonders malerisch. Paare spazierten Arm in Arm vorbei, küssten sich schüchtern, rannten lachend zur anderen Straßenseite oder warteten an Straßenecken auf ein Taxi.

Obwohl sie hingebungsvoll für die Neuen Amerika-

nischen Säkularisten arbeitete und die rationale Lebens-
einstellung ihrer Kollegen teilte, war Calla in Wirklichkeit eine echte Romantikerin. Vielleicht fühlte sie sich
deshalb zu Ronnie hingezogen. Obwohl sie wusste, dass
er bereits Mitte fünfzig war, fand sie, dass er mindestens
zehn Jahre jünger aussah. Vielleicht lag es daran, dass
auch er einen Hang zum Romantischen hatte, mit dem
sie sich identifizieren konnte. Abgesehen davon behan-
delte er sie wie eine Dame, nicht wie ein Mädchen, wie
das viele ihrer Kollegen taten, vor allem Chris und Peter.
Sie nahmen ihre Anregungen nie ernst, und das gefiel ihr
überhaupt nicht. Ronnie hingegen respektierte sie, und
deshalb liebte sie ihn.

Verstohlen schaute sie einem Liebespaar zu, das auf den
Stufen Platz genommen hatte und sich küsste. Calla stellte sich vor, sie würde dort anstelle der Frau sitzen und ihr
Liebhaber würde sie streicheln. Sie beneidete sie. Vor drei
Jahren war sie aus Grand Rapids nach Washington gekommen, um nach einem Mann zu suchen, der einen guten
Job hatte und einen anständigen Familienvater abgeben
würde. Aber einen solchen Mann zu finden war schwieriger, als sie gedacht hatte. Sie lernte viele Männer kennen,
aber sie entpuppten sich entweder als Windbeutel oder
eingebildete Egoisten. Außerdem hatte sie eine ganze Reihe verheirateter Männer abweisen müssen, die nur mit ihr
ins Bett wollten, was mitunter recht zermürbend gewesen
war. Die Folge von alledem war, dass sie sich schließlich
mit ganzer Kraft den Säkularisten gewidmet hatte, weil sie
an deren Botschaft glaubte. Nun war sie zwar zufrieden,
dass sie für eine bessere Welt kämpfte, aber ihre Sehnsucht nach Liebe war dennoch nicht gestillt.

Als hätte sie eine Vibration verspürt, drehte sie den Kopf und sah ihn von der Straße her die Treppe heraufkommen.

»Hallo, Ronnie«, sagte sie leise, als er sich zu ihr beugte und sie auf die Wange küsste.

»Du bist also gekommen.«

»Natürlich bin ich gekommen!« Sie schaute ihm tief in die Augen. »Warum denn nicht?«

»Du hättest deine Meinung ändern können«, sagte er. »Viele Menschen tun das im letzten Augenblick.«

»Ich nicht«, sagte Calla entschieden. Er hatte ihr beigebracht, sich für ihre Überzeugung einzusetzen, sogar Chris und Peter gegenüber. Das war aufregend und beängstigend zugleich, aber sie zog es durch.

Sie erschauerte, als ein Windhauch über den Brunnen glitt. Das Liebespaar auf der Treppe war gegangen, sicherlich würden sie bald in einem warmen Bett liegen. Auch die anderen Menschen verschwanden nach und nach.

Er legte einen Arm um ihre Schultern. »Ist dir kalt?«

»Ein bisschen.«

»Vielleicht solltest du einen heißen Kaffee trinken. Wie wäre das?«

Calla nickte und lehnte ihren Kopf gegen seine Brust. Es gefiel ihr, dass er so kräftig gebaut war. Sie fühlte sich wie ein kleines Schiff, das in einer Bucht Schutz vor den Stürmen draußen auf See suchte.

Er führte sie die Treppe hinunter.

Irgendwie gefiel es ihr, sich mitziehen zu lassen. »Gehen wir nicht ins Café Luna?«, fragte sie.

»Heute nicht.« Er lenkte ihre Schritte in eine andere Richtung. »Ich hab uns einen besonderen Ort ausgesucht.«

Sie betraten jenen Bereich der Spanischen Treppe, der wegen der defekten Lampe im Dunkeln lag. Die Schatten waren so tiefschwarz, dass es wirkte als hätte jemand ein riesiges Tintenfass über den Steinstufen ausgekippt.

»Wo führst du mich denn hin?«, fragte Calla. »Sind wir da schon mal gewesen?«

»Es ist eine Überraschung«, sagte er. »Es wird dir bestimmt gefallen.«

Mächtige Bäume ragten über ihren Köpfen in den Abendhimmel und schienen in den Himmel greifen zu wollen, um nach Sternen zu schürfen wie nach Diamanten. Nur wenige Blätter hingen noch an den Ästen, ihr Anblick ließ Calla erneut erschauern. Kray legte einen Arm um ihre Hüfte und zog sie fester an sich.

Mit einem Mal wandte er sich ihr zu, seine rechte Schulter stieß gegen sie, als hätte er kurz das Gleichgewicht verloren, und er schob sie von sich. Sie stolperte gegen einen Baumstamm, und im gleichen Moment, als sie dagegen stieß, stach er ihr in den Rücken, und zwar so präzise und mit so sicherer Hand, dass die geschärfte Palette ein leichtes Spiel hatte.

Ihren leblosen Körper in den Armen, schaute Kray sich um. Wenn jemand ihn beobachtet hätte, hätte er nur einen Mann gesehen, der seine betrunkene oder unpässliche Frau stützte, aber zum Glück war überhaupt niemand in der Nähe. Ganz vorsichtig legte Kray die Leiche von Calla am Fuße des Baums ab. Schnell und geübt zog er sich die chirurgischen Handschuhe über, nahm das Handy heraus, das er einem der Bodyguards von Alli abgenommen hatte, legte es in eine Hand von ihr und presste die Fingerkuppen dagegen. Dann warf er es ins

Gebüsch. Anschließend hob er seine Palette wieder auf. Es war wirklich ein großartiges Instrument, es hatte die Kleidung, die Haut und inneren Organe mit erstaunlicher Leichtigkeit durchschnitten, nicht einmal Blut war daran kleben geblieben. Seine Mission war erfüllt. Er steckte die Waffe wieder ein und verschwand im Schatten der Bäume.

EINUNDDREISSIG

Es ist ein universelles Gesetz des Teenager-Daseins, dass der Widersacher, unter dem man gelitten hat, noch ein weiteres Mal auftaucht. Vielleicht wird er von der scheinbaren Hilflosigkeit seines Opfers angezogen, weil er glaubt, das Ausnutzen der Schwächen anderer würde ihn selbst stärker machen. Vielleicht ist er auch einfach nur ein Sadist. Oder er kann es einfach nicht lassen. Wie auch immer, Tatsache ist, dass André noch einmal in Jacks Leben tritt, und zwar wesentlich bösartiger als zuvor.

Es ist fast so, als hätte er seine Zeit damit verbracht, Macht anzuhäufen, um seine Rückkehr auf das Schlachtfeld vorzubereiten wie ein General, der zu einem taktischen Rückzug gezwungen wird. Die Ursache für seine neue Machtfülle verdankt er nicht nur seiner Verbindung mit Cyril Tolkan, sondern auch seinem neuen Lieferanten, einem Mann namens Ian Brady.

»Eins ist sicher«, sagt Gus mit einer gehörigen Portion Verachtung in der Stimme, »Ian Brady ist kein Schwarzer. Scheiße, Ian Brady, das ist doch nicht mal ein amerikanischer Name. Scheint sowieso so eine Art Geist zu sein, denn keiner meiner Informanten weiß irgendwas über ihn. Was zum Teufel ist das für ein Typ? Wo kommt der her? Was für Leute kennt er? Angeblich hat er so viel Macht, dass er ganz Washington kleinkriegen kann.«

Diese Tirade lässt Gus eines Abends bei sich zu Hause

ab, während sie James Brown hören. Jack hat im Platten-
laden um die Ecke ein paar neue Scheiben erworben und
möchte sie sofort anhören und Gus vorspielen. Angesichts von Gus' Wutausbruch fragt er sich nun allerdings,
ob er sie nicht besser unter Verschluss hält. Aber da er das
Thema schon beim Abendessen zur Sprache gebracht hat,
hat er keine Wahl.

»Ha! Das hätte ich mir denken können!«, sagt Gus, als
er die Plattenhüllen in den Händen hält. »Elvis Presley
und die Rolling Stones. Weiße Jungs, genau wie du. Und
manche von denen sehen aus, als hätten sie seit Wochen
nichts mehr zu essen bekommen.«

»Hör's dir doch erst mal an. Du bist wirklich ein Korin-
thenkacker!«

»Na gut, ich hab Elvis schon mal gehört, er ist gar nicht
so schlecht. Also leg mal das andere Zeug da auf, damit
ich deinen Musikgeschmack kennenlerne.«

Jack schiebt die James-Brown-Platte vorsichtig in die
Hülle zurück und zieht die schwarze Vinyl-Scheibe *Out of
our Heads* von den Rolling Stones heraus. Er hebt sie auf
den Plattenteller, legt den Tonarm auf und schon dröhnt
»Mercy, Mercy« aus dem Lautsprecher. Nachdem die letzten schrägen Töne von »One more Try« verklungen sind,
dreht Gus sich zu Jack um und sagt: »Spiel das noch mal,
Junge.«

Jack setzt die Nadel ein Stück zurück, und Mick Jagger
fängt wieder von vorn an.

Gus schüttelt verwundert den Kopf. »Scheiße, Mann,
dieser magere weiße Bengel kann wirklich ziemlich gut
schreien.«

Jack besucht jetzt regelmäßig die Bibliothek an der G Street. Zuerst ist er nur hingegangen, weil der Pfarrer ihn dazu drängte, aber später merkte er, dass er es gerne tat. Dank seines Trainings mit Taske hat er seine Angst vor Worten und Texten bezwungen. Jetzt ist das Lesen für ihn weniger eine Qual als eine Herausforderung, denn er hat einen Weg gefunden, seine Dyslexie in den Griff zu bekommen.

Er liebt die altmodische verstaubte Atmosphäre in der Bibliothek. Er liebt es, aufs Geratewohl ein Buch aufzuschlagen und sich hineinzuvertiefen und es von Anfang bis Ende in einem Rutsch durchzulesen. Im Gegensatz zu Filmen im Kino und im Fernsehen, bei denen er alles vorgeführt bekommt, auch das, was er gar nicht sehen mag, nehmen ihn die Bücher mit in die Welt seiner eigenen Vorstellungskraft. Solange er die Worte in Bilder umwandeln kann, während er liest – ganze Szenen mit vielen Personen, groß angelegten Konflikten zwischen Gut und Böse –, kann er in seinem Kopf eine Welt erstehen lassen, die der der anderen Menschen ähnelt. Dadurch fühlt er sich nicht mehr so sehr als Außenseiter. Durch das Lesen kommt er den Menschen draußen auf der Straße näher. Und das ist es, was ihn Tag für Tag in die gedämpfte Atmosphäre der Bibliothek eintauchen lässt, wie in einen verwunschenen See. Aber trotzdem wartet in den Tiefen seines Bewusstseins etwas auf ihn, das in fast allen Teenagern gärt: eine immer wiederkehrende Angst, der man irgendwann nicht mehr ausweichen kann.

Jack wird mit seiner Angst an einem Montagnachmittag konfrontiert. Wieder ist er in der Bibliothek, wo er jede Menge Schriften zu seinem neuen Lieblingsthema studiert: Kriminalpsychologie. In einem Buch spricht sich der Autor gegen übertriebene Wachsamkeit aus. Aber wer ist schon auf der Hut, wenn er sich in einer öffentlichen Bücherei befindet? Genau das hat André sich auch gesagt. Er verfolgt Jack eine Woche lang jeden Tag zur G Street, bis er seine Gewohnheiten ganz genau kennt. Es sagte einiges über das Ausmaß seiner Rachegelüste aus, dass er fünf Tage dafür opfert, fünf Tage, in denen er locker eine ganze Lieferung Heroin von Ian Brady hätte verkaufen können.

Aber es gibt eben Dinge, die sind wichtiger als Heroin und wichtiger als Geld, weil sie einfach erledigt werden müssen. André weiß, dass er keine Ruhe finden wird, bevor er diese Angelegenheit nicht zu seiner Zufriedenheit geregelt hat.

Jack hört nicht, wie André sich hinter ihm langsam nähert, auf leisen Kreppsohlen. Er will endlich das Gefühl der Schmach loswerden, das ihn seit dem Moment quält, als Cyril Tolkan ihm seine Strafe zukommen ließ.

Er nähert sich leise, schnell und voller Wut. Er packt Jack, hebt ihn hoch und schleudert ihn gegen die Wand. Die Regale wackeln, Bücher fallen zu Boden. André, von schierer Mordlust getrieben, rammt seinen Ellbogen gegen Jacks Hals, um zu verhindern, dass er schreit und um ihm die Luft abzudrücken, damit er ihn niederringen kann. Doch trotz seines immensen Rachegelüsts kann André noch klar denken. Er weiß, dass man ihn hier nicht mit einem Toten oder Sterbenden entdecken darf. Er hat keine Lust in den Knast zu wandern, weder jetzt noch später irgendwann.

Es macht »Klick!«, und sein Messer klappt auf. Sein

Opfer scheint so überrascht zu sein, dass er es noch nicht einmal schafft, die Arme zu heben, um ihn abzuwehren. Vielleicht ist ihm ja schon die Puste ausgegangen. Wie auch immer, André ist das ziemlich egal, er sticht mit dem Messer auf Jacks Zwerchfell ein. Er zielt auf den weichen Punkt direkt unterhalb des Brustbeins, um die Klinge von dort aus direkt in Jacks Herz zu treiben.

Aber Jacks Hände bleiben keineswegs untätig. Die Linke umklammert das dicke, gebundene Buch, in dem er gerade gelesen hat, und als er das verräterische Klicken des Klappmessers vernimmt, hebt er unwillkürlich das Buch an und hält es sich vor die Brust. Die Messerspitze dringt ein in Stoff, Pappe und Papier statt in Haut und Fleisch. André reißt überrascht die Augen auf und schließt sie sofort wieder, als er den Stoß von Jacks Knien in seinen Eingeweiden spürt.

Er krümmt sich zusammen, und Jack bekommt wieder Luft. Er atmete tief ein, reißt das Buch hoch und wuchtet die Kante gegen Andrés Hals. Um möglichst heftig zustoßen zu können, muss er den Buchrücken mit beiden Händen umfassen, was bedeutet, dass er André nicht das Messer wegnehmen kann. Der haut damit wild um sich, und die rasiermesserscharfe Klinge streift erst Jacks Ohr, dann seine Schulter. Bei jedem Treffer spürt Jack einen brennenden Schmerz und merkt, wie das Blut an ihm herabrinnt. Schon der nächste Hieb könnte seine Halsschlagader treffen.

Er beißt die Zähne zusammen und drückt das Buch noch fester gegen Andrés Kehle und hört ein Geräusch, wie wenn ein Stück Papier zusammengeknüllt oder fortgeworfen wird. Dann reißt André den Mund auf und gibt

einen Laut von sich, der klingt, als würde eine alte Standuhr ihren Geist aufgeben.

Jack starrt in Andrés blutunterlaufene Augen und fängt
an zu schluchzen. Ein Teil von ihm weiß sehr genau, was
passiert ist und wie es enden wird, aber dieser Teil muss
sich dem Körper unterordnen, der die Gefahr abwehren
will. André versucht ein letztes Mal, den tödlichen Stoß
auszuführen, und hebt sein Messer bis zur Höhe von
Jacks Ohr. Er zielt mit der Klinge auf seine Luftröhre. Jack
gerät in Panik und verlagert sein Gewicht. Die Buchecke
dringt in das Loch ein, das durch das Zerbrechen von Andrés Ringknorpel entstanden ist. Die Luftzufuhr ist jetzt
unterbrochen.

Andrés Hand mit dem Messer bewegt sich noch. Die
Klinge hat jetzt fast schon die Luftröhre erreicht. Jack
lehnt sich mit ganzer Kraft dagegen, das Buch dringt
noch ein Stück weiter in Andrés Hals ein. Die Hand mit
dem Messer beginnt zu zittern, seine Kraft schwindet.
Tränen strömen über Jacks Wangen. Sie tropfen auf Andrés Wunde. Andrés Augen starren ihn an. Sie sind ausdruckslos.

Widerstreitende Impulse stehen gegeneinander. André
kann nicht mehr atmen, aber er hält noch immer das
Messer in der Hand. Er muss einfach nur seine Kräfte
sammeln und es in Jacks Ohr stoßen. In einem kurzen Augenblick des Stillstands gleichen sich die wider-
streitenden Kräfte der beiden Jungen aus. Nichts bewegt
sich. Die leisen Geräusche der Bibliothek, das gelegent-
liche Flüstern, gedämpfte Schritte, das leise schabende
Geräusch, wenn ein Buch aus dem Regal gezogen wird,
alles klingt übertrieben laut, wie das Summen und Zirpen

von Insekten im Wald. Alle Hemmungen der Zivilisation sind irrelevant und nutzlos. Übrig bleiben nur eine Ansammlung von Tönen und Klängen und das Pochen des eigenen Herzens.

Die Natur verabscheut Stillstand; wie Ruhm vergeht er schnell, auch wenn die Sekunden, die er andauert, wie Minuten erscheinen. Jack spürt, wie die Messerklinge in seinen Gehörgang eindringt und er dreht die Ecke des Buchs herum. Andrés Augen rollen nach oben, seine Lippen treten zurück, sein Gesicht ist eine Maske des Schmerzes. Eine hilflose Wut treibt ihn an und drängt ihn jäh vom Leben zum Tod hin.

Jack hechelt wie ein kranker Hund und stemmt sich gegen Andrés zusammenbrechenden Körper. Er fühlt sich, als wäre tief in seiner Seele ein Licht ausgegangen, als wäre ein Teil von ihm verloren gegangen. Er steht unter Schock, kann kaum begreifen, wie ihm geschieht. In seinem Kopf sind keine Worte oder Gedanken, die ausdrücken könnten, wie er sich fühlt. Gleich darauf beginnt er am ganzen Leib zu zittern. Er spürt den metallischen Geschmack von Blut auf der Zunge, aber ob es sein Blut ist oder das von André, kann er nicht sagen.

Er liegt in der dunklen Ecke eines abgelegenen Gangs in der Bibliothek, halb bewusstlos wie in Trance und erinnert sich an eine Fabel aus einem Buch des indischen Mystikers Sri Ramakrishna, das er vor einigen Wochen gelesen hat. Darin geht es um eine schwangere Tigerin, die eine Ziegenherde angreift. Als sie springt, um nach einer verängstigten Ziege zu schnappen, schießt der Hirte auf sie. Die Tigerin fällt zu Boden und bringt noch im selben Moment, in dem sie stirbt, ihr Junges zur Welt.

Das Tigerbaby wächst mit den Ziegen auf, frisst Gras und versucht wie die anderen Tiere in der Herde zu blöken. Eines Tages kommt ein Tiger und greift den kleinen Tiger an. Der wehrt sich nicht, sondern fängt an zu blöken. Da packt der Tiger den Kleinen im Nacken und schleppt ihn zum Fluss.

Dort angekommen, sagt er: »Sieh dir dein Spiegelbild an. Wir sehen aus wie Brüder. Wieso blökst du dann? Warum lebst du mit den Ziegen zusammen, anstatt sie aufzufressen?«

»Ich fresse gern Gras«, sagt der kleine Tiger.

»Weil du nichts anderes kennst.«

Daraufhin springt der Tiger eine Ziege an, beißt ihr die Kehle durch und beginnt zu fressen. Der kleine Tiger riecht das Blut und probiert es. Dann beißt er ins Fleisch, das ihm viel besser schmeckt als Gras.

Der große Tiger hebt den Kopf und schaut ihm zu, wie er sich am Fleisch satt isst. Mit blutverschmierter Schnauze sagt er: »Siehst du, du bist von der gleichen Art wie ich. Jetzt weißt du, wer du bist. Komm mit mir in den Wald.«

Noch immer schluchzend rappelt Jack sich auf. Er reibt sich die Tränen aus den Augen. Als er sieht, dass sein Hemd blutbesudelt ist, nimmt er sich seine Jacke, die er um die Lehne eines Stuhls gelegt hat, und knöpft sie bis zum Hals zu. Jetzt ist das Blut nicht mehr zu sehen.

Es will schon gehen, da wirft er noch einen kurzen Blick auf André. Das, was hier passiert ist, hat einen Gedanken freigesetzt, der schon seit Jahren in seinem Unterbewusstsein schlummert: Er ist nicht nur wegen seiner Dyslexie ein Außenseiter. Er will nicht blöken und wie eine Ziege herumlaufen. Niemals wird er einer von den vielen Menschen draußen auf der Straße sein, das will er gar nicht. Er gehört nicht dazu, genau wie der Tiger. Seine Heimat ist der Dschungel, nicht die eingezäunte Wiese.

ZWEIUNDDREISSIG

Ungefähr alle zwei Wochen setzte Dennis Paull am frühen Morgen ein Treffen aller Führungskräfte seines Ministeriums an, dem vor allem seine engsten Mitarbeiter nur murrend beiwohnten. Es gab keinen triftigen Grund für diesen Termin, außer die Leute auf Trab zu halten, und genau das nervte manche, weil es ihre Freizeit einengte. Es war absolut indiskutabel, einer solchen Zusammenkunft übernächtigt oder, schlimmer noch, verkatert beizuwohnen. Wer in so einem Zustand erschien, wurde vom Chef gnadenlos vorgeführt.

Diese Treffen fanden in Fort McNair statt, einem Gebäude, das überhaupt nicht wie ein Fort aussah und mitten in Washington lag. Niemand hatte eine Ahnung, warum sie sich ausgerechnet in einen Armeestützpunkt bemühen mussten und nicht in die Zentrale des eigenen Ministeriums, aber niemand traute sich, den Minister danach zu fragen. Die meisten dachten einfach nur, dass er ein wenig exzentrisch war und solche persönlichen Angewohnheiten zusammen mit anderen Eigenarten einfach zum Washingtoner Alltag gehörten.

Genau das wollte Dennis Paull erreichen. Er tat oder sagte nie etwas ohne besonderen Grund, obwohl die Gründe für sein Handeln wie bei einem guten Schachspieler auf den ersten Blick nicht unbedingt nachvollziehbar waren. Tatsächlich fanden diese Treffen jedoch so früh am

Tag statt, weil zu diesem Zeitpunkt sonst niemand dort anwesend war. Und Fort McNair hatte Paull ausgesucht, weil nicht einmal der Präsident ihn hier überwachen lassen konnte.

An diesem Morgen verordnete der Minister seinen Leuten exakt um sechs Uhr siebzehn eine zehnminütige Pause und schlenderte aus dem Konferenzzimmer. Er ging eine Reihe von Korridoren entlang, stieg einige Treppen hinab und dann wieder eine Treppe hinauf, nur um sicherzugehen, dass er absolut allein war. Dann verschwand er in der Herrentoilette am hinteren Ende des dritten Stockwerks. Vor den Pissoirs stand niemand. Er ging die lange Reihe der Kabinen ab und öffnete jede Tür, um sicher zu sein, dass niemand da war. Dann klopfte er an die Tür der letzten Kabine und sagte: »Guten Morgen, Sir.«

Edward Carson, der gerade in der *Washington Post* gelesen hatte, stand auf, faltete die Zeitung zusammen und klemmte sie sich unter den Arm. »Es gibt noch keinen Grund, mich so förmlich anzusprechen, Dennis«, sagte er.

»Es ist nie früh genug dafür, Sir.«

Die beiden traten aus der Kabine. »Stellen Sie sich nur mal vor, was die Klatschpresse aus dieser Situation machen würde«, brummte Carson. »Sind wir allein?«

»So allein wie Adam, bevor Eva erschaffen wurde.«

Carson schaute ihn sorgenvoll an. »Gibt's was Neues über Alli? Lyn ist völlig verzweifelt.«

Paull war klar, dass Carson es für unangemessen hielt, zuzugeben, dass auch er völlig verzweifelt war. Präsidenten verloren nie die Fassung, egal wie schlimm die Lage war. »Ich bin davon überzeugt, dass wir heute schon ein Stück weiter sind als gestern.«

»Hören Sie auf mit dieser Verlautbarungssprache«, sagte Carson angewidert. »Es geht hier um meine Tochter.«

»Jawohl.« Paull rieb sich über das Kinn. »Der Ball liegt bei McClure. Ich habe ihm jede Freiheit verschafft, so weit es mir möglich ist, ohne mich zu verraten.«

Carson war trotzdem besorgt. »Aber ist das genug, Dennis?«

»Ich würde lügen, Sir, wenn ich behaupte, dass es genug ist. Aber ich weiß, dass Sie und McClure sich schon eine ganze Weile kennen. Und Sie haben mir ja gesagt, dass er der beste Mann für diese Aufgabe ist.«

»Dabei bleibe ich auch«, sagte Carson steif.

»Es dürfte Sie beruhigen, dass mein Agent der gleichen Ansicht ist«, fuhr Paull fort.

»Das Einzige, was mich beruhigen kann, ist die Rückkehr meiner Tochter.«

Draußen war ein Geräusch zu hören, und die beiden Männer erstarrten. Paull hob einen Finger, ging zur Tür und schob sie auf. Ein Mann vom Reinigungspersonal machte sich in einer Ecke zu schaffen. Als er wieder verschwunden war, kam Paull in die Herrentoilette zurück und schüttelte den Kopf.

»Ich musste Yukin dem Präsidenten überlassen«, sagte Paull. »Ich hatte Beweise gegen Mikilin, die ich ihm gab, bevor er nach Moskau geflogen ist. Gestern war ich bei einer Feierlichkeit im Anschluss an die Rückkehr des Präsidenten. Er hat den russischen Präsidenten jetzt in der Hand. Verlangt er also eine Anhebung der Lieferungen von russischem Öl, wie ich vorgeschlagen habe? Schmiedet er einen Pakt für eine gemeinsame Ausbeute der strategisch wichtigen Uran-Reserven, wie ich vorgeschlagen habe? Nein, natürlich nicht. Stattdessen hat er die Munition, die ich ihm gegeben habe, verpulvert, indem er Yukin das Versprechen abgenommen hat, ihn zu unterstützen, wenn er sich nächste Woche in einer Ansprache an die Nation wendet. In dieser Rede wird er Fakten präsentieren, die beweisen sollen, dass Peking die A-Zwei-Terroristen unterstützt und dass die Neuen Säkularisten der legale Arm von A-Zwei sind. Woher sollen diese gefälschten Beweise kommen? Aus Moskau natürlich. Niemand wird die Möglichkeit haben, sie anzuzweifeln.«

Paull ging wieder zur Tür, horchte daran, nickte zufrieden und kam wieder zurück. »Der Präsident will allen Säkularisten den Krieg erklären, egal, ob sie radikal sind oder nicht.«

»Ich werde Ihnen helfen, Dennis, aber erst, wenn meine Tochter heil zurückgekehrt ist. Bis dahin sind mir die Hände gebunden. Wenn jemand A-Zwei oder die Säkularisten mit der Entführung in Zusammenhang bringt, kann ich mich nicht gegen den Präsidenten stellen.«

»Ich verstehe Ihre Bedenken, Sir, aber es gab Komplikationen.«

Carsons stahlblaue Augen schienen den Minister durchbohren zu wollen. »Was für Komplikationen?«

»Die Männer, die ich losgeschickt habe, um McClures Sicherheit zu garantieren, sind in Schwierigkeiten geraten.«

»Was für Schwierigkeiten?«

»Sie bekamen die Order, ihn aus dem Weg zu räumen.«

Einen Moment lang herrschte tödliches Schweigen. »Was ist mit Jack?«

»Es geht ihm gut, Sir.«

»Ich möchte nicht, dass so etwas noch mal passiert«, sagte Carson. »Habe ich mich klar ausgedrückt?«

Paull blieb stocksteif stehen. Er hörte sehr wohl heraus, dass dies eine strenge Zurechtweisung war, und er hatte sie auch verdient. »Jawohl, Sir.« An irgendeiner Stelle war sein Sicherheitsnetz zerrissen. Er musste unbedingt herausfinden wo, und zwar so schnell wie möglich.

Carson trat zum Spiegel und schaute sein blasses, gefurchtes Gesicht an, dann drehte er sich um. »Dennis, wenn der Präsident dir bei deinen Leuten reinfunkt, dann weiß er Bescheid. Dann ist nicht nur Jack in Gefahr, sondern wir sind es auch.«

»Ja, Sir, genau das ist die gottverdammte Konsequenz daraus.«

DREIUNDDREISSIG

Es war lange her, dass Jack mit heftigen Kopfschmerzen aufgewacht war. Er kletterte vorsichtig aus dem Bett wie ein Bergsteiger mit Höhenangst, tapste unter die Dusche und stellte das kalte Wasser so stark ein, dass das Rauschen seine Schreie übertönte.

Zehn Minuten später, als Nina anrief, war er wieder halbwegs beieinander. Sie wollte ihn gleich abholen. Bis dahin, dürfte er sich wieder halbwegs menschlich fühlen.

Trotzdem ließ er sie ans Steuer, als sie sich auf den Weg zur All Around Town Bakery machten. Es war ein kühler, aber sonniger Tag, was eine willkommene Abwechslung darstellte. Aber laut Wetterbericht sollte bald wieder eine neue Tiefdruck-Front heranziehen, und dann würde wieder Regen oder Schnee vom Himmel fallen.

Er war nicht in der Laune zu reden, aber er merkte, wie Nina ihn immer wieder prüfend aus dem Augenwinkel anschaute.

Schließlich schien sie sich eine Meinung über seine äußere Erscheinung gemacht zu haben: »Du siehst ja völlig fertig aus.«

»Nach einer Woche ohne Schlaf würde es dir auch nicht besser gehen.« Er musterte sie. Sie trug ein graues Flanellkostüm über einem cremefarbenen Kaschmirpulli. »Aber ich gebe gern zu, dass du so frisch wirkst wie ein Fisch im Wasser.«

»Und genauso kühl.« Nina lachte. »Jede Wette, dass du das gedacht hast.«

»Ehrlich gesagt habe ich gerade darüber nachgedacht, was wir tun sollen, wenn Joachim Tolkan nicht von seiner Trauerreise nach Miami Beach zurückkehrt. Oder, was noch schlimmer wäre, wenn die Geschichte, die er Oscar erzählt hat, einfach nur eine Lüge war.«

»Seit wann bist du denn so pessimistisch?«

»Seit gestern Abend«, sagte Jack mehr zu sich selbst.

»Was ist passiert?«

»Meine Ex ist passiert«, sagte Jack bitter.

»Das tut mir leid.« Sie legte eine Hand leicht auf seine. »Ich hab mal versucht, mit einem alten Freund wieder zusammenzukommen. Und dabei ist mir dann erst richtig klar geworden, warum wir uns getrennt hatten.«

Jack wollte das Thema so schnell wie möglich beenden und sagte: »Ich bin hier in der Gegend aufgewachsen. Ich habe eine Menge Erinnerungen daran, gute und schlechte. Und einige Rätsel sind auch übrig geblieben.«

»Was für Rätsel denn?«

»Ein Doppelmord am McMillan-Stausee zum Beispiel.«

»Nicht aufgeklärt?«

Jack nickte. »Nicht nur das. Ich weiß noch, dass nicht einmal bekanntgegeben wurde, wer ermordet worden war.«

»Das ist allerdings merkwürdig.«

»Und dann war da noch Ian Brady.«

»Wer war das?«

»Niemand wusste, wer er war oder woher er kam, aber er hatte ziemlich viel Einfluss – zu viel für einen Drogenhändler, würde ich sagen. Er handelte mit Heroin und wer weiß was sonst noch. Andere Dealer wurden früher oder später gefasst oder kamen ums Leben. Brady nicht. Niemand konnte ihm je etwas anhaben.«

Vor der All Around Town Bakery stand ein dunkelroter Mercedes, und das schien ein gutes Zeichen zu sein. Als sie den Laden betraten, ertönte die Glocke, und Oscar stand schon hinter dem Tresen.

»Der Boss ist gerade gekommen«, sagte er, als er sie bemerkte. »Wartet hier.« Er verschwand in der Tür und kam kurz darauf mit einem Mann zurück, dessen einzige Ähnlichkeit mit seinem Vater seine olivfarbene Haut war. Er war groß und dünn und wirkte eleganter als sein Vater.

Er schaute sie fragend an und wirkte beunruhigt. Die Heimtücke seines Vaters schien ihm völlig abzugehen. »Oscar sagte, Sie wollten mit mir sprechen.«

»Das ist richtig.«

Nina zog ihren Ausweis vom Ministerium für Heimatschutz heraus. Jack stellte sie vor und sprach Tolkan sein Beileid aus.

Joachim Tolkan reichte ihm die Hand. Damit hatte Jack nicht gerechnet. Er wollte die Hand dieses Mannes nicht schütteln – er war der Sohn eines Mörders – aber er musste es tun. Als ihre Hände sich trafen, spürte Jack einen elektrischen Impuls, der ihn durchzuckte, als wäre er in direkte Verbindung mit Cyril Tolkan getreten, der längst unter der Erde lag.

»Alles in Ordnung, Mr. McClure? Sie sind ein bisschen blass geworden.«

»Mir geht's prima«, sagte Jack.

»Wir hätten gerne kurz mal mit Ihnen gesprochen, Mr. Tolkan«, sagte Nina so neutral wie möglich.

»Kein Problem.« Joachim Tolkan hob einen Arm und deutete nach hinten. »Wollen wir in mein Büro gehen? Dort können wir uns setzen.« Er wandte sich an Oscar. »Du könntest unseren Gästen Kaffee bringen.«

Als Nina an Oscar vorbeiging, gab der ihr augenzwinkernd einen Schoko-Keks.

Tolkan führte sie durch die Backstube, in der es trotz Klimaanlage und Ventilatoren höllisch heiß war, und dann durch eine Tür auf der rechten Seite.

Sie betraten ein überraschend großes, freundlich eingerichtetes Büro, in dem ein bequemes Sofa, ein Kaffeetisch und ein paar hübsche Lampen standen. Sogar ein eigenes Badezimmer gehörte dazu, und durch einen schmalen Gang ging es in ein Schlafzimmer.

»Ich bin die meiste Zeit hier«, sagte Joachim Tolkan, der Jacks Staunen bemerkte, schulterzuckend. »Zurzeit hat es nicht viel Sinn, nach Hause zu gehen. So wie es aussieht, wird meine Ex-Frau die Wohnung demnächst übernehmen.«

Tolkan nahm hinter dem Schreibtisch Platz, und Oscar kam herein mit einem Tablett, auf dem Becher und eine Kaffeekanne standen. Er stellte es auf den Tisch vor dem Sofa und ging wieder, wobei er die Tür hinter sich verschloss.

»Bedienen Sie sich.« Als weder Jack noch Nina Anstalten machten, sich zu setzen, fragte er: »Nun bin ich aber neugierig. Was will das Heimatschutzministerium von mir?«

»Sind Sie jemals Mitglied der Neuen Säkularisten gewesen?«, fragte Jack.

»Soweit ich weiß, ist das kein Verbrechen.«

»Vor dreieinhalb Monaten sind Sie ausgetreten«, stellte Nina fest.

»Auch das ist kein Verbrechen.« Tolkan verschränkte die Hände. »Wohin soll das hier denn führen, wenn ich fragen darf?«

Jack ging langsam im Zimmer auf und ab und sah sich alles genau an. »A-Zwei.«

Tolkan runzelte die Stirn. »Ich bitte um Entschuldigung, aber ich verstehe kein Wort.«

Jack drehte sich zu ihm um. »Sie dürfen sich gern entschuldigen«, sagte er. »Aber das wird Ihnen nichts nützen.«

Tolkan breitete die Arme aus. »Was ist denn ein A-Zwei?«

»Offenbar liest er keine Zeitung«, sagte Nina, setzte sich auf eine Lehne des Sofas und biss ein kleines Stück von ihrem Schokokeks ab. »Hm, der schmeckt aber gut.«

»Hören Sie.« Jack trat direkt vor den Schreibtisch. »Wir sind nicht in der Stimmung, uns mit Lügen abspeisen zu lassen.«

Tolkan schüttelte den Kopf. »Lügen worüber?«

Ist das nur Einbildung? fragte sich Jack, *oder wird Joachim Tolkan seinem Vater wirklich immer ähnlicher?* Der Gedanke daran war ihm unerträglich. Er wollte sich schon auf ihn stürzen, als Nina plötzlich und ohne Vorwarnung ihren Keks gegen Tolkans Kopf schleuderte, direkt über dem linken Auge. Der Keks zersprang in tausend kleine Teile.

Tolkan fuhr sich mit der Hand an die Stirn. »Was zum Teufel …«

Jack beugte sich über den Schreibtisch, packte Tolkan am Jackenaufschlag und zerrte ihn aus seinem Stuhl, bis

346

er halb auf der Tischplatte lag. Kekskrümel und Schokoladenstücke klebten auf seiner Hermès-Krawatte.

»Du hast nicht richtig zugehört, Joachim.« Jacks Gesicht glühte vor Zorn. »Wir haben keine Zeit für Spielchen.« Er schob ihn zurück auf den Stuhl. »Erzähl uns von deiner Verbindung zu A-Zwei.«

Nun war es das Gesicht von Tolkan, das blass war. Er zitterte vor Angst. »Aber ich habe geschworen, nichts zu verraten.«

»Ihre Loyalität ist ja wirklich bewundernswert«, sagte Nina scharf, »aber in diesem Fall absolut unangebracht.«

»Spuck's aus, Joachim!«, brüllte Jack ihn an.

Tolkan kreischte entsetzt auf. »Also gut, aber es gibt wirklich nicht viel zu erzählen.« Seine Hand zitterte, als er sich die Haare aus der Stirn strich. »Mir hat jemand von A-Zwei erzählt, als ich noch Mitglied bei den Neuen Säkularisten war. Ich bin dann dort wieder ausgetreten, als auch er ging. Er meinte, die Säkularisten seien zu langsam und unentschlossen, zu konservativ, um wirklich etwas zu erreichen. Wenn ich es wirklich ernst meinen würde, sagte er, könnten wir uns einer anderen Gruppe anschließen, die wirkungsvoller arbeitet. Das klang erst mal gut in meinen Ohren, und ich stimmte zu. Aber dann fand ich schnell heraus, dass die Leute von A-Zwei auf Gewalt setzen.«

»Und das hat Sie nicht angezogen?«, fragte Jack.

»Wie bitte? Nein, natürlich nicht.«

»Aber Ihr Vater hat doch auch ganz gern mal zugeschlagen.«

Joachim schaute Jack angsterfüllt an. »Was hat denn mein Vater mit alldem zu tun?«

»Der faule Apfel fällt nicht weit vom vergifteten Stamm.«

Tolkan schüttelte den Kopf. »Das sehen Sie komplett falsch.«

Nina verschränkte die Arme. »Dann erzählen Sie uns mal, wie wir es richtig sehen sollen.«

Tolkan nickte. »Die Wahrheit ist, dass ich irgendwann alt genug war, um zu verstehen, auf welche Art mein Vater das Geld verdiente, mit dem er den ganzen Luxus bezahlte, den ich als Kind genossen habe. Von da an hielt ich mich so weit wie möglich von ihm fern. Es machte mich krank, wenn ich daran dachte, wie er sonntags mit uns in die Kirche ging, dort auf die Knie fiel und zu Jesus betete oder die Bibel zitierte und dann wieder loszog, um das zu tun … was er tat. Ich wollte nichts mehr von ihm annehmen, nicht mehr von seinen Beziehungen profitieren und auch nicht von seinem Geld, an dem Blut klebte. Ich habe mich dann auf eigene Faust durchgeschlagen und bin in Georgetown aufs College gegangen.«

Nina glitt von der Sofalehne. »Und wie kommt es dann, dass Sie ausgerechnet an diesem Ort hier Geschäfte machen?«

»Ich habe ein Jahr lang für Goldman Sachs gearbeitet, aber dort hat es mir überhaupt nicht gefallen. Als ich aufhörte, entschloss ich mich, selbstständig zu werden. Die Bäckerei lief zu der Zeit immer noch mehr oder weniger gut. Ich fand, das wäre eine Möglichkeit, was Neues auszuprobieren. Also bin ich eingestiegen, habe in Werbung und Vertrieb investiert und die Geschäfte langsam ausgedehnt, bis wir dann sogar expandiert haben.«

»Eine echte Erfolgsgeschichte«, sagte Nina.

Jack stemmte die Arme auf die Tischplatte. »Und wir

sollen Ihnen jetzt glauben, dass Sie nie Mitglied von A-Zwei geworden sind?«

Tolkan prallte zurück. »Es ist die Wahrheit. Ich schwöre es.«

»Was ist denn passiert?«, fragte Nina.

»Ich habe mich vor mir selbst geschämt. Ich bin wieder zu den Neuen Säkularisten zurück, aber da wollte man mich nicht mehr haben. Chris meinte, man könne mir nicht mehr trauen.«

»Und dieser Freund von Ihnen …«

»Das ist nicht mein Freund.«

»Also gut, dieser Gesinnungsgenosse.« Jack richtete sich auf. »Hat der auch einen Namen?«

»Ron Kray.«

Nina schaute die Namensliste durch, die Armitage ihnen ausgedruckt hatte. »Der steht hier«, sagte sie und las seine Adresse vor.

»Die Angaben sind falsch. Kray hat mir das gesagt. Er lebt sehr zurückgezogen.«

Jack kam der Name irgendwie bekannt vor. Er versuchte sich zu erinnern, kam aber nicht darauf. »Und wo lebt dieser Mr. Kray?«, fragte er.

»Das hat er mir nie gesagt, und ich habe ihn nie danach gefragt. Aber er erwähnte einmal, dass er im Sisley Memorial Hospital arbeitet.«

»Davon hab ich schon mal gehört«, sagte Jack. »Das ist eine Reha-Klinik für Senioren mit angeschlossener Psychiatrie.«

Tolkan nickte. »Ron ist Pfleger dort. In der psychiatrischen Abteilung.«

Der moderne, übereinandergeschichtete Gebäudekomplex des Sisley Memorial Hospital erstreckte sich über ein weitläufiges Grundstück an der Sleepy Hollow Road außerhalb von Falls Church. Nina schlug vor, erst anzurufen, um herauszufinden, ob Kray Dienst hatte, aber Jack war dagegen.

»Erstens will ich nicht, dass er von jemandem gewarnt wird, und zweitens wird die Personalabteilung, auch wenn er nicht da ist, bestimmt ein Foto von ihm in den Akten haben.«

Es stellte sich dann heraus, dass Kray keinen Dienst hatte. Tatsächlich, erklärte ihnen der Leiter der psychiatrischen Abteilung, arbeitete Kray dort schon seit zwei Jahren nicht mehr.

Sie wurden an die Personalabteilung verwiesen, wo ihnen der letzte Wohnort von Kray mitgeteilt wurde. Es war die gleiche Adresse wie die, die auf der Liste von Chris Armitage vermerkt war. Krays Foto und seine Personalakten jedoch waren aussortiert worden.

Kray wohnte an der Tyler Avenue, kaum mehr als sechs Minuten entfernt. Nina schwieg fast die ganze Zeit während der Fahrt. Schließlich wandte sie sich ihm zu.

»Du denkst wahrscheinlich, ich bin ziemlich neurotisch.«

Jack konzentrierte sich aufs Fahren. Er kannte die Gegend nicht und wollte sichergehen, dass er keinen Wegweiser verpasste.

Nina interpretierte sein Schweigen als Zustimmung. »Du denkst das also.«

»Wieso interessiert es dich, was ich denke?«

»Zum einen arbeiten wir zusammen, und zum anderen mag ich dich. Dein Kopf funktioniert völlig anders als bei allen Menschen, die ich bisher getroffen habe.«

»Ich nehme das mal als Kompliment.«

Sie nickte. »Ich habe mich ziemlich schnell daran gewöhnt, deinen Ahnungen oder wie du das nennst, zu vertrauen.«

»Würdest du es anders nennen?«

Sie nickte. »Würde ich, ja, wenn ich ein Wort kennen würde, das es richtig beschreibt. Aber auf jeden Fall sind es mehr als bloß Ahnungen.« Sie legte den Kopf in den Nacken. »Wenn ich noch länger mit dir zusammen bin, werde ich bald alles anzweifeln, was ich jemals für wahr gehalten habe.« Sie legte ihre Hand auf seine. »Es gab da diesen Moment unter den alten Eichen, wo Emma aus der Schule weggelaufen ist.« Ihr Zeigefinger krümmte sich, und der Nagel fuhr ganz sachte und sehr erotisch über seine Handfläche. »Warum knüpfen wir nicht daran an?«

Er bremste ab, damit er ein Straßenschild entziffern konnte, aber auch, um die Atmosphäre zwischen ihnen zu klären.

»Hör zu, Nina, ich fühle mich wirklich geschmeichelt. Aber damit es keine Missverständnisse gibt: Ich bin absolut dagegen, Arbeit und Privatleben zu vermengen.«

»Weil es zu kompliziert ist?«

Ein Bild von seiner Ex-Frau tauchte in seinem Kopf auf, Sharon, mit ihren langen, braunen Beinen, die langen Haare fielen ihr über das Gesicht, ihre Augen schauten ihn geheimnisvoll an mit diesem Blick, den er so sehr liebte, weil er nie wusste, was genau er eigentlich bedeutete. »Das auch.«

»Und wenn wir nicht zusammenarbeiten würden? Ich könnte das arrangieren …«

»Das wäre egal.«

»Wenigstens bist du ehrlich.« Nina nahm ihre Hand weg. »Du kannst deine Ex doch noch nicht ganz vergessen, hm?«

Er bog auf die Tyler Street ein und bremste stark ab.

»Okay, schon gut, vergiss es. Ich respektiere die Privatsphäre von anderen Menschen. Einsamkeit hat auch seine schönen Seiten. Man fühlt sich lebendig und hat Gelegenheit, sich mit sich selbst zu beschäftigen.«

Jack war jetzt verärgert. »Darum geht es nicht.«

»Wie du meinst.« Sie nahm eine Nelkenzigarette aus der Packung und zündete sie an. »Eine Frage habe ich noch. Hast du eine Ahnung, mit wem Emma sich da unter den Eichen getroffen hat?«

»Das Leben meiner Tochter war für mich wie ein Buch mit sieben Siegeln. Was sie getan hat, blieb mir völlig verborgen.«

»Und du hast nie versucht, es herauszufinden?«

»Wen sie getroffen hat?« Nina hatte einen wunden Punkt berührt. »Das ist doch jetzt egal. Meine Tochter ist tot.«

VIERUNDDREISSIG

Jack ging über einen Plattenweg und klopfte an die Tür. Sofort begann ein Hund zu bellen. Er hörte ein schlurfendes Geräusch, dann trippelnde Füße. Die Tür ging auf, und eine ältere Frau in einem Hauskittel erschien, eine Zigarette im Mundwinkel.

»Ja?« Sie schaute Jack mit einem leicht sorgenvollen Blick an.

Jack räusperte sich. »Ich möchte zu Ronnie Kray.«

Der Hund im Innern des Hauses bellte immer noch. Die Frau kniff die Augen zusammen, wegen des aufsteigenden Zigarettenrauchs. »Zu wem?«

»Ron Kray.« Nina trat zu ihnen.

»Ach, der.« Die Frau gab ein desinteressiertes Hüsteln von sich. »Der hat mal hier gewohnt. Ist aber vor ungefähr, na ja, sechs Monaten ausgezogen.«

»Wissen Sie, wo er hingezogen ist?«

»Nee.« Der Hund bellte immer heftiger. Die Frau drehte sich um und schrie ins Haus: »Zum Donnerwetter, Mickey, halt endlich das Maul!« Sie wandte sich wieder an ihre Besucher. »Entschuldigen Sie. Leute machen ihn einfach nervös. Gleich kackt er mir noch auf den Küchenfußboden.« Sie stöhnte vor sich hin. »Na ja, wenigstens bleibt der Teppich dann verschont.«

»Bei Ihnen kommt nicht zufällig ab und zu noch Post für Kray an?«, fragte Jack.

»Nix.« Die Frau zog heftig an ihrer Zigarette und stieß eine gigantische Rauchwolke aus. »Tut mir leid, ich kann Ihnen nicht helfen.«

»Geht schon in Ordnung«, sagte Jack. »Können Sie mir sagen, wo das nächste Postamt ist?«

»Das kann ich.« Die Frau deutete in eine Richtung und gab ihm eine detaillierte Wegbeschreibung.

Jack bedankte sich, und sie gingen über den Plattenweg zur Straße zurück.

»Das Postamt?«, wunderte sich Nina, als sie wieder in den Wagen einstiegen.

Jack warf einen Blick auf seine Armbanduhr. »Wir können es gerade noch rechtzeitig schaffen.« Er parkte aus und fuhr die Straße entlang. »Tolkan hat doch gesagt, dass Kray sehr auf seine Privatsphäre bedacht ist. Er wird es bestimmt nicht mögen, wenn jemand anders seine Post in die Hand bekommt. Jede Wette, dass er vor seinem Umzug einen Nachsendeantrag gestellt hat.«

Sie fuhren die Tyler Street entlang. Nina rauchte ihre Zigarette auf. Sie bogen auf die Graham Road ab, dann wieder nach rechts auf den Arlington Boulevard und schließlich links auf die Chain Bridge Road. Das Postamt befand sich in einem einstöckigen, hellen Backsteinhaus. Es sah aus wie alle anderen Postämter, die Jack kannte, drinnen wie draußen.

Er ging zum Schalter und fragte nach dem Dienststellenleiter. Zehn Minuten später tauchte eine kräftige Frau Mitte fünfzig auf, die es ganz offensichtlich nicht sehr eilig hatte. Jack kam es immer so vor, als wären alle Postangestellten grundsätzlich körperlich unfähig, in normalem Tempo zu gehen. Aber vielleicht musste das ja so sein, vielleicht hatte man ihnen diesen lahmen Gang ja auf einer Post-Akademie extra beigebracht.

Jack und Nina zeigten ihre Ausweise und fragten nach der Nachsende-Adresse von Ron Kray. Die Leiterin, die ein Gesicht wie ein alter Boxhandschuh hatte, bat sie zu warten. Sie verschwand irgendwo in den unergründlichen Weiten des Gebäudes. Die Zeit verging, Menschen kamen herein, stellten sich in eine Reihe, warteten, rückten langsam vorwärts. Formulare wurden ausgefüllt, Päckchen mit Briefmarken beklebt, weitere Formblätter wurden ausgefüllt, noch mehr Briefe und Päckchen mit Briefmarken beklebt. Kunden, die das falsche Formular vollgeschrieben hatten, wurden in eine Ecke geschickt, um ihren Fehler zu korrigieren. Jack war schon kurz davor, eine Anklage wegen Störung der öffentlichen Ordnung zu riskieren, indem er über den Tresen sprang, um nach der Dienststellenleiterin zu suchen, da kam sie zurück, im Tempo der Schneckenpost natürlich.

»Kein Ron Kray«, sagte sie lakonisch. Sie sprach wie eine Figur aus einem Roman von Raymond Chandler.

Jack zog einen Notizblock und einen Stift hervor und schrieb umständlich Krays letzte bekannte Adresse darauf, also die, die sie eben aufgesucht hatten. Er riss den Zettel ab und reichte ihn der Postlerin, die aussah, als sei sie schon jetzt total überarbeitet. »Vielleicht gibt es ja einen Nachsendeantrag, bei dem diese Adresse als vorheriger Wohnsitz angegeben ist.«

Die Frau schaute auf den Zettel, als könnte irgendwelches Unheil von ihm ausgehen. »Ich glaube nicht, dass ich das kann …«

»Es geht um die letzten sechs Monate, ungefähr.«

Die Postlerin schaute ihn unglücklich an. »Das kann aber dauern.«

Jack lächelte freundlich. »Wir warten gern.«

»Aber mein Dienst ist in zwölf Minuten zu Ende«, protestierte sie.

»Heute nicht, heute arbeiten Sie länger«, sagte Nina.

Die Postangestellte schaute sie zornig an, als wollte sie sagen: *Et tu, Brute?* Dann drehte sie sich wutschnaubend um und schlurfte davon.

Wieder verging die Zeit. Die Warteschlange wurde kürzer, schließlich kam der letzte Kunde dran. Man spürte regelrecht, wie ein kollektiver Seufzer der Erleichterung durch die Postangestellten ging, als sie endlich ihre Schalter schließen durften und im hinteren Bereich des Gebäudes verschwanden.

»Würde mich nicht wundern, wenn die Chefin sich da hinten erst mal eine Tasse Tee genehmigt«, sagte Jack. »Sie sah ein bisschen rachsüchtig aus.«

»Jack, das wegen Emma – ich wollte doch nur helfen.«

Er schaute zur Seite und antwortete nicht.

Sie biss sich auf die Lippe. »Du bist wirklich gnadenlos.«

Sie wartete eine Weile. Sie standen jetzt allein vor dem Tresen im Postgebäude, die Türen waren abgeschlossen.

Sie schaute ihn direkt an. »Können wir nicht noch mal von vorn anfangen?«

Jack gelang es nur mit Mühe, seine schlechte Laune zu besiegen. »Ja, klar, warum nicht?«

Sie hörte den abweisenden Unterton in seiner Stimme. »Du vertraust dich nicht gern jemandem an, stimmt's?«

»Das hat nichts mit Vertrauen zu tun«, sagte er, immer

noch mit einem Hauch von Zorn in der Stimme. »Meine Lebenserfahrung sagt mir, dass man von der Liebe nicht zu viel erhoffen darf.«

In diesem Augenblick hörten sie die bekannten schlurfenden Schritte und mussten ihre Diskussion abbrechen. Die Dienststellenleiterin kam ohne Umweg direkt auf sie zu. In der Hand hielt sie eine ganze Reihe Formblätter. Nina nahm sie ihr ab, als sie sagte: »Sechs Stück habe ich gefunden – unglaublich!«

Nina ging die Zettel durch, und Jack war ihr dankbar dafür. Angesichts der Spannung zwischen ihnen beiden und dem wachsamen Blick der Postlerin wäre es ihm sicherlich schwergefallen, sich auf die Buchstaben zu konzentrieren.

Nina ging ein Blatt nach dem anderen durch und schüttelte frustriert den Kopf. »Wir werden alle diese Personen aufsuchen müssen.« Aber mit einem Mal hellte sich ihr Blick auf. »He, warte mal!« Sie ging wieder zurück zu Blatt fünf. »Charles Whitman. Das ist aber eigenartig. Charles Whitman war doch der Attentäter, der im August 1966 den Turm der Universität von Texas bestieg und eininhalb Stunden lang von dort herunterschoss. Er hat vierzehn Menschen getötet und noch viel mehr verletzt. Jemand, der damals dabei war, ich weiß nicht mehr genau wer, sagte: ›Das war der Beginn einer schlimmen Zeit.‹«

»Ich erinnere mich. Das war ein Ladenbesitzer, ich hab ihn im Fernsehen gesehen.« Jack schnippte mit den Fingern. »Deshalb ist mir der Name Ron Kray so bekannt vorgekommen. Ronnie Kray und sein Zwillingsbruder Reggie waren berüchtigte psychopathische Killer in East End von London in den Fünfziger- und Sechzigerjahren.«

»Jetzt haben wir ihn!«, rief Nina aus. »Unser Mann benutzt beide Namen als Pseudonyme.«

Jack nahm ihr das Formblatt mit dem Antrag auf Adressänderung aus der Hand. Er konzentrierte sich und las die neue Adresse. Sie war in Anacostia, das wurde ihm sofort klar. Aber die Straße und die Hausnummer entglitten ihm immer wieder, schwammen davon auf einem Meer der Angst. Natürlich war der Straßenname völlig einfach, und ein Teil seines Gehirns hatte ihn sehr wohl identifiziert, und zwar ziemlich schnell. Das Problem war nur, dass sein Gehirn unbedingt vermeiden wollte, dass er den Namen zuordnen konnte.

»Er wohnt in der T Street im Südosten«, sagte Nina.

Dann las sie die Hausnummer vor, und Jack begann zu zittern. Nun war ihm alles klar: Ihr Verdächtiger Ron Kray alias Charles Whitman – wie auch immer sein richtiger Name lautete –, der Mann also, der möglicherweise Alli Carson entführt hatte, lebte im Haus des Marmosets.

FÜNFUNDDREISSIG

Nur wenige Leute wissen, wo Gus und Jack wohnen, und noch weniger kommen zu Besuch. Als dann eines Abends Detective Stanz in der Westmoreland Avenue aufkreuzt, ist Jack logischerweise ziemlich alarmiert. Eine Weile lang stehen Gus und Stanz draußen auf der Veranda und reden ohne Punkt und Komma. Stanz zündet sich eine Camel an und bläst den Rauch aus den Nasenlöchern. Er sieht aus wie ein Stier aus einem Zeichentrickfilm der Warner Brothers, aber mit dem Unterschied, dass er überhaupt nicht lustig wirkt. Er scheint den Tod mit sich herumzuschleppen, der sich unter seinem linken Arm in Form eines Dienstrevolvers verbirgt.

Jack, der im Haus herumlungert und lauscht, hört die Worte »McMillan-Stausee« und ist sich deshalb ziemlich sicher, dass Gus nach der Ermordung des Marmosets nicht genügend Beweise liefern konnte, um jemanden für den Doppelmord zur Verantwortung ziehen zu können. Aber dann kommt er anscheinend doch noch mit einer stichhaltigen Information, denn Jack hört, wie Stanz sagt: »Also gut, gehen wir. Ich will ihm sowieso noch ein paar Fragen stellen.«

Gus nickt. Er geht ins Haus und telefoniert, aber Jack kann nicht mithören. Gus erklärt ihm, dass er mit Stanz weggehen und erst in ein paar Stunden zurück sein wird. Jack schaut den beiden Männern hinterher, als sie die

Verandastufen hinabsteigen, dann rennt er zum Schreibtisch von Gus und sucht nach dem Ersatzschlüssel für das
Auto. Er schleicht aus dem Haus, und es bleibt ihm gerade noch genug Zeit, den weißen Lincoln Continental zu
starten und den Gang einzulegen, so wie er es bei Gus immer beobachtet hat, um loszufahren und dem dunklen
Chevy von Stanz zu folgen. Jack schaltet die Scheinwerfer
nicht ein, bis der Verkehr so dicht geworden ist, dass der
Continental nicht mehr auffällt. Bisher ist er nur durch
fast ganz leere Straßen gefahren, mit Gus auf dem Beifahrersitz, der ihm mit leiser Stimme Tipps gab oder ihn korrigierte. Nun spürt er, wie sich Schweißtropfen auf seiner
Stirn bilden. Sein Mund wird trocken. Wenn ein Polizist
ihn jetzt anhalten würde, wäre er nicht in der Lage, auch
nur ein einziges Wort herauszubringen.

Er reißt sich zusammen und findet sein inneres Gleichgewicht wieder. Glücklicherweise braucht er sich nur auf
den Chevy und die Ampeln zu konzentrieren. Wenn er
jetzt auch noch Straßenschilder entziffern müsste, würde er bestimmt nicht weit kommen. Er drückt auf einen
Knopf, und aus dem Kassettenrekorder tönt die Stimme
von James Brown. Er singt »It's a Man's World«, und Jack
singt laut mit und stellt fest, dass er die grässlichen Angst-
gefühle, die ihn früher immer erfassten, wenn sein Vater
»California Dreamin'« auflegte, längst hinter sich hat.

Er bemerkt, dass der Chevy in Richtung Stausee fährt,
und fragt sich, wen Gus wohl angeworben hat, um die Stelle des Marmosets zu übernehmen. Es ist keine beneidens-
werte Position und muss sicherlich großzügiger bezahlt
werden, als Gus es gewohnt ist. Aber wahrscheinlich mussten diese Kosten von Stanz und der Polizei ersetzt werden.

Sie fahren jetzt auf der Georgia Avenue Richtung Norden über den Stausee hinweg. Als Stanz an der Rock Creek Church Road rechts abbiegt, schaltet Jack die Scheinwerfer aus. Er hat eine Ahnung, wo das Treffen mit dem Spitzel, den Gus angeworben hat, stattfinden soll. Er fühlt sich bestätigt, als es weiter zur Marshall Street und Richtung Pershing Drive geht. Nun fahren sie an der Westseite des Geländes des Golfplatzes der Armee entlang. Die kleineren Baumgruppen auf dem Platz stellen sicherlich eine besondere Irritation für die Golfer dar, die bis spät in den Abend hier trainieren. Jetzt, zu dieser späten Stunde, sind allerdings keine Golfer mehr unterwegs.

Die Scheinwerfer des Chevy flammen zweimal hell auf, dann hält er an einer Stelle an, die zu beiden Seiten von Bäumen gesäumt ist. Jack beobachtet, wie Gus und Stanz aussteigen. Stanz hat die Scheinwerfer angelassen. Die beiden Männer gehen durch die Lichtkegel ein Stück weit die Straße entlang und zeichnen sich als schwarze Schattenrisse ab. Motten fliegen durch die Dunkelheit zum Licht und zappeln hilflos herum.

Vorsichtig steigt Jack aus dem Continental und passt gut auf, dass die Tür sich geräuschlos schließt, aber nicht zuschnappt. Er schleicht am Straßenrand entlang, von einem Baum zum nächsten, und verbirgt sich in deren Schatten.

Schließlich ist er nahe genug herangekommen, um zu erkennen, dass eine dritte Person zu Gus und Stanz getreten ist. Der Mann steht jenseits des Lichtkegels. Jack schleicht immer weiter nach vorn, um sein Gesicht erkennen zu können. Noch immer ist ihm nicht klar, warum er Gus gefolgt ist. Natürlich macht er sich Sorgen. Jemand hat den Marmoset umgebracht, weil er herausgefunden hatte, wer die beiden Männer beim McMillan-Stausee getötet hatte. Jack hat in den Zeitungen darüber gelesen und sich gewundert, dass in den Artikeln nichts über die Identität der Opfer stand. Es hieß nur, die Informationen darüber würden zunächst aufgrund der Rücksichtnahme auf die Angehörigen zurückgehalten. Aber in den nachfolgenden, immer seltener werdenden Artikeln wurden sie ebenfalls nicht genannt.

Jack rückt immer näher an den Ort des Geschehens und sieht jetzt, dass die Männer heftig diskutieren. Stanz gestikuliert, als wolle er die Luft mit seinen Armen zerhacken. Sein Mund bewegt sich unaufhörlich.

»… soll das heißen, du hast keinen Namen? Ich brauch einen gottverdammten Namen!«

»Ich hab aber keinen«, antwortet der Spitzel knapp.

»Dann werde ich eben jemanden finden, der …«

»Sie werden den Namen des Mörders nie erfahren«, erklärt der Spitzel. »Weder von mir noch von jemand anderem.«

Jack erstarrt, als er sieht, wie Stanz seinen Revolver herauszieht. Wenn Gus nicht eingeschritten wäre, so Jacks Eindruck, dann hätte Stanz den Spitzel glatt erschossen. Stanz springt auf ihn zu und will schon zielen, da legt Gus einen Arm um ihn, zieht ihn an sich und nimmt ihn in den Schwitzkasten.

»Hau ab«, schnauzt er den Spitzel an. »Na, los doch!«

»Genau!«, brüllt Stanz wütend. »Hau ab, du feiger Nigger mit deinem eingekniffenen Schwanz.«

Gus schleudert Stanz zu Boden und steht nun über ihm. In der Hand hält er den Revolver, den er ihm abgenommen hat. »Ich lasse mir ja eine Menge von dir gefallen, aber jetzt reicht es.« Er leert die Patronen aus Stanz' Revolver und wirft sie weg. Anschließend fliegt die Waffe ins Gestrüpp. »Du kommst mir nicht mehr unter die Augen, hast du verstanden?«

Er stakst davon, und Stanz brüllt hinter ihm her: »Glaub ja nicht, dass du dafür bezahlt wirst!« Und als Gus sich hinter das Steuer des Chevy zwängt und wegfährt, schreit er: »He, lässt du mich hier hängen? Verdammtes Arschloch!«

Gus wartet auf Jack im Garten unter der großen Eiche. Jack biegt mit abgeschalteten Scheinwerfern in die Einfahrt ein und bemerkt ihn erst, als er direkt auf ihn zufährt. Er bremst scharf ab, und Gus nähert sich drohend der Fahrertür, dessen Fenster Jack jetzt herunterkurbelt.

»Wenn du schon allein in der Gegend herumfährst, dann kannst du mir auch mal kurz zur Polizeistation folgen, damit wir diesen beschissenen Chevy dort abliefern können.«

Auf dem Rückweg darf Jack ebenfalls am Steuer sitzen.

»Was hattest du denn da draußen beim Golfplatz zu suchen?«, fragt Gus.

Er ist nicht sauer deswegen, schimpft noch nicht einmal. Wenn Jack es nicht besser wüsste, hätte er geglaubt einen, freundschaftlichen Unterton in seiner Stimme zu hören.

»Ich hab mir Sorgen gemacht.«

»Wie jetzt? Um mich?« Gus zieht seine Magnum .357 heraus.

Jack sagt nichts, sondern konzentriert sich aufs Fahren.

Er vermutet, dass das eine Lektion sein soll, was passieren kann, wenn Gus jemandem am Steuer den Vortritt lässt.

»Hattest du eine Waffe dabei, Junge?«

Jack wird aus seinen Gedanken gerissen und sagt nur: »Äh, nein.«

»Warum denn nicht, zum Teufel?« Gus steckt den riesigen Revolver wieder ein. »Was hast du dir denn vorgestellt, was du getan hättest, wenn die Sache da draußen aus dem Ruder gelaufen wäre?«

»Das ist ja beinahe passiert«, sagte Jack, der froh war, dass ihm dazu eine Antwort einfiel.

»Das machst du aber nicht noch mal, verstanden?«

Jack nickt.

»Hinter der Küchentür hängt ein Schlüssel.«

»Hab ich gesehen.«

»Die untere rechte Schublade in meinem Schreibtisch. Da liegt ein kurzläufiger .38er. Genau das Richtige für einen Grünschnabel wie dich. Er ist geladen und weiter hinten liegen auch noch ein paar Schachteln mit Ersatzpatronen.«

»Revolver mag ich nicht«, sagte Jack.

»Ha! Wer mag die wohl? Aber manchmal muss man leider einen dabeihaben.«

Jack versucht wach zu bleiben. Nach der ganzen Aufregung glaubt er, dass ihm das leichtfallen würde. Aber Gus schaltet die Stereoanlage ein. Die Musik, die vertrauten Töne, der bekannte Rhythmus, der traurige Gesang, dringt in sein Zimmer ein und umschließt ihn wie ein schützender Kokon der Melancholie. Bald schon ist er fest eingeschlafen.

Als er die Augen wieder öffnet, sieht er einen Vogel auf dem Zweig der Eiche draußen vor dem Fenster. Er hockt neben einem leeren Nest. Sein Kopf bewegt sich ruckartig hin und her, während er sich umschaut. Es ist Morgen. Ein dünnes, milchiges Licht fällt auf den nackten Holzfußboden. Jack schlägt die Decke zurück und stolpert ins Badezimmer, um zur Toilette zu gehen und sich mit kaltem Wasser zu erfrischen.

Er fragt sich, was Gus wohl zum Frühstück machen wird. Am liebsten würde er Blaubeer-Pfannkuchen essen. Da noch keine verlockenden Düfte aus der Küche heraufsteigen, weiß er, dass er noch genug Zeit hat, beim Chefkoch eine Bestellung aufzugeben.

Er tappt nach draußen in den Flur, nur in seiner Unterwäsche, gähnt ausgiebig und kratzt sich am Bauch. Er klopft an die leicht geöffnete Tür von Gus' Schlafzimmer, ruft nach ihm und geht hinein. Die Vorhänge sind zugezogen, und es ist dunkel, noch immer Nacht.

Gus liegt auf dem Bett, die Bettdecke wölbt sich über seinem mächtigen Körper. Er hat sich auf den Bauch gedreht und die Arme rechts und links ausgebreitet. Jack vermutet, dass er betrunken ist, und ruft laut seinen Namen. Als er keine Antwort bekommt, zieht er die Vorhänge auf, und das Licht des Morgens strömt herein.

Jack bemerkt große, dunkle Flecken auf den Betttüchern und Laken. Gus' Mund steht halb offen, als wollte er aufschreien. Er starrt Jack an.

»Gus?«

Da erst bemerkt Jack das Messer mit dem eigenartigen Griff, das aus dem Rücken seines Freundes ragt.

Viel später, nachdem er seine Aussage gemacht hat, die Polizei und Pfarrer Taske wieder gegangen sind, nachdem das Haus wieder leer ist und weder Licht noch Leben zurückgeblieben sind, geht Jack zur Stereoanlage und legt die *Out of our heads* auf. Mick Jagger legt los, und Jack steht da wie festgenagelt und starrt ins Nichts. Er weiß, dass er die ganze Nacht hier unten verbringen wird – vielleicht noch viele Nächte. Er kann sich nicht überwinden, nach oben zu gehen, weder in sein Zimmer noch in das von Gus. Aber er fragt sich, ob der Vogel noch auf diesem Baum sitzt und warum er auf einmal dort aufgetaucht ist.

Fast einen Monat später kommt Detective Stanz ins »Hi-Line«, das Jack weiterführt, um mit ihm zu sprechen. Stanz geht die Reihe der gläsernen Vitrinen entlang, als wolle er sich etwas zum Kaufen aussuchen. Aber Jack weiß genau, was er hier will. Erstaunlich ist nur, dass es so lange gedauert hat, bis er gekommen ist.

Nach einer Weile kommt er am Tresen an, wo Jack hinter der Kasse steht. Er räuspert sich und sagt: »Du hast da ein paar, äh, Dokumente, die Gus für mich aufbewahrt hat. Die, ähm, würde ich gern zurückhaben.«

Jack denkt einen Augenblick darüber nach und antwortet: »Ich weiß, was für Dokumente Sie meinen. Sie gehörten Gus, und jetzt mir.«

Stanz wird knallrot vor Wut. »Du verdammter kleiner …«

Jack fasst unter den Tresen und holt einen braunen Briefumschlag hervor. »Eins davon hab ich hier.«

Er öffnet den Umschlag, damit Stanz die Fotokopien der Papiere sehen kann, die er selbst unterschrieben hat, als er sich ein Schließfach bei der Riggs National Bank einrichten ließ.

Stanz schnaubt wütend. »Na und? Es gibt viele Leute, die ein Schließfach haben.«

Jack zieht ein zweites Dokument aus dem Umschlag. »Aber nicht mit zwei Millionen Dollar Drogengeld von Luis Arroyo Ochoa, die Sie auf ein Nummernkonto auf den Cayman Inseln verschoben haben.«

Stanz wird aschfahl im Gesicht. Er klammert sich an der nächstliegenden Glasvitrine fest, um nicht das Gleichgewicht zu verlieren. »Aber das ist doch unmöglich! Das kannst du gar nicht wissen! Diese Konten sind doch geheim.«

Jack nickt. »Das habe ich mir schon gedacht. Aber der Finanzexperte, der Ihnen das Konto eingerichtet hat, war leider einer von Gus' Leuten.«

Stanz wischt sich den Schweiß von der Stirn. Er macht einen Sprung nach vorn und will nach den Papieren greifen, aber Jack ist schneller und zieht den Umschlag weg.

»Alles hat seinen Preis«, sagt er.

Stanz starrt ihn niedergeschlagen an. »Was willst du?«

»Ich will wissen, wer Gus ermordet hat.«

Stanz atmet erleichtert auf, und Jack weiß auch warum. Er hatte befürchtet, Jack würde die Hälfte der unterschlagenen zwei Millionen verlangen. Aber Jack will nichts von diesem schmutzigen Geld haben, an dem Blut klebt, und er ist sich ziemlich sicher, dass auch Pfarrer Taske nichts davon nehmen würde. Außerdem hat Gus der Renaissance Mission Church in seinem Testament ein üppiges Geschenk gemacht, genauso wie er Jack großzügig bedacht hatte.

Der Detective denkt kurz nach. »Und was ist mit den anderen Sachen?«

»Die Quittung für die Pistole, mit der Sie Manny Echebarra getötet haben, ist bei mir gut aufgehoben, Detective Stanz. Niemand wird sie zu Gesicht bekommen.«

Stanz denkt eine Weile über die unerwartete Situation nach. Schließlich nickt er. »So wie es aussieht, kann ich dir da einen Tipp geben.«

Er streckt die Hand aus, und Jack überreicht ihm den Umschlag. Stanz steckt ihn hastig ein.

»Das Messer, das wir Gus aus dem Rücken gezogen haben, ist ein ziemlich ungewöhnliches Teil. Es hat zwei Wochen gedauert, bis wir es zuordnen konnten. Es ist eine Palette. So was wird in Backstuben verwendet. Hat Gus dir mal den Inhaber einer Bäckerei vorgestellt? Ja? Dachte ich mir. Kennst also seine Adresse, hab ich recht?« Er schaut Jack ohne den geringsten Anflug von Sympathie an. Das hier ist eine geschäftliche Transaktion, sonst nichts. »Allerdings gibt es keine Fingerabdrücke, also können wir nichts beweisen. Der Polizei sind die Hände gebunden, wenn du verstehst, was ich meine.«

Jack, vor dessen geistigem Auge das Bild von Cyril Tolkan erscheint, weiß ganz genau, was er meint.

SECHSUNDDREISSIG

Im Gegensatz zu den vielen anderen Orten in seiner Vergangenheit, die Jack in der letzten Zeit aufgesucht hatte, sah das Haus des Marmosets noch genauso aus, wie in seiner Erinnerung. Es war immer noch tiefblau und hatte weiße Fensterläden. Offenbar war es erst vor Kurzem frisch gestrichen worden.

Da es gut möglich war, dass sich im Innern ein Entführungsopfer und der Täter befanden, wollte Jack nicht das Risiko eingehen, zu lange zu warten, bis irgendein übereifriger Idiot Kray alias Whitman warnen konnte. Nina war der gleichen Ansicht. Allerdings verzichtete er darauf, ihr seine unglaubliche Vermutung mitzuteilen, dass es sich bei diesem Kray um dieselbe Person handelte, die vor fünfundzwanzig Jahren die zwei Männer am McMillan-Stausee, den Marmoset und Gus getötet hatte. Es war derselbe Mann, der Alli Carson entführt hatte, und er würde ganz bestimmt nicht zögern, ihr mit seiner Palette in den Rücken zu stechen, wenn man ihn in die Enge trieb. Auch wenn es Jack noch immer nicht gelang, diese verschiedenen Verbrechen in ein Raster einzuordnen, war er der Überzeugung, dass alles miteinander in Verbindung stand. Er kam der Lösung immer näher, das wusste er, denn in seinem Kopf leuchtete schon die Farbe auf, die dazugehörte: ein kaltes Neonblau, dessen betörendes Leuchten im Gegensatz zur Hässlichkeit der Verbrechen stand.

Irgendetwas sagte ihm inzwischen, dass er mit seiner Vermutung falsch gelegen hatte, dass Cyril Tolkan für die Ermordung von Gus verantwortlich war. Als er jetzt noch einmal alle Fakten durchging, kam es ihm so vor, als sei er absichtlich in die falsche Richtung gelenkt worden. Das lag an der Art der Mordwaffe. Eine Palette wurde in Backstuben benutzt, und Cyril Tolkan war der Inhaber einer Backstube, ihm gehörte die All Around Town Bakery. Aber obwohl Jack vor fünfundzwanzig Jahren Tolkan getötet hatte, wurde diese ungewöhnliche zurechtgefeilte Palette nun wieder als Mordwaffe benutzt. Jack glaubte nicht an einen Zufall oder dass der Mörder von heute den von damals imitierte. Die Palette war damals der Öffentlichkeit gar nicht präsentiert worden. Das bedeutete, dass der Mörder von Gus die ganze Zeit frei herumgelaufen war. Aber warum war er jetzt wieder aufgetaucht und hatte Alli Carson entführt?

Jack saß wie gebannt da und versuchte sein inneres Gleichgewicht wiederzufinden, während in seinem Kopf Gegenwart und Vergangenheit durcheinanderpurzelten.

Schließlich riss er sich zusammen und sagte: »Ich kenne dieses Haus.« Sie saßen im Auto, das sie einen Straßenzug weiter geparkt hatten. »Ich nehme den Hintereingang, du kommst von vorn.«

Sie verglichen ihre Uhren. Die Dämmerung brach herein, das Grau des Himmels wurde rasch dunkler, als würde jemand mit einem Pinsel schwarze Farbe darüberstreichen. Es war kalt und windstill. Hier und da waren Pfützen zu sehen.

»Gib mir neunzig Sekunden, damit ich genug Zeit habe, meinen Posten einzunehmen, okay?«, sagte er.

Nina nickte, und sie stiegen aus. Sie schauten auf ihre Armbanduhren, als sie sich trennten. Jack zählte vor sich hin, als er auf der einen Seite des Hauses entlangging, vorbei an einigen Mülltonnen zu seiner Rechten und einem Drahtzaun auf der linken Seite. Er musste an Zilla denken, den Schäferhund, den Gus so gern gemocht hatte.

Als er an der Hintertür ankam, hatte er noch sechzehn Sekunden Zeit. Auf dem Weg war er an drei Fenstern vorbeigekommen. Bei zwei von ihnen waren die Vorhänge zugezogen, und es war unmöglich, einen Blick hineinzuwerfen. Das dritte war das Küchenfenster, durch dessen Gardine man hineinsehen konnte. Die Wände waren gelb gestrichen, niemand war zu sehen.

Er schob zwei gekrümmte Metallspieße in das Schloss und bewegte sie gleichzeitig so, dass sie wie ein Schlüssel funktionierten. Die Tür sprang im gleichen Moment auf, als Nina an die Vordertür klopfte. Jack zog seine Pistole aus dem Halfter und ging von Zimmer zu Zimmer. Er horchte, ob irgendwo menschliche Geräusche zu hören waren, während Nina weiter klopfte. Im Haus war es düster und dunkel, schlechte Erinnerungen wurden lebendig, als würden sie von den Dielenbrettern aufsteigen. Er blieb im Flur stehen, als er eine Reihe mit angepinnten Fotos bemerkte. Seine Nackenhaare stellten sich auf: Das waren Bilder von Alli Carson. Sie besaßen diese mangelnde Tiefenschärfe, die typisch war für Fotos, die mit einem Teleobjektiv aus größerer Entfernung gemacht wurden. Dann hielt er den Atem an, denn auf dem mittleren Bild waren Alli und Emma gemeinsam zu sehen, wie sie über den Campus von Langley Fields spazierten. Er starrte die beiden Mädchen an, und es kam ihm vor, als würde Emmas Bild anfangen zu flimmern, sich zu wellen und auf ihn zuzubewegen. Er hätte schwören können, dass sie von seiner Anwesenheit hier wusste und ihn anlächelte.

Wie aus weiter Ferne glaubte er ihre Stimme zu vernehmen. Er wollte antworten, aber da er fürchtete, Kray könnte sich im Haus befinden, schwieg er.

Ninas lautes Klopfen an der Vordertür ließ ihn zusammenzucken, aber das war nicht die Ursache seiner Angst. Er ging durch den Vorraum und zog die Tür auf, um sie einzulassen. Mit einem knappen Kopfschütteln signalisierte er ihr, dass er niemanden entdeckt hatte. Er führte sie geräuschlos zu den Fotos im Flur.

Mit seiner linken Hand gab er ihr zu verstehen, sie solle das obere Stockwerk überprüfen. Auch er ging systematisch alle Räume ab, den Keller mit seinen vielen Spinnennetzen, in dem es nach Feuchtigkeit und rohem Beton roch, das Wohnzimmer, in dem unglaubliche Mengen von Büchern und Zeitschriften und sonstigen Papieren herumlagen. Das Badezimmer war gut aufgeräumt wie auch die Küche. Das war eigenartig. Das Wohnzimmer und der Eingangsbereich waren so, wie er es in Erinnerung hatte, unaufgeräumt und modrig, aber die Küche und das Badezimmer waren sauber und makellos, glänzten wie das Labor eines akribischen Wissenschaftlers. Man hatte den Eindruck, hier würden zwei ganz verschiedene Menschen an einem Ort wohnen: der Geist des Marmosets und Kray.

Auf der linken Seite war eine geschlossene Tür. Er drückte auf die Klinke und stellte fest, dass sie verschlossen war. Sein Dietrich nützte ihm hier nichts. Das Schloss war ein Modell, mit dem er bisher nicht zu tun gehabt

hatte. Er trat zurück, zielte und hob schützend die andere Hand vor die Augen, als er den Abzug seiner Pistole
durchdrückte. Der ohrenbetäubende Knall war überall zu
hören, und Nina kam die Treppe heruntergestürzt.

Er trat die Tür auf und betrat einen Raum, in dem nur
ein großer hölzerner Stuhl stand. Früher, als der Marmoset noch gelebt hatte, war hier auch ein Fenster gewesen.
Aber es war inzwischen zugemauert und übermalt worden. Es stank nach Schweiß, Angst und menschlichen Exkrementen.

Sie traten wieder in den Flur und gingen zusammen in
die wesentlich freundlicher wirkende Küche.

»Alles durchsuchen«, sagte Jack.

Sie öffneten die Schränke, zogen Schubladen auf und
schauten in Kammern nach. Alle Küchengeräte, Flaschen,
Dosen, Lappen, Besen, Kehrbleche und so weiter waren
ordentlich an ihrem Platz. Der Backofen war leer. Nina
zog die Kühlschranktür auf.

»Sieh mal.«

Sie kniete sich vor den offenen Kühlschrank. Alle Regale waren herausgenommen worden. Sie deutete auf den
Boden, wo etwas Durchsichtiges zwischen zwei Einbau-
teilen hing.

»Das sieht aus wie ein Stück Haut.«

Jack nickte, sein Herz schlug bis zum Hals. »Wir tüten
es ein und bringen es zu Dr. Schiltz. Würde mich nicht
wundern, wenn es zu der Person gehört, der die Hand
abgetrennt wurde.«

Nina zog sich ein Paar Latexhandschuhe über. »Hoffentlich gehört es nicht zu Alli Carson.«

Sie holte eine Plastiktüte und eine Pinzette hervor, Jack

wandte sich der Tür zur Vorratskammer zu. Die Tür war geschlossen, aber nicht verriegelt. Ganz vorsichtig zog er sie auf.

Er atmete erleichtert auf. Alli Carson saß zusammengekrümmt in einer Ecke mit dem Rücken gegen einen Schrank gelehnt. Sie hatte die Knie angezogen und die Arme darum geschlungen. Sie wippte langsam vor und zurück, als wollte sie sich auf diese Weise beruhigen.

Jack kniete sich neben sie.

»Alli?« Er musste ihren Namen dreimal sagen, bevor sie ihm den Kopf zudrehte und ihn ansah. Gleichzeitig hörte Jack, wie Nina die Dienststelle anrief, einen Krankenwagen bestellte und bat, den Arzt der Familie Carson, der in Langley Fields in Bereitschaft stand, sowie eine bewaffnete Eskorte herzuschicken. Sie fragte auch nach Hugh Garner, konnte aber aus irgendwelchen Gründen, die Jack nicht mitbekam, nicht mit ihm sprechen.

»Keine Sirenen«, sagte Jack mit ruhiger Stimme, und Nina gab es weiter.

Jack rückte näher an Alli heran, und sie schreckte zurück. »Alli, ich bin's, Jack. Jack McClure, der Vater von Emma. Kannst du dich an mich erinnern?«

Alli schaute ihn wie aus weiter Ferne an. Sie wippte immer noch hin und her, und Jack musste unwillkürlich an den schrecklichen zugemauerten Raum denken, an den riesigen Stuhl und die Fesseln daran und wie es dort gerochen hatte.

»Keine Angst, Alli. Nina und ich sind im Auftrag deiner Eltern hier. Wir bringen dich nach Hause.«

Nachdem er das gesagt hatte, schien so etwas wie ein Lebensfunke in ihre Augen zurückzukehren. »Jack?«

»Ja, Alli, Jack McClure.«

Mit einem Mal hörte sie auf, vor und zurück zu schaukeln. »Sind Sie es wirklich?«

Jack nickte. Er hielt ihr eine Hand hin und wartete, bis sie zögernd danach fasste. Er rechnete damit, dass sie zurückweichen würde, aber stattdessen warf sie sich in seine Arme und begann zu schluchzen und zu zittern. Sie klammerte sich so fest an ihn, dass er zutiefst gerührt war.

Er stand auf und zog sie hoch. Sie zitterte am ganzen Körper. Nina trat neben ihn in die Kammer. Nacheinander zog sie alle Schubladen des Schranks auf. Alle waren leer bis auf die obere, in der ein Sammelsurium von Werkzeugen lag: Hammer, Wasserwaage, Zange, Drahtschere, verschiedene Schraubenzieher und Schraubenschlüssel.

Alli fing wieder an zu jammern, und Jack legte ihr eine Hand an den Kopf, um sie zu beruhigen. Mit der anderen holte er sein Handy aus der Jackentasche und drückte auf einen Knopf. Einen Augenblick später war Edward Carson am anderen Ende.

»Sir, wir haben Ihre Tochter gefunden. Sie ist unverletzt.«

Er hörte ein leises Rascheln, das alles Mögliche sein konnte – vielleicht musste Carson sich ja einige Tränen aus den Augen wischen. »Gott sei Dank«, sagte er mit bewegter Stimme. Dann hörte Jack, wie er die Nachricht an seine Frau weitergab und wie sie vor Erleichterung und Freude laut aufschrie.

»Wir wissen nicht, wie wir Ihnen danken sollen, Jack. Können wir mit ihr sprechen?«

»Das wäre im Augenblick nicht gut, Sir. Wir werden sie erst hier rausbringen. Sie muss wieder zu Kräften kommen.«

»Wann können wir sie sehen?«

»Der Krankenwagen ist unterwegs. Sie können uns im Bethesda Krankenhaus treffen.«

»Wir sind schon auf dem Weg«, sagte Carson. »Jack, Sie haben Ihr Versprechen gehalten, das werden wir Ihnen nie vergessen, ich nicht und meine Frau auch nicht.«

Im gleichen Moment, als Jack sein Handy wieder einsteckte, öffnete Nina die oberste Tür des Schränkchens über dem Waschbecken und prallte zurück, als sie die Schlange bemerkte, die herausschoss und auf den Küchenschrank hinabglitt. Dann hob das bösartig aussehende Tier angriffslustig den Kopf. Es war hungrig, suchte Beute, außerdem war es aufgestört worden. Seine Zunge zischelte aus dem Maul, es witterte lebendige Kreaturen in seiner Nähe.

Jack fasste blitzschnell in die Schublade und holte eine Zange heraus. Der Kopf der Schlange schoss nach vorn, viel schneller, als dass er noch reagieren konnte, doch auf halbem Weg zu ihm fiel ein Schatten über das Tier, und es sah aus, als würde es abgebremst. Jack spürte einen kalten Lufthauch im Nacken. Er holte aus, zielte gut und nahm den Kopf der Schlange im wahrsten Sinne des Wortes in die Zange. Dann drückte er so fest zu wie er konnte. Obwohl das Gehirn des Tieres zermalmt wurde, zappelte sein Körper noch eine ganze Weile wütend hin und her und versuchte sich zu befreien.

Nina fand nur mit Mühe ihr Gleichgewicht wieder. »Jack, ist alles in Ordnung?«

Er konnte keinen Laut von sich geben und nickte nur.

»Die Schlange ist direkt auf dich zugeschossen, ich war mir sicher, dass sie dich beißen würde.«

»Sie hätte mich auch erwischt«, sagte Jack, noch benommen, »aber etwas hat sie aufgehalten.«

»Das ist unmöglich.«

»Trotzdem war es so. Ein Schatten hat sich zwischen die Schlange und mich gestellt.«

Nina schaute sich um. »Was für ein Schatten denn?« Sie fuhr mit ihrer Hand über die Stelle, auf die Jack gedeutet hatte. »Da ist kein Schatten. Da ist gar nichts.«

Alli entwand sich seiner Umarmung und hob den Kopf: »Was ist passiert?«

Jack warf die tote Schlange in eine Ecke und sagte nur: »Nichts. Alles ist in Ordnung.«

»Nein, ist es nicht. Irgendwas ist doch los«, protestierte Alli.

»Ich bringe dich hier raus«, sagte er leise und zog sie mit sich in die Küche und dann durch den Flur zur Haustür. »Du wirst deine Eltern bald sehen.«

Kurz darauf drängten sich im Haus des Marmosets schwer bewaffnete Sicherheitsbeamte, die Nina angefordert hatte, zusammen mit Sanitätern, die eine Trage hereinrollten, einer Krankenschwester und dem Hausarzt der Carsons. Alli aber weigerte sich, von Jack getrennt zu werden, also führte er sie zum Krankenwagen und stützte sie dabei ab.

Alli wollte ihm etwas sagen, und er beugte sich zu ihr. »Ich hab da eben etwas gespürt, Jack, als wäre noch jemand bei uns gewesen.«

»Du bist bestimmt ganz kurz ohnmächtig gewesen«, sagte er.

»Nein, ich spürte den Atem von jemandem, es war wie ein kühler Hauch auf meiner Wange.«

Jack spürte, wie sein Herz einen Sprung machte. War es möglich, dass Alli den Schatten genauso wahrgenommen hatte wie er?

Sie klammerte sich an ihn, und er musste zu ihr in den Krankenwagen steigen. Sogar als sie sich auf die Trage legte, damit der Arzt sie untersuchen konnte, ließ sie ihn nicht los. Offenbar fürchtete sie, er könnte sie in ihrem schrecklichen Albtraum allein lassen.

Er hielt ihre Hand und erzählte von den guten alten Zeiten, als sie und Emma beste Freundinnen gewesen waren. Nach und nach gelang es ihr, sich zu entspannen. Erst jetzt konnte der Arzt sie untersuchen und ihr ein leichtes Beruhigungsmittel verabreichen.

Allis Augenlider wurden schwer. »Jack …« Die Maske der Verzweiflung auf ihrem Gesicht verschwand, sie wurde ruhig. »Jack …«

»Ich bin ja hier, Liebling«, sagte er mit Tränen in den Augen. »Ich lass dich nicht allein.«

Seine Stimme war heiser, sein Hals wie eingeschnürt. Es war ihm nur zu bewusst, dass er genau das vor langer Zeit einmal zu Emma hätte sagen sollen.

VIERTER TEIL

SIEBENUNDDREISSIG

Das frühe Abendrot des Januars zeichnete dünne gold-
farbene und rötliche Streifen in den Himmel, als Jack
sich mit Dr. Irene Saunderson auf der breiten Veranda des
Emily House traf, in dem Alli untergebracht war.

»Ich habe es auf alle nur erdenklichen Arten versucht,
aber es will mir nicht gelingen zu Alli durchzudringen«,
sagte sie. Sie war groß und spindeldürr und trug ihr dunkles Haar zu einem Pferdeschwanz gebunden, was ihre
hohe Stirn und ihre hervortretenden Wangenknochen
betonte. Sie schaute ihn aus wachen, intelligenten Augen
an und wirkte ein bisschen wie ein ehemaliges Model.
»Entweder sie kann nicht oder sie will uns nicht erzählen,
was ihr passiert ist.«

»Welcher von diesen beiden Gründen trifft Ihrer Meinung nach zu?«, fragte Jack. »Können Sie nicht wenigstens so viel sagen.«

Dr. Saunderson schüttelte den Kopf. »Das ist ja gerade
das Frustrierende am menschlichen Bewusstsein. Zweifellos leidet sie an einer Art posttraumatischem Stress-Syn-
drom, aber diese Erkenntnis hilft uns leider auch nicht
weiter. Es ist natürlich absolut unstreitig, dass sie ein trau-
matisches Erlebnis hatte. Aber wie genau sich das auf sie
auswirkt und welche Folgen es hat, können wir nicht ein-
schätzen.« Sie seufzte tief. »Ehrlich gesagt, habe ich das
Gefühl, in einer Sackgasse zu stecken.«

»Sie sind jetzt die dritte Psychiaterin, die das sagt.« Jack knöpfte seinen Mantel auf. Es hatte zu tauen begonnen, und ihm war warm geworden. »Und wie sieht es mit körperlichen Schäden aus?«

»Sie wurde eingehend untersucht, und es konnten keine Spuren einer Vergewaltigung oder sonstiger physischer Gewalteinwirkungen festgestellt werden. Sie hat nicht den kleinsten Kratzer abbekommen.«

»Könnte sie nicht ein Opfer des Stockholm-Syndroms sein?«

»Sie denken an Patty Hearst und ähnliche Fälle.« Dr. Saunderson zuckte mit den Schultern. »Es ist natürlich möglich, dass sie so weit gebracht wurde, sich mit ihrem Entführer zu identifizieren. Aber es gibt keine Anzeichen bei ihr, dass sie uns feindlich gesonnen ist, und wenn man bedenkt, wie kurz die Zeit war, in der sie von ihrem Entführer abhängig war, erscheint das eher unwahrscheinlich. Es sei denn, er hat Drogen eingesetzt, um den Prozess zu beschleunigen, aber in ihrem Blutbild gab es keine Hinweise auf derartige chemische Substanzen. Sie wissen ja, dass das medizinische Team des Präsidenten die Untersuchungen übernommen hat, seit Sie sie hergebracht haben.«

»Es ist jetzt drei Tage her, seit ich wegen eines Besuchstermins angefragt habe.«

»Sie können sie jetzt gleich sehen, wenn Sie möchten«, sagte Dr. Saunderson und schob seine Beschwerde mit der typischen Lockerheit eines Psychiaters beiseite.

Die wissen immer, was sie sagen müssen, dachte Jack, *sogar wenn sie im Unrecht sind.*

»Soll ich Sie zu ihrem Zimmer bringen?«

»Ich würde sie lieber dort draußen treffen.«

Dr. Saunderson runzelte die Stirn. »Ich weiß nicht, ob das eine gute Idee ist.«

»Warum nicht? Sie ist zehn Tage lang eingesperrt gewesen. Das hier ist zwar ein ganz hübsches Haus, aber dennoch wie ein Gefängnis für sie.« Jack setzte sein freundlichstes Lächeln auf. »Kommen Sie schon. Wir wissen doch beide, dass ein bisschen frische Luft ihr guttun wird.«

»Meinetwegen. Ich bin gleich wieder zurück.« Sie wollte schon gehen, zögerte dann aber. »Seien Sie nicht überrascht, wenn Alli sich manchmal etwas eigenartig benimmt. Sie hat zurzeit extreme Gemütsschwankungen.«

Jack nickte.

Er blieb allein auf der Veranda zurück und genoss die nostalgische Atmosphäre der Vorkriegsvilla. Das Emily House war ein großes, reich verziertes Gebäude, das in einer Neuverfilmung von *Vom Winde verweht* als Kulisse hätte dienen können. Wenn er nicht gewusst hätte, was es mit dem Haus auf sich hatte, wäre es ihm nicht ungewöhnlich vorgekommen, auf der Veranda zwischen gut gekleideten Paaren zu stehen, die Mint Juleps tranken und sich mit Südstaaten-Akzent unterhielten.

Das Emily House hatte seinen Namen vom Hund eines ehemaligen Präsidenten bekommen. Das regierungseigene sichere Haus auf einem ausgedehnten ländlichen Grundstück in Virginia war von Wald umgeben und wurde streng bewacht. Über die Jahre hinweg waren hier Staatsoberhäupter, Dissidenten, Doppelagenten und ähnliche Personen beherbergt worden. Es war weiß gestrichen, hatte taubengraue Fensterläden und ein blaugraues Schieferdach. Das hübsche Äußere täuschte über die gepanzerten Wände und Türen, die kugelsicheren und bombenfesten Fenster hinweg; auch die verschiedenen ausgeklügelten Sicherheitssysteme waren auf den ersten Blick nicht zu sehen. Unter anderem gab es eine Einrichtung, die mit den Buchstaben ADS bezeichnet wurde. Dabei handelte es sich nicht etwa um eine Abkürzung, die Dr. Saunderson für Allis psychischen Zustand gefunden hatte, sondern um eine Art Strahlenkanone, die eine unsichtbare Energie abgab, die bei demjenigen, der in die Schusslinie geriet, das Gefühl schwerer Hautverbrennungen hervorrief. Man konnte dieses Ding nicht in der Hand halten, dazu war es zu groß. Tatsächlich sah es aus wie eine Satellitenschüssel, die auf einem Sattelschlepper oder einem Geländewagen angebracht war. Es funktionierte ziemlich gut, und das war alles, was zählte.

Jack hörte, wie hinter ihm eine Tür aufging, und drehte sich um. Dr. Saunderson war zurück, und neben ihr stand Alli. In den drei Tagen, die er sie nicht gesehen hatte, schien sie um mindestens ein Jahr gealtert zu sein. Irgendwas in ihrem Gesicht war anders, aber er konnte nicht genau identifizieren, was. Das war wieder so ein visuelles Puzzle, das er entschlüsseln musste.

»Hallo«, sagte er lächelnd.

»Hallo.«

Sie rannte in seine Arme. Jack küsste sie auf die Stirn und sah, wie Dr. Saunderson ihm zunickte, bevor sie im Haus verschwand.

Alli trug eine kurze Wolljacke, Jeans und ein orangefarbenes Sweatshirt mit dem Bild eines Adlers, der einen Schädel in seinen Krallen hielt.

»Wollen wir ein paar Schritte gehen?«, fragte Jack.

Sie nickte, und er führte sie die Treppe hinunter auf den Kiesweg hinter dem Haus. Rund um das Gebäude gab es einige besonders angelegte Gärten, aber zu dieser Jahreszeit waren nur die Buchsbaumhecken noch grün.

Alli zog den Kopf ein. »Wir dürfen nicht zu weit gehen, sonst schlagen die Wachen Alarm.«

Jack horchte genau auf das, was sie sagte und vor allem wie sie es sagte. In ihrer Stimme schwang ein melancholischer Unterton mit, der der tiefen Traurigkeit entsprach, die er seit Langem empfand. Diese junge Frau war ihr Leben lang an einer Leine gehalten und von strengen Männern bewacht worden, zu denen sie überhaupt keinen Bezug hatte. Er hatte sich bereits entschlossen, mit ihrem Vater über die neuen Bodyguards zu sprechen, die für ihren Schutz abgestellt werden sollten, wenn sie wieder nach Hause durfte. Es würde ihr sicher guttun, wenn sie nicht von zwei völlig Unbekannten geschützt würde.

»Und? Wie behandeln sie dich hier?«, fragte er, während sie die niedrigen Hecken entlanggingen.

»Mit Samthandschuhen.« Sie lachte auf. »Manchmal kommt es mir so vor, als sei ich aus Glas gemacht.«

»Liegt das daran, wie sie mit dir umgehen?«

Alli zuckte mit den Schultern. Es war klar, dass sie noch nicht so weit war, über das zu sprechen, was vorgefallen war, nicht einmal mit ihm. Er musste einen anderen Versuch machen.

»Alli, du könntest mir bei einer Sache helfen. Es geht um Emma.«

»Gern.«

Irrte er sich, oder leuchteten ihre Augen auf?

»Bitte lach mich nicht aus, aber ich hatte in den letzten zehn Tagen Momente erlebt, in denen ich hätte schwören können, dass ich Emma sehe. Einmal in Langley Fields, dann auf dem Rücksitz meines Wagens. Aber auch bei anderen Gelegenheiten. Und einmal spürte ich einen kühlen Hauch in meinem Nacken.«

Alli ging schweigend voran und starrte zu Boden. Jack, der ahnte, dass man sie in letzter Zeit oft genug zu etwas drängen wollte, schwieg. Stattdessen horchte er auf den Wind, der durch die kahlen Äste wehte, und das Krächzen eines Krähenschwarms, der sich auf den Bäumen niedergelassen hatte.

Nach einer Weile hob Alli den Kopf und schaute ihn sonderbar an. »Mir ist es ähnlich ergangen. Als du mich festgehalten hast und diese Schlange kam …«

»Du hast die Schlange gesehen?«

»Ich hab sie gehört.«

»Das hab ich gar nicht mitbekommen.«

»Du hattest ja zu tun.«

Diese Bemerkung traf ihn, auch wenn sie es nicht beabsichtigt hatte. Noch immer spürte er den Schmerz und die Schuld, genauso deutlich wie am Tag, als er Emmas leblosen Körper in den Armen gehalten hatte. Jeder Mensch ist völlig hilflos, wenn sein eigenes Kind stirbt. Es war unnatürlich und deshalb völlig unbegreiflich. In einer solchen Situation kann man keinen Trost finden. So betrachtet war es vielleicht doch zu verstehen, dass Sharon sich der Kirche zugewandt hatte. Es gibt immer eine Zeit, wenn der Schmerz, den man in sich spürt, unerträglich wird. Dann muss man auf die eine oder andere Art Hilfe suchen.

Sie waren jetzt inmitten des Buchsbaumlabyrinths an einem kleinen, quadratischen Platz mit einer Steinbank angekommen. Schweigend setzten sie sich hin. Jack sah zu, wie die Schatten über die Wiesen und Beete krochen. Im Licht der untergehenden Sonne sahen die Baumwipfel aus, als hätten sie Feuer gefangen.

»Ich hab sie gespürt«, sagte Alli. »Emma war bei uns in diesem schrecklichen Haus.«

Und im gleichen Moment, als sie diese Worte aussprach, hatte Jack das Gefühl, als würden sie beide kurz berührt vom Flügelschlag eines Mysteriums von unendlichem Ausmaß. Genau in dem Augenblick, als sie das Buchsbaumlabyrinth betreten hatten, hatten sie etwas gefunden, das jenseits der menschlichen Vorstellungskraft lag. Sie waren von nun an auf eine geheimnisvolle Weise bis an ihr Lebensende miteinander verbunden.

»Aber wie ist das nur möglich?«, fragte er und stellte diese Frage ebenso sehr sich selbst wie auch ihr.

Sie hob die Schultern. »Warum mag ich Cola und keine Kräuterlimonade? Warum gefällt mir blau besser als rot?«

»Manche Dinge sind einfach so, wie sie sind.«

Sie nickte. »Eben.«

»Aber das ist was anderes.«

»Warum sollte es anders sein?«, fragte Alli.

»Weil Emma tot ist.«

»Ehrlich gesagt, weiß ich nicht, was das bedeutet.«

Jack dachte kurz nach und schüttelte dann den Kopf. »Ich auch nicht.«

»Also gibt es keinen Grund, daran zu zweifeln, dass wir Emmas Gegenwart gespürt haben«, sagte sie.

»Wenn du es so sehen willst …«

Mit der absoluten Sicherheit eines jungen Menschen sagte sie: »Wie soll ich es denn sonst sehen?«

Jack konnte sich sehr wohl einige andere Möglichkeiten vorstellen, aber alle hatten mit den strengen Glaubenssätzen der Skeptiker, Wissenschaftler und Theologen zu tun.

Und weil er noch immer den Flügelschlag des Mysteriums spürte, erzählte er ihr, was er vorher noch nie einem Menschen erzählt hatte. Er beugte sich nach vorn, legte die Ellbogen auf die Oberschenkel, verschränkte die Hände und sagte: »Nachdem Sharon und ich auseinandergegangen waren, begann ich mich zu fragen, ob das wirklich alles ist. Ich meine die Welt, so wie wir sie sehen und hören, riechen und fühlen.«

»Wie bist du darauf gekommen?«

Jack suchte nach einer Antwort. »Weil ich mich ohne sie völlig … ich weiß auch nicht … entwurzelt fühlte.«

»Ich habe mich mein ganzes Leben lang entwurzelt gefühlt.« Auch Alli beugte sich jetzt nach vorn. »Manchmal glaube ich, dass ich schon so auf die Welt gekommen bin, mit dieser Frage: Ist das wirklich alles? Aber für mich war die Antwort immer: Nein, die wirkliche Welt ist dort draußen, jenseits des Käfigs, in den du eingesperrt bist.«

Jack schaute sie an. »Denkst du wirklich, die Welt, in der du lebst, ist ein Käfig?«

Sie nickte. »Es ist eine sehr kleine Welt, Jack. Du bist ja mal drin gewesen, du kennst es doch.«

»Ich bin froh, dass Emma zu dir gekommen ist.«

»Aber nur so kurz!«

Die Traurigkeit in ihrer Stimme brach ihm das Herz. »Sie war bei dir, Alli, wenn auch nur für eine kurze Zeit.«

Es wurde kühler, und die Schatten auf den ausgedehnten Wiesen, den Hügeln und Beeten wurden immer länger. Alli erschauerte, aber als Jack sie fragte, ob sie wieder ins Haus wollte, schüttelte sie den Kopf.

»Ich will nicht mehr da rein«, flüsterte sie. »Ich kann es nicht mehr ertragen.«

Ohne darüber nachzudenken, legte Jack einen Arm schützend um ihre Schultern. Er war überrascht, als sie näher an ihn heranrückte.

Nach einer Weile sagte sie: »Ich möchte mit dir über Emma sprechen.«

Jack war völlig überrascht und schwieg.

Alli sah ihn an. »Ich glaube, deshalb ist sie immer noch hier. Ich glaube, sie möchte, dass ich es dir jetzt erzähle. Sie möchte, dass du alles über sie erfährst.«

ACHTUNDDREISSIG

Es dauerte eine gute Stunde, bis Jack Dr. Saunderson und die Autoritäten im Emily House davon überzeugt hatte, dass Alli keinen Scherz gemacht hatte, als sie erklärte, sie könne es nicht noch eine Nacht an diesem Ort aushalten. Am Schluss musste er allerdings auch noch den zukünftigen Präsidenten von seinem Plan überzeugen.

»Sie wird bei mir wohnen, Sir«, sagte er zu Carson am Telefon.

»Möchte sie das?«

»So ist es, Sir.« Jack trat aus dem grellen Licht, in dem Dr. Saunderson an ihrem riesigen, reich verzierten Schreibtisch saß. »Ehrlich gesagt, sehe ich keinen anderen Weg, um zu ihr durchzudringen. Alle anderen Möglichkeiten sind gescheitert.«

»Ich verstehe«, sagte Edward Carson düster. »Also gut. Sie haben bis morgen Mittag Zeit.«

»Aber, Sir, das ist doch so gut wie gar nichts.«

»Jack, meine Ernennung soll übermorgen stattfinden. Drei hervorragende Psychiater haben sich mit ihr beschäftigt und nichts weiter herausbekommen, als dass ihr offenbar kein Leid zugefügt wurde. Gott sei Dank.«

»Sir, es ist aber unbedingt notwendig, dass wir ihren Entführer dingfest machen.«

»Ich begrüße Ihren Drang, in dieser Sache Nägel mit Köpfen zu machen, Jack. Aber das steht im Augenblick nicht im Vordergrund. Alli muss während der Zeremonie mir und meiner Frau zur Seite stehen. Wir haben diese Geheimniskrämerei auch deshalb veranstaltet, damit sie den größten Moment ihres Lebens nicht verpasst. Das Wichtigste ist doch, dass sie gesund und munter ist. Ich will gar nicht unbedingt wissen, was ihr geschehen ist, und ehrlich gesagt bin ich nicht überrascht darüber, dass sie es nicht erzählen möchte. Ich würde das auch nicht wollen.«

Es muss wohl diese ganz bestimmte Zielstrebigkeit sein, dachte Jack, die den Politikern so eine harte Schale verpasst, ganz egal, ob sie konservativ, liberal oder unabhängig sind. Ihm war klar, dass er Carson nicht mehr umstimmen konnte. Er wollte keine weiteren Argumente hören.

»Also gut, Sir, ich werde Alli morgen Mittag wieder abliefern.«

»Gut«, sagte Carson. »Nur eins noch. Ich bestehe darauf, dass sie von einer Einheit des Secret Service begleitet wird.«

»Ich verstehe Ihre Sorge, Sir«, sagte Jack. Die Anwesenheit von Sicherheitsbeamten dürfte kein großes Problem darstellen, überlegte er. »Aber es wäre für Alli sicherlich besser, wenn sie die Agenten, die zu ihrem Schutz abgestellt sind, nicht die ganze Zeit im Blick hat. Ich muss sie dazu bringen, sich mir anzuvertrauen, um herauszufinden, was ihr während ihrer Gefangenschaft zugestoßen ist. Wenn sie das Gefühl hat, unter Aufsicht zu stehen, wird es noch schwieriger, als es ohnehin schon ist.«

Schweigen am anderen Ende der Leitung. Carson schien zu überlegen. »Also gut«, sagte er dann, »machen wir einen

Kompromiss: Die fahren ihnen hinterher, aber sie werden ihren Wagen nur verlassen, wenn Gefahr im Verzug ist.«

»Ich würde die Leute gern selbst aussuchen, Sir. Ich habe da einige Personen im Auge. Ich möchte nicht, dass sich das Gleiche wiederholt wie in Langley Fields.«

»Das geht in Ordnung, Jack, in dieser Hinsicht sind wir einer Meinung«, sagte Carson. »Und jetzt möchte ich gern noch einiges mit Dr. Saunderson besprechen.«

Alli wandte sich um, als Jack aus dem Haus trat. Sie hatte draußen auf der Veranda gewartet und den Wachposten bei ihrer Routinekontrolle auf dem Wiesenstück zugeschaut. Er sah, dass sie sich schon freute, aber auch ihre Angst, es könnte doch nichts daraus geworden sein.

»Und?«

Er nickte, und sie atmete erleichtert aus.

Auf dem Weg zum Auto sagte sie: »Ich möchte hinten sitzen.«

Jack verstand sofort, warum. Auf der Fahrt zurück nach Washington schaute er genauso oft in den Rückspiegel wie nach vorn, einerseits, um sie im Blick zu haben, aber auch, um sich zu vergewissern, dass ihre Eskorte dicht hinter ihnen blieb.

»Wo hat sie gesessen?«, fragte Alli.

Damit meinte sie natürlich Emma. »Ein Stück weiter rechts von dir, ja, genau da.«

Den Rest der Fahrt blieb Alli mit geschlossenen Augen dort sitzen. Sie sah jetzt sehr friedlich aus, als hätte man sie aus dem Hier und Jetzt herausgenommen. Dann wurde ihm jäh bewusst, dass ihre tranceähnliche Abwesenheit ihn an jenen Zustand erinnerte, in dem er sich befunden hatte, nachdem er André in der Bibliothek getötet hatte. Und er fragte sich, ob er und Alli zwei Tiger waren und er derjenige, der sie jetzt in den Dschungel führte.

Das alte Holzhaus stand noch immer am Ende der Westmoreland Avenue gleich hinter der Grenze zu Maryland. Das Gebäude und das dazugehörige Grundstück hatten sich dem Zahn der Zeit und den Wandlungen der Zivilisation widersetzt. Noch immer ragte der mächtige Eichenbaum über das Dach, und noch immer nistete ein kleiner Vogel auf dem Ast vor dem Fenster von Jacks Schlafzimmer. Der umliegende Wald war dichter und undurchdringlicher geworden.

Er nahm Alli mit in das Haus von Gus. Es war sein Heim, auch wenn Sharon sich geweigert hatte, hier einzuziehen, weil sie seine Vergangenheit ablehnte. Sie hatte nie verstanden, warum er es nicht verkaufen wollte, um mit dem Erlös die Studiengebühren für Emma in Langley Fields zu bezahlen, was einfacher gewesen wäre, als ihr Haus in der Stadt mit einer Hypothek zu belasten. »Dieses schreckliche alte Haus gehört dir, und es ist nicht verschuldet«, hatte sie mehr als einmal gesagt, »warum stößt du es nicht einfach ab?« Sie konnte nicht verstehen, dass er dieses Haus niemals hergeben würde. Genauso wenig konnte sie verstehen, warum er mit Emma und Molly Schiltz gelegentlich hierhergekommen war, als die Mädchen noch jünger gewesen waren. Sie waren furchtbar gern auf die alte Eiche geklettert und hatten sich auf die dicken Astgabeln gehockt; sie hatten Verstecken im Wald gespielt. Im Wohnzimmer hatten sie sich auf die Sofas gefläzt und sich die alten Schallplatten von Gus angehört – Muddy Waters,

Howlin' Wolf und James Brown. Sie hatten Browns verrückte Art, sich über die Bühne zu bewegen, nachgeahmt, nachdem Jack ihnen ein Video von seinem Auftritt im Apollo Theater in Harlem vorgespielt hatte.

Als er die Treppe zur Eingangstür hinaufstieg, registrierte Jack, dass ihre Eskorte ein Stück weiter entfernt vor dem Nachbargebäude parkte. Von dort aus hatten sie einen guten Blick auf den Eingang und die Längsseite des Hauses.

Jack ging in die Küche und stellte das Essen, das sie in einem chinesischen Imbiss besorgt hatten, auf den Tresen. Anschließend ging er ins Wohnzimmer zu der alten Stereoanlage und suchte eine Vinylplatte aus, die er auf den Plattenspieler legte. Muddy Waters sang »Long Distance Call«.

Alli machte einen kleinen Rundgang, hielt hier und da an, um ein Buch, ein Plattencover oder ein Foto näher zu betrachten. Sie ließ die Finger über eine alte Gitarre von Gus gleiten, über die Comics von Spiderman, den Fantastischen Vier und Dr. Strange, die Jack in einer eigenen Kiste aufbewahrte, und die Videokassetten mit alten Fernsehfilmen.

»Toll! Hier sieht es wirklich genau so aus, wie Emma es beschrieben hat.«

»Sie war sehr gerne hier.«

»Oh ja, ganz bestimmt.« Alli sah die Videokassetten durch, auf denen alte Fernsehshows und TV-Serien wie die *Dick Van Dyke Show, Seahunt, Have Gun – Will Travel* und die *Bob Newhart Show* aufgenommen waren. »Sie ist gern hierhergekommen, wenn du nicht da warst und sie allein sein wollte.«

»Was hat sie hier gemacht?«

Alli zuckte mit den Schultern. »Keine Ahnung. Vielleicht hat sie Musik gehört, sie war ja total verrückt wegen des iPods, den du ihr geschenkt hast. Sie nahm ihn überall mit hin, machte ständig neue Playlists und hörte andauernd Musik.« Sie legte die Kassetten weg. »Sie hat mir nie erzählt, was sie hier gemacht hat. Du siehst, sie hatte vor allen Leuten Geheimnisse, sogar vor mir.«

Jack schaute ihr zu und spürte Freude und Trauer zugleich. Einerseits war er froh, dass sie hier war, andererseits versetzte es ihm einen Stich ins Herz, weil er erkannte, was er bei seiner eigenen Tochter alles versäumt hatte, weil er keine Zeit für sie gehabt hatte. Gleichzeitig fühlte er das starke Bedürfnis, Alli vor den Unbilden der Welt zu schützen.

Nach dem Tod von Emma hatte es eine ganze Weile gedauert, bis ihm klar geworden war, dass die Welt sich verändert hatte: Sie würde nie mehr ein sicherer Ort für ihn sein, so wie es gewesen war, als Emma noch gelebt hatte.

Dann war da noch etwas. Durch Alli war es ihm nun möglich, sich Emma zu nähern. Er begann zu verstehen, dass er und seine Tochter gar nicht so verschieden gewesen waren. Offenbar hatte Emma gemerkt, wie sehr sie sich ähnelten, aber dennoch, oder gerade deshalb, beschlossen, ihren eigenen Weg zu gehen, genau so wie er es in diesem Alter getan hatte. Mit einem Mal spürte er, wie ihn ein heftiges Aufwallen von Freude erfasste. Ihm war, als würden er und Emma jetzt doch noch einmal zueinanderfinden, vereint werden. Vielleicht konnten sie noch einmal an dem Tag anknüpfen, als sie ihn anrief. Was war es nur gewesen, das sie ihm mitteilen wollte?

»Abbott und Costello.« Alli hielt eine Kassette in die Höhe. »Können wir uns die anschauen? Emma hat immer davon gesprochen, aber ich habe sie nie gesehen.«

Jack zwang sich, aus seinem Tagtraum zu erwachen. Er schaltete den Fernseher ein und schob die Kassette hinein. Sie schauten sich *In Society* an, und während der Episode in der *Susquehanna Hat Company* musste Alli so heftig lachen, dass ihr die Tränen übers Gesicht liefen. Sie begann zu weinen und hörte auch nicht auf, als Jack den Film stoppte und die Kassette wegstellte. Sie weinte und weinte, und als Jack einen Arm um sie legen wollte, schreckte sie zurück. Er ließ sie eine Weile allein und ging nach oben, wo er sich in Gus' ehemaliges Zimmer setzte, in das er sich erst wieder hineingetraut hatte, nachdem das Bett abtransportiert worden war. Er dachte über Ronnie Kray nach und versuchte sich vorzustellen, was ein Serienkiller wie er von einem Mädchen wie Alli gewollt haben könnte. Hatte er vorgehabt, sie umzubringen? Wenn ja, dann hatte er jedenfalls nichts Entsprechendes in die Wege geleitet. Abgesehen davon hatte Kray bislang kein Interesse an Folter an den Tag gelegt. Wenn Jack eines über Kriminelle wusste, dann, dass sie ihre Methoden so gut wie nie änderten. Der gleiche Impuls, der einen Menschen dazu brachte, einen anderen zu töten, sorgte auch dafür, dass er es immer auf die gleiche Art tat, so als wäre es ein Ritual, das gleichzeitig der Sühne dienen sollte.

Zusammenfassend konnte man sagen, dass Kray ein großes Risiko eingegangen war, als er Alli vom Gelände des Langley Fields College entführt hatte. Wenn er nicht vorgehabt hatte, sie zu töten oder zu foltern, warum hatte er es dann getan? Was war sein Motiv? Und warum hatte er sie alleingelassen? War es reines Glück gewesen, dass sie sie allein angetroffen hatten, war er gerade einkaufen gewesen, als Jack und Nina in sein Haus eindrangen? War er gewarnt worden? Aber wie und von wem? Je länger Jack über dieses Rätsel nachdachte, umso mehr wurde ihm klar, dass Alli der Schlüssel zur Lösung war. Er musste sie zum Reden bringen.

Als er nach unten kam, saß sie auf dem Sofa.

»Tut mir leid, ich bin ausgerastet«, sagte sie.

»Macht nichts. Hast du Hunger?«

»Eigentlich nicht.«

»Wir können ja trotzdem was essen.« Jack ging in die Küche, und Alli folgte ihm. Sie half ihm beim Öffnen der verschiedenen Schachteln und dem Anrichten der Speisen auf den Tellern. Jack zeigte ihr, wo das Besteck war, und sie deckte den Tisch.

Alli aß gerne Fleisch, weshalb Jack Spareribs, Rindfleisch mit Glasnudeln und Schweinefleisch mit gebratenem Reis sowie Kai-lan-Kohl in Knoblauchsauce bestellt hatte.

Die fettigen Rippchen aßen sie mit den Händen, den Rest mit den beigelegten Holzstäbchen. Alli konnte sehr gut mit ihnen umgehen. Jack erinnerte sich daran, wie Emma ihm beigebracht hatte, mit Stäbchen zu essen.

»Ich war mal Vegetarierin«, sagte Alli. »Aber das war, bevor ich Emma kennenlernte.« Sie lächelte wehmütig. »Sie konnte mehr Fleisch essen als alle, die ich sonst kenne.« Sie rollte die glänzenden Glasnudeln mit den Stäbchen auf. »Ich hab mich deswegen über sie lustig gemacht. Sie hat mich daraufhin gefragt, warum ich Vegetarierin sei. Ich hab ihr erzählt, dass ich es nicht gut finde, wie die Tiere behandelt werden, und dass sie geschlachtet werden und so weiter. Sie lachte mich aus und meinte, wenn das meine Gründe wären, kein Fleisch zu essen, wäre ich leider eine Heuchlerin. ›Kannst du mir mal deine Wildlederjacke borgen oder eine deiner Lederblusen oder den Gürtel da? Wie viele Schuhe aus Plastik hast du denn?‹ Sie erzählte mir, dass es kleine Bauernhöfe gibt, auf denen Rinder, Schweine, Schafe und Hühner artgerecht gehalten werden. Sie wusste viel über ökologischen Landbau, nachhaltige Anbaumethoden und hormonfreie Aufzucht. Sie meinte, wenn ich Vegetarierin sein wolle, dann sei das meine persönliche Entscheidung, aber ich sollte wenigstens wissen, warum ich es bin. Sie war verdammt schlau, sie hatte sich ganz genau informiert. Andere – zum Beispiel ich – gaben sich mit halbgaren Fakten zufrieden, sie nicht. Was mich an ihr immer fasziniert hat, war, dass sie nichts einfach so tat. Sie hatte immer gute Gründe für ihr Verhalten.«

Wer war dieses Mädchen, über das sie da sprach? »So erschien sie Sharon und mir nie. Wir sahen nur Chaos und Rebellion.«

»Ja, das gab es natürlich auch.«

»Wir hätten uns wohl mehr Zeit für sie nehmen müssen.«

»Vielleicht hätte das auch nicht viel gebracht.«

»Was meinst du damit?«

»Emma war eine Meisterin, wenn es darum ging, anderen Menschen nur das zu zeigen, was sie ihnen zeigen wollte, und nicht mehr.« Alli zog die Knie an und schlang die Arme um die Beine. »Ich erzähl dir mal, wie wir zusammengekommen sind. Emma hatte nicht besonders viele Freunde. Das lag nicht daran, dass andere Mädchen nicht versucht hätten, mit ihr Kontakt aufzunehmen. Im

Gegenteil, alle wollten gern mit ihr zusammen sein. Aber Emma wollte nicht zu einer Clique gehören, obwohl es für sie sehr leicht gewesen wäre, die Anführerin zu werden. Aber sie sah sich ganz anders. Wir beide waren der Meinung, dass wir anders waren. Wir sahen uns als Außenseiterinnen, und da waren wir uns ganz sicher.«

Dass seine Tochter sich als Außenseiterin gefühlt hatte, so wie er auch sein ganzes Leben lang, schockierte Jack. Genauer gesagt war er eher schockiert, dass er nicht gemerkt hatte, dass sie eine Außenseiterin war.

»Ich hatte mich immer als Außenseiterin gefühlt, weil mein Vater in der großen Politik mitmischen wollte«, fuhr Alli fort. »So weit ich zurückdenken kann, sprach er immer nur davon, dass er Präsident werden wollte. Alles, was er tat, wurde diesem Ziel untergeordnet. Manchmal habe ich gedacht, dass er schon in der Grundschule damit angefangen hat, seine Karriere zu planen. Wie auch immer, es war Emma, die mir klarmachte, dass ich eine Außenseiterin war und dass das nichts mit meinem Vater zu tun hatte, sondern mit mir selbst.«

Muddy Waters sang jetzt »My Home is in the Delta«, eins von Gus' Lieblingsstücken.

»Emma hat sich also für eine Außenseiterin gehalten«, stellte er fest.

»Sie hat sich nicht bloß dafür gehalten«, sagte Alli vehement. »Sie war eine Außenseiterin!«

Jack schüttelte den Kopf. »Ich verstehe das nicht ganz.«

»Zuerst habe ich es auch nicht verstanden.« Alli sammelte das Geschirr ein und trug es zum Waschbecken.

»Lass doch«, sagte Jack. »Ich kümmere mich schon später um den Abwasch.«

»Ist schon okay.« Sie drehte den Wasserhahn auf. »Ich mach das gern, weil niemand mir gesagt hat, dass ich es tun soll, und niemand es von mir erwartet.«

Sie gab etwas Spülmittel auf eine Bürste und machte sich konzentriert an die Arbeit. »Ich habe es nicht verstanden«, fuhr sie fort, »bis ich sie richtig kennenlernte. Und dann wurde es mir schlagartig klar: Im Gegensatz zu den meisten Mädchen in unserem Alter legte Emma nicht die gleichen Maßstäbe an wie die anderen. Sie wusste ganz genau, wer sie war. Und weil sie das wusste, hatte sie eine so – ich weiß auch nicht – unglaubliche Energie und etwas Wildes.«

Sie beendete den Abwasch, trocknete sich die Hände ab und kam an den Tisch zurück. »Emma hat mir von Hunter S. Thompson erzählt, einem modernen Außenseiter. Aber sie hat mich auch darauf gebracht, William Blake zu lesen.« Sie schaute ihn schief an. »Kennst du William Blake?«

Jack spürte, wie ihn ein leichter Schauer durchfuhr. Er hatte Blake gelesen, und zwar gern gelesen, als er damals regelmäßig die öffentliche Bibliothek besuchte, was er auch noch getan hatte, nachdem er ganz auf sich allein gestellt war. Aber er musste auch an die Textstelle denken, die Chris Armitage Nina und ihm gestern vorgetragen hatte. »Ich kenne ihn.«

»Emma betete ihn an. Sie identifizierte sich mit ihm. Als ich ihn dann las, verstand ich sie voll und ganz. Ihr Lieblingszitat war …« Sie schloss die Augen, um sich zu konzentrieren. »›Ich muss mein eigenes System erschaffen oder mich dem eines anderen unterwerfen. Es ist nicht meine Aufgabe zu erörtern und zu vergleichen. Meine Aufgabe ist es, etwas zu erschaffen.‹«

»Emma wollte also etwas erschaffen?«

Alli nickte. »Etwas Bedeutendes, etwas, von dem man noch lange sprechen würde.«

»Und was sollte das sein?«

Sie brach erneut in Tränen aus, und Jack wurde von einer schrecklichen Ahnung erfasst.

»Was wollte sie tun?«

Alli sprang auf und lief im Zimmer umher. Muddy Waters sang jetzt »You can't lose what you aint never had«.

Sie biss sich auf die Unterlippe und sagte: »Ehrlich gesagt, weiß ich nicht, ob ich dir das sagen darf.«

»Alli, du bist schon so weit gegangen«, sagte Jack. »Und Emma muss nicht mehr beschützt werden.«

»Ja, ich weiß, aber …« Sie atmete langsam aus und fuhr fort: »Sie wollte von der Schule runter.«

Jack spürte ein großes Gefühl der Erleichterung. »Es gefiel ihr also nicht mehr auf Langley Fields«, stellte er fest.

»Nicht nur dort. Sie wollte auf überhaupt keine Schule mehr.«

Nun war Jack aufs Neue verwirrt. »Aber was hatte sie denn vor?«

»O Gott, ich möchte mein Versprechen doch nicht brechen.«

»Aber du hast doch gesagt, Emma will, dass du es mir erzählst«, sagte Jack. Er kam sich dabei absolut ernsthaft vor.

Alli nickte düster. Sie kam zurück und setzte sich dicht neben ihn. »Sie wollte das tun, was sie für das Richtige hielt.« Tränen schossen ihr in die Augen. »Sie hatte vor, sich den Leuten von A-Zwei anzuschließen.«

NEUNUNDDREISSIG

Das Bild von Calla Myers hing in der Luft, der Projektor vergrößerte ihr Gesicht auf Hollywood-Format. Niemand im Raum, schon gar nicht Dennis Paull, konnte ihre Ähnlichkeit mit Alli Carson übersehen.

»Meine Herren«, hörte er den anstrengenden Hugh Garner in seiner typisch autoritären Art erklären: »Hier haben wir also endlich unsere heiße Spur.« Er hielt eine der Plastiktüten mit Beweismaterial in die Höhe.

Paull gehörte zu einer Gruppe ausgesuchter Personen, die sich im Sitzungsraum W im Pentagon zusammengefunden hatte. Um den polierten Ebenholztisch saßen der noch amtierende Präsident, sein Außenminister und der Nationale Sicherheitsberater. Vor jedem der Männer lagen ein Notizblock und einige Bleistifte, daneben standen Gläser und Flaschen mit eisgekühltem Mineralwasser. Nach dem Treffen würde das gesamte Schreibmaterial eingesammelt und vernichtet werden.

»Dieses Mobiltelefon gehörte einem der ermordeten Sicherheitsbeamten, die Alli Carson bewachen sollten«, fuhr Garner fort. »Es wurde in der Nähe der Leiche von Calla Myers gefunden. Zum Zeitpunkt ihres Todes war das Opfer Mitglied der Neuen Amerikanischen Säkularisten. Natürlich ist absolut klar, dass die verstorbene Miss Myers Alli Carson nicht entführt haben kann, aber klar dürfte auch sein, dass sie irgendwie in dieses Verbrechen involviert war. Meine Vermutung ist, dass sie vorhatte auszusteigen. Sie wollte mit ihrem Handy die Polizei alarmieren. Einer ihrer Gesinnungsgenossen fand das heraus und brachte sie um. Sie hat den Angreifer offenbar kommen hören, denn es gelang ihr noch, das Handy wegzuwerfen. Es wurde bei der Spurensicherung am Tatort gefunden, auf der westlichen Seite der Spanischen Treppe, und damit ist eindeutig bewiesen, dass die Neuen Amerikanischen Säkularisten oder ihr militanter Arm A-Zwei hinter der Entführung von Alli Carson stecken.«

»Gut gemacht, Hugh«, sagte der Präsident. »Nun lass uns bitte allein.«

»Jawohl, Sir.«

Garner marschierte aus dem Raum wie ein braver Soldat, aber Paull bemerkte einen mürrischen Ausdruck in seinem Gesicht.

Der Präsident räusperte sich. »Dieses Beweismittel und die Informationen, die wir von Präsident Yukin bekommen haben, werden das Ende der radikalen Säkularisten in Amerika einläuten.«

Er drehte sich zu Paull um. »Dennis, ich befehle Ihnen, mit der Verhaftung der Mitglieder der Neuen Amerikanischen Säkularisten zu beginnen. Da es Ihnen bislang nicht gelungen ist, irgendwelche Fortschritte bezüglich der Identifizierung von Mitgliedern der Terrorgruppe A-Zwei zu machen, möchte ich, dass Sie jeden einzelnen Verhafteten zu diesem Thema befragen.« Er hob eine Hand. »Ich muss Sie nicht extra daran erinnern, dass wir nur noch eine Woche Zeit haben, bevor meine Amtszeit zu Ende ist. Ich persönlich bin der Ansicht, dass wir unsere Arbeit nicht korrekt erledigt haben, wenn es uns nicht gelingt, alle diese inländischen Terroristen der Justiz zu übergeben. Ich glaube nicht, dass der kommende Präsident diese Arbeit genauso gründlich erledigen wird, also müssen wir es tun.«

Paull, der sich innerlich über diese anmaßende Bemerkung ärgerte, nickte und sagte begeistert: »Die Sache ist so gut wie erledigt, Sir. Wir haben jetzt eindeutige Beweise und können diese Leute nach allen Regeln der Kunst überführen, und zwar öffentlich, was uns bisher verwehrt war.«

»Ausgezeichnet«, sagte der Präsident, der den ironischen Unterton in Paulls Stimme nicht wahrnahm, und rieb sich die Hände. »Und nun wollen wir uns damit befassen, wie es nach dem zwanzigsten Januar weitergeht.«

Im Pentagon werden ständig geheime Sitzungen abgehalten, aber heute hatte Paull den Eindruck, dass der Hauch einer Verschwörung im Raum schwebte. Auf dem Schreibtisch in seinem Büro stand eine Tafel, die sein Mentor ihm einst geschenkt hatte. Sie war aus Rosenholz, in goldenen Buchstaben war ein berühmter Ausspruch von Benjamin Franklin eingraviert: »Wenn drei Menschen ein Geheimnis bewahren, sind zwei von ihnen tot.« Paull war zu keinem Zeitpunkt seines Lebens von der Wahrheit dieses Spruchs so überzeugt gewesen wie gerade jetzt. Er schaute sich um und hatte den Eindruck, dass die ganze Atmosphäre mit Geheimniskrämerei aufgeladen war. *Vielleicht ist es das, was passiert, wenn etwas zu Ende geht*, dachte er, *wenn nach acht Jahren harter Entscheidungen und Beinahe-Katastrophen und ausufernder Propaganda das Vertrauen sogar im engsten Führungszirkel verloren gegangen ist.* Sein Mentor hatte ihn gewarnt und ihm erklärt, dass die letzten Tage einer Regierung entweder von Langeweile oder von Verzweiflung geprägt sind. Beides ist ungesund. Beides fördert die Korruption. Denn jeder, der jetzt noch Macht hat, muss sich fragen, ob er es ertragen kann, sie wieder abzugeben, oder ob er nicht mehr ohne sie leben möchte. Am Schluss hatte ihm sein Mentor erklärt, kommt es nur noch darauf an, den Müll in den Ausguss zu kippen und wegzuspülen, dann rieselt einem die Macht durch die Finger und vergeht.

»Meine Herren«, fuhr der Präsident fort, »wie läuft unsere Kampagne zur Sicherung unseres Einflusses im Kongress nach der Machtübernahme von Edward Carson?«

Jetzt wurde Paull klar, wie wahr die warnenden Worte seines Mentors gewesen waren. Er war angewidert von dem Ton, der bei diesem Treffen angeschlagen wurde, der Uneinsichtigkeit dieses Cäsars, der nicht wahrhaben wollte, dass seine Zeit vorbei war und die Messer schon gewetzt wurden, sondern sich gegen den Gang der Geschichte stellen wollte. Aber er durfte sich nicht von der Verzweiflung blenden lassen, die in den Worten dieses machtgierigen Mannes lag, denn zweifellos hatte er vor, noch einige folgenreiche Befehle zu erteilen. Ein Tier, das in die Enge getrieben wird, ist am gefährlichsten. Er fragte sich, welcher von den drei hier anwesenden Männern der am meisten verzweifelte war und deshalb der gefährlichste.

Paulls Aufgabe bestand darin, herauszufinden, wie viel Schaden die acht Jahre an der Macht bei diesen drei Männern angerichtet hatte. Wer würde resignieren und wer wollte nicht loslassen?

Der Außenminister, ein breiter Mann mit dem geröteten Gesicht eines Trinkers, dessen Augen ständig zwinkerten, war der Erste, der ins gleiche Horn wie der Präsident stieß.

»Wenn wir weiter unseren Kurs beibehalten, haben wir nichts zu befürchten. Die Evangelikalen sind weiterhin unsere breite Basis, und die National Rifle Association hält fest zu uns.«

»Es gibt trotzdem ein Problem mit der NRA«, sagte der Nationale Sicherheitsberater, ein Texaner mit ledrigem Gesicht, rauer Stimme und dem autoritären Gebaren eines Marschalls aus dem neunzehnten Jahrhundert. »Die neuesten Zahlen zeigen, dass es einen alarmierenden Rückgang bei den Jägern in unserem Land gibt. Wir haben deshalb eine Botschaft an die Medien gegeben, indem wir den Umweltaspekt in diesem Zusammenhang betonen. Jäger sorgen dafür, die Population der Wildtiere in Schach zu halten, sie tun also etwas für die Umwelt, so in der Art. Aber natürlich sind wir in erster Linie besorgt darüber, dass die sinkende Mitgliederzahl bei der NRA auch ihren Einfluss in Washington schmälert.«

»Das wäre wirklich übel«, kommentierte der Außenminister. »Gibt's nicht eine Möglichkeit, ihnen finanzielle Mittel zukommen zu lassen, damit sie nicht knapp werden? Wir wollen doch nicht, dass ihnen das Geld fehlt, um ihre Lobbyisten zu bezahlen.«

»Ich denke, in dieser Hinsicht können wir etwas bewirken«, sagte der Sicherheitsberater und machte sich ein paar Notizen.

Der Präsident wandte sich nun seinem Minister für Heimatschutz zu. »Dennis, was haben Sie uns noch anzubieten?«

Paull klopfte mit dem Stift auf die Tischplatte. »Ich hab

noch mal über die Evangelikalen nachgedacht. Bei denen sind wir ja gut positioniert, aber mir macht der wachsende Einfluss des Renaissance Mission Congress Sorgen. Ich habe mir die Wahlstatistiken mehrmals angesehen, und jedes Mal war ich mehr beeindruckt. Zweifellos hat diese Organisation eine Menge dafür getan, dass die Mehrzahl der Stimmen an Carson gegangen ist. Er hat so gut wie alle schwarzen Stimmen bekommen.«

»Was wollen Sie damit andeuten?«, fragte der Außenminister. »Sie versuchen doch sicherlich nicht, uns einzureden, wir sollten mit Myron Taske genauso verfahren wie mit Martin Luther King.«

»Um Gottes willen, nein.« Paull schenkte sich etwas Wasser ein, um sein aufkommendes Ekelgefühl zu überspielen. Innerlich betete er, dass Gott die Menschen in seinem Land in Zukunft vor solchen Politikern wie diesem Außenminister verschonen möge. »So, wie es aussieht, unterhält Carsons Vertrauter Jack McClure gute Beziehungen zu Myron Taske. Aus diesem Grund habe ich die Secret-Service-Agentin Nina Miller aus dem Pool der Leute von Hugh Garner auf ihn angesetzt.«

Paull macht eine Pause und trank einen Schluck Wasser. Währenddessen ließ er seinen Blick durch den Raum schweifen und registrierte jede Bewegung, jede Geste, ohne es sich anmerken zu lassen. Jeder der Anwesenden konnte auf die eine oder andere Art seine Sicherheitsvorkehrungen umgangen und sein Geheimnis ergründet haben. Nun hoffte er, derjenige würde sich verraten – vielleicht durch ein winziges Flattern des Augenlids –, während er die von ihm in die Wege geleitete Operation darlegte.

»Jetzt, wo McClure Alli Carson gefunden hat«, fuhr Paull fort. »wird die Einsatztruppe aufgelöst. Trotzdem konnte die Agentin Miller, wie von mir angeordnet, eine dauerhaftere Beziehung zu McClure aufbauen und genießt nun sein Vertrauen.« Er wandte sich direkt an den Präsidenten. »Ich habe mir Folgendes überlegt: Nina Miller wird ihre Einflussmöglichkeiten nutzen, um McClure dazu zu bringen, Myron Taske auf unsere Seite zu ziehen.«

»Ich habe mich einige Male mit Taske getroffen«, sagte der Präsident. »Er ist genauso ehrlich, wie er schwarz ist.«

Der Sicherheitsberater nickte. »Wir haben ihn eingehend untersucht. Er wird Carson nicht im Stich lassen.«

»Er wird es dann tun, wenn wir McClure klarmachen, dass die Werte, die Carson vertritt, ganz andere sind, als es den Anschein hat«, sagte Paull. Es war völlig konstruiert, was er da vorbrachte, und wenn es jemanden gab, der gegen ihn agierte, dann würde er es spätestens dann merken, wenn Jack McClure sich weigern würde, dabei mitzuspielen. Aber er wollte erreichen, dass die hier Anwesenden in den nächsten Tagen etwas hatten, womit sie sich beschäftigen konnten. »Meine Agentin hat mir mitgeteilt, dass McClure extrem loyal ist, aber sehr schnell umgedreht werden kann, wenn er den Eindruck hat, betrogen worden zu sein. Und das können wir ausnutzen.«

»Das klingt nicht gerade überzeugend«, sagte der Außenminister. »Gefällt mir nicht.«

»Überzeugend oder nicht«, meinte der Sicherheitsberater. »Ich finde es interessant genug. Dennis hat recht, wenn er darauf hinweist, dass wir uns den Renaissance Mission Congress vornehmen sollten. Die Kirche hat viel Macht und wird jeden Tag mächtiger. Es wäre natürlich großartig, wenn wir sie und außerdem noch die Spanisch sprechenden Einwanderer auf unsere Seite ziehen könnten, aber ich bin Realist, und ich will mich nicht in Wunschträumen verlieren.«

»Ich stimme dem zu.« Der Präsident nickte. »Dennis soll diese McClure-Sache vorantreiben.«

»Dennis«, sagte der Sicherheitsberater, »falls du Unterstützung brauchst, ruf an, ich bin gern dazu bereit.«

»Ich weiß das zu schätzen«, sagte Paull. »Damit habe ich alles, was ich brauche, um die Angelegenheit voranzutreiben.« Aber innerlich dachte er: *Träumt weiter, ihr Idioten.*

Der Präsident hob eine Hand. »Bitte halten Sie fest, dass Dennis McClure noch vor dem 21. Januar umgedreht haben muss.«

Als Dennis Paull das Pentagon verließ, zog er sein Handy aus der Tasche und drückte auf die Schnellwahltaste. Er sagte nur das eine Wort: »Latent«, und legte sofort wieder auf. Dann stieg er in seinen Dienstwagen und ließ sich zur nächstgelegenen Nordstrom-Filiale chauffieren. Er betrat den Laden und ging in die Herrenabteilung, wo er seine beiden Männer sofort entdeckte. Der erste trat sofort hinter ihn und sah nach, ob er verfolgt wurde. Paull ging weiter zu dem zweiten Mann und nahm ihm eine große Einkaufstüte aus der Hand, mit der er im Umkleidebereich verschwand, vor dem ein dritter Agent postiert war.

Nur eine Kabine war besetzt. Paull nahm die Nische daneben und verbrachte die nächsten vier Minuten damit, seinen Fedora-Hut, seinen mitternachtsblauen Kaschmir-

Mantel, den Brooks-Brothers-Anzug, das Paull-Stuart-Hemd und den Schlips auszuziehen. Seine schwarzen Brogues stellte er ordentlich beiseite. Dann holte er ein paar Röhrenjeans, ein blaues Chambray-Hemd und ein paar braune Cowboystiefel aus der Tüte und zog sie an.

Derart ausstaffiert, zog er ein Dossier aus der Innenseite seines Mantels und klopfte gegen die Trennwand zwischen seiner und der angrenzenden Kabine. Ein vierter Agent brachte ihm einen braunen Lammfellmantel und einen graubraunen Stetson. Als der Minister die Kabine verließ, trat ein Agent, der Paull von der Statur her sehr ähnelte, hinein. Er trug die gleichen Sachen, die sein Chef vorher getragen hatte, und verließ den Nordstrom-Laden durch den Vordereingang, durch den Paull hereingekommen war. Er stieg in seinen Dienstwagen und fuhr davon. Zur gleichen Zeit nahm Paull einen Seitenausgang und verließ das Einkaufszentrum. Draußen wartete ein Taxi auf ihn, an dessen Steuer ebenfalls einer seiner Agenten saß.

Das Taxi fuhr los, bog auf den Washington Boulevard ein und fuhr Richtung Arlington. An der Ecke Fourteenth Street und North Wayne stieg Paull aus und ging um den ganzen Häuserblock, um sicherzugehen, dass niemand ihn beschattete, dann lief er ein Stück die North Adams Street entlang. Kurz hinter der Kreuzung an der Fifteenth Street stand ein Streifenwagen am Straßenrand und wartete auf ihn. Paull zog die hintere Tür auf und setzte sich auf den Rücksitz.

»Alles sauber«, sagte er. »Gibt's was Neues?«

»Ja, Sir«, nickte der Agent, der sich als Polizist verkleidet hatte. »Der Kapitän auf Ihrem Schiff kann Lippen lesen.«

»Gottverdammte Scheiße!«, Paull schlug mit der Faust auf die Armlehne. »Für wen spioniert er herum?«

»Wir haben nur eine Mobilnummer, die wir nicht zuordnen können.«

»Das passt.« Er dachte kurz nach. »Haben wir Datum und Uhrzeit des Anrufs?«

»Haben wir«, sagte der Agent und gab sie ihm.

Paull schaute aus dem Fenster auf die Passanten, die vorbeigingen, auf dem Weg in ein Fischgeschäft oder einen Blumenladen. Die »kleinen Leute«, wie der Nationale Sicherheitsberater sie mit der typischen Arroganz der momentanen Regierung nannte. Natürlich war Paull selbst auch ein Mitglied dieser Regierung, aber er fühlte sich dort wie eine Ratte im Gebälk, das von Katzen umzingelt ist, die nur darauf warten, dass er seinen Kopf herausstreckt. »Das ist wunderbar, einfach wunderbar.«

Er nickte vor sich hin. »Okay, fangen wir an.« Er klappte das Dossier auf, las es noch einmal und wunderte sich über den Mangel an substanzieller Information über Ian Brady, das Kronjuwel der Agentengarde des Staates. Aber sogar in diesen wenigen Abschnitten steckte etwas, das ihm sehr deutlich signalisierte, dass es Probleme geben würde. Er wusste nur nicht, was genau es war.

»Howdy, Cowboy«, sagte Nina Miller, als er sie in einer dunklen Ecke an der North Taft Street abholte.

Paull rückte ein Stück zur Seite. »Ich sehe toll aus, oder?«

Sie nahm ihm den Stetson ab und warf ihn auf den Vordersitz. Nachdem sie es sich neben ihm bequem gemacht hatte, sagte er: »Wir haben ein Problem.«

»Noch eins«, fragte sie nach, »oder das Gleiche wie immer?«

Er musste lachen, obwohl er schlecht gelaunt war. »Ich glaube, alle unsere Schwierigkeiten kommen von einer einzigen Person.«

»Ich wünschte, es wäre Hugh Garner«, sagte Nina. »Mit dem komme ich schon klar.«

»Er muss seines Amtes enthoben werden, das ist klar«, sagte Paull. »Fällt dir dazu was ein?«

»Jack hat mir erzählt, dass er Peter Link, den einen der beiden Vorsitzenden der Säkularisten, beinahe ertränkt hätte. Er hätte sich auch an Armitage vergriffen, wenn Jack nicht dazwischengegangen wäre.«

»Vergiss es. Der Präsident hat gerade angeordnet, dass alle Mitglieder der Neuen Amerikanischen Säkularisten verhaftet und verhört werden sollen.«

»Dann geht's also los.«

Paull nickte grimmig. »Trotz all unserer Bemühungen.«

»Jack hat sich auch verausgabt. Er hat Garner Einhalt geboten und damit gedroht, Carson anzurufen. Es war keine leere Drohung, und Hugh wusste das. Also hat er aufgehört. Aber jetzt ist er Jack natürlich alles andere als wohlgesonnen.«

»Das sind alles nützliche Details«, sagte Paull nachdenklich. »Und Jack? Ist das einer von uns?«

Nina machte eine vage Handbewegung. »Ich weiß bis heute nicht, ob er sich einer Seite zurechnet. Er scheint der apolitischste Mensch zu sein, den ich je getroffen habe. Ihm sind alle Regierungsformen und Ideologien suspekt.«

»Und worauf läuft es bei ihm hinaus?«

»Nach allem, was ich bislang über ihn weiß, würde ich ihn als einen Humanisten bezeichnen«, sagte sie.

Paull saß gedankenverloren da.

Der Streifenwagen fuhr über den Curtis Memorial Parkway und erreichte jetzt die Francis Scott Key Bridge, die nach Georgetown hineinführte. Der morgendliche Nebel hatte sich gelichtet, und ein strahlend blauer Himmel erstreckte sich über der Stadt. Ein leichter Wind wehte. Paull, der überheizte Autos hasste, hatte das Fenster ein Stück weit geöffnet. Er mochte es, wenn die kalte Luft über sein Gesicht strich.

»Was mich richtig nervt«, sagte er, »ist, dass ich trotz aller Hightech-Anstrengungen bei den Sicherheitsmaßnahmen von einer uralten Spionagemethode überrumpelt wurde – dem Lippenlesen.«

»Jemand auf der Jacht?«

Er nickte. »Ausgerechnet auch noch der verdammte Kapitän selbst.«

»Wurde er denn nicht durchleuchtet?«

Paull sah sie mitleidig an. »Wir stellen uns gegen jemanden im Weißen Haus, der ziemlich weit oben steht. Da nutzt es nichts, wenn man jemanden durchleuchtet, wenn sie ihn vorher nach allen Regeln der Kunst präpariert haben.«

Sie bogen auf die M Street und dann auf den Rock Creek Parkway.

»Glaubst du etwa, der Präsident selbst hat ihn rekrutiert?«

Der Wagen hielt vor dem Road Creek Park. »Komm, gehen wir ein Stück. Der Fahrer holt uns später bei dieser Imbissbude zwei Meilen entfernt wieder ab.«

Sie stiegen aus und gingen los. Der Streifenwagen verschwand. Paull hatte seinen dämlichen Stetson auf dem Vordersitz liegen gelassen. Die Sonne zog sich jetzt hinter einen dünnen Vorhang von Schleierwolken zurück. Nina stellte den Mantelkragen auf. Paull schob die Hände in die Manteltasche. Sie schlenderten am Park entlang, vorbei an Bäumen und Büschen.

»Was deine Frage betrifft«, sagte Paull, »glaube ich nicht, dass der Präsident so schlau ist, etwas gegen mich in die Wege zu leiten. Ich bin mir nicht mal sicher, ob er von dem Tod der beiden Männer weiß, die Jack im Auto verfolgt haben. Er muss also einen Mittelsmann haben.«

»Du meinst einen Mann fürs Grobe.«

»Wie auch immer du das nennen willst, Nina. Wir haben jedenfalls einen ziemlich mächtigen Gegner in der Regierung.«

»Ist es wichtig, dass wir seine Identität herausfinden?«

Paull nickte. »Auf jeden Fall. Da der Präsident involviert ist, auch wenn er nicht im Einzelnen die Entscheidungen trifft, muss es sich entweder um den Außenminister oder den Nationalen Sicherheitsberater handeln.«

Nina erschauerte. »Ich möchte weder den einen noch den anderen zum Feind haben.«

»Kann ich verstehen«, sagte Paull. »Aber so weit ist es nun mal gekommen.«

Sie näherten sich einer Straßengabelung, und er dirigierte sie nach rechts. Sie gingen an einer steilen Uferböschung entlang. Unten schimmerte der Fluss. Autos rasten vorbei, aber zu Fuß war niemand außer ihnen unterwegs.

»Immerhin habe ich inzwischen herausgefunden, wer es ist«, fuhr Paull fort. »Der Anruf des Kapitäns ging am gleichen Tag raus, an dem wir uns auf der Jacht trafen, und zwar wenige Minuten nachdem du gegangen warst. Zu diesem Zeitpunkt war der Präsident auf dem Weg nach Moskau, um sich mit Präsident Yukin zu treffen. Er hätte den Anruf selbst entgegennehmen können, aber das wäre unüblich gewesen. Der Präsident legt Wert darauf, notfalls alle Verantwortung leugnen zu können, indem er ausgewählte Personen als Mittelsmänner einsetzt.«

»Im Flugzeug nach Moskau waren sowohl der Außenminister als auch der Nationale Sicherheitsbeauftragte«, stellte Nina fest.

»Das stimmt, aber nur einer von den beiden weiß, dass es einen ganz speziellen, hochgeheimen Agenten gibt. Ich bin der Kommandant dieses Agenten. Das zeigt, wie wichtig er ist. Er ist ganz plötzlich vom Erdboden verschwunden und hat sich seit zwei Wochen nicht mehr gemeldet. Dennoch habe ich Hinweise, die mich glauben lassen, dass dieser spezielle Agent vor einer Woche mit jemandem in der Regierung Kontakt aufgenommen hat. Ich fürchte nun, dass dieses hochrangige Regierungsmitglied den Agenten für seine Zwecke einsetzen möchte – es handelt sich um einen skrupellosen Mörder.«

»Welche Zwecke sollen das sein?«

»Darüber bin ich nicht befugt zu sprechen.« *Wie wäre es damit, die Tochter von Edward Carson entführen zu lassen, um das Verbrechen einer säkularistischen Terrorbande anzuhängen*, dachte Paull. »Zuerst dachte ich, es könnte der Präsident selber sein, aber inzwischen bin ich davon überzeugt, dass es nur die einzige andere Person sein kann, die von der Existenz dieses Agenten weiß, der Nationale Sicherheitsberater.«

»Also hat der Sicherheitsberater auf Geheiß des Präsidenten gegen uns gearbeitet.«

Paull nickte. »So sieht es aus. Aber ich habe ein bisschen Zeit für uns rausgeschunden. Ich habe dem Präsidenten erzählt, ich hätte dich eingesetzt, um McClure besser überwachen zu können.«

»Das kommt der Wahrheit ziemlich nahe.«

Paull lächelte dünn. »Ich habe ihnen außerdem erzählt, ich würde versuchen, Jacks Vertrauen gegenüber Edward Carson zu zerstören, damit Jack anschließend zu Myron Taske geht, um ihn zu überreden, Carson die Unterstützung seiner Kirche zu entziehen.«

Nina schüttelte den Kopf. »Ich würde einiges dafür geben, einmal fünfzehn Minuten in dein Gehirn sehen zu können.«

»Da wir jetzt wissen, gegen wen wir kämpfen«, stellte Paull fest, »kommt es nun darauf an, die Truppen zusammenzuziehen und in Stellung zu bringen.«

»Um Gottes willen, soll das ein Kriegszug werden?«

»Nicht in der Öffentlichkeit. Aber wir haben ja schon gesehen, dass man gegen uns vorgeht. Zwei Männer von mir wurden umgedreht, außerdem mein Kapitän. Der erste Schritt muss sein, alle anderen Verräter auszumerzen. Wir können keine wirksamen Schritte unternehmen, wenn die Gegenseite schon im Vorfeld davon unterrichtet wird.«

»Ist mir schon klar, worauf du hinauswillst«, sagte Nina.

»Du musst die Anlagen des Secret Service benutzen, nicht die von der Heimatschutzbehörde.«

»Verstanden.«

Sie gingen gedankenverloren ein Stück weiter.

»So, und jetzt erzähl mir mal, was es Neues von Jack McClure gibt«, sagte Paull.

»Erinnerst du dich an einen Doppelmord am McMillan-Staudamm vor ungefähr fünfundzwanzig Jahren?«

»Das müsste eigentlich in die Zuständigkeit der städtischen Polizei gefallen sein, oder?«

»Dieser Fall nicht. Ich bin die Unterlagen der Metropolice durchgegangen. Es gibt keinen Hinweis auf diesen Vorfall. Jack meinte, auch in den Zeitungen habe damals so gut wie nichts gestanden. Ich hab das überprüft und festgestellt, dass er recht hat. Es wurde nur sehr wenig über die Umstände preisgegeben, nicht mal die Namen der Opfer wurden erwähnt. Alles wurde klein gehalten, also muss es einen Zusammenhang mit hohen Regierungsstellen gegeben haben.«

»Wieso interessiert McClure sich für diesen Doppelmord?«

»Das weiß ich nicht. Wir hatten nicht genug Zeit, um uns genauer darüber zu unterhalten. Aber er scheint auch sehr großes Interesse an einem Drogendealer zu haben, der damals aktiv war. Jack meinte, niemand wüsste, wer er war und woher er kam, dass er ziemlich gute Beziehungen gehabt habe. Niemand konnte ihm etwas anhaben. Er hieß Ian Brady.«

Paull zuckte zusammen, als hätte er einen Schlag ins Gesicht erhalten, und geriet ins Taumeln. Als er sich wieder gefasst hatte, sagte er: »Kannst du das noch mal wiederholen?«

»Hab ich was Falsches gesagt?«

»Den Namen, bitte!« Paull schnippte ungeduldig mit den Fingern. »Sag den Namen noch einmal!«

»Welchen? Ian Brady?«

»Genau den.«

Paull starrte in die Ferne, ins Nichts. Brady war der Schlüssel, der zentrale Punkt all dieser Ereignisse, die sich in Windeseile ereignet hatten. Ein Serienmörder, ein Intrigant, wahrscheinlich ein Psychopath – das war der Agent, der unter Paulls Kommando stand. Der erfolgreichste Agent der letzten fünfundzwanzig Jahre. Dies war das Monster, das er unter Verschluss halten sollte und das ihm durch die Lappen gegangen war. Wer wusste, wo er sich aufhielt? Mit einem Mal wurde ihm klar, was er tun musste. »Bring Jack McClure zu mir«, sagte er. »So schnell wie möglich!«

Nina holte ihr Handy heraus. »Ich rufe ihn sofort an.«

»Nein«, sagte Paull. »Unsere Mobiltelefone werden garantiert alle überwacht. Nicht mal meins benutze ich noch, es sei denn, ich gebe verschlüsselte Botschaften raus.«

»Ich werde einen andern Weg finden«, sagte sie.

Paull nickte ernst. »Du wirst es schaffen.«

VIERZIG

»Du musst es einfach akzeptieren, Jack«, hatte Sharon in der Notaufnahme zu ihm gesagt. »Wir alle haben unser geheimes Leben, nicht nur du.« Jetzt wusste Jack endlich, was das bedeutete. Seine Tochter hatte direkt vor seiner Nase ein geheimes Leben geführt. Es kam ihm so vor, als hätte er sie nie wirklich gekannt. Genau das war ein Versäumnis gewesen, auf das Sharon ihn immer wieder aufmerksam machen wollte. Dennoch musste er nun unbedingt herausfinden, ob sie von Emmas radikalen Ansichten etwas gewusst hatte oder nicht.

»Wenn sie sich gegen die wachsende Verquickung von Religion und Staat einsetzen wollte«, sagte er, »warum hat sie sich dann nicht einer friedlichen Organisation wie den Neuen Amerikanischen Säkularisten angeschlossen?«

»Weil sie eben Emma war«, sagte Alli. »Weil sie keine Halbheiten mochte, weil sie stark war und selbstsicher. Aber vor allem, weil sie der Meinung war, dass diese Bande von Evangelisten, die das Weiße Haus erobert hat, aus gemeingefährlichen Kriegstreibern besteht, und dass man ihre Aufmerksamkeit nur erzielt, wenn man sie direkt angreift und zu radikalen Antworten provoziert.«

»Sie hasste Gewalttäter und deshalb wurde sie selbst gewalttätig?« Jack schüttelte den Kopf. »Ist das nicht kontraproduktiv?«

»Es gibt Philosophen, die sagen, dass es legitim ist, Feuer mit Feuer zu bekämpfen, und dass dies schon seit Anbeginn der Menschheit so gemacht wird.«

Sie spazierten unter dem Gewirr der Äste und Zweige hinter dem Haus. Der Himmel wurde langsam dunkel, und ein kalter Wind fuhr durch die Bäume. Jack dachte über Allis Worte nach, denn etwas daran war bemerkenswert. Es schien zu jenem Spielfeld zu passen, auf dem er selbst als Mitspieler agierte.

Er blieb vor der riesigen Eiche stehen. »Lassen wir diesen Aspekt mal kurz beiseite. Emma wusste doch, dass dein Vater die Wahl gewonnen hatte und dass die jetzige Regierung bald abgelöst würde. Warum wartete sie dann nicht einfach ab, bis die neue Administration im Amt war?«

Alli schüttelte den Kopf. »Ich weiß nicht, aber sie schien Gründe zu haben, sofort handeln zu müssen.«

»Na gut, lassen wir das mal so stehen. Du sagtest, sie wollte die Regierung zu einer radikalen Antwort provozieren.«

»Ja, genau.«

»Hat sie dir erzählt, was sie damit meinte?«

»Ja. A-Zwei wollte, dass die Regierung ihr wahres Gesicht zeigt.«

»Blutvergießen mit eingeschlossen?«

»Genau darum ging es. Je blutiger, je militanter und je brutaler die Gegenmaßnahmen ausfallen würden desto besser. Auf diese Weise will A-Zwei den Menschen in diesem Land das wahre Gesicht der Regierung vor Augen führen. Sie würden die Mitglieder von A-Zwei nicht sehr schnell finden und verhaften können. Emma erzählte, es seien alles junge Leute, keiner über dreißig. Wenn es zu Blutvergießen käme, wenn die Amerikaner sehen würden, wie man ihre eigenen Söhne und Töchter abschlachtete, dann würden sie endlich den wahren Charakter dieser Leute verstehen, die die Welt mit Krieg und Tod überziehen.«

Jack war zutiefst erschüttert. »Sie wollen den Märtyrertod sterben?«

»Sie sehen sich als Soldaten«, erklärte Alli. »Sie opfern ihr Leben für das, woran sie glauben.«

»Aber was sie da vorhaben ist doch Wahnsinn.«

»Genau wie die Außenpolitik unserer Regierung in den letzten acht Jahren.«

»Aber so kann man das doch nicht ändern.«

»Warum nicht? Einfach nur stillsitzen hat jedenfalls auch nichts gebracht. Alle, die kritisiert oder protestiert haben, weil sie es für falsch und gefährlich hielten, wenn die Regierungspolitik vom Glauben bestimmt wird, wurden lächerlich gemacht, oder schlimmer noch – von den Medien als Verräter gebrandmarkt und von der Regierung überwacht. Mein Gott, schau dir doch nur an, was allein schon die feigen Mitglieder der Oppositionspartei alles durchgehen lassen mussten – einen illegalen Krieg, Skandale, die Tatsache, dass die Regierung ihre eigenen Wissenschaftler und Experten mundtot machte, als es um angebliche Massenvernichtungswaffen und den Treibhauseffekt ging. Wenn die anderen an der Regierung wären, hätte man den amtierenden Präsidenten längst abgesetzt.«

Wieso hatte Jack den Eindruck, nicht mit Alli, sondern mit Emma zu sprechen? Etwas Eigenartiges geschah mit ihm. Es hatte angefangen, als er mit Alli ins Haus getreten war, und war weitergegangen, als sie zum Waldspaziergang aufbrachen. Zu seinem eigenen Erstaunen merkte er, dass er die Welt mit einem Mal verstehen konnte – vielleicht nicht die Welt, aber immerhin seine eigene Welt, und zwar jenen Teil, den er vor den anderen verborgen gehalten und der bewirkt hatte, dass er sich immer als Außenseiter fühlte. Es war so ähnlich wie bei seiner Fähigkeit, Emma wahrzunehmen, obwohl sie nicht mehr von dieser Welt war, jedenfalls gemessen an den Standards der Wissenschaft. Nun spürte er, dass diese Welt und die andere, die ihm immer verschlossen geblieben war, sich überschnitten. Er hoffte, eines Tages würde das möglich sein, was er bislang für unmöglich gehalten hatte – in beiden Welten zu Hause zu sein, ohne eine davon aufgeben zu müssen.

Er hätte dieses Geschenk gern mit Alli geteilt, deshalb sagte er zu ihr: »Ich möchte dir gern jemanden vorstellen.«

Alli schaute ihn skeptisch an. »Bitte nicht noch so einen Psycho-Heini. Ich hab keine Lust mehr auf Untersuchungen und Befragungen.«

»Kein Psycho-Heini«, versprach Jack.

Anstatt sie zurück zum Haus zu führen, vor dem der Wagen stand, wies er ihr den Weg durch das Gebüsch auf die andere Seite, wo der weiße Lincoln Continental von Gus geparkt war, den Jack noch immer hegte und pflegte.

Alli lachte begeistert auf, als sie einstieg. Jack setzte sich hinters Lenkrad, drehte den Zündschlüssel um und brachte den schweren Motor zum Laufen. Ohne die Scheinwerfer einzuschalten, rollten sie davon. Die Agenten des Secret Service, die auf der Westmoreland Street parkten, bekamen nichts davon mit.

Er legte eine Kassette in den Rekorder und James Brown sang »It's a Man's World«.

»Wow!«, rief Alli aus.

Genau, dachte Jack, *wow*.

Zehn Minuten später kamen sie an der Kansas Avenue an, konnten aber nicht bis vor das ehemalige Gebäude der Renaissance Mission Church gelangen. Die Straße war gesperrt, ebenso die Gehwege. Über ein Dutzend Zivilstreifenwagen und Anti-Terror-Einsatzfahrzeuge standen innerhalb der Barrieren.

Jack spürte, wie ihm das Herz sank. Er forderte Alli auf, im Wagen zu bleiben, stieg aus, zeigte einem der ungefähr zwanzig Sicherheitsbeamten seinen Ausweis und wurde durchgewinkt. Dann sah er Hugh Garner, der die Operation anführte, und steckte seinen Ausweis ein.

»Hallo, McClure«, sagte Garner. »Was machen Sie denn hier?«

»Ich hab eine Verabredung mit Chris Armitage«, log Jack.

Garner verzog das Gesicht. »Die haben wir auch, McClure. Das Problem ist nur, dass wir ihn nicht finden können, und seinen Kumpel Peter Link auch nicht.« Garner schaute ihn schief an. »Sie wissen nicht zufällig, wo sie abgeblieben sein könnten?«

»Wenn ich das wüsste, wäre ich ja nicht hier. Ich würde gern mit jemand anderem von den Säkularisten sprechen.«

»Ich fürchte, das wird nicht möglich sein«, erklärte Garner süffisant. Er wandte sich ab, als einer seiner Mitarbeiter ihn ansprach. Er gab einige Befehle und drehte sich wieder zu Jack hin. »Es ist niemand da. Die Büros sind geschlossen.«

Jack dachte an die ganzen engagierten und viel beschäftigten Mitarbeiter der Organisation, die er gesehen hatte, als er mit Armitage hier gewesen war. »Wo sind die denn alle?«

»Verhaftet.« Garner grinste ihn an. »Sie haben ihr Recht auf ein normales Gerichtsverfahren verwirkt. Sie werden so lange wie nötig festgehalten. Weder Sie noch sonst jemand darf ohne schriftliche Genehmigung des Nationalen Sicherheitsberaters mit ihnen Kontakt aufnehmen.«

Jack prallte zurück, als hätte er einen Schlag ins Gesicht erhalten. »Wovon zum Teufel reden Sie denn da?«

»Der Präsident hat vor einer Stunde eine Ansprache gehalten und Dokumente vorgelegt, die ihm vom russischen Präsidenten überreicht wurden. Diese Unterlagen beweisen, dass die Neuen Amerikanischen Säkularisten und die Terrorgruppe A-Zwei von Peking finanziert werden.« Garners Grinsen wurde noch breiter. »Sie werden gemäß dem Anti-Terror-Gesetz vom Dezember zweitausendeins des Verrats und der Verschwörung angeklagt.«

Jack lenkte den Wagen an den Straßenblockaden vorbei durch eine schmale Gasse Richtung Chillum Place und hielt dort auf einem Parkplatz an. Alli sagte nichts, sie hatte genau verstanden, was vor sich ging.

»Warum sind wir jetzt hier?«, fragte sie schließlich. »Warum sitzen wir im Dunkeln bei ausgeschaltetem Motor und ohne Lichter?«

»Wir machen uns auf den Weg zum Rand der Welt«, sagte Jack ernst. »Wir verlassen das übliche Raster.«

»Und was passiert, wenn wir dort ankommen?«

»Erzähl mir mehr über Emma.«

Alli spürte eine bekannte Beklemmung in der Herz-
gegend. Seit Jack und Nina sie gerettet hatten, fühlte sie
sich, als hätte sie Fieber, gepaart mit gelegentlichen Angst-
anfällen. Sie hatte kalte Schweißausbrüche und träumte
von Schatten, die ihr scheußliche Dinge zuflüsterten. Wo
sie auch hinschaute, sah sie Kray stehen, als würde er ihr
folgen, jede ihrer Bewegungen beobachten, jedes Wort
mithören, das sie sagte, jeden Atemzug von ihr registrieren. Manchmal, wenn sie allein war, wurde sie von einer
Art Schüttelfrost erfasst. Kray war die Sonne, der Mond
und die Wolken am Himmel, bewegte sich mit ihr, wenn
sie sich bewegte, und war der Wind, der durch die Bäume
strich. Er war immer in ihrer Nähe, und seine Drohungen
vermischten sich mit seinen Ideen, mit diesem eigenartigen, heftigen Gefühl von Offenheit und Freiheit, das sie
gespürt hatte, als sie mit ihm zusammen gewesen war.
Diese gegensätzlichen Gefühle verwirrten sie, machten
ihr Angst, es wurde immer schlimmer. Sie wusste nicht
mehr, wer sie war, oder genauer gesagt, sie hatte sich
selbst nicht mehr unter Kontrolle. Etwas Unheimliches
war mit ihr in diesem Raum geschehen, als sie mit ihm allein zusammen gewesen war. Es gab Augenblicke, an die
sie sich nicht erinnern konnte, und das war eine Erleichterung. Sie wollte auch gar nicht erst versuchen, in die
Tiefe dieser vagen Angst einzutauchen. Irgendetwas war
ihr entglitten, das spürte sie, und etwas anderes war an
seine Stelle getreten. Sie war nicht mehr die Alli Carson,
die sie gewesen war, als sie noch in ihrem Bett im Zimmer
des College gelegen hatte.

Andererseits war es vorbei, und Jack war bei ihr. Sie
mochte ihn sehr gern, und deshalb konnte sie ihm ver-

trauen. In seiner Gegenwart fühlte sie sich sicher wie bei keinem anderen Menschen – ob nun bewaffnet oder nicht. Sie beneidete Emma, dass sie diesen Mann als Vater gehabt hatte, aber dann fiel ihr ein, dass Emma ja tot war, und sie begann zu zittern und fühlte sich schuldig für ihre Gedanken. Wenn sie andererseits darüber nachdachte, ihm etwas über Kray zu erzählen und was ihr in seiner Gewalt passiert war, wurde sie von einer heftigen Panik erfasst, deren Ursache sie nicht verstand und die sie überhaupt nicht kontrollieren konnte.

»Emma hat einmal zu mir gesagt, wir könnten unser wahres Selbst niemals sehen«, sagte sie, um sich zu beruhigen und auf seine Aufforderung einzugehen. Sie hatte das Gefühl, ein Teil von Emma, der nicht wirklich tot war – jener Teil, den sie sehen und hören konnte –, würde am Leben gehalten, wenn sie von ihr sprach. »Sie meinte, wir würden immer nur unser Spiegelbild sehen – wie im Spiegel oder im Wasser. Aber so sind wir in Wirklichkeit gar nicht. Aus diesem Grund haben wir abends manchmal ein Spiel gespielt. Wir setzten uns aufs Bett, schauten uns an und beschrieben uns gegenseitig unsere Gesichter bis ins kleinste Detail – zuerst die Stirn und die Augenbrauen, dann die Augen, die Nase, die Wangen und den Mund. Emma hatte recht. Wir sahen uns auf eine völlig andere Weise.«

»Auch einander«, fügte Jack hinzu.

Alli starrte aus dem Seitenfenster auf den leeren Parkplatz. »Wir kannten uns so gut, als wären wir Schwestern gewesen. Wir hatten einander gefunden, wir mochten uns sehr. Wir verbrachten die Nächte gemeinsam, ihre Einsamkeit und ihre Geheimnisse.«

Auf einmal war es so, als würde Emma neben ihr sitzen. Sie schluchzte auf und begann zu weinen. *Sie soll wieder kommen*, dachte Alli. *Sie wird bestimmt verstehen, was mir passiert ist. Sie kann mir erklären, warum ich mich so eigenartig fühle, warum mir alles Angst macht. Alles außer Jack.*

»Zum Beispiel das Geheimnis, wen Emma unter den Eichenbäumen jenseits der Mauer von Langley Fields getroffen hat?«

Einen Moment lang wand Alli sich auf ihrem Sitz und brachte kein Wort heraus. In ihrem Kopf fand ein Kampf statt, zwischen dem Willen zu sprechen, und dem, alles verschweigen zu wollen. Dann sagte sie: »Okay, ich hab dich angelogen, aber es war nur, um Emma zu schützen, weil sie mir diesen Teil ihres Lebens unter dem Siegel der Verschwiegenheit anvertraut hat.«

»Dann weißt du also, wen sie getroffen hat?«

Alli biss sich auf die Lippe. Eine Wolke zog am Mond vorbei, der Schatten bereitete sich über Alli und trübte ihren Blick. Sie konnte nur noch irgendwo in weiter Ferne etwas fixieren. Ihr Magen krampfte sich zusammen, und sie spürte, wie ihr der kalte Schweiß ausbrach. Sie konnte nicht mehr zurück, aber sie wusste auch, dass sie Krays Namen niemals erwähnen durfte. Wenn sie das zurückhielt, was Emma ihr erzählt hatte, wäre alles in Ordnung. Über ihre Freundin zu sprechen und sich ihr auf diese Weise zu nähern, war das Einzige, was sie überhaupt beruhigen konnte. Also setzte sie das fort, was Kray angestoßen hatte: Sie teilte ihre Gedanken in zwei Hälften. Auf der einen Seite war das, was man erzählen durfte, auf der anderen das, was verboten war.

»Emma sagte, sein Name sei Ronnie Kray.«

Bis zu diesem Moment hatte Jack immer geglaubt, der Ausspruch »das Blut gefriert in den Adern« sei nur eine Phrase. Aber jetzt spürte er genau das. Emma hatte sich mit dem Serienkiller getroffen, mit dem Mann, der Alli entführt hatte. Wusste Alli das? Er entschied, dass jetzt, wo sie gerade anfing, sich zu öffnen, nicht der rechte Augenblick war, sie damit zu konfrontieren.

»Aber sie vermutete, dass Ronnie Kray nicht sein richtiger Name war«, sagte Alli.

Alle Synapsen in Jacks Gehirn schienen in elektrische Schwingungen versetzt. »Wie kam sie denn darauf?«

»Emma hat viel über die Pathologie des Außenseiters gelesen. Sie hat praktisch ein ganzes Buch auswendig gelernt, das sich mit diesem Thema beschäftigt: *The Outsider* von Colin Wilson. Seit der Lektüre dieses Buchs hat sie sich als Außenseiterin gesehen. Sie hat auch ein anderes Buch von Wilson gelesen, das hieß *Kriminalgeschichte der Menschheit*, glaube ich. Wie auch immer, jedenfalls hörte sie diesen Namen, Ronnie Kray, und schlug nach. Er stand drin. Er war einer von zwei Brüdern, Zwillingen, die als Verbrecher in London ihr Unwesen trieben. Sie war fasziniert von ihrer Beschreibung, und ich glaube, deshalb hat sie diesem Typ überhaupt zugehört.«

»Sie waren beide Sympathisanten von A-Zwei.«

Sie nickte.

Jack spürte, wie seine Tochter ihm wieder ein Stück näher rückte. Diese ganze Geschichte war passiert, als er viel zu sehr mit seinem Job beschäftigt gewesen war. Das Leben seiner Tochter war ihm durch die Finger geronnen wie Sand. »War ihr denn nicht klar, dass sie sich in Gefahr begab?«

»Doch, das war es«, sagte Alli. »Es war ja das Verlocken-
de daran, deshalb wollte sie nicht loslassen. Als sie den
Verdacht hatte, Ronnie Kray könnte irgendetwas vor ihr
verbergen, versuchte sie es herauszufinden.«

»Ich kann's einfach nicht glauben«, sagte Jack, denn
genau so war es auch.

»Warum nicht?«, fragte Alli. »Sie hätten es doch wahrscheinlich genauso gemacht.«

Es machte keinen Sinn, darauf hinzuweisen, dass er ein
Erwachsener mit vielen Jahren Berufserfahrung war. »Ich
dachte mir schon, dass sie Kray nicht blindlings gefolgt
ist.«

»Emma hat nie etwas getan, ohne vorher darüber nachzudenken.«

»Nicht mal Drogen genommen?«

»Das schon gar nicht. Für Emma waren Drogen dazu
da, soziale Experimente durchzuführen.«

»Wie meinst du das?«

»Sie fragte sich, ob man bekifft ein neues Stadium des
Außenseitertums erreichen würde. Ob man auf diese Weise noch eine Grenze überschreiten könnte, um die – ich
weiß auch nicht genau – die Ewigkeit fassen zu können.«

»Und? Hat es funktioniert?«

»Nein. Sie war enttäuscht. Sie war sich ganz sicher, dass
es da irgendwo etwas gab, das sich uns entzog, ganz weit
draußen, jenseits unseres Verständnisses.«

»Mir ging es ganz genauso«, sagte Jack.

Alli nickte. »Mir auch.«

Ihm fiel etwas ein. »War sie also wirklich entschlossen,
A-Zwei beizutreten, oder wollte sie einfach nur mehr über
Ronnie Kray herausfinden?«

Alli zuckte mit den Schultern. »Emma tat nie etwas aus einfachen Motiven. Aber eins weiß ich ganz bestimmt, sie war viel zu intelligent, um einem Rattenfänger einfach so zu folgen. Sie merkte immer sofort, wenn etwas nicht stimmte.«

Jack erinnerte sich an eine Situation, als sie ihn wegen seiner lautstarken Streitereien mit Sharon zur Rede stellen wollte, und er überhaupt nicht darauf reagierte. Warum hatte er nicht zugehört? Warum war ihm ihre Meinung nicht wichtig gewesen? War die Wahrheit aus ihrem Mund zu schwer zu ertragen gewesen?

»Da ist noch etwas«, sagte Alli. »Ich glaube, als sie merkte, dass ihr Kontakt zu Ronnie Kray gefährlich wurde, hat sie angefangen, ein Tagebuch zu führen.«

Jack wurde noch hellhöriger. »Nach ihrem Unfall habe ich ihre Sachen durchsucht, aber nichts gefunden.«

Alli wurde wieder von ihrer Angst überfallen. »Vielleicht ist es ja auch gar nicht so gewesen. Ich dachte nur. Jedenfalls hat sie nie direkt mit mir darüber gesprochen.«

Trotzdem sollte man darüber noch mal nachdenken, überlegte Jack. Vielleicht hatte er ja irgendwas übersehen.

»Komm, wir gehen ein Stück«, sagte er und stieg aus dem Wagen. Sie trat neben ihn, und sie gingen die schmalen Straßen jenseits der Kansas Avenue entlang. Als sie die Rückfront des Gebäudes der Säkularisten erreichten, mussten sie vorsichtig sein, denn dort war alles hell erleuchtet wie auf einem Flughafen-Rollfeld. Überall liefen Polizeibeamte mit Helmen und Schutzwesten herum, in der Hand Gewehre mit Gummigeschossen.

Jack führte sie in den Schatten eines großen Lagerhauses auf der rechten Seite. Sie duckten sich und gingen eilig weiter. Je weiter sie sich vom Ort des Geschehens entfernten, desto dunkler wurde es, bis sie schließlich im schwärzesten Schatten angelangt waren. Auf der Rückseite des Gebäudes, in dem früher das »Hi-Line«-Pfandhaus gewesen war, schlichen sie weiter an einer Wand entlang, in der keine Fenster waren. Jack ließ die Hand über die Mauer gleiten, bis er die Umrisse der Tür gefunden hatte, durch die die mit Gus befreundeten Polizisten unbemerkt ein und aus gegangen waren.

Er zog eine Kreditkarte aus der Brieftasche und schob sie in eine Lücke. Kurz darauf fasste er mit den Händen zu und zog die Tür nach außen auf.

Sie schlüpften hinein, und Jack zog sofort die Tür wieder zu. Drinnen war es fast vollständig dunkel. Vor ihnen war nur ein dünner Lichtstreifen zu sehen, der durch einen Türspalt drang.

Jack ging auf die Tür zu und drehte den Knauf. Er zog die Tür auf und ging über die Schwelle. Chris Armitage wirbelte herum und griff nach einer Eisenstange.

»Ruhig bleiben«, sagte Jack. »Sonst verletzen Sie sich noch mit dem Ding.«

Armitage hatte den wilden Blick eines gehetzten Tieres. »Wie zum Teufel haben Sie uns denn gefunden?«

Jack schaute an ihm vorbei zu Peter Link, der schlafend auf einem Sofa lag. »Ich weiß zufällig, dass diese Gebäude hier in den Dreißigerjahren Rückzugsorte für Schnapsschmuggler waren und dass sie über spezielle Fluchtwege verfügen.«

Armitage verzog das Gesicht zu einem sarkastischen Grinsen. »Seit damals scheint sich ja nicht so viel geändert zu haben.« Er seufzte und legte die Eisenstange beiseite. »Ich nehme an, Sie wollen uns jetzt verhaften.«

»Ich musste einen Secret-Service-Agenten austricksen, um hierherzukommen«, sagte Jack, drehte sich um und winkte Alli heran.

Armitage riss die Augen auf. »Großer Gott.«

»Chris Armitage, dies ist Alli Carter, die Tochter des künftigen Präsidenten. Alli, das ist Chris, einer der beiden Vorsitzenden der Neuen Amerikanischen Säkularisten.«

»Oder von dem, was von ihnen übrig geblieben ist«, sagte Armitage. »Hallo, Alli.« Er wandte sich an Jack. »Warum in aller Welt haben Sie sie hierhergebracht?«

Jack lächelte. »Ich dachte mir, dass Sie sich mal treffen sollten.«

»Meine Organisation wurde gerade vom Präsidenten der Vereinigten Staaten und dem russischen Präsidenten auf das Übelste denunziert.« Armitage stieß ein bitteres Lachen aus. »Es ist wohl kaum die richtige Zeit, sich mal eben zu unterhalten.«

»Ich wüsste nicht, was Sie sonst zu tun hätten«, sagte Jack.

Armitage nickte. »Das ist auch wieder wahr.« Er hob einen Arm. »Es tut mir leid, dass ich Ihnen kein bequemeres Umfeld anbieten kann.« Er deutete auf einen Kühlschrank. »Da drinnen sind ein paar Flaschen Cola, einige Kartons mit Fruchtsaft und ein bisschen Tiefkühlkost.«

Jack und Alli schüttelten die Köpfe und setzten sich auf zwei herumstehende Stühle. Armitage hockte sich auf die Lehne des Sofas.

»Wie geht es Link?«, fragte Jack.

»Er ist völlig erschöpft, wie Sie sehen.« Armitage fuhr

sich mit der Hand durchs Haar. »Er wird sich wieder erholen. Danke der Nachfrage. Überhaupt vielen Dank für
alles.«

Jack wehrte ab. »Ich möchte Sie gern nach einem ehemaligen Mitglied Ihrer Organisation fragen. Sie müssten
ihn unter dem Namen Ronnie Kray kennen.«

»Oh, der.« Armitage rieb sich über das Kinn. »Ein interessanter Mensch, wirklich. Sehr intelligent, sehr heftig in
seiner Art. Er hatte seine Hausaufgaben gemacht, kannte
alle Für und Wider unserer Argumente. Er war so versiert,
dass Peter und ich ihn bei öffentlichen Auftritten dabeihaben wollten, damit wir unsere Botschaft noch besser
vermitteln konnten.«

Armitage öffnete den Kühlschrank. Er holte sich eine
Dose Cola heraus und zog den Verschluss auf. »Vor allem
hatte Kray etwas Besonderes an sich – er war eine charis-
matische Persönlichkeit. Das war auch ein Grund, weshalb wir ihn gern in einer aktiveren Rolle gesehen hätten.
Aber er hat abgelehnt.« Er nahm einen Schluck aus der
Dose. »Er sagte, er hätte nur wenige Tage in der Woche
Zeit. Außerdem sei er ein Mensch, der lieber im Hintergrund agiert.«

»Haben Sie ihm geglaubt?«, fragte Jack.

»Gute Frage. In gewisser Weise schon. Er hatte allerdings
Probleme mit den anderen Mitarbeitern. Ihm fehlte – wie
sagt man – so etwas wie soziale Kompetenz.«

»Inwiefern?«

Armitage drehte die Dose zwischen den Fingern. »Er
konnte es nicht ertragen, wenn jemand etwas auf andere
Art tat als er. Außerdem musste immer alles ganz schnell
gehen. Er hat es sich mit ziemlich vielen Mitarbeitern ver-

scherzt, weil er sich nicht bremsen konnte. Was immer in seinem Kopf vor sich ging, egal wie extrem der Gedanke war, er sprach es aus. Ich erinnere mich an eine Szene, als ich ihn ins Büro holte, um mit ihm darüber zu sprechen, wie er auf andere Menschen wirkte. ›Na gut‹, sagte er, ›vielleicht kommen sie ohne mich ja besser klar.‹«

»Ich würde ihn mir gern genauer vorstellen können«, sagte Jack. »Können Sie ihn beschreiben?«

»Gern.« Armitage dachte kurz nach. »Vor allem war er ein gut aussehender Mann, aber auf eine ganz spezielle Weise. Düster, eindringlich und charismatisch, wie gesagt. Er war groß, dünn und gut trainiert. Er sah aus wie Ende vierzig, aber ich hatte das Gefühl, dass er älter sein musste, Mitte fünfzig vielleicht.«

Jacks Gedanken arbeiteten auf zwei Ebenen zugleich. Zum einen versuchte er, sich mit Hilfe von Armitages Beschreibung ein genaues Bild von Kray zu machen, zum anderen beobachtete er Alli, um bei ihr Anzeichen beginnender Nervosität zu erkennen. Immerhin hatte der Mann, den Armitage beschrieb, sie entführt und eine Woche lang gefangen gehalten. Aber sie schien eher teilnahmslos, als ob sie an etwas ganz anderes denken würde.

Armitage trank den Rest seiner Cola aus und stellte die Dose weg. »Ich glaube, er war bei einigen Frauen ziemlich beliebt. Männer spürten eher den Drang, sich gegen ihn verteidigen zu müssen.«

»Wussten Sie«, sagte Jack, »dass Ronnie Kray sich manchmal auch Charles Whitman nennt?«

»Was? Nein. Natürlich nicht.« Armitage klang schockiert und sah auch so aus.

»Überprüfen Sie Ihre Mitarbeiter, sammeln Sie Informationen über ihre Vergangenheit?«

»Sicher. Wir wollen ja keine Kriminellen in unserer Organisation haben. Aber ehrlich gesagt können wir das nur in sehr beschränktem Umfang leisten. Wir sind ja alle chronisch überarbeitet.«

Jack nickte verständnisvoll. »Darauf hat er sicherlich spekuliert. Ich bezweifle sehr, dass Kray nur diese beiden Namen benutzt hat.« Er drehte sich zu Alli um. »Was meinst du?«

»Alli«, fragte Armitage überrascht. »Kennst du diesen Mann?«

Sie wurde von einer so heftigen Panikattacke erfasst, dass ihr für einen Augenblick die Luft wegblieb. »Eine Freundin kannte ihn«, presste sie hervor. »Emma, die Tochter von Jack.«

»Ich frage mich«, sagte Jack in absolut neutralem Tonfall, »ob du ihn nicht auch kennst.«

Allis Panik schwoll an und erreichte unerträgliche Ausmaße. Es war ihr beinahe unmöglich, sich zu beherrschen und nicht aufzuspringen und aus dem Raum zu laufen. »Ich?« *Er weiß es*, dachte sie. *Er weiß, dass Kray mich entführt hat.* »Ich hab ihn nie kennengelernt.«

»Bist du nicht kürzlich mit jemandem zusammen gewesen, auf den die Beschreibung von Chris passt?«

Alli sagte nichts, aber Jack bemerkte ihre Anspannung. Es war, als ob eine unsichtbare Hand sich ihrer bemächtigte.

Er zuckte mit den Schultern. »Vielleicht irre ich mich ja.« Er wandte sich wieder Armitage zu, der dieses kleine Zwischenspiel mit Verwirrung verfolgt hatte. »Wir müssen entscheiden, was wir mit Ihnen beiden machen. Sie können sich doch nicht für immer hier verstecken.«

Alli war mit einem Mal wieder in ihre widersprüchlichen Gefühlen verstrickt. Auf der einen Seite war der durch seine Allwissenheit furchterregende Ronnie Kray, auf der anderen Seite stand Jack, ihr Retter, der sie auf die gleiche Art verstand wie auch Emma. Und wie sie nun an Emma dachte, fand sie deren große Kraft und ihren Mut in sich selbst. Würde Emma Jack belügen? Bestimmt nicht. Also durfte sie es auch nicht tun.

»Ja, so war es«, sagte sie kaum hörbar.

»Haben Sie sich schon Gedanken darüber gemacht, wie Sie aus diesem Gefängnis hier wieder herauskommen?«, fragte Jack an Armitage gewandt.

Alli spürte, wie sich alles in ihr schmerzhaft zusammenzog. »Er war der Mann, der mich in Langley Fields entführt hat«, stieß sie hervor.

Jack drehte sich zu ihr. »Wie bitte?«

Alli schaute ihn schuldbewusst an. »Es … Es tut mir leid. Ich weiß, dass ich es dir früher hätte erzählen müssen.«

»Ich frage mich, warum du es nicht getan hast.« Jack war klar, dass er jeden tadelnden Unterton aus seiner Stimme verbannen musste. Er sah die nackte Angst auf ihrem schweißnassen Gesicht.

Alli senkte den Kopf. »Ich wollte doch Emmas Geheimnis nicht verraten. Ich dachte, wenn ich etwas verrate, dann kommt auch alles andere heraus.«

»Aber du hast mir doch schon erzählt, dass Emma sich A-Zwei anschließen wollte. Danach hättest du mir doch getrost auch alles über Ronnie Kray erzählen können.«

Alli legte ihre Hände zwischen die zusammengepressten Oberschenkel, die Arme starr ausgestreckt. »Er sagte, er würde mich töten, wenn ich irgendjemandem etwas erzähle.«

»Wie sollte er denn davon erfahren?«

Alli begann wieder zu weinen, sie konnte es nicht verhindern. »Ich weiß nicht, aber er wusste alles über mich, sogar intime Geschichten und zu welchen Ärzten ich gehe und in welchem Krankenhaus ich geboren wurde.«

Jack hätte sie gern in den Arm genommen, spürte aber, dass jetzt nicht der rechte Zeitpunkt dafür war. Er hatte irgendwo gelesen, dass Opfer einer Entführung oder einer Vergewaltigung oftmals sehr negativ auf Berührungen reagierten, sogar dann, wenn sie sich danach sehnten.

Alli schnappte nach Luft, als hätte sie einen Hundertmeterlauf hinter sich. Emma, flehte sie innerlich, hilf mir stark zu bleiben. Und dann wurde ihr jäh bewusst, dass sie ja Jack hatte. In vielen Dingen waren Jack und Emma einander ähnlich, weshalb sie ihm genauso vertrauen konnte. Warum also sollte sie ihm nicht bis zu einem gewissen Grad ihre persönlichen Ängste anvertrauen? »Er hat meine Träume erobert. Er ist immer und überall da.«

Jack spürte, wie sich ihm der Magen zusammenzog. »Was sagte er? Was will er von dir?«

Sie schluchzte auf. »Ich kann mich nicht mehr erinnern.« Ein heftiges Zittern durchfuhr ihren Körper. »Aber was es auch war, du bist dazwischengegangen und hast mich gerettet.«

Es war deutlich zu sehen, dass Alli eine ungeheure Angst vor diesem Mann hatte, was auch kaum verwunderlich war. Er hatte unbeschränkte Macht über sie besessen. Mit einem Mal erinnert Jack sich an die mit Teleobjektiv aufgenommenen Fotos, die im Haus des Marmosets gehangen hatten, Fotos von Alli, wie sie mit Emma über den Campus von Langley Fields spaziert war.

Wie war Ronnie Kray – oder wer auch immer hinter diesem Namen steckte – nur an all diese Informationen gekommen? Einiges, zum Beispiel die Daten über Krankenhausaufenthalte, war in öffentlichen Datenbanken gespeichert, aber anderes wie die intimen Details ihrer Beziehungen, waren natürlich nirgendwo festgehalten. Ein Spion konnte so etwas herausfinden, aber nicht ein normaler Bürger. Es sei denn, er war ein Psychopath.

In Jacks Hinterkopf, wo alles etwas anders funktionierte als bei normalen Menschen, setzte sich langsam ein dreidimensionales Bild zusammen. Das noch unvollständige Bild drehte sich, und er bemerkte, dass in dem Puzzle noch ein ganz bestimmtes Teil fehlte.

»Alli«, sagte er und spürte sein Herz dabei schlagen, »fällt dir was zu dem Namen Ian Brady ein?«

»Ja, klar«, nickte sie. »Er und seine Freundin Myra Hindley sind verantwortlich für die sogenannten Moors-Morde. Sie haben zwei Jahre lang ihr mörderisches Unwesen getrieben, von neunzehnhundertdreiundsechzig bis fünfundsechzig.«

Rumms! Jack hörte regelrecht, wie das fehlende Teil des Puzzles einrastete. Jetzt war ihm klar, dass der Mann, der Alli entführt und die beiden Agenten getötet hatte, der gleiche war, der vor fünfundzwanzig Jahren die beiden unbekannten Männer am McMillan-Stausee umgebracht hatte, und wenig später auch den Marmoset und Gus.

Jack hatte den falschen Verdächtigen verfolgt: Cyril Tolkan war bestimmt für eine Menge Verbrechen verantwortlich, aber nicht für den Mord an Gus. Es war wirklich schlau von Kray alias Whitman alias Brady gewesen, eine handgeschliffene Palette als Mordwaffe zu benutzen. Womöglich hatte er tatsächlich versucht, auf diese Weise den Verdacht auf einen anderen zu lenken.

Passte das nicht zu der Vorgehensweise im aktuellen Fall? Lenkte der Täter nicht auch jetzt, fünfundzwanzig Jahre später, den Verdacht ganz geschickt weg von sich und auf die Neuen Amerikanischen Säkularisten und deren Abspaltung A-Zwei? Alle waren darauf hereingefallen – bis auf Jack, der noch immer dabei war, alle Puzzleteile dieses Falles an den richtigen Platz zu legen. Zuerst hatte er nur das Gefühl gehabt, dass etwas an dieser Geschichte nicht stimmte, und dann, als er Schritt für Schritt das Rätsel löste, indem er es gleichzeitig aus mehreren Perspektiven betrachtete wie einen Rubik-Würfel, hatte er langsam eine Ahnung bekommen, wie die Bausteine zusammengehörten.

Nun war er sich ganz sicher: Dieser Mann, hinter dem er herjagte, war sein ganz persönlicher Feind. Kray hatte ihn einmal an der Nase herumgeführt, ein zweites Mal würde es ihm nicht gelingen. Diesmal würde Jack ihn zur Strecke bringen.

In diesem Moment meldete sich sein Handy. Er hatte den Signalton auf »Vibrieren« gestellt, bevor er losgegangen war. Es war eine SMS, bestehend aus nur drei Worten. Sie kam von Nina, aber im Moment war er nicht in der Lage, sie zu entziffern.

Er zeigte Alli die Botschaft auf dem Display. »Was steht da?«

»»Wo bist du?««, las sie vor. »Sie möchte dich treffen.«

Jack dachte kurz nach. Da sie die Agenten vom Secret Service ausgetrickst hatten, wäre es nicht gerade schlau, zusammen mit Alli im Schlepptau bei Nina aufzutauchen. Andererseits konnte er sie auch nicht einfach wieder nach Hause bringen, egal ob da nun Leibwächter standen oder nicht. Sie hatten ja bereits versagt, ein zweites Mal wollte Jack sie in dieser Hinsicht nicht auf die Probe stellen.

Welchen Treffpunkt konnte er Nina nennen, ohne verdächtig zu wirken? Er wollte Alli schon auffordern, eine Antwort für Nina zu tippen, aber dann überlegte er es sich anders. Es war eigenartig, dass Nina ihm einen Text schickte, anstatt ihn anzurufen. Er erinnerte sich an den Wagen mit den Agenten, der ihn verfolgt hatte. Auf keinen Fall durfte er irgendein Risiko eingehen. Er ging mit dem Handy ins Internet und rief Google Maps auf. Er hatte bereits einige Karten gespeichert, suchte die mit dem gewünschten Ausschnitt aus und schickte sie ihr zu. Ein Unbekannter würde damit überhaupt nichts anfangen können.

»Wir müssen los«, sagte er und stand auf. Alli folgte seinem Beispiel. »Sie sollten eine Weile hierbleiben. Reicht Ihr Proviant für eine Woche?«

»Ich glaube schon, ja.« Armitage bückte sich und zog den Kühlschrank auf. »Wenn Cola und Säfte zur Neige gehen, haben wir jede Menge Wasser.« Er schaute wieder auf. »Aber das ist doch graue Theorie. Wenn die Leute, die hier arbeiten, morgen früh zurückkommen, fliegen wir auf.«

»Nein, das werden Sie nicht.« Jack war noch immer Besitzer des Gebäudes, und weil er seinen Mietern sehr wenig Geld abknöpfte, waren sie bereit, für ihn etwas zu tun. »Sie werden Sie nicht stören, glauben Sie mir.« Jack gab Armitage die Hand. »Ich hol Sie aus dieser Geschichte raus, Chris.«

Armitage nickte, aber er sah nicht sehr überzeugt aus.

EINUNDVIERZIG

Jacks erste Wahl wäre Egon Schiltz gewesen, aber wer wusste schon, wo der sich gerade befand? Auf jeden Fall wollte er vermeiden, bei ihm anzurufen, um es herauszufinden. Also hatte er nur noch eine andere Möglichkeit, und so brachte er Alli zu Sharon.

Kurz dachte er daran, sie anzurufen, um sie vorzuwarnen, aber er wollte sein Handy nicht dafür benutzen. Er hielt vor einem großen Drogeriemarkt und kaufte dort ein einfaches Prepaid-Handy. Nachdem er es eingerichtet hatte, rief er bei Sharon an.

Kaum hatte sie sich gemeldet, sagte er: »Ich muss unbedingt bei dir vorbeikommen. Ist das okay?«

»Nach allem, was das letzte Mal vorgefallen ist?«

»Wir hatten doch nur eine Meinungsverschiedenheit. Lass uns das nicht an die große Glocke hängen.«

»Nicht an die große Glocke hängen? Was redest du denn da, Jack! Emma war der Mittelpunkt unseres Lebens.«

Sie hatte natürlich recht, aber er hatte jetzt keine Zeit, mit ihr zu diskutieren. »Hör zu, Sharon. Ich brauche deine Hilfe. Jetzt sofort.«

Sie zögerte einen Moment. »Stimmt was nicht?«

»Das kann man so sagen.«

»Was ist denn los?« Sie klang jetzt anders, lenkte ein. »Du machst mir ja Angst.«

»Wir sind in einer Viertelstunde bei dir.«

»Wir? Wen meinst du denn noch damit, Jack?«

»Nicht am Telefon«, sagte er und unterbrach die Verbindung.

Dann stieg er wieder in den Lincoln Continental und fuhr los.

Sein Verfolgungswahn lief auf Hochtouren, während er die Nachbarschaft von Sharons Haus weiträumig nach möglichen Verfolgern absuchte. Es kam ihm selbst übertrieben vor, wie akribisch er vorging, denn er konnte sich nicht vorstellen, dass man Sharon ernsthaft überwachte. Aber da er nicht wusste, wer ihm die schießwütigen Agenten im BMW auf den Hals gehetzt hatte und warum, wollte er lieber gründlich vorgehen, um kein schlechtes Gefühl zu haben.

Nachdem er sich versichert hatte, dass die weitere Umgebung nicht überwacht wurde, lenkte er den Wagen in Sharons Einfahrt. Seit sie ihm die Nachricht von Nina vorgelesen hatte, hatte Alli kein Wort mehr gesagt.

Noch bevor er den Motor ausschaltete, drehte Jack sich zu ihr um: »Alles in Ordnung?«

»Ich glaube schon.« Sie legte eine Hand an die Schläfe. »Ich hab Kopfschmerzen.«

»Sharon wird dir was dagegen geben, wenn wir drinnen sind.«

»Ich dachte, ihr habt euch getrennt?«

Jack nickte.

»Wollt ihr es noch mal miteinander versuchen?«

Jack seufzte. »Wenn ich das wüsste.«

»Ja, ich weiß schon.«

»Was meinst du damit?«

»Emma hat mir viel von euch erzählt. Am meisten hat sie aufgeregt, dass ihr euch immer gestritten habt. Das konnte sie einfach nicht ertragen.«

Jack öffnete das Fenster ein Stück, weil die warme Luft im Wageninneren ihm zusetzte.

»Außerdem glaubte sie, dass sie an der Trennung schuld sei.«

»Aber das stimmt doch gar nicht!«

»Sie meinte, ihr würdet euch immer nur wegen ihr streiten.«

Jack schwieg. In seinem Magen breitete sich ein eigenartiges Gefühl aus, als hätte er zu viel gegessen und müsste unbedingt alles wieder ausspucken. Er schob die Autotür auf und stieg aus. Als er sich gegen den Wagen lehnte, merkte er, dass er kaum noch Luft bekam.

Alli kam von der anderen Seite um den Wagen herum und blieb neben ihm stehen. »Tut mir leid, dass ich dich so aufgebracht habe.«

»Mach dir keine Gedanken.«

Irgendwann hatte er rückblickend festgestellt, dass sie sich praktisch ständig gestritten hatten. Und worüber? Über nichts. Sie hatten sich angeschrien, weil es eine schlechte Angewohnheit geworden war, weil sie sich in ihren Schützengräben verschanzt hatten wie alte Feinde, die schon längst nicht mehr wussten, woher die Feindschaft eigentlich rührte. Es hatte ihn krank gemacht, er wollte damit aufhören. Es musste doch eine bessere Möglichkeit geben, miteinander auszukommen, als nur im Zorn.

Er nickte vor sich hin. »Du hast mir gerade etwas gesagt, das Sharon und ich schon vor langer Zeit hätten merken sollen.«

Sharon sah ziemlich verstört aus, als sie die Tür öffnete.

»Alli?«

»Hallo, Mrs. McClure.«

»Kommt rein.« Sharon schaute über ihre Schultern hinweg nach draußen und schloss dann die Tür hinter ihnen. »Jetzt erkläre mir bitte mal, um was es hier geht, Jack.«

Sie gingen ins Wohnzimmer und setzten sich auf das L-förmige Sofa.

»Ich wollte dir ja noch was gegen deine Kopfschmerzen geben«, sagte Jack.

»Nein«, sagte Alli. »Die sind schon weg.«

Jack schaute sie erstaunt an und wandte sich an Sharon: »Alli braucht einen sicheren Aufenthaltsort. Nur für kurze Zeit, solange ich mich um ein paar Sachen kümmern muss.«

Sharon schaute ihn skeptisch an. »Und warum gehst du nicht zu deinen Eltern, Alli?«

»Das ist eine lange Geschichte«, begann Jack.

»Ich habe Alli gefragt, Jack.«

»Diese Frage kann sie nicht beantworten.«

»Ich denke, das kann sie sehr wohl«, beharrte Sharon. »Alli?«

Alli schaute auf ihre Hände. »Genau so hat Emma es immer beschrieben.«

»Wie bitte?«, fragte Sharon. »Was hast du gesagt?«

»Du wolltest immer, dass sie antwortet«, sagte Jack ganz ruhig. »Sie aushorchen.«

Sharon starrte ihn an, sagte aber nichts. Vielleicht war sie ja zu mehr als Säbelrasseln im Augenblick nicht in der Lage. Aber Jack merkte, dass sie kurz davor war, sich ein weiteres Mal ins Kampfgetümmel zu stürzen.

Alli hielt das Schweigen der beiden für eine stillschweigende Aufforderung an sie, fortzufahren, und holte tief Luft. »Es hat doch keinen Sinn, darüber zu streiten«, sagte sie leise. »Jack hat recht. Wenn er schon nicht erklären kann, warum ich nicht bei meinen Eltern bin, dann kann ich es erst recht nicht.« Sie hob den Kopf. »Aber es ist sehr wichtig, dass ich zu ihm halte, damit er das tun kann, was er jetzt tun muss.«

Sharon lehnte sich zurück und sah Jack an. »Hast du ihr das eingeredet?«, fragte sie. Aber als sie Jacks Gesichtsausdruck bemerkte, lenkte sie ein. »Es tut mir leid.« Sie nickte. »Natürlich kannst du hier bei mir bleiben, Alli.«

Sie lächelte ihr zu. »So lange, wie du möchtest – oder wie es sein muss.«

Alli senkte den Kopf. »Vielen Dank, Mrs. McClure.«

Sharon lächelte sie noch freundlicher an. »Aber nur, wenn du mich ab jetzt Sharon nennst.«

Jack entdeckte Ninas Wagen in einer Parklücke neben Sharons Haus. Bevor er die Beifahrertür öffnen konnte, glitt das Fenster auf, und Nina, die hinter dem Lenkrad saß, lehnte sich über den Sitz: »Nach hinten, Jack.«

Verwundert zog Jack die Tür auf und setzte sich auf den Rücksitz neben einen kleinen, kräftigen Mann mit gepflegtem Vollbart und der ruhigen Ausstrahlung eines Weisen.

»Darf ich vorstellen«, sagte Nina. »Das ist Dennis Paull, der Minister für Heimatschutz.«

»Jack, ich freue mich, Sie endlich kennenzulernen«, sagte Paull, ergriff seine Hand und schüttelte sie herzlich. »Nina hat mir eine Menge über Sie erzählt.«

»Hat sie das?« Jack warf Nina einen Blick durch den Rückspiegel zu. »Sollte sie mich ausspionieren?«

Paull lachte. »Sie sollte einfach nur ein Auge auf Sie werfen, mehr nicht. Nina arbeitet undercover für mich. Sie ist eine verdammt gute Agentin.«

»Es steht mir wohl kaum an, das anzuzweifeln.«

Paull lachte wieder. »Ich misstraue Menschen, die keinen Sinn für Humor haben. Und wissen Sie warum? Weil nichts den Humor schneller abwürgt als Geheimnisse.«

»Nina ist jedenfalls ziemlich witzig, das kann ich bezeugen«, sagte Jack. »Sie ist die einzige Person, die einen Schoko-Keks als Vernichtungswaffe einsetzen kann.«

Nina lachte zustimmend vor sich hin.

»Okay, dann sind wir jetzt also ein Team, dann lasst uns mal zur Sache kommen«, sagte Paull. »Jack, ich glaube, Sie suchen nach einigen Antworten, die ich Ihnen geben kann. Ich habe den BMW hinter Ihnen hergeschickt mit zwei meiner Agenten, die ein Auge auf Sie haben sollten. Sie sollten Sie beschützen, falls jemand gegen Sie vorgehen würde. Leider hat der Nationale Sicherheitsberater – womöglich in Absprache mit dem noch amtierenden Präsidenten – diesen Männern einen abweichenden Auftrag gegeben.«

In was für einen Schlamassel bin ich denn da reingeraten?, dachte Jack. »Warum wollten die mich denn aus dem Weg räumen?«

»Wir kommen gleich auf die Einzelheiten zu sprechen«, sagte Paull. »Zunächst einmal stelle ich fest, dass Sie für Edward Carson arbeiten. Sie können sich vielleicht vorstellen, dass der zukünftige Präsident von manchen in der aktuellen Regierung als Gefahr angesehen wird. Es gibt

Bestrebungen, einige Dinge, die dem noch amtierenden Präsidenten sehr wichtig sind, vor der Amtseinführung seines Nachfolgers am 21. Januar zu regeln.«

»Zum Beispiel das Ausschalten der Neuen Amerikanischen Säkularisten.«

Paull nickte. »Und anderer ähnlich verdächtiger Gruppierungen.«

»Das einzige Verbrechen der Säkularisten ist, dass sie eine Weltanschauung vertreten, die in direktem Gegensatz zu den Ansichten der derzeitigen Regierung steht«, sagte Jack.

»Wie Sie zweifellos verstehen werden, hat die aktuelle Regierung einige ernste Wahrnehmungsstörungen. Die Welt wird so gesehen, wie sie sein soll, nicht, wie sie wirklich ist.«

»Aber merken Sie denn nicht, dass die Organisation der Säkularisten als Sündenbock herhalten muss? Weil die A-Zwei-Terroristen nicht aufzufinden sind, schießen Sie sich auf das leichtere Ziel ein.«

»Sie sollten das, was diese Regierung tut, nicht mit der Wirklichkeit durcheinanderbringen, Jack.« Er verlagerte sein Gewicht und fuhr fort: »Wie auch immer, ich glaube, Sie haben auch einige Antworten für mich. Sie kennen doch einen Mann namens Ian Brady.«

Es war keine Frage. Jack suchte Ninas Blick im Rückspiegel. »Ja, Sir. Vor fünfundzwanzig Jahren war er einer der großen Drogendealer in meiner alten Wohngegend.«

»Welche Gegend war das?«

»In der Nähe des McMillan-Stausees.«

Dennis Paull fuhr sich mit der Hand über die Augenbrauen. Es war klar, dass Jack die richtige Antwort gegeben hatte; das Problem war nur, dass Paull genau diese Antwort gefürchtet hatte, denn es bestätigte seine schlimmsten Befürchtungen, um wen es sich bei diesem Ian Brady tatsächlich handelte.

»Sie müssen die Sache mit dem McMillan-Stausee vergessen, Jack.«

»Das wird mir aber schwerfallen. Dieser Mann, ob er nun Ian Brady heißt oder Charles Whitman oder Ronnie Kray, ist der Entführer von Alli Carson und der Mörder von zwei Agenten des Secret Service.«

»Trotzdem müssen Sie ihn vergessen.«

Jack hätte normalerweise geantwortet: *Was zum Teufel reden Sie denn da?*, aber er wusste ja ganz genau, was Paull meinte. Das letzte Teil des Puzzles in seinem Kopf – das entscheidende – war jetzt an seinem Platz. Kein Wunder, dass die Identitäten der Opfer am McMillan-Stausee nie bekanntgegeben worden waren. Man hatte sie aus dem gleichen Grund zurückgehalten wie die wahren Umstände des tödlichen Unfalls, den die beiden Agenten im BMW erlitten hatten. Auch diese Sache war nie in den Nachrichten aufgetaucht.

Jack erinnerte sich an die Situation am McMillan-Stausee, als er Gus und Detective Stanz gefolgt war und der Spitzel von Gus gesagt hatte: »Sie werden den Namen des Mörders nie erfahren. Weder von mir noch von jemand anderem.«

»Brady steht unter besonderem Schutz«, stellte Jack fest. »Sie schützen einen Serienmörder und Kidnapper.«

»Nicht ich, Jack, die Regierung. Deshalb wurden die Agenten im BMW ja von ganz oben neu instruiert. Jemand hatte Angst, Sie könnten Brady zu nahe kommen.«

»Die Angst war berechtigt.«

Paulls Gesicht sah aus wie eingefroren. »Es geht hier um die Sicherheit unseres Landes.«

»Wie viele illegale Aktivitäten hat es in den letzten acht Jahren gegeben im Namen der Sicherheit unseres Landes?«

»Jack, bitte. Ich möchte Sie hier nur freundlich darauf hinweisen – sehr freundlich.«

»Ich verstehe das durchaus, Sir. Aber ich werde trotzdem handeln.«

Paull stieß einen tiefen Seufzer aus. »Hören Sie, ich versuche Sie zu schützen. Verstehen Sie das nicht?«

»Doch, Sir, aber das wird meine Meinung nicht ändern.«

Paull schaute kurz zur Seite. Er hatte nicht eine Sekunde lang geglaubt, dass er Jack McClure umstimmen könnte, aber er wollte ganz sichergehen.

»Von diesem Augenblick an sind Sie ganz auf sich allein gestellt«, sagte er dann sehr ruhig und sehr bestimmt.

»Ich bin bereit, dieses Risiko einzugehen.« Jack wusste, dass er niemals zur Ruhe kommen würde, bevor er Ian Brady gestellt hatte. Er würde ihn festnehmen oder töten, je nachdem.

ZWEIUNDVIERZIG

»Ach, ich wünschte, ihr wärt meine Eltern!«

»Um Himmels willen!« Sharon stand in der Küche. Sie war so überrascht von Allis Ausruf, dass ihr das Ei, das sie gerade aus dem Karton genommen hatte, um es in die Pfanne zu schlagen, auf den Boden fiel.

Sie hatte ganz einfach das Naheliegendste tun und Alli etwas zu essen machen wollen. Also waren sie in die Küche gegangen, in den Raum, in dem sie sich immer am sichersten fühlte. Denn wenn sie ehrlich war, brachte Allis Anwesenheit sie völlig durcheinander. Nicht weil Alli die Tochter des künftigen Präsidenten war, sondern weil sie Emmas beste Freundin gewesen war. Sharon wurde von einem Gefühl unendlicher Trauer befallen, das sie eigentlich überwunden glaubte. Nun merkte sie, wie sehr sie immer noch unter dem Verlust ihrer Tochter litt.

Gedankenverloren schaltete sie die Herdflamme aus und wischte die verspritzte Eimasse ab. »Wie kommst du denn auf diese verrückte Idee?«

»Es ist einfach das, was ich empfinde.«

Sharon wusch den Wischlappen aus. Die zerbrochene Schale hielt sie noch in der Hand. »Aber deine Eltern sind doch auch ganz wunderbare Menschen.«

»Nimm es mir nicht übel, aber alles, was du über meine Eltern weißt, hast du doch nur aus dem Fernsehen oder aus Zeitschriftenartikeln.«

Alli lehnte am Türpfosten des Durchgangs zum Wohnzimmer. Für ihr Alter machte sie einen sehr beherrschten Eindruck – ganz bestimmt viel beherrschter, als Emma es je gewesen war. *Ach, wie gern hätte ich so ein ruhiges Kind gehabt,* dachte sie. Und sofort schrak sie vor diesem Gedanken zurück und rief sich zur Ordnung. *Lieber Gott, vergib mir,* bat sie innerlich. Aber dieses Schuldeingeständnis half ihr nicht, sich wieder besser zu fühlen, sie kam sich schäbig vor. Ganz kurz geriet sie in Panik: Wenn ihre Gebete nicht mehr wirkten, was dann? *In Wahrheit sind Gebete nur Worte,* dachte sie, *und welchen Trost können Worte schon spenden? Es sind nur leere Hülsen, so ähnlich wie Eierschalen ohne Inhalt.*

»Du hast natürlich recht«, sagte sie, während sie verzweifelt versuchte, sich wieder zu beruhigen. »Bitte entschuldige.«

»Da gibt es doch nichts zu entschuldigen, Mrs. … Sharon.«

Alli trat zu ihr und nahm ihr die Eierschale aus der Hand. In diesem Moment berührten sich ihre Hände, und Sharon begann zu weinen. Es brauchte nur diese kleine Geste, und schon brach der Damm, und all die Gefühle, die sie die ganze Zeit systematisch unterdrückt und beiseitegeschoben hatte, nahmen erneut von ihr Besitz. Die tröstenden Worte von Pfarrer Larrigan, *»Es ist Gottes Wille«* oder *»Emmas Tod ist Teil von Gottes großem Plan«,* zerstoben angesichts ihrer offensichtlichen Scheinheiligkeit. Sharon, die immer alles im Griff hatte und nichts an sich herankommen ließ, war nicht auf den Abgrund vorbereitet, in den sie nun rutschte.

Ihr ganzer Körper wand sich und zuckte unter den

unkontrollierbaren, heftigen Schluchzern, die sie schüttelten. *Das Leiden beschert uns schließlich das Wissen,* war einer der Lieblingsaussprüche des Pfarrers. Aber jetzt erkannte sie, dass dieser Spruch nicht nur ein Gemeinplatz war, sondern ein Mittel der Kirche, seine Schäfchen unter Kontrolle zu halten. *Wir müssen alle leiden, weil Eva den Apfel nahm, wir alle verdienen nichts anderes als zu leiden, aber wir werden dafür im Himmel belohnt. Gab es einen besseren Weg, die Menschen an die Kirche zu binden? Bestimmt hatte Gott nicht gewollt, dass diese Täuscher seinen Namen missbrauchen. Aber sie haben ihn sich wirklich auf überaus schlaue Art angeeignet.*

Zu dem Gefühl unendlich großer Trauer kam nun noch die Gewissheit, an der Nase herumgeführt worden zu sein, und das machte sie wütend. Alles war nur Chaos, unkontrollierbar und undurchschaubar. Und mit dieser Erkenntnis kam die Gewissheit, dass Jack recht hatte. Ihre neu gefundene Religiosität war nichts weiter als ein Schwindel, nur eine andere Art, ihre wahren Gefühle zu leugnen und sich einzureden, eines Tages würde alles schon wieder in Ordnung kommen. In Wahrheit hatte sie einfach nur Angst davor, sich einzugestehen, dass es nie mehr so sein würde wie vorher, denn Emma war ihr und Jack weggenommen worden, und es gab keinen vernünftigen Plan dahinter. Was für ein großartiger Plan sollte das auch sein, wenn er einfach den Tod ihrer Tochter in Kauf nahm? So einen Plan durfte es weder im Himmel noch auf Erden geben.

Allmählich wurde ihr bewusst, dass Alli ihre Hand hielt und sie ins Wohnzimmer führte, wo sie sich wortlos neben sie auf das Sofa setzte.

»Soll ich dir was bringen?«, fragte Alli. »Tee? Ein Glas Wasser?«

Sharon schüttelte den Kopf. »Danke, mir geht es schon wieder besser.«

Aber das war gelogen. Vor ihrem inneren Auge erschien die Kirche, die sie regelmäßig besuchte, sie spürte die gedämpfte Atmosphäre, sah die Beichtstühle, wo die Priester versprachen, den Gläubigen ihre Sünden zu vergeben, wenn sie soundso viele Ave Maria oder Vaterunser beteten. Nur dass Pfarrer Larrigan wahrhaftig kein Heiliger war, genauso wenig wie die anderen Priester. Der flackernde Kerzenschein sollte die Gläubigen, die in der Hoffnung auf Trost herkamen, nur etwas vortäuschen, genauso wie die Bilder vom blutenden Christus, um den die Engel flatterten wie die Motten ums Licht. Und das ganze Gold. Wohin man auch schaute, hingen goldene Kreuze, rot oder grün getönt vom Licht, das durch die bunten Kirchenfenster mit den Heiligenfiguren fiel. Alte Frauen kamen und weinten vor sich hin, beteten verzweifelt, weil sie nicht wussten, wohin sie sonst gehen sollten, jetzt wo ihr Leben zu Ende ging. Sie hockten auf den Kirchenbänken oder standen herum und unterhielten sich über ihre Gebrechen. Aber sie war noch keine alte Frau. Ihr Leben war noch nicht vorbei. Es war noch nicht zu spät, wieder ein Kind zu bekommen.

Sie riss sich von ihrer Trauer los und lächelte mit tränenüberströmtem Gesicht. »Schon gut, mach dir keine Sorgen um mich.« Sie strich mit der Hand über Allis Knie, und da war es wieder, dieses erstaunliche, geradezu elektrisierende Gefühl, das sie zum Weinen gebracht hatte. Es gelang ihr, dieses Mal die Tränen zurückzuhalten, aber es war nicht leicht. »Wir sprachen gerade von dir. Du lebst doch ein sehr privilegiertes Leben, Alli. Du wirst von vielen jungen Frauen bewundert und beneidet, und viele junge Männer finden dich großartig.«

»Na und?«, sagte Alli. »Ich hasse es, dass meine Eltern so viel Wert auf diese Privilegien legen. Das alles bedeutet mir nichts, aber sie verstehen das nicht, sie verstehen mich nicht.«

Sharon schaute sie traurig an. »Ich habe Emma auch nie verstanden, weißt du. Sie war immer so wütend und rebellisch.« Sie schüttelte den Kopf. »Es gab Zeiten, da dachte ich, sie müsste explodieren, weil sie so viele Sachen vor uns geheim hielt.«

»Sachen, die wir geheim hielten.«

Sharon verschränkte ihre Finger. »Ich glaube, Geheimnisse zu haben ist langfristig sehr ungesund. Wenn man sie zu lange hat, dann wird etwas in einem abgetötet, und es beginnt mit dem Herzen.«

»Aber dein Herz schlägt noch immer.«

Sharon schaute zu dem Foto, wo Emma auf einem Pferd zu sehen war. Sie konnte wirklich gut reiten. »Aber nur im medizinischen Sinne, fürchte ich.«

Alli rückte näher zu ihr hin. »Immerhin hast du ja noch Jack.«

»Als ich dich hier sah …« Sharon biss sich auf die Lippen. »Oh, ich möchte meine Tochter zurückhaben!«

Alli nahm wieder ihre Hand. »Kann ich dir irgendwie helfen?«

Sharon schaute sie an. *Wie jung sie ist,* dachte sie. *Und wie verletzlich und wie engelsgleich.* Plötzlich spürte sie dieses überwältigende Bedürfnis nach Trost und Frieden, um ihren Schmerz zu lindern. Und sie fragte sich, ob sie wirklich die Kraft hatte, diesen Frieden zu finden. Die Kirche konnte ihr ganz offensichtlich nicht helfen, und auch nicht die Gebete aller Gläubigen des Universums. Es lief darauf hinaus, dass sie den Frieden, den sie suchte, in sich selbst finden musste.

»Ja, bitte«, sagte sie. »Erzähl mir von Emma.«

Als Jack zurückkam, brachte Sharon ihn vollkommen durcheinander.

»Ich habe eine Idee«, sagte sie fröhlich. »Warum bleibt ihr beiden nicht über Nacht hier? Alli kann das Gästezimmer nehmen, und das Sofa hier ist auch sehr bequem. Ich bin schon ziemlich oft abends darauf eingeschlafen.«

Jack dachte an die Secret-Service-Agenten, die er ausgetrickst hatte. Außerdem grübelte er die ganze Zeit darüber nach, wie er Ronnie Kray zu fassen bekam. Deshalb sagte er achtlos: »Ich glaube nicht, dass das eine gute Idee ist.«

Sharons fröhlicher Gesichtsausdruck entgleiste. »Aber warum denn nicht?«

Als er sah, wie sehr seine Bemerkung sie getroffen hatte, hielt er inne. Sie saß mit Alli auf dem Sofa, und beide blickten ihn erwartungsvoll an. Es wirkte so, als hätten sie gerade über sehr persönliche Dinge gesprochen, als er hereinkam. Irgendetwas in Sharons Gesicht hatte sich verändert, da war etwas, das er sehr wahrscheinlich nie mehr würde sehen können.

»Es wäre doch schön«, sagte sie. »Wir alle zusammen.«

Jack überlegte und kam zu dem Schluss, dass sie vielleicht recht hatte. »Wir könnten natürlich auch zu mir gehen. Das Haus ist größer und …«

Er bemerkte, wie ein Schatten über Sharons Gesicht glitt, und hörte lieber damit auf.

»Jack, komm schon. Du weißt doch, dass ich dieses Haus nicht mag.«

Was soll's, dachte er. Egal was er sagte, sie würde niemals dorthin mitkommen, schon gar nicht über Nacht.

»Alli und ich müssen jetzt los.«

Sharon stand auf. »Aber warum denn? Ich weiß ja, dass es dir hier nicht sonderlich gefällt, aber nur dieses eine Mal. Bleibt doch bitte.«

Jack schüttelte den Kopf. »Das ist unmöglich. Die Agenten, die Alli schützen sollen, glauben, wir seien bei mir zu Hause.«

»Du meinst, du hast sie getäuscht, um Alli hierherbringen zu können?« Jetzt begann wieder das große Säbelrasseln.

»Es ging nun mal nicht anders.«

»Was dich betrifft, ist es wohl grundsätzlich immer nötig, dass du die Regeln verletzt.«

»Nicht unbedingt.« Es war wirklich sehr leicht, in die alten Muster zurückzufallen. »Manchmal dehne ich sie auch nur ein bisschen.«

»Aufhören bitte!«, schrie Alli.

Sie drehten sich beide zu ihr um.

»Das ist doch kein Grund, um sich zu streiten«, sagte sie. »Ihr streitet ja nur um des Streits willen.«

»Alli hat recht«, sagte Sharon. »Oftmals weiß ich hinterher gar nicht mehr, worüber wir eigentlich gestritten haben.«

»Dann komm doch mit uns«, sagte Jack. »Bleib über Nacht.«

»Ich würde ja gern«, sagte Sharon, »wirklich.« Sie schüttelte den Kopf. »Aber ich bin noch nicht so weit, Jack. Kannst du das nicht verstehen?«

»Doch, natürlich«, sagte er, obwohl er es nicht konnte. Wenn die Leute vom Secret Service nicht gewesen wären, hätte er sich bereit erklärt, heute Nacht hierzubleiben. Was verabscheute sie denn so an dem Haus von Gus? Er kam einfach nicht dahinter. Schon oft hatte er sie danach gefragt, aber niemals eine befriedigende Antwort erhalten, und nun wollte er die alten Argumente nicht noch einmal austauschen. Abgesehen davon war er es einfach leid, ständig streiten zu müssen.

»Ihr müsst dann wohl jetzt gehen.« Sharon umarmte Alli und gab ihr einen Kuss. Als sie durch den Vorgarten zu Jacks Wagen gingen, schaute sie ihnen nach und erschauerte, als hätte sie eine Vorahnung oder ein Déjà-vu-Erlebnis. Dieses Gefühl von Hilflosigkeit, Traurigkeit und Verlust hatte sie schon einmal empfunden.

DREIUNDVIERZIG

Sein Haus, das musste Jack zugeben, wirkte tatsächlich recht düster. Die alten, seltsam geschnittenen Räume mit den antiken Gaslampen verströmten einen leicht modrigen Geruch, und die sperrigen Möbel, die alle aus den Fünfzigerjahren stammten, trugen ihren Teil zu der staubigen Atmosphäre bei. Vielleicht war es das, was Sharon so verabscheute. Sie liebte quadratische Zimmer mit niedrigen Decken und modernen Möbeln – ein helles Haus, dem leider jeder Charme abging.

Aber dieses Gebäude hier hatte eine Geschichte, und die hatte ihre Spuren hinterlassen. Es war, wie Alli sehr schnell bemerkt hatte, das Haus eines Außenseiters, damals wie heute. *War Emma deshalb so gerne hier gewesen? War das der Grund, warum es Sharon hier nicht gefiel?*, fragte sich Jack, als er mit Alli zur Haustür hochstieg. Sharon war keine Außenseiterin – dieses Leben, in dem man oftmals mit Regeln, Vorschriften und manchmal sogar dem Gesetz in Konflikt geriet, verwirrte sie und machte ihr Angst. Sie fühlte sich nur innerhalb der üblichen Normen wirklich wohl. Deshalb war sie so erpicht darauf gewesen, Emma nach Langley Fields zu schicken, denn es war das College des Establishments. Das war auch der Grund gewesen, warum Emma dort immer mehr Schwierigkeiten bekommen hatte. Sie hatte einfach nicht ins Schema gepasst. Außenseiter passen nie ins Schema, man kann sie auch nicht ändern. Aber bis zum Tag, an dem Emma ums Leben kam, hatte Sharon immer gehofft, alles würde gut werden.

Jack führte Alli ins Gästezimmer, das neben seinem lag. In all den Jahren hatte er sich nie überwinden können, in Gus' Schlafzimmer zu schlafen. Vor Jahren hatte er das Bett von Gus aus dem Fenster geworfen und draußen im Garten verbrannt. Vor Kurzem hatte er das Zimmer in einen Medienraum umgewandelt, mit einem riesigen Flachbildschirm, auf dem er sich James-Brown-Konzerte anschaute oder Baseball-Spiele oder Spielfilme auf DVD. Er war sich sicher, dass Gus das gefallen hätte.

»Im Badezimmer findest du alles, was du brauchst«, sagte Jack. »Aber wenn du sonst etwas brauchst, findest du es wahrscheinlich in diesem Schrank hier.«

Nachdem sie sich Gute Nacht gesagt hatten, sah er ihr nach, wie sie in ihr Zimmer ging und die Tür hinter sich schloss. Er fragte sich, was wohl in ihrem Kopf vor sich ging. Nach allem, was sie ihm erzählt hatte, gab es noch eine Menge Dinge, die sie ihm nicht erzählt hatte. Als er in seinem Zimmer war, rief er Carson an und teilte ihm mit, dass alles in Ordnung war und er kleine Fortschritte gemacht hatte.

Er schaltete das Licht aus und legte sich angezogen aufs Bett. Er war hundemüde und todtraurig. Es war eine zweischneidige Angelegenheit, dass er jetzt einiges über Emmas geheimes Leben erfahren hatte. Dankbarkeit und Bedauern erfüllten ihn gleichermaßen. Heute Abend fühlte er sich sogar als Außenseiter vor sich selbst.

Er musste wohl eingeschlafen sein, denn er riss jäh die Augen auf und wusste sofort, dass einige Zeit verstrichen war. Es war jetzt mitten in der Nacht. Verkehrsgeräusche waren nur ganz sporadisch zu hören. Er fühlte sich, als würde er auf dem Meeresgrund liegen, von den Wellen sanft hin und her bewegt, und spürte, dass sich ganz in der Nähe ein tiefer, dunkler Abgrund auftat. Licht drang durchs Fenster, durch die Vorhänge, zahllose kleine Punkte wie Sterne aus weiter Ferne. Es kam ihm vor, als sei er unendlich weit von der Zivilisation entfernt. Entwurzelt hatte er gesagt. Und Alli hatte gesagt: *Ich habe mich mein ganzes Leben lang entwurzelt gefühlt.*

In diesem Augenblick hörte er ein Geräusch. Es klang, wie wenn Wind über Äste streicht oder ein leichter Regen aufs Dach prasselt. Eine Stimme flüsterte: »Da ist jemand im Haus.«

Jack setzte sich auf und sah die schmale Silhouette in der offenen Tür.

»Alli? Was ist? Was hast du gehört?«

»Da ist jemand im Haus.«

Er stand auf, nahm seine Pistole und ging zu ihr. Sie drehte sich um und verschwand im Flur, als wollte sie ihm den Weg zeigen. Die Schatten an der Wand wirkten wie gefallene Soldaten. Die Stille war fast mit den Händen zu greifen. Sogar die normalen Hausgeräusche, das Ächzen und Knarren des alten Holzes, waren nicht zu vernehmen.

»Alli, wo gehst du denn hin?«, flüsterte er der davoneilenden Figur zu. »Geh bitte in dein Zimmer zurück, und bleib dort, bis ich zurückkomme.«

Aber entweder war sie zu weit weg oder sie wollte nichts hören. Sie nahm die Treppe nach unten. Er fluchte leise vor sich hin und folgte ihr. Ein merkwürdiges Gefühl von

Frieden überkam ihn, als er ihrem Schatten nach unten in die Eingangshalle folgte und dann durchs Esszimmer und die Küche. Hinter der Küche lagen eine Vorratskammer und ein kleines Badezimmer, das zwischen Küche und einer Nische lag, die noch nie benutzt worden war. Diese war seit Jahren nicht mehr gestrichen worden. In den Ecken hingen Spinnweben, in denen getrocknete tote Insekten klebten. Ein alter Stuhl stand herum, und eine antike Hutablage lehnte an der Wand. Der Fußboden war mit alten Kacheln bedeckt, von denen viele einen Sprung oder mehrere Risse hatten oder ganz zerbrochen waren. Ein oder zwei Kacheln fehlten ganz.

Jack durchquerte die Küche. Er sah, wie Alli die Tür öffnete, die zum Garten führte, und nach draußen verschwand. Er folgte ihr. Kaum war er hinausgetreten, umgaben ihn die Gerüche von faulendem Holz, Wurzeln und der mineralische Duft von feuchtem Stein. Als er unter die Bäume trat, wurde es noch dunkler um ihn herum.

»Alli«, rief er leise. »Alli, das reicht. Wo bist du denn?«

Das Gewirr der Äste, das sogar jetzt im Winter noch sehr dicht war, schützte das Grundstück vor der nahen Stadt. Der rötlich-graue Himmel schimmerte zwischen den Zweigen, die der Wind hin und her bewegte, Regentropfen fielen auf die Äste, tropften herunter oder rannen die Stämme hinab. Abgesehen von Regen und Wind war alles ruhig. Und doch war eine Unruhe zu spüren, als würde dieser ungezähmte Teil des Gartens von einem Willen beherrscht, der ein ganz bestimmtes Ziel verfolgte.

Jack spähte angsterfüllt durch den Regen, aber das Dickicht war undurchdringlich. Unmöglich zu sagen, welchen Weg sie eingeschlagen oder warum sie ihn hierhergeführt hatte. Er ging weiter, gelegentlich traf ihn ein matter Lichthauch, dann war es wieder dunkel. Er suchte in allen Richtungen und hatte bald das Gefühl, in einem Labyrinth aus Stämmen, Ästen und Zweigen gefangen zu sein und sich selbst verloren zu haben.

Er war sich ganz sicher, dass er dieses Flüstern nicht geträumt hatte, genauso wie er sich ganz sicher war, dass Alli in seiner Zimmertür gestanden hatte. Wer sonst sollte es gewesen sein? Er spürte, wie sich die feinen Härchen auf seinem Unterarm aufrichteten, denn er hatte die Stimme wieder gehört.

»Dad …«

Dennis Paull stieg die Stufen der Außentreppe im Starlight Motel in Maryland hinauf. Ein weiterer grässlicher Tag neigte sich seinem Ende zu. Einen Teil dieses Tages hatte er darauf verwendet, die Eltern von Calla Myers von ihrem Verlust zu unterrichten. Er hätte natürlich einen Mitarbeiter schicken können, aber er gehörte nicht zu den Leuten, die schwierigen Terminen aus dem Weg gingen. Calla Myers war sozusagen unter seinen Augen zu Tode gekommen. Es gab keine Entschuldigung dafür, dieser dunkle Fleck würde für immer an ihm haften bleiben, als einer von vielen ähnlichen dunklen Punkten, die sein Gewissen belasteten. Dieser Fleck aber war dunkler als viele andere, für ihn schämte er sich mehr, denn sie war eine gänzlich unbeteiligte Person gewesen. Sie hatte sich nicht bewusst in Gefahr begeben und war trotzdem auf genau die gleiche präzise Art umgebracht worden wie die beiden Secret-Service-Agenten, die zum Schutz von Alli Carson abgestellt worden waren.

Paull machte sich keine Illusionen über seine Chancen, eines Tages in den Himmel zu kommen. Aber da er weder an den Himmel noch an die Hölle glaubte, spielte das keine Rolle. Ihn interessierte nur das Hier und Jetzt. Glücklicherweise waren ihm die richtigen Worte eingefallen, um den Myers sein Beileid auszusprechen. Er hatte sogar noch eine Weile mit ihnen zusammengesessen, während die Mutter weinte und der Vater sie hilflos in seinen Armen hielt, aber dann waren ihm die Worte ausgegangen. Er hatte versucht, nicht an seine eigene Frau zu denken, und wollte nicht darüber nachgrübeln, wie er wohl reagieren würde, wenn jemand ihm die traurige Nachricht überbrachte. Ein Bruder von ihm war am Horn von Afrika ums Leben gekommen, im Dienst seines Landes. Nicht einmal Paull hatte je erfahren, mit welchem Auftrag man ihn dorthin geschickt hatte. Weder das noch die genauen Details seines Todes hatten ihn interessiert. Er hatte ihn einfach nur begraben, mit allen ihm gebührenden Ehren, und war dann wieder zur Arbeit zurückgekehrt.

Nachdem er sich dreimal versichert hatte, dass er nicht verfolgt wurde, ging Paull den Balkon im ersten Stock des Motelgebäudes entlang, steckte einen Schlüssel in das Schloss der letzten Tür und trat ein.

Nina Miller saß auf dem Bett, die langen Beine ausgestreckt und übereinandergeschlagen. Sie hatte die Schuhe abgestreift und sah in ihrer weißen Bluse einfach hinreißend aus. Ihr taubengrauer Rock war ein Stück über ihre muskulösen Schenkel hochgerutscht. Sie war eine gute

Tennisspielerin, genau wie Paull. So hatten sie sich kennengelernt. Und nun spielten sie, sooft sie konnten, gemischte Doppel, was zugegebenermaßen nicht sehr häufig vorkam.

Nina legte das Buch beiseite, das sie gerade gelesen hatte – *Sommerregen* von Marguerite Duras, in einer Erstausgabe, die Paull ihr im letzten Jahr zum Geburtstag geschenkt hatte. Es war ihr Lieblingsroman.

»Du siehst verführerisch aus.«

Sie lächelte. »Ich könnte dich wegen sexueller Belästigung am Arbeitsplatz verklagen.«

»Das hier ist kein Arbeitsplatz.« Paull beugte sich zu ihr und küsste sie. »Und das ist keine Belästigung.«

»Alter Charmeur.«

Paull schob einen Stuhl neben das Bett und setzte sich neben sie. »Gibt's was Neues?«

Sie reichte ihm einen braunen Briefumschlag. »Ich habe alle Akten der Angehörigen der Heimatschutzbehörde von Washington, D. C., durchkämmt. Alle sind sauber, soweit ich das beurteilen kann, bis auf Garner.«

»Hugh ist mein Stellvertreter«, Paull schüttelte den Kopf. »Nein. Das wäre doch zu offensichtlich.«

»Genau deshalb hat der Sicherheitsberater ihn angeworben.« Sie deutete auf den Aktenordner, den sie zusammengestellt hatte. »Während der letzten acht Monate hat Hugh fünfmal einen Mann namens Smith aufgesucht.« Sie lachte. »Ist das zu glauben? Wie auch immer, es handelt sich um einen Facharzt für Akupunktur, und wie es der Zufall will, befindet sich seine Praxis direkt neben dem Chiropraktiker, den der Sicherheitsberater regelmäßig aufsucht.«

Paull blätterte die Unterlagen durch und sagte: »Sie haben sich fünfmal zur gleichen Zeit in Behandlung begeben.«

Nina legte die Hände in den Schoß. »Und was willst du jetzt tun?«

Paull legte den Ordner beiseite und lehnte sich über sie. »Ich weiß genau, was ich jetzt tun werde.«

Nina kicherte und zog seinen Kopf zu sich. »Ich meine es ernst.«

»Ich auch.« Er ließ seine Lippen über ihren Hals gleiten. »Wie geht's deinem Freund Jack McClure?«

»Mmm.«

Paull hob den Kopf. »Was soll das denn heißen?«

Nina machte einen Schmollmund. »Du bist doch nicht etwa eifersüchtig, Denny?«

»Ich weiß überhaupt nicht, wovon du sprichst.«

Sie schob ihn von sich. »Manchmal bist du wirklich ein Scheusal.«

»Ich meinte nur, dass wir, wenn wir mal bedenken, wie sehr Garner McClure verabscheut, einen Weg finden könnten, dass Jack uns hilft, ihn loszuwerden.«

Sie verzog den Mund. »Hast du etwa schon wieder einen deiner berüchtigten machiavellistischen Schachzüge im Kopf?«

Paull lachte zustimmend und begann die Perlmuttknöpfe ihrer Bluse zu öffnen.

Sie warf den Ordner vom Bett und sagte: »Ich bin so nah an Jack rangekommen, wie es möglich ist. Aber er betet seine Frau immer noch an, als sei sie die Freiheitsstatue.«

»Armer Kerl.«

»Darüber musst *du* dir ja keine Sorgen machen. Du hast sowieso kein Herz.«

»Gleich zu gleich gesellt sich gern.« Er streichelte ihre nackte Brust. »Und was könnte aufregender sein als eine Affäre ohne Hemmungen?«

»Kaum auszudenken.« Sie fasste nach seiner Krawatte und zog ihn zu sich.

Jack drehte sich um und sah sie. Sie stand zwischen zwei Bäumen, hell schimmernd im geisterhaften Licht.

»Dad …«

»Emma?« Er trat einen Schritt auf sie zu. »Bist du das?«

Der Regen wurde heftiger und prasselte auf ihn herab, Wasser rann ihm in die Augen und mischte sich mit den Tränen. War Emma wieder zu ihm zurückgekommen? War das möglich? Oder verlor er den Verstand?

Er ging auf sie zu. Ihr Bild schien leicht zu flimmern, in Millionen kleiner Teilchen zu zerbrechen, die allesamt von den Regentropfen reflektiert wurden. Sie glänzten auf den schwarzen Ästen, der braunen Rinde, den blassgoldenen abgestorbenen Blättern.

Sie war überall um ihn herum.

Jack stand verwundert da und horchte auf ihre Stimme. »Dad, ich bin hier …«

Es klang nicht wie die Stimme eines Menschen oder eines Geistes. Es war das Säuseln des Windes, das Kratzen der Äste, das Rascheln der Blätter, sogar das entfernte Rauschen des Verkehrs.

»Ich bin hier …«

Ihre Stimme schien von überall her zu kommen. Jedes Atom schien einen Teil von ihr zu enthalten, war erfüllt von ihrem Geist, ihrer Seele, dem elektrischen Impuls, der ihr Gehirn zum Leben erweckt hatte, sie zu einer Besonderheit gemacht hatte, zu Emma.

»Meine Emma.« Er hörte für sie, hörte sie selbst, im Wind, in den Bäumen, im Himmel, sogar die toten Blätter sprachen mit ihm, er spürte sie ganz nah bei sich, um sich herum, als würde er von warmem Wasser umhüllt. »Emma, es tut mir leid, so leid …«

»Ich bin hier, Dad … Ich bin hier.«

Und das war sie. Auch wenn er sie nicht berühren konnte, sie nicht sehen konnte, war sie hier bei ihm. Sie war kein Produkt seiner Einbildung, sondern etwas jenseits seiner Vorstellungskraft, jenseits des geistigen Horizonts des Menschen. Ein Physiker hätte vielleicht auf Quarks und Elementarteilchen verwiesen. Werner Heisenberg, der Entdecker der Quantenmechanik und der Unschärferelation, hätte vielleicht verstanden, wie sie gleichzeitig hier sein und nicht hier sein konnte.

Jack ging zum Haus zurück. Er war völlig durchnässt und fühlte sich auf einmal ungewöhnlich ruhig und auf eine sanfte Art erregt. Er hätte seine Gefühle nicht erklären können, genauso wenig wie das, was in der letzten halben Stunde vorgegangen war, und er wollte es auch nicht. Er war völlig erschöpft und wollte nur noch zurück in sein Bett und so lang wie möglich schlafen, bis die Sonnenstrahlen ihren Weg zwischen den Ästen der alten Eiche vor seinem Fenster hindurch fanden und ihn warm und sanft aufwecken würden.

Bevor er sich wieder hinlegte, warf er einen Blick in Allis Zimmer. Sie lag friedlich schlafend in ihrem Bett.

Leise schloss er die Tür und ging auf Zehenspitzen ins Badezimmer, um sich abzutrocknen. Dann stolperte er in sein Zimmer, ließ sich aufs Bett fallen und zog die Decke bis zum Kinn, um anschließend in einen tiefen und friedlichen Schlaf zu fallen.

VIERUNDVIERZIG

Jack kam die Sache inzwischen wie ein Drahtseilakt vor. Auf der einen Seite hatte er Edward Carson versprochen, Alli zur Mittagszeit wieder abzuliefern; auf der anderen Seite musste er sie dazu bringen, ihm etwas über Ian Brady zu erzählen, denn sie war seine einzige Informationsquelle. Sie war eine Woche lang in seiner Gewalt gewesen, und es war gut möglich, dass sie etwas gesehen oder gehört hatte, das ihm helfen konnte, seinen Widersacher zu finden.

»Alli, ich weiß, wie schwer das für dich ist«, sagte er, als sie in die Küche kam. »Ich weiß auch, dass dieser Mann einem wirklich einen furchtbaren Schrecken einjagen kann.«

Sie wandte sich ab. »Ich möchte nicht darüber sprechen.«

Er ignorierte den waidwunden Rehblick und nahm sich vor, diesmal unerbittlich zu bleiben. Dies war womöglich die letzte Gelegenheit, mit ihr über die Tortur ihrer Gefangenschaft zu sprechen. »Alli, hör zu, wir müssen unbedingt herausfinden, warum Kray dich entführt hat. Er hat es bestimmt nicht nur so zum Spaß getan. Er hat einen Plan. Nur du und er wissen, um was es geht. Du bist der Schlüssel zu allem, was noch geschehen wird.«

»Ich sagte doch, dass ich nichts weiß. Ich kann mich nicht erinnern.«

»Hast du es denn ernsthaft versucht?«, fragte Jack.

»Jack, bitte.« Sie begann am ganzen Körper zu zittern, und sie spürte, dass sie ganz dicht vor einem Abgrund stand, der sie jeden Moment verschlingen würde. Nicht einmal Jack konnte sie davor bewahren. »Hör auf!«

»Alli, ich bin mir sicher, Emma würde wollen, dass du …«

»Nein!« Sie wirbelte herum, ihr Gesicht war rot vor Zorn. »Du darfst Emma nicht für so etwas benutzen!«

»In Ordnung.« Jack hob abwehrend die Hände. Er wusste, dass er zu weit gegangen war. »Tut mir leid. Ich will dich nicht quälen.« Je mehr er sie bedrängt, umso heftiger reagiert sie. Auf diese Art würde er nichts mehr aus ihr herausbekommen, aber ihm fiel auch keine andere Methode ein. Ob er wollte oder nicht, er musste einen Rückzieher machen.

Er lächelte sie an. »Wollen wir uns wieder vertragen?«

Alli versuchte zu lächeln, aber ihr gelang nur ein knappes Kopfnicken.

Sie saßen noch beim Frühstück, da hörte Jack, wie draußen ein Wagen vorfuhr. Das mussten Allis Bewacher sein, dachte er und ging zur Tür, um ihnen zu sagen, dass sie nicht hereinkommen sollten. Zu seiner Überraschung stand der altertümliche Kombi von Egon Schiltz vor dem Haus, ein Buick Woodie Wagon aus den Fünfzigerjahren mit den legendären Niagara-Stoßstangen und der Birkenholz-Vertäfelung an den Seiten. Es war ein Modell, das man besser in einem Museum ausstellte, anstatt damit in der Gegend herumzugondeln. Aber der Wagen war Egons Ein und Alles, und er fuhr überall damit hin.

Er hob einen Arm, als er ausstieg. »Na, endlich. Ich habe gestern den ganzen Tag lang versucht, dich zu erreichen, aber du bist nicht ans Handy gegangen, und dein Chef hat mir die Nummer der Einsatztruppe gegeben, die schon längst abgelöst war.«

Jack stieg von der Veranda. Es war mild, nur ein leichter, kühler Wind wehte, und da, wo das Sonnenlicht hinfiel, taute der Raureif.

»Hallo, Egon, wie geht's?«

»Frag mich das lieber in einem Monat.« Schiltz grinste schief. »Ich hab mich mit Candy ausgesprochen. Wahrscheinlich wäre sie ausgezogen, wenn Molly nicht wäre. Molly darf nie etwas davon erfahren, darauf haben wir uns geeinigt.«

»Wenn ihr euch auf eine Sache geeinigt habt, dann werdet ihr auch in anderen Dingen wieder eine gemeinsame Linie finden.«

Egon nickte. »Das hoffe ich. Candy will es, glaube ich, auch. Sie braucht nur etwas Zeit zum Nachdenken.« Er kratzte sich am Hinterkopf. »Du bist ein echter Freund, Jack, vielen Dank. Ich hab das Gefühl …« Er seufzte tief. »So wie es scheint, kennst du mich besser als ich mich selbst. Eine Lüge zu leben ist nichts für mich, und deshalb habe ich erst mal aufgehört, in die Kirche zu gehen.« Er lehnte sich an einen Baumstamm. »Das ist gar nicht so schlimm. Ehrlich gesagt glaube ich, dass Molly das ganz recht ist. Ich wollte sie auf den rechten Weg führen, aber es hat nicht geklappt. So funktioniert es nun mal nicht. Man möchte dem eigenen Kind all das geben, was man selbst nicht haben konnte, und dann stellt man fest, dass es ganz andere Wünsche hat. Am Ende steht man ratlos da. So ist das Leben.« Er rieb sich verlegen die Hände. »Sie hat nie wirklich an Gott geglaubt. Entweder man glaubt an ihn oder nicht. Man kann es nicht erzwingen.«

»Ich will nur hoffen, dass du deinen Glauben nicht verloren hast, Egon.«

Schiltz lächelte verzagt. »Dann wäre ja mein ganzes Leben eine einzige Farce gewesen. Nein, nein, ich glaube noch an Gott, aber du hast mir klargemacht, dass es viele verschiedene Wege zur Erlösung gibt. Ich muss meinen erst noch finden. Die Kirche kann mir dabei nicht helfen.«

Jack gab seinem Freund einen Klaps auf die Schulter. »Jeder Mensch hat ein Recht dazu, sich eine eigene Meinung zu bilden.« Er deutete mit dem Kopf zur Haustür. »Willst du mit reinkommen? Ich kann dir was zum Frühstück anbieten.«

Egon schaute sich um. »Nicht, wenn du Gäste hast.«

»Wenn das so ist«, sagte Jack. »Dann lass uns ein Stück gehen.«

Sie gingen um die Nordseite des Hauses. Hier war es deutlich kühler. Die Tür zum Garten war noch immer von Eis überzogen, die Blätter auf dem Boden klebten zusammen.

»Da geht etwas ziemlich Schräges vor sich«, sagte Egon.

Jack war sofort alarmiert. »Was meinst du damit?«

»Du hast doch von diesem Mädchen gehört, Calla Myers, die auf dem Dupont Circle erstochen wurde. Der Gerichtsmediziner im dortigen Bezirk ist ein alter Kumpel von mir. Er hat mich gestern Morgen angerufen, und wir haben uns getroffen. Er erzählte mir, die Stichwunde sei genau am gleichen Ort und von der gleichen Art wie bei den beiden Agenten, die Alli Carson bewachen sollten. Ich hab ihm die Fotos von den Wunden gezeigt, und er hat bestätigt, dass Calla Myers auf die gleiche Art getötet wurde.«

»Wieso habt ihr die Leiche nicht gemeinsam untersucht?«

»Das ist ja der Punkt«, sagte Egon. »Die Leiche war nicht mehr da. Die Bundespolizei hat sie geholt und alle Beweisstücke mitgenommen.«

Jack war nicht sonderlich überrascht, er wusste ja, dass Calla Myers das letzte Mordopfer von Ian Brady war. Aber die Tatsache, dass er sie umgebracht hatte, war bemerkenswert. Jacks Gehirn begann zu arbeiten. Wieder wollte ein weiterer Rubik-Würfel zurechtgedreht werden, aber das, was ihm jetzt in den Sinn kam, gefiel ihm überhaupt nicht. Er erinnerte sich daran, was der Präsident verlautbaren ließ: Es gäbe eindeutige Beweise, die den Mord an Calla Myers, einem Mitglied der Neuen Amerikanischen Säkularisten, mit dem gewaltsamen Tod der beiden Secret-Service-Männer in direkte Verbindung brachten. Das war der Grund gewesen, warum die Zentrale der Säkularisten geschlossen und ihre Mitglieder verhaftet worden waren. Aber wie passte das damit zusammen, dass es Brady war – ein Agent also –, der Calla Myers umgebracht hatte? Brady hatte die beiden Agenten getötet. Bei ihrer Einsatzbesprechung hatte Hugh Garner ihm mitgeteilt, dass die Handys dieser Agenten nicht gefunden worden seien. In Jacks Gehirn kam eins zum anderen und passte zusammen: Natürlich waren die Handys nicht gefunden worden, denn Brady hatte sie mitgenommen. Eins davon hat er bei Calla Myers gelassen, um damit die Säkularisten zu belasten.

Egon meldete sich zu Wort. »He, Jack, bist du noch da?«

Jack nickte. »Ich hab nur über den Mörder von Calla Myers nachgedacht. Ich glaube, ich weiß, wer es ist, aber ich weiß nicht, wie er wirklich heißt und wo ich ihn finden kann.«

»Da kann ich dir vielleicht ein bisschen helfen.« Egon zog ein Notizbuch hervor und blätterte darin. »Mein Freund hatte seine Autopsie noch nicht beendet, als die Bundespolizei ihm die Leiche wegnahm, aber er hatte sich ein interessantes Detail notiert. Er hat es noch nicht in seinen Bericht aufgenommen, weil er erst noch etwas nachprüfen wollte, also weiß das FBI nichts darüber.« Schiltz ging kurz seine Notizen durch. »Laut seinem Bericht waren keine Fingerabdrücke zu finden, nur die des Opfers. Das bringt uns zu der Schlussfolgerung, dass der Täter irgendwelche Handschuhe getragen haben muss. Mein Freund fand Spuren eines sehr feinen Pulvers auf dem Mantel von Calla Myers, und zwar unter den Armen, also an der Stelle, wo jemand sie anfassen würde, der einen Arm um sie gelegt hat. Es hat eine Weile gedauert, bis er herausgefunden hatte, um was für ein Pulver es sich handelt.«

Egon schaute auf. »Das wird dir gefallen, Jack. Das Zeug auf dem Mantel von Calla Myers war Blauholzpulver, ein Extrakt der zentralamerikanischen Pflanze Haematoxylon campechianum. Wenn man dieses Pulver mit einem Lösungsmittel wie Äthylalkohol oder Glyzerin oder Listerine vermischt, wird daraus ein schwarzes Pigment, das für Tätowierungen benutzt wird.« Er klappte das Notizbuch zusammen. »Calla Myers hatte aber keine Tätowierungen.«

»Also stammt das Pulver vom Täter.«

Schiltz nickte. »Was immer dieser Kerl sonst noch so treibt, er ist auf jeden Fall auch ein Tattookünstler. Aber jetzt kommt das Beste. Fast alle Tattookünstler benutzen vorgefertigte Farben. Keiner nimmt Blauholz als Zutat. Das bedeutet, dass dieser Bursche seine Farben per Hand anrührt.«

»Der weiße Continental hat mir besser gefallen«, sagte Alli, als sie in Jacks Wagen einstieg.

Er lachte und legte den Gang ein. Sie fuhren los, und Jack sah im Rückspiegel, wie ihre Bewacher ihnen folgten. Es war elf Uhr zwanzig. Die Zeit verging, und mit ihr auch die Möglichkeit, mit ihr sprechen zu können. Er musste es ein letztes Mal versuchen.

»Alli, da ist noch was, über das ich nachgedacht habe«, sagte er. »Der Mann, der dich entführt hat, hatte der eine Tätowierung?«

Alli erstarrte. Sie schaute stur geradeaus.

»Alli, bitte, es ist in Ordnung, wenn du mir das erzählst.«

»Ich hab nur seine Arme gesehen.« Alli bewegte ganz langsam den Kopf hin und her. »Er hatte keine Tätowierungen.«

Jack lenkte den Wagen Richtung Chevy Chase, wo die Carsons wohnten, und versuchte, so langsam wie möglich zu fahren. Er wollte nicht zu früh ankommen.

»Alli, ich weiß, dass Ronnie Kray dir eine ganz furchtbare Angst eingejagt hat. Aber es wäre sehr wichtig, wenn du mir etwas mehr über das sagen könntest, was du gesehen oder bemerkt hast. Jedes noch so kleine Detail könnte wichtig sein.«

Alli saß stocksteif da und schwieg.

»Ich will ihn fangen. Du willst doch auch, dass ich ihn kriege, oder?«

Sie biss sich auf die Lippe und nickte.

»Du bist die Einzige, die mir dabei helfen kann.«

Tränen liefen über ihre Wangen. »Ich wünschte, Emma wäre hier. Sie könnte dir alles erzählen.«

»Das kannst du doch auch.«

Sie schloss die Augen. »Ich bin nicht so tapfer wie sie.«

Trotz aller Bemühungen erreichten sie jetzt Chevy Chase. Das war's dann also. Das Ende. Jack gab auf. »Alli, dein Vater war einverstanden, mich als Leibwächter für dich einzusetzen.«

»Das möchte ich auch.«

»Gut. Ich werde also da sein, vielleicht nicht die ganze Zeit, aber du kannst Nina und Sam genauso vertrauen. Ich kenne sie, ich habe mit ihnen gearbeitet. Sie werden dich nicht im Stich lassen.«

Er bog in die Sackgasse ein, die zum Haus der Carsons führte. Überall standen Sicherheitsagenten und ihre Autos am Straßenrand. Sie schauten zu, wie sie auf das große Backsteingebäude am Ende der Sackgasse zufuhren.

»Zu Hause«, sagte er.

»So empfinde ich das gar nicht«, sagte Alli. »Alles ist irgendwie falsch.«

»Wenn du dich erst wieder eingelebt hast, wird alles wieder genauso vertraut sein wie vorher.«

»Aber ich will mich nicht wieder einleben!« Jetzt klang sie wie ein störrisches Kind.

Jack fuhr in die Einfahrt, wo Edward und Lyn Carson schon auf sie warteten. Er stellte den Motor aus und öffnete die Tür. Alli machte keine Anstalten auszusteigen.

»Alli …«

Sie drehte sich zu ihm. In ihren Augen stand die nackte Verzweiflung. »Ich möchte nicht, dass du gehst!«

»Du musst jetzt zu deinen Eltern gehen. Du hast eine Verantwortung. Ab morgen bist du die Tochter des Präsidenten. Von jetzt an musst du dich auch so benehmen. Das ganze Land wird dir zusehen.«

»Bitte zwing mich nicht dazu.«

»Alli, es geht nun mal nicht anders.«

»Aber ich habe Angst.«

Jack runzelte die Stirn. »Wovor?«

»Dass du weggehst, dass ich hierbleiben muss … Ich weiß auch nicht.«

Die Carsons, die inzwischen etwas beunruhigt waren, hatten sich dem Wagen genähert. Lyn Carson zog die Tür auf und beugte sich herein. »Alli, Liebling?«

Alli, die immer noch Jack ansah, formte mit den Lippen leise die Worte: *Bitte hilf mir*.

Jack fühlte sich in tausend Teile zerrissen. Er hatte bei Emma versagt, nun wollte er nicht, dass ihm bei Alli das Gleiche passierte. Aber was konnte er denn tun? Der zukünftige Präsident hatte ihm einen Befehl gegeben, den er nicht einfach ignorieren konnte. Alli war nicht seine Tochter, und sie war noch ein Jahr lang unmündig. Also tat er das Einzige, was er in dieser Situation tun konnte. Er lehnte sich zu ihr hinüber und flüsterte ihr ins Ohr: »Wir sehen uns später. Ich versprech's dir, okay?«

Sie nickte, wandte sich ab und stieg aus dem Wagen. Ihre Mutter umarmte sie herzlich.

»Jack.«

Edward Carson stand auf seiner Seite des Wagens. Jack

stieg aus, und Carson schüttelte ihm dankbar die Hand und umarmte ihn in einem plötzlichen Impuls.

»Mir fehlen die Worte«, sagte er mit belegter Stimme. »Sie haben unsere Tochter zurückgebracht, gesund und munter, wie Sie es versprochen haben.«

Jack sah kurz zu Alli. Sie stieg mit ihrer Mutter, die einen Arm um ihre Hüfte gelegt hatte, die Treppenstufen zur Eingangstür hinauf.

»Ganz recht«, sagte Lyn Carson. »Random House möchte, dass du dein Leben als Tochter des Präsidenten aufschreibst.«

»Sie ist wirklich was Besonderes«, sagte Jack. »Ich möchte unbedingt, dass Nina Miller und Sam Scott als ihre ständige Leibwache eingesetzt werden. Nina und ich haben Alli zusammen gefunden, und Sam kenne ich als zuverlässigen Kollegen. Er hat mit mir zusammengearbeitet, bis er vor drei Jahren zum Secret Service gewechselt ist.«

Carson nickte. »Ich werde sofort alles Nötige veranlassen.« Er schaute zu seiner Frau und seiner Tochter und wandte sich wieder an Jack. »Lyn und ich würden Sie gern bei der Amtseinführung dabeihaben, oben auf dem Podium. Sie gehören doch jetzt praktisch zur Familie.«

»Es wird mir eine Ehre sein, Sir.«

Im Hauseingang angekommen, drehte Alli sich um und lächelte ihm schüchtern zu. Dann wurde sie von ihrer Mutter hineingezogen und verschwand in ihrem goldenen Käfig.

FÜNFUNDVIERZIG

Wer war Ian Brady? Unter anderen, normaleren Umständen hätte Jack alles daran gesetzt, das herauszufinden. Dieser Fall aber war alles andere als normal. Was ihn im Augenblick am meisten interessierte, war nicht, wer Ian Brady war, sondern warum er sich diesen Namen ausgesucht hatte. Ganz offensichtlich ergaben sich seine anderen beiden Pseudonyme aus seinem ersten.

Nach Jacks Erfahrung – die auf den gleichen Erkenntnissen basierte wie die jedes anderen Polizisten oder Sicherheitsbeamten – wählten Kriminelle, auch die intelligenten, ihre Pseudonyme aus einem ganz bestimmten Grund. Ein Profiler vom FBI, der vor einigen Jahren in Jacks Behörde zu tun gehabt hatte, meinte dazu, dass das Unterbewusstsein des Kriminellen bei der Auswahl eines Alias-Namens dominieren würde, und zwar auf eine Weise, der sich dieser Kriminelle nicht entziehen kann. Deshalb war Jack sich ganz sicher, dass der Name Ian Brady für diesen Mann eine besondere Bedeutung hatte. Nun musste er nur noch herausfinden, welche das war.

Da er inzwischen ziemlich paranoid war, ließ Jack die Computer, die zum staatlichen Netzwerk gehörten, links liegen, auch seinen eigenen im Büro in Falls Church. Er brauchte jetzt, so überlegte er auf dem Weg nach Chevy Chase, ein Internetcafé. Nach zwanzig Minuten Suche hinter dem Steuer seines Wagens entdeckte er eins an der

Chase Avenue in Bethesda. Er setzte sich an einen Computer, gab in der Suchmaschine den Namen Ian Brady ein, fand aber nicht mehr als einen dürftigen Eintrag bei Wikipedia und About.com. Dann suchte er nach einem Händler, der Blauholzpulver im Angebot hatte, jene Substanz, die der Mörder unfreiwillig auf dem Mantel von Calla Myers hinterlassen hatte, und wurde fündig. Er schrieb sich Adresse und Telefonnummer auf, verließ das Café und schaute sich draußen ein wenig um. In einem Ladeneingang holte er sein Handy raus und wählte die Nummer des Händlers. Niemand meldete sich, nicht einmal ein Anrufbeantworter ging an. Das wunderte ihn nicht. Diese Firma war so klein, dass sie nur eine sehr karge Website hatte. Wahrscheinlich bestellten die Kunden ihre Waren online. Andererseits hatte die Website ausgesehen, als sei sie seit Monaten nicht mehr auf den neuesten Stand gebracht worden.

Die Firma S&W Distribution befand sich am Rand einer Gemeinde mit dem kuriosen Namen Mexico, Pennsylvania, rund hundertsechzig Meilen nördlich von Chevy Chase. Jack brauchte drei Stunden, um dorthin zu kommen. Als er vom Highway abbog, war es bereits später Nachmittag. Die Sonne hing tief am Horizont zwischen dicken Wolken, hinter denen sie langsam verschwand. Die winterliche Dämmerung brach herein.

S&W Distribution war in einem baufälligen Haus direkt an der Eisenbahnlinie untergebracht. Es war unmöglich zu sagen, welche Farbe das Gebäude ursprünglich mal gehabt hatte oder in welcher Farbe es jetzt gestrichen war. Es machte einen ziemlich verlassenen Eindruck. Jack fürchtete bereits, umsonst gekommen zu sein, als er eine junge Frau aus der Tür treten sah. Sie trug Cowboystiefel, Jeans, einen Rollkragenpullover und darüber eine Jeansjacke. Als er vor dem Haus parkte, setzte sie sich auf die Holztreppe vor dem Eingang, schüttelte eine Zigarette aus der Packung und zündete sie an. Sie schaute ihn aus schwarzen Augen durchdringend an, als er ausstieg und zu ihr ging. Ihr Gesicht war ein wenig eckig, aber doch irgendwie schön. Sie war klein und dünn und musste etwa Ende zwanzig sein.

Der Pfeifton einer Lokomotive ertönte, und ein Zug fuhr laut ratternd vorbei. Ein heftiger Luftzug brach laut dröhnend über sie herein. Die langen Haare der Frau flatterten im Wind, sie selbst saß ganz ruhig da, als würde sie nur das leise Knirschen von Jacks Schuhen auf dem Kiesweg hören. Zigarettenrauch drang aus ihren Mundwinkeln. Als er näher kam, bemerkte Jack die Tätowierungen auf ihren Handrücken und auf beiden Seiten ihres Halses: die vier Mondphasen. Die hellen Haaransätze deuteten darauf hin, dass sie ihre Haare schwarz gefärbt hatte, damit sie besser zu ihren Augen passten. Am Ringfinger der rechten Hand trug sie einen silbernen Ring in Form eines Totenkopfes. Der Totenkopf sah aus, als würde er lachen.

Während der Staub um sie herum sich legte, zog Jack seinen Dienstausweis hervor. Sie las die darauf geschriebenen Informationen desinteressiert durch. Er fragte sich, ob sie wirklich nur Tabak rauchte.

»Arbeiten Sie bei S&W?«, fragte er.

»Ich hab da gearbeitet.«

»Wurden Sie entlassen?«

»Die Welt hat S&W entlassen. Die Firma gibt's nicht mehr.« Sie deutete mit dem Daumen nach unten. »Ich mach hier bloß noch klar Schiff.«

Jack setzte sich neben sie. »Wie heißen Sie?«

»Hayley. Verrückt, was? Echt. Alle nennen mich Leelee.«

»Wie lange haben Sie hier gearbeitet?«

»Sieben Jahre bis lebenslänglich.« Sie zog an ihrer Zigarette. »Klingt nach Gefängnis, total bescheuert.«

Jack lachte. »Sie sind ja ganz schön hart drauf.«

»Man tut, was man kann.« Sie sah ihn von der Seite her an. »Sie sehen gar nicht aus wie ein Bulle.«

»Danke.«

Jetzt lachte sie.

»Wie weit sind Sie denn mit dem …« Er drehte den Daumen nach unten. »… Sie wissen schon.«

Sie seufzte. »Leider noch nicht fertig.«

»Ich bin auf der Suche nach einem Kunden von S&W«, sagte Jack. »Ein Tätowierer, der seine Pigmentfarbe selbst herstellt. Es würde mir ein Stück weiterhelfen, wenn er sein Blauholzpulver von Ihnen bekommen hat.«

»Es gibt nicht mehr viele davon«, überlegte Leelee. »Deshalb ist S&W ja den Bach runtergegangen. Aber auch, weil der Besitzer nie vorbeischaute. Der Scheißkerl hat einfach aufgehört, die Rechnungen zu bezahlen – und mein Gehalt. Wenn ich nicht von dem Versandhandel übernommen worden wäre, der hier jetzt reinkommt, wäre ich längst weg.« Sie zuckte mit den Schultern. »Aber wen interessiert das schon? So wie's aussieht, wird's die neue Firma auch nicht lange machen.«

»Sie scheinen ja etwas zu wissen, was Ihre neuen Chefs noch nicht ahnen.«

»Das ist der Gang der Welt, oder nicht?« Sie starrte die glühende Zigarettenspitze an. »Wir sind doch alle nur Schafe, nur dass jeder sich selbst einzureden versucht, dass er was Besonderes ist, besonders schön oder intelligent oder cool. Aber wir enden alle auf die gleiche Weise – als kleines Häuflein Asche.«

»Klingt ziemlich deprimierend.«

»Möchten Sie einen Grundkurs in Nihilismus belegen?«

»Sie brauchen einen Freund.«

»Einen, der mir sagt, was ich tun soll und wie ich es tun soll? Einen, der nachts weggeht, um sich mit seinen Kumpels zu amüsieren? Einen, der sich im Bett zur Seite dreht und bis morgens schnarcht? Da haben Sie recht, genau so was brauche ich.«

»Wie wär's mit einem, der Sie liebt und auf Sie aufpasst und sich um Sie kümmert?«

Sie hob ruckartig den Kopf. »Das kann ich selbst.«

»Man sieht ja, was dabei rauskommt.«

Sie lächelte ihn schief an.

»Mensch, Leelee, Sie müssen doch an irgendwas glauben!«

»Das tue ich ja. Ich glaube an Mut und Disziplin.«

»Beneidenswert. Aber ich meine etwas außerhalb des eigenen Ichs. Wir gehören alle zu diesem Universum, das rätselhafter ist, als wir es uns in unseren kühnsten Träumen vorstellen können.«

»Glauben Sie? Ich sag Ihnen mal was Wahres: Lassen Sie nicht zu, nicht mal für eine Sekunde, dass Religion oder Kunst oder Patriotismus Ihnen vorgaukeln, dass Sie mehr sind, als es tatsächlich der Fall ist.« Sie nahm einen tiefen Zug von ihrer Zigarette und warf ihm einen herausfordernden Blick zu. »Das stammt aus einem Theaterstück mit dem Titel *Secret Life*. Aber das sagt Ihnen bestimmt nichts.«

»Es wurde von Harley Granvill-Barker geschrieben.«

Leelee riss die Augen auf. »Scheiße, stimmt. Jetzt bin ich aber beeindruckt.«

»Dann können Sie mir ja jetzt vielleicht mal helfen.«

»Bleibt mir wohl nichts anderes übrig.« Sie strich sich das Haar hinter die Ohren. »Hat Ihr Tätowierer auch einen Namen?«

»Ian Brady. Oder Ronnie Kray. Oder Charles Whitman.«

Leelee nahm die Kippe aus dem Mund. »Sie wollen mich wohl verarschen.«

»Er war also Kunde hier?«

»Mehr als das.« Die Zigarette schien sie nicht mehr im Geringsten zu interessieren. »Charles Whitman war der Inhaber.«

Am Abend begann ein heftiger Schneeregen, der sich allmählich in einen Graupelschauer verwandelte und die Scheibenwischer fast nutzlos machte. Die Straßen waren glatt und tückisch, manche Verkehrsteilnehmer gerieten ins Schleudern oder mussten mit Blechschaden am Straßenrand stehen bleiben. Das alles führte dazu, dass er nur langsam vorankam. Immerhin hatte er in diesem Ort namens Mexico eine Adresse von Charles Whitman bekommen. Natürlich wusste er noch immer nicht, ob das wirklich Ian Bradys aktueller Wohnort war, aber wenigstens hatte er jetzt einen Anhaltspunkt. Wenn er dort hinwollte, musste er sich vorher eine gute Strategie zurechtlegen.

Als er zu Hause ankam, machte er die Stereoanlage an, ging in die Küche und schaltete den Backofen ein. Das einzige Fleisch, das er noch hatte, war tiefgefroren, also stellte er den Ofen wieder aus und setzte sich mit einem Glas Erdnusscreme und einem Glas Orangenmarmelade an den Küchentisch. Mit einem Teelöffel aß er beides abwechselnd.

Dann ging er seine Schallplattensammlung durch, um eine passende Musik auszusuchen. Dabei stieß er zufällig auf Emmas iPod, der auf einem Album von Big Bill Broonzy gelegen hatte, auf dem zwei seiner Lieblingssongs waren, »Baby please don't go« und »C. C. Rider«. Aber heute Abend wollte er weder das eine noch das andere hören.

Er nahm den iPod und schloss ihn an, weil die Batterie ziemlich leer war. Dann ging er die MP3-Musikstücke durch, die Emma gespeichert hatte. Auf der Liste waren die üblichen Verdächtigen vertreten, Justin Timberlake, R. E. M., U2 und Kanye West, aber zu seiner großen Überraschung auch Interpreten, die er sehr mochte und ihr vorgespielt hatte: Carla Thomas, Jackie Taylor und die Bar-Kays.

Er durchsuchte die Regale, auf denen seine Schallplatten und Videokassetten standen, und fand den Karton mit der iPod-Dockingstation, die er noch nie benutzt hatte. Er holte es aus der Verpackung und schloss es an die Stereoanlage an, dann steckte er den iPod rein.

Er wollte einfach nur etwas von Emmas Musik im Hintergrund hören. Die Musik, die er aussuchte, war von einer Band namens The National und das Album hieß *Boxer*. Er dachte an Emma und stellte sich vor, wie sie diese kraftvollen Songs gehört hatte. Einer davon – »Fake

Empire« – gefiel ihm besonders gut. Und er fragte sich, was wohl in ihrem Kopf vorgegangen war, als sie diese Musik gehört hatte.

Die Musik lief, und er fuhr seinen Computer hoch und ging ins Internet. Nach Leelees Informationen hatte Ian Brady sein Blauholzpulver von einer Adresse an der Shepherd Street in Mount Renier in Maryland aus versandt. Jack klickte auf Google Maps, gab die Adresse ein und aktivierte die Hybrid-Funktion, mit der er gleichzeitig die Landkarte und das Satellitenfoto aufrufen konnte. Die Adresse lag nur fünf oder sechs Meilen südöstlich von der Gegend, in der er geboren worden war. Der Gedanke daran ließ ihn erschauern.

Vierzig Minuten später stand er auf und suchte im Haus nach verschiedenen Dingen, die er gebrauchen konnte, und packte alles in eine leichte Sporttasche. Er überprüfte seine Pistole, steckte sich Extra-Munition in die Taschen und nahm seinen Mantel. Auf dem Weg zur Tür rief er bei Sharon an, aber es meldete sich niemand. Er unterbrach die Verbindung, bevor ihre Mailbox ansprang. Mit einem jähen Gefühl von Eifersucht fragte er sich, wo sie wohl sein könnte. War sie womöglich mit einem anderen Mann ausgegangen? Das Recht dazu hatte sie doch, oder? Ja, schon, aber er wollte lieber nicht darüber nachdenken. Er stieg ins Auto und spürte, wie sein Herz pochte. Er fuhr los, Richtung Shepherd Street, und dachte dabei, dass er heute womöglich am Ende jenes Weges ankommen würde, den er vor fünfundzwanzig Jahren eingeschlagen hatte.

SECHSUNDVIERZIG

Interessanterweise wohnte Ian Brady in einem Hotel nur vier Meilen von Jacks Haus entfernt. Das wurde ihm klar, als er an der Adresse vorbeifuhr, die Leelee ihm gegeben hatte. Ein Schild am Haus verkündete: »RAINIER RESIDENCE HOTEL – Geschäftsräume kurz- oder längerfristig zu vermieten«. Er hielt nicht an, bremste nicht einmal ab, bis er um die nächste Straßenecke auf die Thirty-first Street gebogen war, wo er einparkte. Als Erstes warf er einen Blick auf die Rückfront des Gebäudes, wo es nichts Bemerkenswertes zu sehen gab, bis auf eine eiserne Feuerleiter, die im Zickzack an der Hauswand hinabführte. Hinter dem Haus war ein freier Betonplatz, und davor befand sich ein mittelgroßer Parkplatz, der von Bogenlampen erhellt wurde. Jack vermied es, in das grelle Licht der Laternen zu treten. Es gab keinen Hintereingang, offenbar aus den gleichen Sicherheitserwägungen, die auch der Grund für die besonders grelle Parkplatzbeleuchtung waren.

Er ging zurück zur Shepherd Street und blieb gegenüber dem U-förmigen Gebäude stehen. In der Mitte des Grundstücks lag ein mit immergrünen Pflanzen bewachsener Hof, dessen Bepflanzung allerdings zu einem Drittel verwelkt war und nutzlos wirkte. Das Hotel selbst war dreistöckig und aus hellem Backstein erbaut. Die einzelnen Apartments erreichte man über eine Galerie, zu der eine Stahltreppe in der Mitte des U hinaufführte. Das ganze Gebäude wirkte roh und strahlte eine Schäbigkeit aus wie ein Geschenk, das man in Zeitungspapier eingeschlagen hat. Es war türkis und rosafarben gestrichen und hätte sehr gut nach Florida gepasst.

Jack vermied es, in den Lichtkegel eines vorbeifahrenden Autos zu geraten, und überquerte eilig die Straße. Auf der anderen Seite angekommen, machte er sich auf die Suche nach der Wohnung des Hotelmanagers. Schon durch die geschlossene Tür hörte er die lauten Geräusche des eingeschalteten Fernsehers. Er wartete, bis es kurz leise war, und klopfte dann an die Tür. Der Lärm fing wieder von Neuem an, diesmal noch lauter, was bedeutete, dass ein Werbespot gesendet wurde. Einen Moment später wurde die Tür aufgezogen, aber nur so weit, wie die Sicherungskette es zuließ.

Dunkle Augen, die zu einem eckigen Gesicht gehörten, musterten ihn argwöhnisch. »Wir kaufen nichts.«

Jack stellte den Fuß in die Tür und hielt seinen Dienstausweis in die Höhe. »Ich brauche einige Informationen.«

»Was denn für Informationen?«, fragte der Manager mit einer Stimme, die so grollend klang wie ein Pitbullterrier.

»Solche Informationen, die Sie mir bestimmt nicht an der Tür geben wollen.«

Die dunklen Augen wurden zusammengekniffen. »Sind Sie von der Einwanderungsbehörde? Meine Beschäftigten sind alle legal hier.«

»Klar sind sie das, interessiert mich aber nicht. Ich bin nicht von der Einwanderungsbehörde.«

Der Manager nickte, Jack nahm den Fuß weg, und die Tür ging gerade so weit zu, dass es möglich war, die Sicherungskette abzunehmen. Jack trat in eine Wohnung mit niedrigen Decken und kleinen Zimmern, die mit zahlreichen Sofas, Sesseln und Stühlen sowie Tischen vollgestellt waren. Der Manager stellte den Fernseher leise, auf dessen Bildschirm Fred Feuerstein und Barney Geröllheimer herumflitzten.

»Haben Sie einen Mieter namens Charles Whitman hier?«

»Nein.«

»Vielleicht sollten Sie erst mal im Register nachsehen.«

»Brauch ich nicht. Ich kenne alle, die hier wohnen.«

»Wie sieht's mit Ron Kray aus?«

»Hier wohnt kein Kray.«

»Ian Brady?«

Der Manager schüttelte den Kopf.

Jack fiel ein, dass Brady einen Hang zu schrägen Assoziationen hatte. Alli hatte ihm erzählt, der echte Ian Brady habe eine weibliche Komplizin gehabt. »Wie sieht's mit einer Myra Hindley aus?«

»Nein. Aber wir haben einen Myron Hindley. Suchen Sie vielleicht nach dem?«

»Haben die Wohnungstüren Spione?«, fragte Jack.

Die Frage schien den Manager zu verwirren. »Ja, wieso?«

»Und alle Türen haben das gleiche Schloss wie Ihre?«

»Auf jeden Fall. Das ist so festgelegt. Ich muss mir, wenn es nötig ist, Zugang zu allen Apartments verschaffen können.«

»Ich brauche einen Besen, einen Kleiderbügel aus Draht und einen Schlüssel zu Myron Hindleys Apartment«, sagte Jack. Der Manager ging los, um die Sachen zu holen, und Jack fügte hinzu: »Falls Sie irgendwelche lauten

Geräusche hören, dann sind das nur Fehlzündungen von Lastwagen.«

Myron Hindleys Apartment lag im obersten Stockwerk am Ende des Gebäudes, was nicht sehr überraschend war, denn das wäre auch genau die Wohnung gewesen, die Jack anstelle von Brady genommen hätte. Es gab zwei Möglichkeiten. Entweder ging er durch die vordere Tür oder er stieg auf der Feuertreppe zu einem der beiden hinteren Fenster hoch. Da es für Brady wesentlich leichter wäre, aus der Vordertür zu flüchten, als aus dem Fenster zu klettern, entschied Jack sich für einen Frontalangriff. Er wünschte sich, Nina wäre bei ihm gewesen, um die Rückseite des Hauses zu überwachen, aber sie war bei Alli. Außerdem hatte er sich nach der deutlichen Warnung von Dennis Paull dazu entschlossen, Brady allein zur Strecke zu bringen. Dies hier war sein Kampf, nicht ihrer.

Nackte Glühbirnen hingen im Abstand von zwei Metern in der Decke der Galerie in schlichten Porzellanhalterungen. Als er im obersten Stockwerk angekommen war, zog Jack seine Schuhe aus, zog beide Socken über die rechte Hand und drehte jede einzelne Birne aus bis zum Ende der Galerie. Von Mal zu Mal wurde es dunkler. Nachdem er die letzte Birne ausgedreht hatte, zog er Socken und Schuhe wieder an. Seine Füße waren kalt geworden, und er musste einige Minuten warten, bis sie wieder warm und voll gebrauchsfähig waren.

Im schwachen Licht der Straßenlaternen und dem gelegentlich vorbeihuschenden Lichtstreifen eines Autos öffnete Jack seine Sporttasche, holte eine kleine Dose Kontaktspray und einen Bolzenschneider heraus. Dann zog er seinen Mantel aus und hängte ihn an den Drahtbügel, knöpfte ihn zu und stellte den Kragen auf. Dann verdrehte er den Haken des Bügels so, dass er um den Besenstiel passte. Die selbst gebaute Vogelscheuche stellte er direkt gegenüber der Tür von Myron Hindleys Wohnung gegen das Geländer.

Er stellte sich neben die Tür und sprühte das Kontaktspray auf den Schlüssel, den der Manager ihm gegeben hatte. Er glitt widerstandslos ins Schloss, aber Jack drehte ihn nicht um. Stattdessen hob er nun den Bolzenschneider. Er schlug sehr laut gegen die Tür. Kaum hatte er die Hand zurückgezogen, ertönten drei Schüsse. Die Kugeln drangen durch die Tür und rissen an Jacks Mantel. Die Vogelscheuche kippte über das Geländer und fiel in den Hof.

Jack drehte den Schlüssel um und schob die Tür auf. Wie bei der Wohnung des Managers wurde sie auch hier von einer Kette blockiert. Jack schnitt sie mit dem Bolzenschneider durch, zog seine Pistole, trat die Tür auf und blieb in der Erwartung auf eine neue Salve stehen. Als nichts geschah, sprang er über die Türschwelle ins Innere, machte eine Rolle und kniete schließlich mit der Pistole in der Hand auf dem Boden und suchte den Raum ab.

»Entspannen Sie sich«, sagte eine Stimme. »Ich habe Sie schon erwartet.«

Jack bemerkte eine Gestalt in einem Sessel. Der Mann saß lässig da, den Sessel hatte er extra so gestellt, dass er einen direkten Blick auf die Tür hatte. Nur eine Lampe war eingeschaltet, aber es war hell genug, dass Jack die Pistole in der Hand seines Gegenübers erkennen konnte.

Er hatte sie lässig auf den Oberschenkel gelegt, den Lauf ungefähr auf Jack gerichtet.

»Setzen Sie sich doch, Jack«, sagte der Mann. »Es war ein langer Weg bis hierher. Sie sind sicherlich müde.«

Jack spürte sich von der Präsenz dieses Mannes angezogen wie ein Fisch vom Köder. »Ich frage mich, ob ich Sie Myron, Charlie, Ronnie oder Ian nennen soll«, sagte er.

Der Mann zuckte mit den Schultern. »Was sind schon Namen.«

»Wer sind Sie?«, fragte Jack. Er kämpfte gegen eine unbekannte Angst an, die sich in seinem Innern ausbreitete. »Wie heißen Sie wirklich?«

»Ich habe Sie nicht hierher eingeladen, um Fragen zu beantworten«, sagte der Mann.

Jack lachte auf, aber es klang brüchig und zittrig. »Sie haben mich eingeladen?«

Brady hob die Schultern. »Leelee hat mir gesagt, dass Sie kommen.«

Jetzt wurde die Angst ganz direkt spürbar, füllte ihn vollkommen aus. Er trat einen Schritt zurück, als hätte er einen Schlag erhalten.

Brady bleckte die Zähne. »Woher, glauben Sie wohl, hat sie ihre Weltanschauung?«

Jack spürte, wie er mit den Beinen gegen einen Stuhl stieß, und setzte sich benommen hin.

»Um die Wahrheit zu sagen, habe ich Sie wie eine Ratte in einem Käfig herumgescheucht.« Das eigenartige Licht bewirkte, dass Brady größer aussah, als er sein konnte, als wäre er angeschwollen. »Jedes Mal, wenn Sie an einem bestimmten Punkt im Käfig angekommen waren, habe ich das Stück Käse woanders hingelegt.« Er schwenkte seine Pistole hin und her. »Zum Beispiel hat mich Calla Myers gleich angerufen, als Sie die Zentrale der Säkularisten verlassen haben. Da wusste ich, dass es nur eine Frage der Zeit war, bis sie den Spuren folgen würden, die ich im Haus des Marmosets zurückgelassen hatte. Oh, ja, ich kenne den Spitznamen, den Gus ihm gegeben hat.«

Jack war völlig vor den Kopf gestoßen. Die ganze Zeit über, als er diese Anstrengungen unternommen hatte, hierher zu gelangen, war er nur einer Spur gefolgt, die dieses Monster in voller Absicht gelegt hatte. »Und der ganze Aufwand nur, um mich hierher zu führen«, sagte er wie ein Schüler zu seinem Lehrer. »Warum?«

»Die Frage will ich Ihnen beantworten. Ich bin genauso müde wie Sie, Jack. Ich hatte eine gute Zeit, aber nun ist sie, genau wie beim noch amtierenden Präsidenten, abgelaufen. Und wie beim Präsidenten wird es auch für mich Zeit, mich um meine Hinterlassenschaft zu kümmern.«

Er rückte ein Stück zur Seite, und Jack konnte ihn nun besser sehen. Chris Armitage hatte ihn korrekt beschrieben. Er war gut aussehend, wirkte sogar ein bisschen vornehm und hatte eine sexuelle Anziehungskraft, die Leelee sicherlich in ihren Bann gezogen hatte. Jack fand, dass er böse aussah, genauso wie seine gehörnte Schlange, aber er war bestimmt doppelt so gefährlich.

»Das klingt aber so, als würden Sie an eine größere Zeitspanne als nur acht Jahre denken.«

»Ein Grund mehr, endlich zu einem Ende zu kommen.« Brady lehnte sich nach vorn, griff nach einer Schnapsflasche und hielt sie hoch, um Jack nicht zu beunruhigen.

»Polnischer Wodka. Der echte, nicht dieses wässrige Zeug, das man hierzulande aufgetischt bekommt. Möchten Sie auch was?«

Jack schüttelte den Kopf.

Brady zuckte mit den Schultern. »Ihr Pech.« Er hob die Flasche an die Lippen, nahm einen großen Schluck und schnalzte anschließend mit der Zunge.

»Okay.« Jack stand auf und hob die Pistole. »Es wird Zeit.«

»Und wohin wollen Sie mich bringen? Bestimmt nicht zur Polizei oder zu einer Regierungsbehörde.« Er grinste gemein und sah dabei hässlich aus wie ein Krokodil. Irgendwas an ihm war urtümlich, unaussprechlich, wie eine Art Naturgewalt. Und dieser Grundzug verlieh ihm seine Macht. »Man wird Sie einsperren, Jack, nicht mich.«

Jack stand da, die Pistole auf den Boden gerichtet. »Warum haben Sie Gus umgebracht?«

»Keine Fragen, habe ich gesagt. Aber selbst wenn es eigentlich keine Rolle spielt – die Antwort kennen Sie doch längst. Gus hörte einfach nicht auf, nach mir zu suchen. Dieser dämliche Detective namens Stanz hätte irgendwann aufgegeben, aber nicht Gus.« Brady neigte den Kopf. »Aber das war nicht die Frage, die Ihnen so auf den Nägeln brennt, oder?«

Ein Eisklumpen ballte sich in Jacks Magen zusammen. »Was meinen Sie damit?«

»Kommen Sie, Jack! Ich habe Gus in seinem eigenen Haus getötet. Sie haben nicht weit entfernt im Bett gelegen und geschlafen. Sie wollen wissen, warum ich Sie am Leben ließ.«

Jack merkte, dass es genau das war, und schwieg.

»Es ist ein Rätsel, Jack. Und wie so viele andere im Leben eines Menschen wird es nie gelöst werden.«

Jack richtete die Pistole auf ihn. »Sie werden es mir jetzt sagen.«

»Wollen Sie mich etwa erschießen? Das wäre wirklich ein Segen. Mein Leben würde in einem glorreichen Donnerhall enden, und meine Vorgesetzten würden Sie einlochen und die Schlüssel wegwerfen. Anwälte? Welche Anwälte? Sie dürften nicht einmal telefonieren. Die würden Sie ganz einfach in ein Bundesgefängnis im Hochsicherheitstrakt einbunkern.« Er gestikulierte mit seiner Pistole und gab acht, nicht auf Jack zu zielen. »Setzen Sie sich wieder hin, und nehmen Sie sich einen Drink.«

Jack blieb stehen.

»Wie Sie meinen.« Brady seufzte tief. »Wir sind beide Waisenkinder, jeder auf seine Weise. Ich habe meine Eltern umgebracht. Sie hätten das auch tun sollen.«

»Falls Sie damit sagen wollen, dass wir uns ähneln …«

»Ich muss zugeben, dass Sie ganz gut aufgeholt haben, als Sie André, diesen Straßengangster, umgebracht haben.« Brady lachte vor sich hin. »In der Bibliothek, einfach brillant.« Er nahm wieder einen Schluck von seinem Wodka. »Ich will Ihnen ein Geheimnis verraten, Jack. Ich habe nicht ein Körnchen Glauben in mir. Als ich noch jung war, wollte ich alle Geheimnisse des Lebens ergründen, die großen wie die kleinen, um zum Herzen der Dinge vorzustoßen.« Seine Augen leuchteten auf, die Augen von Ron Kray, Charles Whitman und Ian Brady. »Kommt Ihnen bekannt vor, Jack, oder? Sie haben doch auch gesucht.« Er nickte. »Und was ist dann aus mir geworden? Der perfekte Täuscher. Mehr ist von mir nicht übrig geblieben, nur Täuschungen. Das liegt daran, dass ich herausgefunden habe, dass es kein Herz aller Dinge gibt. Ich denke, ich hatte mal so etwas, aber das ist lange her. Das Leben ist leer wie ein hohler Baumstamm, in dem es von Insekten wimmelt. So sind die Menschen, Jack. Sie haben sich ins Leben eingegraben mit ihrer irrwitzigen Zivilisation, ihrer Gier nach Reichtum und Ruhm und ihrem Leugnen des Todes. Die sind doch alle verrückt. Wenn sie es nicht wären, würden sie wohl kaum eine solche Katastrophe anrichten. Sie haben das Leben ausgehöhlt, bis nichts mehr übrig war, nur noch die Hülle und die leere Illusion von Glück.«

»Ich glaube kein Wort.«

»Ah, aber es ist wahr, und Ihre Tochter hat es gewusst. Emma hat mir zugehört, sie war fasziniert davon. Wirklich schade, dass sie schon so jung gestorben ist – ich hatte noch einiges mit ihr vor. Abgesehen vom Töten bin ich ein ziemlich guter Mentor. Emma hatte echtes Potenzial. Sie wäre meine leidenschaftlichste Schülerin geworden.«

Mit einem wilden Aufschrei sprang Jack auf Brady zu und stieß mit der vorgestreckten Schulter gegen ihn. Der Stuhl kippte nach hinten, beide überschlugen sich, ineinander verknotet, und prallten gegen die Wand unter dem hinteren Fenster. Jack schlug Brady mitten ins Gesicht und hörte mit großer Genugtuung, wie das Nasenbein brach. Blut spritzte heraus und besudelte sie. Gleichzeitig spürte Jack, wie ihm seine Pistole aus der Hand gerissen wurde. Er tastete blind nach der anderen Waffe und sah, wie Brady die Pistole anhob. Gleich würde er abdrücken. Aber dann realisierte er, dass die Pistole gar nicht auf ihn gerichtet war. In einem Geistesblitz wurde ihm klar, dass Brady sich selbst mit seiner Pistole erschießen wollte. Das war es also, was er mit dem glorreichen Donnerhall gemeint hatte. Er würde sterben und konnte sicher sein, dass Jack den Rest seines Lebens deswegen hinter Gittern verbringen würde.

Mit einer verzweifelten Kraftanstrengung gelang es Jack, Brady die Pistole aus der Hand zu schlagen. Sie schlitterte über den Fußboden. Er zerrte Brady in die Höhe, rutschte aber mit einem Fuß auf dessen Waffe aus, denn der Boden war glitschig vor lauter Blut. Jack fiel vornüber, zog Brady mit sich, und dann flogen sie durch das splitternde Glas des Fensters. Für den Bruchteil einer Sekunde hingen sie in schwankendem Gleichgewicht über dem Fensterrahmen, und Jack versuchte sich zu halten, wollte sich wieder aufrichten, aber Brady war schon zu weit draußen. Jack konnte ihn nicht mehr halten, und er glitt mit dem Kopf voran durch das Fenster. Jack versuchte ihn zurückzuzerren, aber Brady wehrte ihn ab.

Brady warf ihm einen letzten, ausdruckslosen Blick zu. »Ist sowieso egal. Keiner kann es stoppen.«

Im nächsten Moment prallte er drei Stockwerke tiefer auf dem Betonweg auf. Jack war blutverschmiert, und Glasscherben steckten in seinen Kleidern. Er hob seine Pistole auf, rannte aus der Wohnung und die Galerie entlang. Er nahm drei Stufen auf einmal nach unten.

Brady lag in einer grotesken Haltung auf dem Beton. Er hätte den Fall unter Umständen überleben können, hatte sich aber beim Aufprall das Genick gebrochen. Sein Gesicht wirkte im kalten Licht der Laternen wie zusammengenäht. Seine Augen, denen nun dieses wache Leuchten fehlte, waren leer. Ohne seine Ausstrahlung sah er völlig unscheinbar aus. Er war tot, und Jack spürte, wie ihm das Blut aus mehreren Wunden den Körper hinabrann. Seine in fünfundzwanzig Jahren angestaute Wut und Trauer zerfiel zu nichts, während er dastand und die Überreste seines Widersachers anstarrte.

SIEBENUNDVIERZIG

Kaum hatte er die weitläufigen, stillen Räumlichkeiten der öffentlichen Bibliothek an der G Street betreten, wurde Jack mit einem Mal ganz ruhig. Der trockene, staubige Geruch der Bücher wirkte auf ihn wie ein frischer Luftzug, brachte die Erinnerung zurück an die vielen erfüllten Stunden, die er hier mit Lesen verbracht hatte. Die Ruhe dieses Ortes verlieh ihm gleichzeitig Gelassenheit und regte ihn an. Es war, als würde man sich durch einen Ozean treiben lassen und sich im selben Moment eins fühlen mit einer Galaxie voller unbekannter Lebensformen, die unter der Oberfläche existierten. Das ganze Wissen der Welt lag vor ihm, alles, was die Menschheit während ihrer langen Geschichte angesammelt hatte. Dies war eine Kathedrale, hier wohnte Gott.

Es war der Morgen des zwanzigsten Januar, dem Tag der Amtseinführung des neuen Präsidenten. Jack hatte einige Stunden in seinem Wagen geschlafen, bevor er im Morgengrauen steif und müde, mit verklebten Augen nach Hause gegangen war. Er zog seine blutverkrusteten Kleider aus, ging unter die Dusche und schob alle Gedanken beiseite, um eine Viertelstunde lang einfach nur im heißen Wasserstrahl zu entspannen. Dann wusch er sich intensiv mit Seife ab, drehte das Wasser ab und rieb sich trocken.

Am liebsten hätte er jetzt Sharon angerufen, wählte aber stattdessen die Nummer von Allis Handy.

»Es tut mir leid, dass ich gestern Abend nicht mehr kommen konnte.«

»Das macht nichts.« Sie klang verschlafen. »Ich hab dich vermisst.« Sie zögerte kurz. »Ich habe wieder so einen Traum gehabt.« Sie meinte einen Traum von Brady.

»Kannst du dich daran erinnern?«

»Er sprach mit mir, aber seine Stimme war sehr schwer zu verstehen. Sie … Ich weiß auch nicht … Da waren auch noch solche Bilder in meinem Kopf, wie aus einem Film. Ich ging durch eine Menschenmenge.«

»Hast du versucht, vor ihm zu flüchten?«

»Ich weiß nicht, vielleicht.«

»Du musst dir wegen ihm keine Sorgen mehr machen.«

»Wie meinst du das?« Jetzt war sie richtig wach.

»Das bleibt aber zwischen uns beiden, okay?«

»Ja, gut.«

»Das ist der Grund, weshalb ich gestern Abend nicht kommen konnte. Ich war bei ihm. Jetzt kann er dir nie mehr etwas antun.«

Er hörte, wie sie tief durchatmete. »Wirklich?«

»Ganz bestimmt. Wir sehen uns dann bei den Feierlichkeiten. Und jetzt gib mir bitte mal Nina.«

Es dauerte einen Moment, dann war Nina am Telefon.

»Ist ganz gut, dass du mich nicht auf meinem Handy angerufen hast. Rufst du von einer Telefonzelle aus an?«

»Ein Prepaid-Handy, das ich vor ein paar Tagen gekauft habe.« Er hielt inne und schaute aus dem Fenster seines Schlafzimmers, wo sich die Äste der Eiche in den Himmel reckten. »Hör zu, Ian Brady gibt es nicht mehr.«

»Was?«

»Ich hab ihn gestern Abend in einem Hotel in Mount Rainier in Maryland gefunden. Er ist tot.«

»Na, ein Glück.«

»Brady wollte sterben, Nina. Ich erzähl dir die Einzelheiten nach der Feier, okay?«

»Abgemacht«, sagte sie. »Und jetzt muss ich wieder an die Arbeit.«

Im Erdgeschoss holte er den Anzug hervor, den Bennett ihm vor einigen Wochen überlassen hatte, als er der Einsatztruppe von Hugh Garner zugeschlagen worden war, und nahm die Schutzfolie der Reinigung ab. Dann schaltete er Emmas iPod ein. Er wollte ein bisschen von ihrer Musik hören, während er sich anzog. Alli hatte erzählt, dass sie ständig neue Playlists zusammenstellte. Er fand ein Verzeichnis mit dem Namen »Outside« und klickte auf eine Liste. Es funktionierte. Zuerst kam »Life on Mars?«, David Bowies berühmter Song über Entfremdung.

Jack hörte zu und zog sich dabei ein frisch gewaschenes weißes Hemd an. »Life on Mars?« ging über in »Sympathy for the Devil« von den Rolling Stones. Als er sich die Krawatte band, begann Screamin' Jay Hawkins mit »I put a Spell on you«, der Originalversion, die wesentlich roher und energiegeladener war als die späteren Fassungen.

Nachdem er dreimal angesetzt hatte, war seine Krawatte endlich richtig gebunden. Er zog das Jackett an und wollte den iPod gerade wieder ausstellen, als er Emmas Stimme aus dem Lautsprecher hörte. Er stand da wie gebannt und horchte auf ihre mündlichen Tagebuchaufzeichnungen über ihre drei Treffen mit Ian Brady. Sie hörten folgendermaßen auf: »Schließlich sagte ich ihm, dass er sich schwer geschnitten hätte, wenn er glauben würde, ich könnte seine Myra Hindley spielen, weil ich nämlich kein Interesse daran hätte, mit ihm ins Bett zu gehen oder seinem Zauber zu verfallen. Das war das einzige Mal, wo er mich überraschte. Er lachte. Da müsse ich mir keine Sorgen machen. Seine Myra Hindley hätte er nämlich schon gefunden.«

Keiner kann es stoppen.

Was stoppen? Was hatte Brady geplant?

Jack ging zwischen den Bücherregalen der Bibliothek entlang. Jedes Buch, das er berührte, war für ihn eine weitere offene Tür. An diesem Ort verschwand seine Behinderung, hier konnte er ohne Anspannung und Frustration lesen, die seine Dyslexie normalerweise verursachte. Im Schatten der Nischen sah er die Umrisse von André, Gus, Ian Brady und Emma. Jedes ihrer Leben hatte eine Bedeutung, eine Kraft gehabt, die auch nach ihrem Tod für ihn noch lebendig blieb, davon war er fest überzeugt. Auch wenn sie längst in Regionen fern von ihm waren, konnte er sie noch spüren, und sein Geist konnte Bilder erzeugen, die einmal wirklich da gewesen und nun aus der Wirklichkeit verschwunden waren.

Tatsächlich spürte Jack noch immer die Auswirkungen von Ian Bradys hypnotischem Wesen, auch wenn er sich inzwischen sicher war, dass Brady bezüglich seiner Verbindung zu Emma gelogen hatte. Aber Brady hatte versucht, einen Zweifel in ihm zu säen, was ihm kurzzeitig auch gelungen war. Aber Jack war auch nur ein Mensch, und genauso anfällig für Zweifel und Ängste wie alle Menschen – alle außer Ian Brady womöglich.

Ohne es absichtlich zu wollen, geriet Jack in jenen Teil der Bibliothek, wo die Bücher von Colin Wilson standen. Er ließ seinen Zeigefinger über die Buchrücken gleiten, bis er das ungeheuer dicke Exemplar der *Kriminellen Geschichte der Menschheit* gefunden hatte. Er zog es heraus, trug es zu einem Leseplatz, setzte sich hin und schlug es auf.

Erstaunt stellte er fest, dass die Einleitung über den echten Ian Brady abgefasst worden war. Wilson hatte zehn Jahre lang einen Briefwechsel mit dem inhaftierten Brady geführt. Wilson kam zu dem Ergebnis, »dass sogar ein intelligenter Krimineller im Teufelskreis seines Verbrechertums eingeschlossen ist, aus dem er nicht herauskann.«

Brady hatte, wie Wilson es nannte, sein »Dominanzsyndrom« bei Myra Hindley ausgelebt, einer jungen Frau, die er verführte, entjungferte und dazu brachte, ihm zwei Jahre lang bei seinen schrecklichen Taten zu assistieren. Myra lud die jungen Mädchen in ihren Wagen ein und brachte sie zu Brady, der bestialische Gewalttaten an ihnen verübte. Rätselhaft war nur, wie es ihm gelungen war, eine junge, unschuldige Frau wie Myra Hindley in eine Verbrecherin zu verwandeln.

Jack hielt inne. Er musste an seinen Brady und an Emma denken. *Emma hat mir zugehört, sie war fasziniert davon. Wirklich schade, dass sie schon so jung gestorben ist – ich hatte noch einiges mit ihr vor. Abgesehen vom Töten bin ich ein ziemlich guter Mentor. Emma hatte echtes Potenzial. Sie wäre meine leidenschaftlichste Schülerin geworden.* Wozu hatte er eine Myra Hindley gebraucht? Soweit Jack das beurteilen konnte, war Brady ein Einzelgänger gewesen – alle Aufträge, die er von der Regierung bekommen hatte, hatte er allein durchgeführt. Wenn jemand dabei gewesen

wäre, hätte ihn das nur gehemmt. Was also hatte er vorgehabt?

Jack las weiter. Auf Seite neunundzwanzig kam er zu
Bradys abscheulichstem Verbrechen. Zusammen mit
Myra Hindley entführte er eine zehnjährige Schülerin.
Dann fotografierten sie das Mädchen (Jack musste an die
Fotos von Alli und Emma im Haus des Marmosets denken), nahmen ihre Stimme auf, als sie um Gnade bettelte,
und töteten sie. Sie begruben sie an der gleichen Stelle
im Moor, wo auch ihre anderen Opfer lagen. »Später«, so
schrieb Wilson, »holten sie Decken und schliefen auf den
Gräbern. Es gehörte zu ihrer Idee, dass sie Feinde der Gesellschaft und deshalb gefährliche Revolutionäre seien.«

Angewidert schaute Jack auf. Etwas anderes, das Brady
gestern Abend gesagt hatte, kam ihm in den Sinn: *Ich hatte eine gute Zeit, aber nun ist sie, genau wie beim noch amtierenden Präsidenten, abgelaufen. Und wie beim Präsidenten
wird es auch für mich Zeit, mich um meine Hinterlassenschaft
zu kümmern.*

Jack war fest davon überzeugt, dass Brady gestern Abend
hatte sterben wollen. Er hatte versucht, sich mit Jacks Pistole in den Kopf zu schießen, und er hatte Jacks Hände
abgewehrt, als er ihn bei seinem Sturz aus dem Fenster
festhalten wollte. Hatte Brady Jack damals im Haus von
Gus deshalb am Leben gelassen, weil er wusste, dass irgendwann in der Zukunft der Augenblick kommen würde,
wo er jemanden brauchte, der ihn tötete, jemanden der es
wert war, dies zu tun? *Um die Wahrheit zu sagen, habe ich
Sie wie eine Ratte in einem Käfig herumgescheucht. Jedes Mal,
wenn Sie an einem bestimmten Punkt im Käfig angekommen
waren, habe ich das Stück Käse woanders hingelegt.* Jack hatte

sich nicht nur in diesem Käfig zurechtgefunden, er hatte auch den Angriff der Hornviper überlebt und die Schüsse durch die Tür von Bradys Wohnung.

Brady hatte also gewusst, dass er sterben würde, aber trotzdem hatte er über sein Vermächtnis nachgedacht. Was konnte das sein? Es hatte sicher nichts mit seiner Arbeit als Geheimagent zu tun. Eine Hinterlassenschaft, an die man sich noch lange erinnern würde, musste etwas Besonderes sein, etwas, das in der Öffentlichkeit Beachtung fand. Außerdem hatte er seine Bemerkung im Zusammenhang mit dem Präsidenten gemacht. Warum?

Seine Synapsen schickten Informationen in Lichtgeschwindigkeit durch sein Gehirn und wieder formte sich ein dreidimensionales Puzzle in seinem Kopf. Brady liebte es, seine Gegner in die Irre zu schicken, das hatte er immer wieder bewiesen. Vielleicht gab es, abgesehen davon, dass er Jack herausfordern wollte, ja einen weiteren Grund, warum er Emma als seine Vertraute bezeichnet hatte. Emma war niemals dazu ausersehen gewesen, seine Myra Hindley zu werden. Was aber, wenn …?

Keiner kann es stoppen.

Jack sprang so heftig auf, dass er beinahe den Tisch umgestoßen hätte. Mit weit ausholenden Schritten rannte er den Flur entlang. Als er die Bibliothek verließ, warf er einen Blick auf die Uhr. Wie immer hatte er beim Lesen die Zeit vergessen, es war schon später, als er gedacht hatte. Die Amtseinführung würde jeden Moment beginnen und mit ihr auch das, was Ian Brady als sein Vermächtnis bezeichnet hatte.

ACHTUNDVIERZIG

»Alli, es wird Zeit«, drängte Nina freundlich.

Sam öffnete die Tür und stieg hinaus ins fahle Licht der Januarsonne. Alli hörte, wie er in sein Mikrofon flüsterte und konzentriert zuhörte, als ihm die Änderungen im Sicherheitskonzept mitgeteilt wurden. Sam nickte ihnen zu, und Nina schob sich nach draußen. Alli folgte ihr aus der warmen, schützenden Höhle der Limousine in die Menge der herumstehenden Politiker, ausländischen Würdenträger, Berühmtheiten und Medienleute aus aller Welt sowie den Führern der wichtigsten religiösen Gemeinschaften, unter ihnen Myron Taske vom Renaissance Mission Congress, einigen Militärs in Uniform und Sicherheitsbeamten, die hin und her liefen und konzentriert die Umgebung musterten wie eine Abteilung Marines, die Feindesland betreten hatte.

Alli betrachtete das alles wie einen Kinofilm. Seit sie die ersten Takte von »Neon Bible« von Arcade Fire gehört hatte, kam es ihr vor, als wäre sie wieder in ihrem schrecklichen Albtraum, in dem Ronnie Kray ihr ins Ohr flüsterte. Sie fühlte sich seltsam entrückt und gleichzeitig doch überraschend klar im Kopf. Sie musste noch eine Mission erfüllen; alles andere war völlig unwichtig daneben, als wäre es über eine Klippe in eine unendliche Tiefe gefallen. Ihr Leben war ganz einfach; sie musste nichts weiter tun, als die Ampulle, die im Futter ihres Mantels verborgen war, im richtigen Moment herausziehen und aufmachen. Nichts einfacher als das, oder? Sie würde den Weg gehen, den Kray ihr gewiesen hatte, indem er seine Überredungskraft, Angst und einen Drogencocktail eingesetzt hatte, der unter anderem auch das Gift der Hornviper beinhaltete, das dafür sorgte, dass diese Chemikalien ganz schnell wieder aus ihrem Körper verschwanden, ohne Spuren zu hinterlassen.

Sie näherte sich jetzt ihren Eltern. Ihre Mutter gab ihr einen Kuss, ihr Vater lächelte sie an. Die Fanfare wurde geblasen, der Sprecher des Repräsentantenhauses war bereit, auf das Podium zu treten und um Ruhe zu bitten. Zwischen den mächtigen Säulen des Capitols hingen drei riesige amerikanische Flaggen, darüber schimmerte die Kuppel im Sonnenlicht.

Jack bahnte sich den Weg durch die Menge und musste sich bei den verschiedenen Posten des Secret Service ausweisen. Sich dem Podium zu nähern war ungefähr so, wie in die sieben Kreise der Hölle einzudringen – je näher er kam, umso langsamer ging es voran. Die letzten Töne der Fanfare verklangen, und der Sprecher des Repräsentantenhauses betrat das Podium. Jack passierte den letzten Kontrollposten und wurde durchgelassen, um die wenigen Stufen zum Podium hinaufzusteigen. Er sah Myron Taske, Dennis Paull, den nationalen Sicherheitsberater und den scheidenden Präsidenten. Er schaute an ihnen vorbei, suchte Alli und fand sie auch. Sie stand zwischen ihrem Vater und ihrer Mutter. Sie hatte diesen abwesenden Blick, den er bei ihr schon mehrmals bemerkt hatte, und nun konnte er auch ihr eigenartiges Benehmen bei verschiedenen Gelegenheiten interpretieren: wie sie sich verhalten hatte, als er sie zu Chris Armitage mitgenommen hatte, ihr Traum. Und hinterher: *Alles ist irgendwie falsch,* hatte sie zu ihm gesagt. *Ich habe Angst … Bitte hilf mir.* Was hatte Brady ihr angetan? Hatte er sie hypnotisiert, unter Drogen gesetzt? Vielleicht beides. Auf jeden Fall hat er sie in eine wandelnde Zeitbombe verwandelt. Die Zündschnur brannte schon. Er sah, wie sie in die Tasche ihres Mantels griff, und stürzte direkt auf sie zu.

Er sah Sam, der sich umdrehte, als er über das Podium gerannt kam. Sam erkannte ihn und lächelte, aber das Lächeln erstarb, als er sah, wohin Jack deutete. Alli hatte die Hand aus der Tasche gezogen, sie umklammerte die Ampulle. Sam bemerkte sie im gleichen Moment wie Jack. Mit einer geübten Handbewegung, die so geschmeidig war, dass sie fast niemand bemerkte, entwand er ihr die Ampulle, legte den freien Arm um ihre Schultern und zog sie an seine Brust.

Das war's dann also, dachte Jack, als er sich den beiden in gemächlicherem Tempo näherte. Ian Bradys Vermächtnis war vorbei. Was auch immer das für eine Substanz war, die Alli in seinem Auftrag versprühen sollte, sie blieb in der Ampulle. Der Sprecher beendete seine Begrüßungsrede, und Reverend Dr. Fred Grimes begann mit seiner inbrünstig vorgetragenen Predigt.

»Lasset uns beten. Gepriesen seiest Du, o Herr, unser Gott, denn Dein ist die Kraft und die Herrlichkeit, die Schönheit und Größe dieser Welt, denn alles im Himmel wie auf Erden ist Deine Schöpfung. Dein ist das Reich, Du stehst über uns und über allen Wesen und allem Sein in dieser Welt.«

Jack bemerkte, dass sich hinter ihm etwas bewegte. Er

drehte sich um und sah, wie Hugh Garner und zwei seiner Getreuen die Treppe zum Podium hinaufstiegen und direkt auf ihn zukamen. Ganz offensichtlich war Bradys Leiche gefunden worden. Sehr wahrscheinlich hatte der Manager des Hotels sich seinen Namen gemerkt, den er auf dem Ausweis gelesen hatte.

»Du bescherst uns Reichtum und Ehre, Du bist der Herrscher über alles. In Deinen Händen liegen die Kraft und die Macht, die wir ehren und die uns den Mut gibt, unser Leben zu meistern.«

Jack näherte sich im Zickzack der Menge, die vorn auf dem Podium stand, und schaute sich suchend nach Nina um. Sie sollte ihn eigentlich unterstützen, hätte seine Rolle übernehmen sollen, wenn ihm etwas dazwischenkam. Sie hätte unbedingt neben Alli stehen müssen. Ein Teil des Rubik-Würfels war noch nicht an seinem Platz.

»Wie Präsident Lincoln einmal sagte: ›Wir sind so groß und mächtig geworden, wie keine andere Nation es jemals vermochte. Aber wir haben Gott vergessen. Es obliegt uns nun, uns demütig zu zeigen vor der Macht, die wir ignoriert haben, wir müssen unsere Sünden bekennen und um Gnade und Vergebung bitten.‹«

Endlich entdeckte er Nina und ging auf sie zu. Sie stand auf der anderen Seite neben Edward Carson. Jack riskierte einen Blick hinter sich. Garner hatte seine beiden Männer angewiesen, seitlich auf ihn zuzugehen, während er direkt hinter ihm herlief.

»O Herr, wir sind an diesem historischen Tag zusammengekommen, um einen neuen Präsidenten und einen neuen Vizepräsidenten zu ernennen, schenke uns die Weisheit, dass wir nicht vergessen, dass alle Macht und alles Wissen und alles Heil nur von unserer Hände Arbeit kommen.«

Was Brady im Moment besser gewusst hätte als alle anderen, war, dass Jack jetzt eine Irritation gebrauchen konnte, eine Abweichung im Ablauf. Er musste Ninas Aufmerksamkeit erregen, aber ihr Blick war fest auf Edward Carson gerichtet. Hinter sich hörte er die Geräusche, die entstanden, als Garner versuchte, sich seinen Weg durch die Ehrengäste zu bahnen, die dicht nebeneinander auf dem Podium standen. Der letzte Teil des Rubik-Würfels war dieser: Warum war es so leicht gewesen, Alli von ihrer Tat abzuhalten? Niemand, der ein Vermächtnis hinterlassen wollte, an das sich die Menschheit noch lange erinnern sollte – und schon gar nicht Ian Brady –, würde seinen großen Plan in die Hände einer hypnotisierten Zwanzigjährigen legen.

Dann hörte er wieder Emmas Stimme, so, als würde sie direkt neben ihm stehen. *Er sagte, seine Myra Hindley hätte er schon gefunden.* Das war noch vor der Entführung von Alli Carson gewesen. Wenn er also nicht Emma als seine Myra Hindley auserkoren hatte, und auch nicht Alli, wer war dann seine Komplizin, der er so sehr vertraute, dass sie sein Vermächtnis sogar nach seinem Tod noch vollenden sollte?

»Lieber Gott wir beten für unseren zukünftigen Präsidenten Edward Harrison Carson und den zukünftigen Vize-Präsidenten Richard Thomas Baer, denen Du die Führung unserer Nation in diesem historischen Moment anvertraut hast. Wir beten dafür, dass Du ihnen die Kraft geben mögest, diese Nation zu einen, damit wir die nutzlosen politischen Kämpfe überwinden lernen und uns wieder einer wahrhaft großen Vision für die Zukunft unseres Landes zuwenden können.«

Jack spürte Garners Hand auf seiner Schulter, der versuchte, ihn zu sich umzudrehen. Gleichzeitig bemerkte er, wie Nina sich zu Edward Carson beugte. Aber sie wollte nichts sagen, sie hatte die Lippen zusammengepresst, die Zähne so fest aufeinandergebissen, dass ihre Wangenknochen hervortraten. Nun fasste sie in die Tasche ihres Mantels, und in diesem Moment war Jack alles klar. Der letzte Teil des Würfels landete an seinem Platz. Der echte Ian Brady hatte für seine Taten eine Frau benutzt, die zwar jünger als er gewesen war, aber nicht so jung wie seine Opfer, nicht so jung, um unzuverlässig zu sein. Eine Frau wie Nina Miller.

Jack zog seine Pistole und schoss Nina mitten ins Herz. Er sah, wie sie vor Schreck den Mund aufriss, sah, wie ihr Körper herumgerissen wurde; dann wurde er von Garner zu Boden geworfen und prallte auf die Planken des Podiums. Jemand trat ihm die Pistole aus der Hand, und Garner verpasste ihm einen heftigen Schlag gegen den Hinterkopf.

»Hilf ihnen, die Volksgruppen unseres Landes wieder miteinander auszusöhnen und die Wunden zu heilen, die die politischen Auseinandersetzungen geschlagen haben, damit wir wieder wirklich und wahrhaftig als eine Nation unter Gott zusammenfinden«, intonierte Reverend Dr. Fred Grimes, bevor das Geschrei einsetzte und Chaos über sie hereinbrach.

NEUNUNDVIERZIG

»Manchmal muss man zusätzlich zu aller Handfertigkeit auch noch das Glück bemühen«, sagte Dennis Paull. »Heute haben Sie beides gleichzeitig anwenden müssen.«

Jack saß in einer der kleinen Bürozellen im Ministerium für Heimatschutz. Ihm gegenüber hatten Dennis Paull und Edward Carson, der neue Präsident der Vereinigten Staaten, Platz genommen. Seit dem Zwischenfall bei der Amtseinführung waren acht Stunden vergangen. Während dieser Zeit hatte Jack unter Arrest gestanden und mit niemandem sprechen dürfen, genau wie Brady es vorhergesagt hatte.

»Es war eine Heldentat, die Sie da vollbracht haben«, sagte Carson. »Sie haben nicht nur mein Leben gerettet, sondern auch das Hunderter Menschen, die alle sehr wichtig für unser Land sind. Nina Miller wollte eine Ampulle mit Anthrax-Bazillen öffnen.«

Jack wiegte seinen Kopf hin und her, was ihm schwerfiel. Sein ganzer Körper schmerzte noch immer, nachdem er von Garner und seinen Männern zusammengeschlagen worden war. »Und was war in der Ampulle von Alli?«

»Glücklicherweise nur Puderzucker«, sagte Paull. »Gott sei Dank.«

Jack glaubte nicht, dass Gott irgendetwas damit zu tun hatte, aber dies war weder der rechte Ort noch der rechte Zeitpunkt, darauf hinzuweisen. »Wie geht es ihr?«

»Angesichts der Geschehnisse wurde sie diesmal wesentlich gründlicher untersucht«, sagte der Präsident.

Paull schlug ein dünnes Dossier auf. »Die Ärzte fanden eine winzig kleine Stichwunde hinter ihrem Ohr.«

»Also hat Brady sie unter Drogen gesetzt.«

Paull nickte. »Im Labor wurden Thiopental und Curare nachgewiesen. Außerdem bekam sie eine weitere, komplexere Substanz verabreicht, die noch nicht analysiert ist, aber unsere Fachleute vermuten, dass es sich um ein Mittel handelt, das bewirkt, dass die anderen Substanzen ungewöhnlich schnell im Körper abgebaut werden.«

»Jack«, sagte Carson. »Wissen Sie, wie es ihm gelungen ist, Nina Miller auf seine Seite zu ziehen?«

»Nein, aber mir fällt schon einiges dazu ein. Nina wurde in ihrer Kindheit schwer traumatisiert. Ihr Bruder hat sie missbraucht.«

»Das wissen wir«, warf Paull ein. »Es steht in ihren Akten. Aber ihr psychologisches Profil war völlig normal.«

»Solche Profile können, genauso wie das medizinische Untersuchungsergebnis bei Alli, fehlerhaft sein«, sagte Jack. »Das Gleiche gilt für Psychotests. Nina konnte nicht ertragen, dass ihr Bruder ein erfolgreicher, verheirateter Mann war.«

»Einen Moment!« Paull hob die Hand. »Ninas Bruder wurde vor zwölf Jahren in einem Drive-in-Restaurant in Richmond, Virginia, umgebracht. Kopfschuss.«

»Warum hat sie mir denn dann diese Lüge aufgetischt?« Jacks Gehirn begann wieder fieberhaft zu arbeiten. »Hat die Polizei je herausgefunden, wer der Mörder war?«

Paull schüttelte den Kopf. »Außer der Kugel gab es keine Spuren – und auch kein Motiv. Die Ermittlungen wurden abgebrochen, weil man davon ausging, dass es eine Verwechslung war.«

»Und wenn nicht?«, fragte Jack. »Was, wenn Nina und Brady sich vor zwölf Jahren kennengelernt haben? Was, wenn er ihr einen Plan vorschlug: Er bringt ihren Bruder um, und im Gegenzug wird sie seine Komplizin?«

Paull begann zu schwitzen, als ihm klar wurde, welche furchtbaren Fehler er dienstlich und auch privat begangen hatte.

»Brady war ein genialer Stratege – wie ein Schachspieler plante er mehrere Züge im Voraus«, fuhr Jack fort. »Am Abend, als er durch das Fenster flog, erzählte er mir, er hätte seine Eltern umgebracht. In diesem Moment dachte ich nur, er wolle mich provozieren, aber jetzt sehe ich, nach welchem Muster er gehandelt hat. Er war der Überzeugung, dass es gerechtfertigt sei, die eigenen Eltern zu töten, aus welchem Grund auch immer. Als er Ninas Personalakte studierte, fand er den Ansatzpunkt, den er suchte. Ich vermute, er hat sie gezielt ausgesucht. Nina war der Ansicht, dass Einsamkeit ein Privileg ist. Sie sagte, die Einsamkeit würde ihr helfen, sich lebendig zu fühlen, weil sie dann ganz bei sich sei. Solche Menschen sind gespaltene Persönlichkeiten. Sie kommen durch die ausgefeiltesten Psychotests, ohne sich zu verraten, weil sie in diesem Augenblick wirklich an das glauben, was sie sagen.«

Paull zuckte zusammen. Er sah noch einmal Ninas schlanken, schweißbedeckten Körper neben sich, spürte, wie sie sich an ihn schmiegte, ihren Atem an seinem Ohr, hörte ihr Stöhnen. Er war wie benommen.

Jack veränderte seine Sitzposition, um die Schmerzen,

die er spürte, zu verringern. »Während meiner Ermittlungen traf ich eine junge Frau. Sie war intelligent und selbstbewusst – in vielerlei Hinsicht eine jüngere Ausgabe von Nina. Brady hat sich ihr genähert. Sie war eine Nihilistin, genau wie er. Ganz bestimmt hat er Ninas dunklen Punkt herausgefunden und sie für sich eingenommen. Er war ein Meister der Beeinflussung.«

Vor seinem geistigen Auge sah Paull sich selbst in einen Buchladen gehen, wo er *Sommerregen*, das Lieblingsbuch von Nina, bestellte. Der Buchhändler bestand darauf, dass er es erst anschauen sollte, bevor er es kaufte. Der Roman erzählte die Geschichte einer Einwandererfamilie, die entwurzelt und ohne Bildung von einer desinteressierten Gesellschaft an den Rand gedrängt wird. Damals hatte er sich nichts dabei gedacht, aber im Licht der späteren Ereignisse, musste er Jack zustimmen. Ninas Lieblingsbuch war ein Spiegel ihrer düsteren inneren Verfassung. Warum nur hatte er das nicht bemerkt? Er hatte die Augen davor verschlossen, weil ihre Bindungslosigkeit, ihre Entwurzelung, ihr Mangel an Leidenschaft und Hingabe und ihre Ablehnung der Familie sie zu einer idealen Geliebten machten.

»Großer Gott.« Edward Carson fuhr sich mit der Hand durchs Haar. »Diese ganze Geschichte ist einfach nur grauenhaft.« Er wandte sein bildschirmerprobtes Gesicht Paull zu. »Meine Regierung wird solche psychopathischen Agenten nicht tolerieren, Dennis. Sie und Ihre Mitarbeiter müssen ganz neue Maßstäbe bei der Auswahl geeigneter Kandidaten anlegen.« Er stand auf. »Entschuldigen Sie mich bitte, ich werde nun dem nationalen Sicherheitsberater die gleiche Richtlinie mitteilen.«

Er beugte sich über den Tisch und schüttelte Jack die Hand. »Ich danke Ihnen aus tiefstem Herzen, Jack.«

Nachdem er gegangen war, saßen Jack und Paull einander gegenüber und schwiegen. Beide fühlten sich unwohl.

Jack lehnte sich nach vorn. »Ich sage das nur ein einziges Mal, damit Sie es wissen: Obwohl er versucht hat, mich dazu zu bringen, habe ich ihn nicht umgebracht. Er hat sich selbst getötet.«

»Ich glaube Ihnen«, sagte Paull gequält. »Aber was ist denn bloß schiefgelaufen?«

Jack fuhr sich mit der Hand über den Hinterkopf. »Brady – oder wie auch immer er hieß – war für Sie nicht mehr zu gebrauchen. Er wollte nur noch eins, ein großartiges Zeichen setzen, als sein Vermächtnis sozusagen. Es sollte eine ungeheuerliche, erschreckende Tat werden, ein gigantisches Verbrechen. Sie werden mir sicher zustimmen, wenn ich sage, dass ein Land, dessen gesamte Führung ausgemerzt wird, und zwar genau zu dem Zeitpunkt eines Machtwechsels, extrem verwundbar ist. Es wäre eine Katastrophe geworden.«

»Wollen Sie damit sagen, dass er damit eine politische Botschaft verbreiten wollte?«

»Das bezweifle ich. Brady war schon längst jenseits solcher Erwägungen angelangt. Er verachtete die Menschheit, er verabscheute zutiefst, was die sogenannte Zivilisation der Welt angetan hat. Seiner Ansicht nach sind wir auf dem Weg in eine Sackgasse.«

»Ich möchte Ihnen auch ganz persönlich danken«, sagte Paull und schaute Jack eine ganze Weile an. Dann räusperte er sich. »Übrigens dürfte es Sie interessieren, dass wir keine Hinweise auf eine Organisation namens

A-Zwei gefunden haben. Ehrlich gesagt, glaube ich nicht, dass sie jemals existiert hat. Die vorherige Regierung hat einen Popanz aufgebaut, indem sie die Arbeit der Neuen Amerikanischen Säkularisten dämonisiert hat. Es könnte gut sein, dass der ehemalige Sicherheitsberater sich die Sache mit A-Zwei selbst ausgedacht hat.«

»Oder Brady kam auf diese Idee«, sagte Jack. »Er war ein Meister darin, falsche Spuren zu legen, und die radikalen Abtrünnigen bei den Säkularisten wollten ja irgendwo hin.«

»Eine aus kalter Berechnung eingerichtete revolutionäre Zelle? Könnte sein.« Paull zuckte mit den Schultern. »Wie auch immer, ich habe jedenfalls angeordnet, dass die Mitglieder der Neuen Amerikanischen Säkularisten freigelassen werden. Nebenbei bemerkt habe ich auch dafür gesorgt, dass sie während ihrer Haft anständig behandelt und nicht verhört oder ihnen in irgendeiner Art Schaden zugefügt wurde.«

»Ich weiß, dass Sie alles getan haben, was in Ihrer Macht stand.«

Paull stand auf und ging zur Tür.

»Wie heißt er denn nun wirklich?«, fragte Jack. »Wie lautet sein richtiger Name?«

Paull zögerte ganz kurz. »Morgan Herr«, sagte er. »Ehrlich gesagt, weiß ich so gut wie gar nichts über ihn. Ich würde gern mehr herausfinden, aber dafür brauche ich Ihre Hilfe und Ihren Sachverstand. Wenn Sie Interesse haben, dann kommen Sie doch mal vorbei.«

1. FEBRUAR

Jack schaute in das milchige Licht der beginnenden Dämmerung. Er stand am Fenster seines Wohnzimmers und blickte hinaus zu seiner Auffahrt. Das herumliegende Laub war verschwunden, alles wirkte kahl. Über Nacht war eine Kaltfront aus dem Mittelwesten über die Stadt gezogen und hatte dem Tauwetter ein Ende bereitet. Die Menschen in Washington, D. C., waren eigentlich milde Winter gewohnt und hatten den ganzen Tag unter der eisigen Kälte gezittert.

Am Morgen war er in seinem weißen Lincoln Continental über die Kansas Avenue gefahren, hatte vor dem Black Abyssinian Cultural Center angehalten und war über den vereisten Gehsteig eilig hineingegangen. Drinnen ließ er sich die monatliche Miete auszahlen und zog einen bestimmten Betrag ab, weil Chris Armitage und Peter Link einen Teil des Gebäudes für eine gewisse Zeit genutzt hatten. Die Leiter des Kulturzentrums wollten die komplette Miete bezahlen, aber Jack lehnte ab. Er trank eine Tasse heißer afrikanischer Schokolade mit ihnen, bedankte sich und ging.

Windböen bliesen Müll und alte Zeitungen durch die Straßen, als er zum Zentrum der Neuen Amerikanischen Säkularisten ging. Im Innern des Gebäudes sah alles ganz normal aus, abgesehen vom Schreibtisch von Calla Myers, der von schwarzem Trauerflor umrahmt war. Auf dem Tisch waren Kerzen angezündet worden, und man hatte ein Bild aufgestellt, auf dem die Verstorbene zusammen mit ihren Kollegen zu sehen war. Sie lächelten in die Kamera, Calla winkte fröhlich.

Peter Link war zu einem Termin unterwegs. Jack unterhielt sich einige Minuten lang mit Chris Armitage. In ihm hatte er einen neuen Freund gefunden.

Jack verließ das Fenster mit seiner kahlen Aussicht, um eine Schallplatte der Rolling Stones aufzulegen. »Gimme Shelter« ertönte und verging wieder. »War Children« von Mick und Merry Clayton wurde angestimmt, und er sang mit: »War children, it's just a shot away.«

Er ging wieder zum Fenster zurück und wartete. Heute Abend war er mit Sharon verabredet. Er hatte keine Ahnung, wie es werden würde, aber immerhin hatte sie endlich einmal zugestimmt, in das Haus von Gus zu kommen, in dem Jack seine Jugend verbracht hatte. Wenn sie sich dann nicht völlig zerstritten, standen die Chancen nicht schlecht, dass sie am nächsten Samstag den Nachmittag mit Alli verbringen würden. Es war Allis Idee gewesen. Vielleicht wollte sie sich ja als Eheanbahnerin betätigen – oder einfach nur als Streitschlichterin.

Er dachte über Alli nach und was sie in ihm ausgelöst hatte. Manchmal stand er sich selbst und der Welt völlig ratlos gegenüber. Schlimmer noch. Weil er nicht akzeptieren konnte, dass er sich selbst kaum kannte, weigerte er sich, auf andere Menschen zuzugehen. Ohne jemanden, der einem einen Spiegel vorhält, hat man keine Möglichkeit, sich selbst zu erkennen. Er hatte Sharon und Emma auf Distanz gehalten – ausgerechnet jene beiden Menschen, die zuallererst dazu geeignet waren, ihm als Spiegel seiner Persönlichkeit zu dienen. Er hatte sich der Illusion hingegeben, sein Job sei wichtiger als alles andere und die Rettung irgendwelcher fremder Menschen habe einen höheren Stellenwert als der offenherzige Umgang mit den Personen, die ihm nahestanden.

Er erinnerte sich an seine erste Lektüre von Hermann Hesses *Steppenwolf*. Das Buch hatte ihm nicht besonders gefallen, weil er noch zu jung dafür gewesen war. Aber mit der Erfahrung kommt auch die Weisheit. Eine Zeile aus dem Roman kam ihm in den Sinn. Es gibt einen Moment in der Geschichte, wo der Steppenwolf ganz plötzlich eine Offenbarung hat. Er realisiert, dass er, um sich selbst wirklich verstehen zu können und damit auch die Welt, die »Hölle in seinem Innern« nicht nur einmal, sondern immer wieder betreten muss. Das war das Schwierigste, was ein Mensch versuchen konnte. Schon der Versuch war ein Wagnis. Es erfolgreich zu absolvieren, nun ja …

Er hörte ein leises Knirschen auf dem Kies, und dann bog Sharons Wagen in die Einfahrt. Sie parkte auf der rechten Seite und stieg aus. Sie trug einen schwarzen Wollmantel, schwarze Stiefel und einen roten Schal. Wie gern hätte er jetzt einen Blick auf ihre langen Beine geworfen. Er beugte sich nach vorn und berührte mit der Nase das Fensterglas, das von seinem Atem sofort beschlug.

Sie stand zögernd da, weil sie nicht wusste, in welche Richtung sie gehen sollte. Jack hielt den Atem an und fragte sich, ob sie womöglich überlegte, in den Wagen zu steigen und wieder wegzufahren. Das wäre typisch für sie gewesen – oder jedenfalls typisch für die Sharon, die er bisher gekannt hatte.

Das kühle Licht der untergehenden Sonne schien durch die Zweige und warf ein Schattenmuster auf ihr Gesicht. Ihr Haar strahlte golden, und ihre Augen glänzten hell. Sie sah jung aus, ungefähr so wie damals, als sie sich kennengelernt hatten. Von seinem Standpunkt aus waren die Spuren von Trauer und Verzweiflung nicht zu sehen, als wären sie ganz verschwunden.

Jack sah, wie sie das Haus musterte und seine Dimensionen abschätzte. Sie trat einen Schritt nach vorn, dann noch einen, dann etwas schneller, und es wirkte, als hätte sie jetzt einen Entschluss gefasst. Ihr Gesichtsausdruck war jetzt der einer Frau, die sich entschieden hat und weiß, was sie will.

Sharon stieg die Stufen zum Eingang hinauf. Er verließ das Fenster mit dem Eindruck, dass die Aussicht alles andere als schlecht war.

Er spürte Emma überall um sich herum, es war wie der Glanz der Sterne in einer mondlosen Nacht.

Es gibt viele Wege, einen Fehler wiedergut zumachen, dachte er, *dies hier ist meiner.*

Er hörte ein Klopfen an der Tür und öffnete.

DANKSAGUNG

Seit ich angefangen habe zu schreiben, wurde ich von einer Vielzahl von Autoren beeinflusst. Aber kein Buch war mir so wichtig wie *The Outsider* von Colin Wilson, eine brillante Untersuchung über die Bedeutung des Außenseitertums unter den Dichtern und Denkern der westlichen Gesellschaften.

Ich war selbst ein Außenseiter und verstand meine Position erst nach der Lektüre dieses bahnbrechenden Werkes.

Aus diesem Grund, und vor allem weil seine Arbeiten mich beim Entwerfen bestimmter Charaktere im vorliegenden Roman inspiriert haben, möchte ich Colin Wilson meinen herzlichsten Dank sagen.

Nelson DeMille

»Ein wahrer Meistererzähler.«
Dan Brown

978-3-453-43607-7

978-3-453-43501-8